ŒUVRES DE JEAN COCTEAU

Poésie

POÉSIE, 1916-1923 (Le Cap de Bonne-Espérance. — Ode à Picasso. — Poésies. — Vocabulaire. — Plain-Chant. — Discours du grand sommeil.) *(Gallimard.)*

ESCALES, avec André Lhote *(La Sirène)*.

LA ROSE DE FRANÇOIS *(F. Bernouard)*.

CRI ÉCRIT *(Montane)*

PRIÈRE MUTILÉE *(Cahiers libres)*.

L'ANGE HEURTEBISE *(Stock)*.

OPÉRA, ŒUVRES POÉTIQUES, 1925-1927 *(Stock)*.

MORCEAUX CHOISIS, POÈMES, 1926-1932 *(Gallimard)*.

MYTHOLOGIE, avec Giorgio De Chirico *(Quatre Chemins)*.

ÉNIGME *(Édit. des Réverbères)*.

POÈMES ÉCRITS EN ALLEMAND *(Krimpeer)*.

POÈMES (Léone. — Allégories. — La Crucifixion. — Neiges. — Un ami dort.) *(Gallimard.)*

LA NAPPE DU CATALAN, avec Georges Hugnet *(Féquet et Baudier)*.

LE CHIFFRE SEPT *(Seghers)*.

DENTELLE D'ÉTERNITÉ *(Seghers)*.

APPOGIATURES *(Édit. du Rocher)*.

CLAIR-OBSCUR *(Édit. du Rocher)*.

POÈMES, 1916-1955 *(Gallimard)*.

PARAPROSODIES *(Édit. du Rocher)*.

CÉRÉMONIAL ESPAGNOL DU PHÉNIX, suivi de LA PARTIE D'ÉCHECS *(Gallimard)*.

LE REQUIEM *(Gallimard)*.

LE CAP DE BONNE-ESPÉRANCE, suivi du DISCOURS DU GRAND SOMMEIL *(Gallimard)*.

FAIRE-PART *(Librairie Saint-Germain-des-Prés)*.

VOCABULAIRE, PLAIN-CHANT et autres poèmes, 1922-1946 *(Gallimard)*.

Poésie de roman

LE POTOMAK *(Stock)*.

LE GRAND ÉCART *(Stock)*.

Suite de la bibliographie en fin de volume.

ŒUVRES DE JEAN COCTEAU

LE PASSÉ DÉFINI

JEAN COCTEAU

de l'Académie française

LE PASSÉ DÉFINI

II
1953

journal

Texte établi et annoté
par Pierre Chanel

GALLIMARD

REMERCIEMENTS

L'auteur des notes exprime toute sa reconnaissance à M. Louis Évrard pour l'aide constante qu'il lui a apportée. Il remercie vivement Mmes Jeanne Gambert de Loche, Francine Weisweiller, Madeleine Wiemer, MM. Marcel Adéma, André Bernard, René Bertrand, Maurice Bessy, Mario Brun, Alberto Calasso, Édouard Dermit, André Fraigneau, Pierre Gaudibert, conservateur du musée de Grenoble, Jean Godebski, James Lord, Jean Marais, Claude Michaud, Bernard de Montgolfier, conservateur en chef du musée Carnavalet, Pierre Pasquini et Lucien Scheler, pour les renseignements qu'ils ont bien voulu lui communiquer.

1ᵉʳ janvier 1953.

À Milly. Francine, Doudou et moi. Quel calme, après une tempête de neige sur la route. Je trouve à la maison le miroir de l'impératrice de Russie exécuté en bronze par Gustave Doré[1]. Je l'avais vu dans le film de Voinquel[2]. Francine l'a pisté, découvert chez une vieille parente sourde de G. Doré au moment où elle allait le vendre au musée de Philadelphie. Il pèse quatre-vingts kilos. Des Amours soulèvent des draperies autour d'un miroir ovale. Objet d'une magnifique horreur.

J'ai décidé de ne plus me laisser envahir par l'accablant désordre de mes affaires. C'est sans doute mon rythme et je ne peux rien contre, sauf de travailler et de minimiser le désastre par l'entremise de Peyraud.

1. Ce miroir en bronze doré a été reproduit pour la première fois dans *Le Monde illustré* du 11 mars 1882, p. 156 (gravure en pleine page de Paul Jonnard, l'un des graveurs habituels des illustrations de Gustave Doré). Le journal précise : « Il a charmé la souveraine de la Russie qui vient d'en faire l'acquisition. » Maria Feodorovna, épouse du tsar Alexandre III, n'avait pas acquis une pièce unique : on connaît, provenant de la famille de l'artiste, outre l'exemplaire de Jean Cocteau (coll. Édouard Dermit), celui du musée de l'Ain à Bourg-en-Bresse, acheté en 1972. Voir une photographie en couleurs de ce miroir, reflétant Jean Cocteau, dans *Mémorial de notre temps*, tome V, Paris, *Paris-Match*/Éditions Pierre Charron, 1972, p. 595.
   Depuis 1942, Jean Cocteau possédait une autre sculpture de Gustave Doré, *Persée et Andromède*, cadeau de Charles et Marie-Laure de Noailles (coll. Édouard Dermit). Voir Pierre Chanel, *Album Cocteau*, Paris, Tchou, 1970, p. 213.
2. Raymond Voinquel, né à Fraize (Vosges) en 1912, photographe des films *La Voix humaine* (Cocteau-Roberto Rossellini, 1947), *Ruy Blas* (Cocteau-Pierre Billon, 1947), *L'Aigle à deux têtes* (Cocteau, 1947), avait réalisé, en 1952, en collaboration avec Alexandre Arnoux, une suite de films de court métrage sur l'œuvre de Gustave Doré, pour lesquels Jean Cocteau avait écrit une préface, reproduite dans *Cahiers Jean Cocteau*, 8, Paris, Gallimard, 1979, pp. 233-234.

Relu *La Belle au bois dormant*. Sauf le départ, rien ne peut me servir dans le film.

Expédié le dessin et le texte pour l'anniversaire de la revue *Adam* à Londres.

> *Que serait un Adam sans Ève ?*
> *(Éden et solitude aidant)*
> *Ève serait d'Adam le rêve*
> *Peut-être un poème d'Adam.*

Avant mon départ j'ai enregistré en français à la B.B.C. J'avais emmené avec moi Palmer White pour refaire une traduction et peut-être la lire à ma place.

Quelque chose de terrible est revenu sur des pieds de velours.

Les Anglais me parlent de la chance de Proust qui a *trouvé* sa traductrice. Sans elle Proust serait inconnu des Anglo-Saxons. (On cite Proust et Thomas Mann, comme ayant eu la chance de traduction.) Raymond Mortimer m'écrit : « Toutes les traductions d'ici sont abominables. Faites-moi montrer les vôtres. Je vous dirai laquelle est *la moins bête*. »

Edith Sitwell a écrit à Peyraud pour lui recommander un agent à New York.

Van Lœwen, c'est comme Ci-Mu-Ra. Petite bourse. On rate les millions et la gloire pour gagner cent mille francs. Cette couche d'agences n'a jamais contact avec le vrai, avec Korda ou les Laurence Olivier, par exemple.

Sans doute par la faute de ces agences et de traductions ridicules passons-nous toute notre vie à côté de ce qui pourrait être.

3 janvier 1953.
Je viens de lire l'article de Sartre sur le congrès de la paix à Vienne (dans *Les Lettres françaises*). Cet article m'a profondément ému. La voix de Sartre est toujours plus directe, plus claire que celle des autres. On se demande si on a le droit de rester à l'écart, si les mensonges ignobles de la presse ne doivent pas nous obliger à

vaincre notre dégoût des manifestations publiques, à nous mêler à ce que la presse maquille, puisque si elle le maquille c'est qu'elle y voit une « vérité ».

La France, si riche et qui joue les pauvres — qui se ruine par avarice, qui compte ses sous au lieu de créer de vastes mouvements d'argent — qui trouve des sommes fabuleuses pour entreprendre des barrages sur le Rhône alors qu'un avenir proche les démolira et les rendra inutiles. Le rôle de la France était, non pas de continuer son style de petite épargne, mais de dépenser son argent de poche à tour de bras, de le jeter par les fenêtres, de faire circuler par n'importe quel moyen, même absurde, son sang qui se fige. Nos politiciens me font penser à ces grands directeurs d'entreprises cinématographiques, lesquels ont oublié que le film en était la base et qui ne songent qu'à leur poche. (Jetons de présence et combines avec les banques.) Tenir en place le plus longtemps possible, s'engraisser et serrer la ceinture des autres, voilà le programme des petites gens qui nous gouvernent.

5 janvier 1953.
> *Il faut lutter contre les hommes,*
> *Il faut lutter contre les dieux,*

ainsi chante Hélène, dans *La Belle Hélène*, et ce n'est pas mal dit.

Je rentre ce matin à Paris avec Francine. Doudou est au mariage de sa sœur, dans l'Est. Neige. (Pas dans l'Est.) Crise de dépression morale assez forte. Je déjeune à Paris avec Lopez, le type américain envoyé par la firme. Ils veulent tout ce que je veux — mais ce n'est pas vrai. Ils veulent ce qu'ils imaginent que je veux. Ce qu'ils veulent, revoulu par moi. La seule méthode est de refuser la moindre avance d'argent. Livrer la marchandise. Ils l'acceptent ou ils la refusent.

Je pense beaucoup à l'article de Sartre. Bien entendu il a raison de dire que nous n'avons pas à nous mêler de la politique intérieure des autres. Mais, hélas, il n'y a plus de politique intérieure. Tout le monde s'embrasse au congrès de Vienne. Mais si la « politique intérieure » de Staline ou d'Eisenhower en décide autrement voilà toute cette concorde détruite. Il n'en reste pas moins vrai que l'objecteur de conscience était seul et qu'il forme une masse. Il est possible que cette masse influence ceux qui méditent les grandes catastrophes artificielles.

10 janvier 1953.

Le petit duc de Kent et ses sœurs. On les mène voir un illusionniste célèbre dans un music-hall de Londres. La séance se termine par un spectacle de femmes nues. La gouvernante ne sait où se mettre. À la sortie elle se hasarde à demander : « Comment Votre Grandeur a-t-elle trouvé le spectacle ? — Je suis inquiet. — Pourquoi ? — Maman m'avait dit que si je regardais des femmes nues je me changerais en pierre — et ça commence. »

———

JEAN COCTEAU À GASTON GALLIMARD

36, rue de Montpensier
Rich 55-72

10 janvier 1953

Mon cher Gaston,

Je quitterai Paris à la fin du mois. Sans nous être vus ce serait triste... Le 15 nous ne nous verrions que 5 minutes et je suis trop sauvage pour rencontrer beaucoup de monde.

Trouverez-vous un soir libre la semaine prochaine ?

Je vous embrasse

Jean

———

[*11 janvier 1953.*]

Aujourd'hui dimanche doivent venir me rendre visite les Américains et Lourau [1] pour le film en technicolor. Rien n'est plus simple que de s'entendre avec ces grosses têtes de la finance. Ils devinent, comme des diamantaires, le prix et la valeur véritable des idées. Comme l'argent ni la gloire ne m'attirent mais le seul besoin de créer une œuvre, ils se sentent en contact avec des forces dont ils n'ont pas l'habitude dans le monde du cinématographe, mais qui

———

1. Georges Lourau (1898-1974), l'un des plus importants producteurs du cinéma français.

s'apparentent aux leurs. « Vous voulez un ballet dans votre film ? Je ne le ferai pas. C'est une mode et je ne table pas sur les modes. Vous exigez que je fasse un film de *moi*. N'exigez pas que je vous obéisse et que j'en arrive à faire un film de *vous*. Vous dites que je ne me trompe jamais. Et vous voulez me convaincre que vos fautes sont excellentes. Si je n'ai pas les mains libres, je refuse. Les millions ne peuvent me convaincre. »

Corrigé les dernières épreuves d'*Appogiatures*[1]. Le livre passe de chez Losfeld chez Orengo. Une dédicace[2] à Parisot[3] arrangera les choses. (Le livre était le premier d'une collection. Orengo craint de se lier à une suite.)

Vendredi dernier. Prix Apollinaire[4] chez Lipp. Cela se passait d'habitude dans le plus grand silence. Cette année, je me demande pourquoi, foule de photographes et de journalistes.

L'Amérique ne peut plus que se ruiner. C'est le Brésil qui commerce. (Et le Canada.)

La rue de Montpensier devient de plus en plus un bureau de bienfaisance. La bonté de Madeleine[5] y est pour quelque chose. Il suffit qu'on flatte ses chats. Deux attitudes détestables : ceux à qui on rend service et qui ne reparaissent pas. Ceux à qui on rend service et qui s'implantent. Larrivet qui s'est fait démolir par des gangsters. Je l'ai envoyé recoudre chez Claoué. Je lui ai fait faire sa plainte au Parquet. Je l'ai recommandé au Plancher des vaches

1. Ce recueil de poèmes en prose de Jean Cocteau, illustré d'un portrait de l'auteur par Modigliani et d'un dessin de Hans Bellmer, paraîtra à Monaco, aux Éditions du Rocher ; achevé d'imprimer : 31 octobre 1953.
2. Voir l'annexe I.
3. Henri Parisot, né et mort à Paris (1908-1979), traducteur (Lewis Carroll, Franz Kafka, etc.), directeur de collections (« Un divertissement », « L'Âge d'or », etc.) et de revues (*Les Quatre Vents, K, revue de la poésie*) dans la mouvance surréaliste. La bibliographie de ses travaux a paru à la suite de sa traduction de *La Belle Dame sans mercy* de John Keats, s.l., Union typographique, 1975 (hors commerce).
Avec le concours d'Henri Parisot, Jean Cocteau a publié son anthologie de la collection « Poètes d'aujourd'hui », introduction par Roger Lannes, Paris, Seghers, 1945 ; *Poésie critique*, Paris, Aux Quatre Vents, 1946 ; *Œuvres complètes*, onze tomes, Genève, Marguerat, 1946-1951 ; *Le Sang d'un poète*, Paris, Robert Marin, 1948 (quatre ou cinq exemplaires tirés, en 1947, sous couverture noire à caractères rouges des Éditions des Quatre Vents) ; *Appogiatures, op. cit.*
4. Ce prix fut décerné à Armand Lanoux (1913-1983) pour son recueil de poèmes *Colporteur*, Paris, Seghers, 1953.
5. Voir tome I, p. 71, n. 1.

pour qu'il tâche de vendre sa petite boîte de l'île Saint-Louis. Il ne quitte plus la cuisine.

Lettre de l'*Oldenburgisches Stadtstheater*, où *Bacchus* marche aussi fort qu'à Düsseldorf. L'intendant m'écrit : « Nous avons battu les recettes de *Carmen*. Dans une ville qui possède une forte tradition d'opéra, cela signifie quelque chose. »

18 janvier 1953.

Il m'a été impossible de prendre une seule note à Paris. Elles se fussent envolées comme des feuilles mortes. Rien d'étrange à ce que le sérieux ne puisse vivre dans ce courant d'air et ce tumulte. Tout le monde a la grippe. On me téléphone du journal *Elle* : « *Avez-vous la grippe ? — Non. — Nous voudrions vous photographier et vous interviewer sur la grippe.* »

J'ai coutume de mettre de l'ordre, ce qui n'est pas facile au centre du désordre. Mais il semble que la machine tourne moins de travers. Ce qui me plaît c'est la photographie d'Einstein que me donnent Olivier et Jean-Pierre[1]. Il tire la langue, de face, avec une expression enfantine et diabolique. Il tire la langue au monde et à lui-même[2].

Lettre magnifique de James Lord[3] sur le *Journal d'un inconnu*. Il pense pouvoir le traduire et va faire des démarches pour trouver l'éditeur qui publierait ensemble *La Difficulté d'être* et le *Journal*[4].

Sartre, avec qui j'ai déjeuné avant-hier chez Véfour, accepte d'écrire une préface pour ma monographie.

Un jeune imbécile prétentieux de l'École normale de Mérignac m'écrit : « Lisez mon poème, il vous réconfortera davantage que

---

1. Le poète Olivier Larronde et son ami Jean-Pierre Lacloche. Voir tome I, p. 314, n. 1 et 2.
2. Voir cette photographie d'Einstein dans le reportage de la revue *Du* (Zurich, Conzett et Huber, n° 233, juillet 1960, p. 27) sur la maison de Jean Cocteau, dite « du bailli », rue du Lau à Milly-la-Forêt. Sur la décoration de cette maison du vivant du poète, voir aussi Jean Cocteau, *Das Haus des Dichters*, *La Maison du poète*, photographies de Franco Gianetti, Zurich, Arche, 1962.
3. Romancier et critique d'art américain, né à Englewood, New Jersey, en 1922.
4. L'essai de Jean Cocteau, *Journal d'un inconnu*, paraît à Paris, chez Grasset ; achevé d'imprimer : 16 janvier 1953. Il n'est pas sans parenté avec *La Difficulté d'être*, autre essai de Cocteau publié à Paris, chez Paul Morihien, en juillet 1947. Le projet de traduction par James Lord ne se réalisera pas.

votre charabia de *La Revue de Paris* (c'est le chapitre « Des distances »[1]). Je vous admire trop pour ne pas vous mettre en garde contre l'intellectualisme. Laissez-le à d'autres. Etc. » Le mur de la bêtise est l'œuvre des jeunes intellectuels.

Ma réponse : « Je vous mets en garde contre la connerie. »

J'ai vaincu les ondes néfastes (peut-être avec l'aide de Luzy). Je me moque de ce qu'on peut dire ou ne pas dire.

Grasset qui me téléphone : « Peux-tu écrire à Claudel qu'il vote pour moi à l'Académie. » Outre que je ne me donnerai pas ce ridicule, je ne vois pas comment une lettre de moi déciderait Claudel à voter pour Grasset[2].

Académie. Hugo note : « Balzac, une voix (la mienne). »

Écrit le texte que madame Cuttoli[3] me demande comme préface au manuscrit de Chaplin : « Mon travail pour *Limelight* ». Elle a commandé les soies pour ma tapisserie de la Biennale.

Toutes les caisses d'Allemagne ont été vidées en présence d'un expert[4]. J'ai fait un triage et je réexpédie l'ensemble à Nice.

Terminé la correction d'*Appogiatures*. Le livre passe de chez Losfeld chez Orengo (Le Rocher — Monaco). De même Orengo change les couvertures du *Sang d'un poète* de chez Marin[5] et les distribue avec *Opéra* (Arcanes)[6] et les livres rachetés chez Morihien (*La Difficulté d'être*[7], *Le Théâtre de Poche*[8], *Drôle de ménage*[9]). Ferai avec Orengo les œuvres complètes sur papier bible et la monographie.

1. Dans *Journal d'un inconnu*, *op. cit.*, pp. 167-190.
2. À l'Académie française, le 29 janvier 1953, le poète Fernand Gregh (1873-1960) sera élu au fauteuil du comte de Chambrun par vingt-cinq voix contre cinq à l'éditeur Bernard Grasset.
3. Marie Cuttoli, collectionneuse, amie de Picasso, faisait tisser des tapisseries d'après des peintures de maîtres contemporains.
4. Ces caisses contenaient les dessins et peintures de Jean Cocteau exposés en Allemagne en 1952. Voir tome I.
5. Scénario du film réalisé en 1930, photographies de Sacha Masour, *op. cit.*
6. Paris, 1952. Réédition du recueil de poèmes publié à Paris, chez Stock, en 1927. Voir tome I.
7. Voir *supra* p. 16, n. 4.
8. Avec quatorze dessins, Paris, Paul Morihien, 1949.
9. Texte et dessins pour enfants, Paris, Paul Morihien, 1948.

18   *Le Passé défini*

Enregistré à la B.B.C. quatre phrases en anglais. Je dis ensuite :
« Vous comprenez d'après mon anglais pourquoi je cède la place à
un ami » — et Palmer White continue. Premier enregistrement de
P. White sur une bande mal effacée. Il recommence sur disque.

Premier numéro de la revue *La Parisienne* pas mal du tout. La
Nouvelle Nouvelle Revue Française a l'air d'être un vieux numéro
retrouvé dans une cave. Le style maison : « *Permanence de Schlum-
berger* ». Plusieurs morts, dont L.-P. Fargue. Momification.

Plus je vais plus le mot de Max Jacob : « Il ne faut pas être connu
pour ce qu'on fait » me semble juste. La gloire est une vague
rumeur, un nom solitaire et qui circule. Quelques amis inconnus
vous lisent.

Visite des Israéliens. Cela passe vite de l'aide haute à l'aide basse.
Obtenir par mon entremise des toiles à vendre de Picasso et de
Matisse. Goulding voudrait organiser une exposition et montrer
Orphée[1] en Palestine. Je ne ferai le voyage que si les chefs de
l'entreprise comprennent qu'il ne s'agit pas de petites aumônes. Il
paraît que l'exposition de Picasso a remporté un succès extraordinaire.

J'ai trouvé les grandes lignes de *La Belle au bois dormant*. Mais le
détail est un casse-gueule. C'est pourquoi je refuse les contrats et
les avances. Je verrai en avril.

19 janvier 1953.
Reçu la traduction du *Chiffre sept*[2] en anglais, par Mary Hoeck.
Cela me semble assez fidèle et assez fort dans la mesure où une
traduction « en vers » peut être fidèle et forte. Une traduction libre
pourrait être moins libre et suivre mieux les rythmes cassés et les
détails du poème.

Samedi, chez Véfour, Maurice Goudeket[3] parlant au bar avec un
type à binocles. Ce type prononçait mon nom assez haut pour qu'il
me devînt impossible de rester à l'écart. Il voulait organiser une

1. Film de Jean Cocteau, 1949. — Paris, André Bonne, 1950.
2. Paris, Pierre Seghers, 1952. Voir tome I.
3. Mari de Colette.

fête au Palais-Royal pour les quatre-vingts ans de Colette et me joindre à cet étrange festival. Nous lui demandâmes au nom de quoi il faisait cette offre. « Je suis, dit-il, organisateur d'anniversaires. »

Pas d'université à Philadelphie. Je me suis donc trompé dans la dédicace du *Journal* (à propos d'Einstein). C'est Pennsylvanie qu'il fallait mettre[1]. Ajouterai un erratum.

Télégramme du Columbia Records de New York me remerciant du dessin pour l'enveloppe des disques d'*Œdipus Rex*[2]. (Dessin du masque final.)

Je ne me rappelais plus que *La Belle au bois dormant* de Perrault se terminait sur des histoires d'ogres et d'ogresses très ennuyeuses. Il n'y a que le départ qui compte.

23 janvier 1953.
Je ne pense plus qu'au départ sur la Côte. J'accumule tous les pensums pour être tranquille. Aujourd'hui j'ai fait deux radios de suite. Interview sur mon livre *Journal d'un inconnu* — anniversaire de Colette pour Radio Genève. Hier et avant-hier listes chez Grasset pour l'envoi du livre. Innombrables visites. Cortèges de gens qui demandent quelque chose. Hier soir dîné avec Clouzot. Il m'emmène voir son film *Le Salaire de la peur*. Nous sommes seuls dans la salle d'ombre. Le film est magnifique. On se demande comment il a pu réussir ce tour de force en France. Il ne voulait pas le montrer au Festival mais il le montrera parce que je préside. Il était capital d'avoir enfin une œuvre considérable à mettre au compte de la France, qui s'acharne à produire des niaiseries. Après le film, nous rencontrons Lourau et je décide avec lui que Clouzot feindra de travailler encore ses mixages afin d'empêcher la firme italienne de sortir le film avant la date du Festival.

---

1. *Journal d'un inconnu*, Paris, Grasset, 1953, p. 9.
2. Opéra-oratorio en deux actes de Jean Cocteau, texte traduit en latin par Jean Daniélou, musique d'Igor Stravinski (1927). Il s'agit ici de l'enregistrement réalisé à Cologne, en octobre 1951, avec Martha Mödl (Jocaste), Peter Pears (Œdipe), Heinz Rehfuss (Créon et le messager), Otto von Rohr (Tirésias), Helmut Krebs (le berger), l'orchestre symphonique et le chœur de la Radio de Cologne, sous la direction d'Igor Stravinski. Le rôle du récitant fut enregistré par Jean Cocteau à Paris, en mai 1952, puis mixé (disque Philips A 01.137 L ; réédition en 1976 : disque C.B.S. 61131). Voir tome I, p. 203.

Nora Auric me téléphone que, contre toute attente, le spectacle reprise de *Phèdre*[1] était une réussite. La perte de Toumanova étant compensée par celle de Lifar qui gênait et alourdissait l'ensemble.

Ce soir l'Opéra reprend l'*Antigone*[2].

Été au théâtre de Babylone voir la pièce *En attendant Godot*[3]. C'est le type même de la pièce d'époque. Auprès d'elle *Huis clos* de Sartre a l'air d'un vaudeville. Sinistre — terrible — sans espoir — et le public rigole dès que la souffrance pantinise tragiquement les personnages.

Journalisme de 1953. Le Figaro littéraire qui m'éreinte sans cesse me téléphone pour me demander un service, sur le thème : « Qu'est-ce que cela peut vous faire ? Vous avez atteint le plafond, etc. » J'ai répondu que ce plafond ressemblait à celui de *La Maison du baigneur*[4] lorsqu'il descend lentement pour écraser Siete-Iglesias. Je m'en passerais à merveille.

L'insupportable c'est, comme personne de la presse ne m'aide, d'être tenu de m'expliquer seul et d'avoir l'air de parler de moi par la faute de ceux qui en parlent mal ou qui se taisent.

25 janvier 1953.
Milly. Dormi tout ce que je n'ai pu dormir en ville. Fait l'article sur Éluard que me demande Marcenac : « Mon ami Paul[5]. » Répondu aux lettres. Surtout à celle de Mary Hoeck, après sa visite à Mortimer qui lui dit : « Bien que supérieures aux autres, vos

1. Tragédie chorégraphique, décor et costumes de Jean Cocteau, musique de Georges Auric, chorégraphie de Serge Lifar ; création à l'Opéra de Paris, le 14 juin 1950. Lors de cette reprise du 21 janvier 1953, les rôles de Phèdre et d'Hippolyte, créés par Tamara Toumanova et Serge Lifar, étaient dansés par Lycette Darsonval et Michel Renault.
2. Tragédie musicale en trois actes, paroles de Jean Cocteau, adaptation libre d'après Sophocle, musique d'Arthur Honegger ; création à Bruxelles, au théâtre de la Monnaie, le 28 décembre 1927 ; première représentation à l'Opéra de Paris, dans un décor, des costumes et une mise en scène de Jean Cocteau, le 26 janvier 1943.
3. Pièce de Samuel Beckett.
4. Roman d'Auguste Maquet (1813-1888) publié en 1856. L'auteur, l'un des collaborateurs d'Alexandre Dumas père, en tira un drame représenté en 1864. Dans cette fiction historique, l'Espagnol Siete-Iglesias, complice de l'assassinat d'Henri IV, périt écrasé par un plafond mobile.
5. Voir l'annexe II.

traductions ne sont pas bonnes. » Elle est pleine de hargne. « Que deviendra notre correspondance, puisque seule votre œuvre compte pour vous. » Je réponds : « Je n'ai pas eu de lettre de Mortimer, mais il doit avoir raison, car votre lettre me prouve que vous ne comprenez rien ni à moi ni à mon œuvre. »

Dessiné la couverture de la réédition chez Grasset de *Portraits-Souvenir* [1]. Orengo déjeune demain. Francine l'amène. Nous devons chercher et trier ce qui pourrait servir d'annexe aux œuvres complètes.

Déjeuner Orengo. Lui remets tous les papiers qui peuvent servir aux œuvres complètes.

Orengo nous raconte que Mauriac (dans le prochain numéro de *La Table ronde*) insulte grossièrement *La Nouvelle Revue Française* [2]. Faut-il que cet homme soit attaché à la terre pour entrer dans des luttes aussi ridicules. S'il était croyant, se compromettrait-il chaque jour vis-à-vis d'un tribunal suprême ? Croit-il que le confessionnal est un lavabo ? Croit-il que, sur terre, le prix Nobel le met hors d'atteinte ?

Tout se déroule un peu plus haut et un peu plus bas qu'on ne le pense.

Reprise de *La Voix humaine* [3] à la Comédie-Française — avec Louise Conte. Ai vu Louise et Charon. Je leur ai indiqué tous les détails pour l'emploi du décor. Recommandé à Louise de ne pas verser de larmes. L'actrice qui pleure ne fait pas pleurer.

Vendredi soir j'ai vu le film en couleurs [4] de Neville [5] sur le

1. Jean Cocteau, *Portraits-Souvenir* 1900-1914, avec cinquante-sept illustrations de l'auteur, Paris, Grasset, 1935.
2. Dans *La Table ronde* de janvier, février et mars 1953, François Mauriac s'en prend, en effet, à *La N.R.F.* ressuscitée *(La Nouvelle Nouvelle Revue Française)* et à ses animateurs Jean Paulhan et Marcel Arland. « La correction fraternelle, écrit Mauriac, est un exercice salutaire où nos deux revues ont beaucoup à gagner. »
3. Pièce en un acte de Jean Cocteau, créée à la Comédie-Française, par Berthe Bovy, le 17 février 1930, dans une mise en scène de l'auteur et un décor de Christian Bérard. — Paris, Stock, 1930.
4. *Flamenco (Duende y misterio del flamenco)*. Au Festival de Cannes de 1953, présidé par Jean Cocteau, un « hommage spécial » sera rendu à ce « film illustrant les beautés de la danse espagnole ».
5. L'écrivain et cinéaste espagnol Edgar Neville, décédé à Madrid en 1967. Dès juillet 1953, il fera partie du groupe amical qui guidera Jean Cocteau dans sa découverte de l'Espagne. Voir « Cocteau », dans Edgar Neville, *Obras selectas. Novelas,*

flamenco. Était présent ce Tout-Paris qui s'embrasse et se déchire. Noblesse incroyable des danses au milieu de l'ignoble. Je suppose qu'il n'y a que l'Espagne et la Chine qui résistent. Surtout une danse d'un jeune homme devant l'Escorial. Danse de l'époque où le ballet italien et le flamenco s'épousent. Danse exquise de grâce et d'exactitude. (Chorégraphie d'un moine.) Devant un tel spectacle on imagine ce que pouvait être l'élégance d'une époque dont le seul statisme des tableaux nous donne une idée. Un automate ayant une âme. Et ces castagnettes qui doivent être de petites têtes de mort claquant des dents, exécutant des roulades. Toutes ces danses tiennent du cérémonial religieux et d'un érotisme grave. Les danseuses et les danseurs ne souriant jamais; avec des figures plutôt douloureuses.

(Dans la danse du jeune homme devant l'Escorial — danse du XVIᵉ ou XVIIᵉ siècle — la perfection nous fait échapper à l'idée de ridicule chez l'homme. L'homme invente, exécute quelque chose d'aussi parfait que les phénomènes de la nature. Aucun geste tauromachique ne s'y mêle encore. Le jeune moine, en costume de Goya, donne un spectacle analogue à ceux d'une fleur qui pousse, d'un oiseau qui chante. Il y a de l'inévitable dans ses moindres gestes, dans ses mains, dans ses jambes, dans ses profils.)

Dans la danse qui termine le film Antonio[1] est admirable, mais l'invention humaine apparaît. Une volonté du beau. Sa danse est celle d'un grand danseur. Dans la danse devant l'Escorial, démarche et danse se confondent avec le paysage et l'architecture.

3 février 1953.
Dans mon lit à Santo Sospir. Malade. Très faible. Francine plus malade que moi. Elle a voyagé avec trente-neuf de fièvre. Elle ne voulait rester à Paris pour rien au monde. Tempête de neige jusqu'à Tournus, où nous avons dîné et couché. Le matin la tempête de neige était à Tournus et le mauvais temps jusqu'à trente kilomètres avant Valence où le rideau se lève sur un autre décor et un autre éclairage. À partir de Valence, c'est le soleil et, en

teatro, cuentos, artículos, poesía, Madrid, Biblioteca nueva, 1969, pp. 811-814. Un roman tauromachique d'Edgar Neville a été traduit en français, *Le Porteur de toréador*, Paris, Hachette, 1959.
1. Célèbre danseur espagnol, né à Séville en 1923. En 1953, il se sépare de sa partenaire Rosario et fonde sa propre compagnie de ballets.

arrivant à la mer, le soir, ce sont les merveilleuses couleurs mauves et rouges que les gens méprisent parce qu'elles ne relèvent pas de « l'esthétique ».

La veille du départ, je me croyais enfin tranquille, lorsque Jaujard[1] me téléphone pour que « j'organise les grandes fêtes de Versailles ». Je suis passé au ministère lui expliquer que cela m'était impossible. J'écrirai un texte. Hier à Nice été aux Ponchettes[2] et au musée municipal choisir les dessins et me rendre compte de l'état des toiles. Pasquini[3] constate que je suis très malade, que j'ai une mine effrayante. Pendant qu'on encadre les dessins, je resterai couché à la villa et je me soignerai. En choisissant les dessins, penché sur la table, je tournais de l'œil.

Ce matin je ne souffre pas. Je suis comme en convalescence après une maladie très longue et très épuisante.

Le mal qu'on se donne, l'importance ridicule qu'on attache aux choses, sur cette toupie qui tourne de travers et sur laquelle tout le monde est condamné à mort.

Les digues rompues en Hollande. La côte d'Angleterre où la mer crève les maisons comme des boîtes d'allumettes. L'homme qui s'obstine à se croire le roi d'un royaume solide, privilégié, éternel.

J'ai fait porter les cinq toiles de l'atelier à Nice. Mario Brun[4] m'a téléphoné avec une drôle de voix. Il est à peine guéri d'un abcès à la gorge. Les Ponchettes menacent d'être un hôpital.

Pasquini me donne de mauvaises nouvelles de Matisse. Il semble que tout le monde éprouve l'influence de la tempête des côtes de Dunkerque. Et cependant ici nous attendent les mêmes fleurs, la même vie, le même privilège incroyable de paix.

Naturellement je me suis réveillé, dans ma chambre de Santo

1. Jacques Jaujard, directeur général des Arts et Lettres.
2. Galerie municipale, quai des États-Unis, inaugurée par l'exposition des peintures, dessins, tapisserie *(Judith et Holopherne)* de Jean Cocteau, du 9 février au 8 mars 1953.
3. L'avocat Pierre Pasquini, né en 1921, occupait à Nice les fonctions d'adjoint au maire délégué aux Beaux-Arts. C'est à son initiative et à celle de Mario Brun qu'eut lieu l'exposition Cocteau de la galerie des Ponchettes. Il fut ensuite député des Alpes-Maritimes et vice-président de l'Assemblée nationale.
4. Grand reporter à *Nice-Matin*, puis secrétaire général du journal. Sa chronique « Riviéra-Gazette » renseignait sur les personnalités de passage sur la Côte.

Sospir, comme si les deux mois de Paris avaient été rêvés cette nuit, en une seconde. Les lieux se recollent. Il faut que je fasse un effort pour me représenter le bout qui manque, et même en me le représentant, je n'y crois pas.

4 février 1953.

Voilà presque trente ans que j'ai pris l'habitude d'être couvert d'éloges confidentiels et de sarcasmes publics. C'est un rythme. Le tout est de s'y faire. À la longue il se forme une cuirasse morale assez robuste pour encaisser les coups et pour protéger le cœur qui reste courageux et jeune. Les gens doivent être dérangés lorsqu'on les oblige à penser à certaines choses. Ils se défendent. Ils défendent leur confort. C'est logique. Qu'ils défendent le leur, cela ne nous empêche pas de défendre le nôtre. Il y a, par chance, d'innombrables solitaires qui partagent nos idées d'inconfort et ne se laissent pas conduire à la baguette. Ainsi va le monde. Et jusqu'à la fin de ce monde qui est le nôtre, le singulier aura toujours et mystérieusement raison du pluriel qui ne gagne la partie que dans l'immédiat et en apparence.

On m'a demandé à la radio ce que j'entendais par « courir plus vite que la beauté ». J'ai mal répondu à l'improviste. J'aurais dû répondre : « Courir aussi vite que la beauté, c'est faire œuvre de beauté conventionnelle, de pléonasme, de carte postale. Courir moins vite que la beauté, c'est n'être jamais beau. Courir plus vite que la beauté, c'est obliger la beauté à nous rejoindre, obliger une force qui semble laide à devenir belle après coup. »

Si je parviens à vivoter (ce qui me serait sans doute impossible sans l'aide permanente de Francine) il est probable que j'écrirai de moins en moins. Je ne m'occuperai qu'à mettre de l'ordre, à réunir mon œuvre éparse. Je me consacrerai au dessin, à la peinture.

Rien n'est plus drôle que le cri des Goncourt lorsqu'on leur disait que la terre n'avait plus que quelques milliers de siècles à vivre. « Alors ! Et nos livres ? » Au fond ce n'était pas si bête. À moins d'écrire pour manger ou pour le succès immédiat, on se demande ce qui nous pousse à nous exténuer dans le vide et pourquoi chercher au loin des amis, puisque nous en avons de tout près et qui nous lisent à livre ouvert sans le véhicule de l'encre. Ce que j'eusse aimé, je ne l'ai pas. Un grand contact humain, une chaleur, une *confiance respectueuse*. Au lieu de cela je m'éreinte en essayant de communiquer mon inconfort à des personnes qui défendent leur confort de pied ferme. Je ne crois même plus à un complot des journalistes et des critiques. C'est pire. Ils me dédaignent ou m'insultent par une sorte de paresse agressive, *par contagion.*

Je me demande si c'est parce que je suis sans cesse contré que je doute de mes œuvres, que je les minimise et les dénigre et n'y trouve que des faiblesses — ou si c'est cette tendance à me critiquer et minimiser qui influence les autres et les arrête au bord de l'éloge.

Hier, au musée Masséna[1], j'ai été frappé par la beauté de mes toiles, de ma tapisserie, par la force de mes dessins. Brusquement je me suis rendu compte d'une monstrueuse injustice, d'une habitude que j'ai prise de l'admettre comme inévitable — de l'admettre et de la provoquer par une folie de modestie qui doit être une forme maladive de l'orgueil.

Mécanisme : *Mieux vaut rien qu'un peu.*

Après avoir écrit cette phrase il me semble y voir plus clair.

Lorsqu'on me complimente, je me sauve. (J'esquive.) Je ne pourrais supporter qu'un éloge d'une force équivalente à celle de mon œuvre. C'est pourquoi — parce que cela est impossible — je préfère les sottises et les insultes.

Je lis (relis) *Souvenirs personnels* de Victor Hugo (1848-1851)[2]. Je connaissais beaucoup de passages *(Choses vues)* et j'en avais lus en fouillant les malles de Hugo, chez Jean Hugo[3], à Fourques.

Très curieux de constater la navigation de Hugo entre chien et loup, chèvre et chou. Équilibriste extraordinaire. « Je suis bleu avec les bleus, dit-il. Blanc avec les blancs. Rouge avec les rouges. Je suis bleu, blanc, rouge. » Il triomphe en ne se diminuant d'aucun parti, en les dominant tous, en laissant dire de lui : « Ce n'est pas un politicien. » Politique plus forte que la politique.

---

1. L'un des musées de Nice, sur la promenade des Anglais. Jean Cocteau y préparait son exposition de la galerie des Ponchettes.
2. Réunis et présentés par Henri Guillemin, Paris, Gallimard, 1952.
3. Le peintre Jean Hugo (Paris, 19 novembre 1894-Lunel, 21 juin 1984), arrière-petit-fils de Victor Hugo et ami de Jean Cocteau, s'était établi, en 1929, au mas de Fourques, à Lunel. Voir Jean Hugo, *Le Regard de la mémoire*, Le Paradou, Actes Sud, Hubert Nyssen, éditeur, 1983.

Les jeunes poètes ne lisent plus rien et n'ont jamais rien lu. Ils s'entrelisent. Ils s'imitent par osmose. Il en résulte que tous leurs poèmes se ressemblent. (La petite collection de Seghers aura vite l'air d'être écrite par un seul poète. Sans colonne vertébrale. Scoliose qui penchera jusqu'à tomber en poudre.)

Il faut avoir tort jusqu'à ce qu'on ait raison. Tenir.

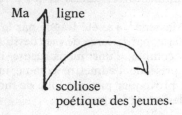

Ma ligne

scoliose
poétique des jeunes.

Pasquini me dit « Je voudrais que vous deveniez l'enfant de Nice. » J'ai répondu : « On ne choisit pas son lieu de naissance. Mais de même qu'on meurt nombre de fois avant sa mort, on naît nombre de fois après sa naissance. À Nice, à Villefranche, je suis (à vingt ans) né à une foule de choses et d'idées qui me dirigent. Je suis donc, en quelque sorte, natif de Nice et de Villefranche. Je peux le déclarer sans ridicule. »

5 février 1953.
Les brumes morales déformantes que dégagent certains publics. J'ai vu, jadis, un public d' « élite » abîmer et dévaloriser le premier film des Marx Brothers *(Animal Crackers[1])*. Je devais présenter le film avant la séance mais on me pria de le commenter après. Je dus expliquer au public que ce désastre était sa faute. Et que certaines brumes morales sont aussi sournoises que celles du lac de Genève qui rendent la côte suisse soit proche, soit lointaine, soit invisible. Rien de plus curieux que ce film brillant qui devenait terne et *où les acteurs semblaient perdre la tête et jouer mal* (sic).

En relisant les *Souvenirs personnels* de Hugo, je m'aperçois que pas une seconde il ne soupçonne en 1850 le coup d'État et la menace du second Empire. Plutôt, il redoute une république

1. 1930.

monarchiste. Le mot de Louis Bonaparte que lui cite Jérôme, au théâtre : « *Vous verrez* », aurait dû leur ouvrir les yeux. (Peut-être Jérôme les avait-il ouverts.)

Cela me fait penser à la visite du colonel Rémy[1] [...]. Il était venu me voir rue de Montpensier pour que je lui dédicace un livre. « La France est monarchiste, me dit-il. Et elle a son roi sous la main *(sic)*. » Il parlait du Général. Le Général craignait le style « Prise de pouvoir-Dictature-Fascisme ». Mais il songeait sûrement à devenir monarque sous je ne sais quelle forme. (D'abord président de la République.) Malraux me disant : « Il n'y a pas de raison pour que le coup Boulanger ne réussisse. » (« À l'Élysée ! à l'Élysée !, mon général ! », Malraux jouant le rôle de Déroulède.)

Ici on n'avait aucune bonne fortune, aucune dame de cœur à craindre. Lorsque le général vint à Londres la deuxième fois, Londres redoutait en Palewski une éminence grise. On les avait logés dans deux hôtels. Palewski trépigna, réclama. On les logea dans le même hôtel (le Ritz).

Le soir, une de mes amies voit la petite salle à manger haute du fond, servie avec candélabres et orchidées. Elle demande au vieux maître d'hôtel français : « Pour qui cette table ? » Et le vieux maître d'hôtel lui murmure à l'oreille : « *C'est le général de Gaulle qui dîne avec la comtesse Palewska*[2]. » J'ai raconté cette histoire à Palewski. Il la trouva mauvaise. J'appris qu'à Londres il se faisait passer pour comte.

C'est cette absence de « comtesse Palewska », d'une comtesse de rêve (rêve classique d'un vieux maître d'hôtel parisien) qui faisait dire à Malraux : « Ce Boulanger-là peut réussir. » Mais, hélas, la grandeur du général ne résidait que dans sa taille. On le dit très malade, mégalomane, entouré de psychanalystes à Colombey-les-Deux-Églises. Somme toute, Lazareff a raison de me dire que n'importe quel journal de n'importe quelle époque se ressemble. L'époque Hugo était aussi médiocre, aussi crapuleuse que la nôtre.

---

1. Gilbert Renault (1901-1984), « Rémy » dans la Résistance.
2. Un quatrain composé par Jean Cocteau pour l'amusement de ses amies Louise de Vilmorin et Paule de Beaumont est à rapprocher de cette anecdote :

> *C'est le grand bal chez Paule*
> *Ah ! n'est-ce pas exquis*
> *Je vois valser de Gaulle*
> *Avecque Palewski.*

Cité dans Jean-Jacques Kihm, Elizabeth Sprigge, Henri C. Béhar, *Jean Cocteau, l'homme et les miroirs*, Paris, La Table ronde, 1968, p. 303.

Académie : Balzac — deux voix (celles de Hugo et Vigny). Musset — cinq voix (comme Grasset[1] !) ce qui étonne. On pourrait croire que Musset était le chouchou de ces collégiens imbéciles.

La phrase du ministre de l'Intérieur à l'enterrement de Balzac : « C'était un homme distingué » en dit long sur le sens de la hiérarchie que possèdent les époques. Comment ose-t-on se plaindre d'être invisible lorsqu'un géant n'était pas *vu* ? [...]

Dans le tohu-bohu du départ, j'ai oublié de raconter mes adieux à la bande de la revue *La Parisienne*, chez François Michel[2]. Au cinquième étage, rue de Tourville, derrière les Invalides, on grimpe à son appartement par une échelle en fer sur le vide. Il y avait là beaucoup de garçons jeunes très vifs et très aimables, sans l'ombre de style « intellectuel ». Cingria[3] pianotait gravement. J'ai repensé à la lettre de Max : « Cingria joue de l'harmonium et il peine aux côtes. »

Florence Gould[4] en robe noire de Lucrèce Borgia, très ivre. Elle m'accroche. « Je voudrais aider cette revue. » L'ennuyeux c'est qu'au lieu de la griser pour la mettre en train, il faut la dégriser — ce qui n'est pas facile. Elle est toujours dans une sorte de vague, sauf pour les chiffres. Mais c'est une très brave fille.

Je me sentais déjà malade. Parinaud m'a reconduit. Nous croisons Fraigneau et Saint-Laurent[5] qui veulent marcher, prendre l'air.

Audiberti, d'un trottoir, me criait : « On ne se voit jamais, mais on sait que tu es là — ce qui réconforte. » Mais qui croire ? Personne. Vivre dans l'ombre, au soleil. C'est pourquoi nous avons pris la fuite, malgré les trente-neuf et les quarante de fièvre, malgré la queue des tempêtes de Hollande et de Dunkerque.

1. Voir *supra*, p. 17, n. 2.
2. François Michel, né en 1916, secrétaire de la rédaction de *La Parisienne* de novembre 1952 à août 1954. Il évoque Jean Cocteau dans *Par cœur*, Paris, Grasset, 1985, pp. 120, 158-159, 162, 168, 183-184.
3. Charles-Albert Cingria (1883-1954), né et mort à Genève, collaborateur de *La N.R.F.*, a publié à la fois des ouvrages d'érudition sur le Moyen Âge et sa musique et des recueils de chroniques, contes et nouvelles (*Florides helvètes*, 1944, *Bois sec, bois vert*, 1948, etc.). Voir t. I, pp. 364, 365 et annexe X.
4. Mécène et collectionneuse américaine d'ascendance française. Née Florence Lacaze (1895-1983), elle était l'épouse, depuis 1923, du riche Américain Frank Jay Gould, décédé en 1956, à qui Juan-les-Pins doit son développement.
5. L'écrivain Jacques Laurent, *alias* Cecil Saint-Laurent, né en 1919, fondateur, en 1952, et directeur de la revue littéraire *La Parisienne*.

Ce matin, à midi, Pasquini et Mario doivent venir à la villa prendre des dispositions pour la séance des Ponchettes.

Quatre heures. Venus. Pasquini se met en quatre pour rendre service. Mario très malade, avec de l'arthrite au genou. Il boite. Obligé de courir à droite et à gauche. C'est ce soir que Carnaval fait son entrée à Nice.

Ils m'ont apporté les affiches qui sont très bien. Ils parlent de mon livre. Je me rends compte qu'ils l'ont parcouru vaguement. Un tel livre, on met des années à pouvoir l'écrire et il faudrait des années pour le lire.

J'accrocherai demain. Pasquini fait chauffer la salle. Lundi matin onze heures, vernissage de la presse. Mardi matin onze heures, réception du maire.

Salvat[1] m'a envoyé une épreuve de la nouvelle couverture de *Portraits-Souvenir* (couverture dessinée).

Montherlant, en faisant racheter ses livres chez Grasset par Gallimard, exige par contrat que Gallimard finance une fois par an (soit publié chez lui, soit ailleurs) un ouvrage sur Montherlant[2]. Ceci est à peine croyable.

Justement j'avais écrit ce matin à Gallimard pour lui expliquer mes quelques infidélités apparentes. Rachat des livres Morihien par Orengo. Livres promis à Grasset et à Parisot. Il dira sans doute (après coup) qu'il aurait donné les trois millions à Paul[3] (qui en demandait sept). Or, outre qu'il n'aurait pas accepté de débourser cette somme, il n'aurait pas obtenu le rabais obtenu par Orengo, et mes livres seraient restés dans une soupente.

---

1. Le peintre François Salvat (1894-1974), directeur artistique aux éditions Bernard Grasset.
2. Inexact.
3. L'éditeur Paul Morihien.

JEAN COCTEAU À GASTON GALLIMARD

5 février 1953

> Santo Sospir
> Saint-Jean-Cap-Ferrat, A.-M.

Mon très cher Gaston,

J'ai quitté Paris très malade et cela continue, malgré le soleil et les fleurs. J'aurais tant aimé dîner avec vous et avec votre femme et ne pas nous voir entre deux portes où il m'était difficile de vous expliquer *quelques infidélités apparentes*. Le Cahier Vert était une promesse et il faut être juste Grasset me l'a tiré chapitre par chapitre.

Vous savez que j'avais voulu rendre à Paul Morihien le service de lui confier *La Difficulté d'être*. Distrait des livres par ses villages de toile, il laissait les miens et ceux de Sartre dans une soupente et, en outre, surchargés de coquilles. Orengo, du Rocher (de Monaco), lui a racheté *La Difficulté* et le *Théâtre de poche* en mettant sur la table une somme que je n'aurais jamais osé dire à une maison de grand roulement comme la vôtre. Il a fait cet immense effort pour appuyer la publication du livre *Orgel* d'une réédition convenable de *La Difficulté d'être* après mise au pilon des exemplaires entassés dans l'ombre par P. Morihien. Peut-être M. sera-t-il moins exigeant pour *La Question juive* de Sartre et le livre de Simone de Beauvoir et vous les cédera-t-il à meilleur compte (ainsi que les droits).

Depuis presque trente ans, je laissais l'édition et les traductions dans un vague qui m'a causé le plus grand préjudice. J'ai maintenant une petite société qui se charge de mettre de l'ordre dans mes affaires de base, car Madame Watier ne s'occupait que des films et laissait aller le reste. Une fois retrouvé un peu d'équilibre nous reprendrons notre rythme. J'ai, en Angleterre, des difficultés sans nombre en ce qui concerne les traducteurs et traductrices qui se disputent sur *Bacchus* (par exemple) et traduisent mal en prétendant tous me traduire mieux les uns que les autres. Desch de Munich a dû vous écrire pour *Les Chevaliers de la Table ronde* et c'est la quatrième fois qu'on retape le *Bacchus* qui a été un immense succès de théâtre mais que Desch estimait encore insuffisant pour la publication en livre. Laughlin[1] avec lequel votre

---

1. Vraisemblablement James Laughlin, qui animait la maison d'édition new-yorkaise New Directions.

firme avait fait une entente a fait faillite à New York et je me tourne de ce côté-là pour obtenir des résultats sérieux et définitifs. Les mauvaises traductions des firmes anglaises et américaines nous font perdre, à vous et à moi, des fortunes. C'est pourquoi je vous demande de bien recommander à vos services de travailler d'accord avec moi. Une belle traduction anglaise a sauvé l'œuvre de Proust.

Pardonnez-moi cette longue lettre. Mais notre amitié compte beaucoup pour moi et je désirais vous mettre au courant des promesses à Grasset et à Parisot et du rachat de certaines œuvres par le Rocher.

Je crains que les dates n'empêchent Paulhan de publier mon chapitre « De la mémoire » qui devait passer dans le 1er numéro de *La N.R.F.* J'en serais triste comme de toute circonstance qui me prive d'être des vôtres.

Cher Gaston, je vous embrasse et rêve de vous voir sur la Côte.

Jean

———

6 février 1953.

C'est ce matin que je vais surveiller l'accrochage des toiles et de la tapisserie. Temps magnifique. Santé peu magnifique. Je tousse moins, mais j'ai l'impression de convalescence d'une longue maladie. Je ne me sentais pas plus fatigué après ma fièvre typhoïde [1].

Au régiment, j'étais l'ami du général et de la troupe. Très mal vu par les grades intermédiaires. Les sous-officiers me détestaient. C'est ce qui m'arrive toujours. Par exemple dans le cinématographe. Les gros producteurs me courent après. Les critiques m'éreintent. La foule m'aime. (Les sous-offs de *l'élite* ne me supportent pas.)

Clouzot me dit : « On fait *Orphée* ou *Le Salaire de la peur*. Mais disons que tout le reste est sublime, puisque cela nous est égal. »

1. En octobre 1931, à Toulon.

La méthode de Marcel Achard : « Il n'y a plus de critiques. Comme les critiques actuels sont nuls et que je les méprise, il ne reste qu'une attitude possible : je déclare que le critique qui me loue est admirable et que le critique qui m'éreinte est un idiot. »

Ruine de la Hollande et des côtes d'Angleterre. La tempête redouble. *Nice-Matin*. En première page, le désastre de Hollande et le Carnaval.

7 fév. 1953.

Mise en place des toiles aux Ponchettes. Tout le monde est charmant et m'aide. J'irai dimanche surveiller l'accrochage.

Reçu belle lettre de Seghers, ci-jointe.

———

PIERRE SEGHERS À JEAN COCTEAU

HÔTEL DES TROIS ROIS
Bâle

4-2-1953

Je te remercie d'exister. Je suis avec toi, durant ce voyage, et ce soir dans le bar rouge où seul, je dîne. Ton livre, le *Journal d'un inconnu*, c'est comme si j'avais retrouvé grâce à toi mon chemin. Ici, où je suis venu souvent, j'allais goûter à la croûte aux souvenirs et me morfondre alors que tout à coup j'entre à nouveau dans le Domaine. Par toi. Que m'importent les jeunes gens, les jeunes filles qui plongeaient du haut de l'été dans le Rhin, et que m'importe si je ne me souviens plus si elle était blonde ou brune ? Avec un livre comme le tien, on n'est plus seul. De toute mon amitié, je t'embrasse pour ce Journal.

Un mot : parachuté en Afrique noire par notre « Intercontinentale du livre », notre inspecteur des ventes (plus personne ne veut être voyageur de commerce. Les titres ont le mauvais goût des « appellations contrôlées »), notre garçon nous écrit :

« Ici, il se consomme beaucoup de livres. Les termites les mangent. » Qu'en dis-tu ?

À toi

P.

———

Lettre de Françoise[1] pour que je monte à Vallauris. Elle me conseille de me couvrir de peaux de bêtes tellement il fait froid dans l'atelier où Picasso a peint *Guerre et Paix*.

FRANÇOISE GILOT À JEAN COCTEAU

Vallauris   le 6 février

Cher ami,

Ainsi que vous le voyez je lis avec mes mains le *Journal d'un inconnu* gardant l'œil de profil pour interroger la mer en direction du cap Ferrat qui se fera cap de bonne espérance de vous savoir vite bien portant[2].

Pablo dit qu'il faut que rapidement vous vouliez pouvoir venir nous voir, meilleur signe que vous puissiez nous donner de votre guérison.

Pour voir *La Guerre et la Paix* armez-vous de plaids et chandails car ce tableau vivant se trouve dans une pièce très froide.

Nous sommes ici tous au grand complet et vous disons très affectueusement à bientôt.

Françoise

---

8 février 1953.

Dimanche. Ai reçu hier une photographie de Roth[3] (Hollywood). On voit au fond debout Sabartés[4] comme le détective Fix du *Tour du monde*. Picasso, avec la casquette à rabats de Philéas Fogg est assis de face et regarde une photographie de moi qui se trouve donc être à l'envers en bas de l'image.

Rendez-vous aux Ponchettes à trois heures pour l'accrochage. Voudrais aller embrasser Matisse qui ne va pas bien. Colette arrive

1. Françoise Gilot, peintre et compagne de Picasso.
2. Françoise Gilot commente le dessin qui illustre sa lettre.
3. Sanford Roth (1906-1962), photographe américain.
4. Le peintre Jaime Sabartés (1880-1968), l'un des plus anciens amis de Picasso, son biographe et son secrétaire.

ce matin à Monte-Carlo par l'avion. Somerset Maugham m'écrit qu'il part pour Londres et rentre le 11.

Aucune nouvelle d'Orengo qui devait arriver hier avec les planches du *Bal d'Orgel*[1].

Style *Nice-Matin*. Ma préface du catalogue[2] y est imprimée de telle sorte qu'avant de tourner la page on lit : « *expose au bord de la mer de...* » Le mot « Nice » se trouve en seconde page. Réponse à ma préface par maître Pasquini. [...]

Madame Guynet[3] me dit que c'est la lettre de James Lord qui a décidé les héritiers Cézanne[4] à ne pas vendre son atelier pour construire des appartements à bon marché. Ils ont eu honte. Sans les complications fiscales la chose serait déjà faite. Mais il est triste qu'on doive taper les Américains pour offrir à Aix et à l'État ce qui ne regarde que la France. Madame Guynet n'ose même pas écrire à James que le fisc met des bâtons dans les roues.

Si on laissait démolir l'atelier de Cézanne on dirait : « C'est un scandale. » Si on s'arrange pour qu'on ne le démolisse pas, on rencontre obstacle sur obstacle. (Malgré les ministres qui sont tous d'accord.)

Madame Guynet est l'ancienne secrétaire de Georges Salles[5]. Elle est une lutteuse. Elle tâche de remonter une pente de paresse. Elle arrive presque toujours à ce qu'elle veut. C'est elle qui organise mon exposition.

---

1. Raymond Radiguet, *Le Bal du comte d'Orgel*, édition de luxe illustrée par Jean Cocteau de trente-quatre gravures au burin, Monaco, Éditions du Rocher ; achevé d'imprimer : 4 mars 1953. Voir tome I.
2. Voir tome I, p. 436.
3. Mme Guynet-Péchadre, alors directrice des musées de Nice.
4. M. James Lord nous a précisé que le fils de Paul Cézanne avait vendu l'atelier de son père, peu de temps après sa mort, au poète Marcel Provence qui avait conservé le lieu intact. En 1953, le comité américain de Sauvegarde traitait avec les héritiers de Marcel Provence.
L'acquisition fut réalisée en 1954. Le comité américain rétrocéda alors l'atelier à l'université d'Aix, laquelle le proposa, en 1979, à la ville d'Aix qui accepta cette offre. (Voir *Le Monde* du 14 août 1984.)
5. Georges Salles (1889-1966), directeur des musées de France, codirecteur avec André Malraux de la collection « L'Univers des formes », Paris, Gallimard.

9 fév. 1953.
Avons accroché toiles et dessins de trois heures à sept. Froid
mortel. Le silence d'Orengo m'inquiète beaucoup. Depuis la mort
de Fauconnet, je crains l'inexactitude des gens exacts. J'avais
rendez-vous (pour les costumes et les masques du spectacle *Le
Bœuf sur le toit*[1]) avec Fauconnet[2], rue d'Anjou, à dix heures. À
midi, Fauconnet n'étant pas venu, je dis à ma mère : « Fauconnet
est mort. — Tu es fou. — Non, s'il n'est pas venu, s'il n'a pas
prévenu, c'est qu'il est mort. » Je vais chez Fauconnet. Il était mort
d'un arrêt du cœur, en essayant d'allumer son feu.

Sept heures. (Bonnes nouvelles d'Orengo qui s'était seulement
trompé de date.) Ce matin, journalistes, cinéma d'actualités,
photographes, radios. Après déjeuner à trois heures, maire, préfet,
foule de messieurs et de dames qui se font signer les catalogues.
Grande fatigue. Demain matin, à onze heures, réception du maire à
l'hôtel Masséna.

Tout cela très bon enfant. La férocité parisienne est absente. Nice
vous accueille avec une vraie gentillesse. C'est exactement ce que
j'avais prévu.

Lettre d'Édith Piaf[3] qui voudrait reprendre *Le Bel Indifférent*[4]
avec son mari[5]. Willemetz ne retrouve rien du décor de Bérard.
Piaf voudrait demander un autre décor à Nobili. Elle voudrait
jouer l'acte en France et en Amérique.

1. Farce imaginée et réglée par Jean Cocteau, musique de Darius Milhaud, costumes
et masques de Guy Pierre Fauconnet, décor de Raoul Dufy, création à la Comédie des
Champs-Élysées le 21 février 1920. — *Théâtre de poche, op. cit.*, pp. 13-19.
    Voir *Au temps du « Bœuf sur le toit »*, Paris, Artcurial, 1981, pp. 22-25, et *Album
Cocteau, op. cit.*, pp. 42-43.
2. Sur le peintre Guy Pierre Fauconnet (Chelles 1882-Paris 1920), voir Jean Cocteau,
annexe III ; « Maquettes de costumes dessinées par Fauconnet pour le *Conte d'hiver* de
Shakespeare, représenté au théâtre du Vieux-Colombier », dans *Gazette du Bon Ton*,
mars 1920 ; et préface au catalogue de l'exposition Guy Pierre Fauconnet, Chelles,
Musée Alfred Bonno, novembre-décembre 1960.
3. Sur Édith Piaf (1915-1963), voir Jean Cocteau, *Le Foyer des artistes*, Paris, Plon,
1947, pp. 189-190.
4. Pièce en un acte de Jean Cocteau, créée au théâtre des Bouffes-Parisiens, par
Édith Piaf et Paul Meurisse, le 19 avril 1940, dans une mise en scène d'André Brulé et
un décor de Christian Bérard. — *Théâtre de poche, op. cit.*, pp. 67-85.
    Voir Jean Cocteau, « Je travaille avec Edith Piaf », dans *Paris-Midi*, 19 avril 1940,
article reproduit dans *Cahiers Jean Cocteau*, 9, Paris, Gallimard, 1981, pp. 146-148.
5. Le chanteur Jacques Pills (1910-1970).

10 fév.
Ce matin réception à l'hôtel Masséna[1]. Très sympathique.
Discours du maire[2]. Ma réponse. Ci-joint article de Mario Brun[3]. Il
pleut.

Lettre d'Orengo. Pour la réédition de *Portraits-Souvenir,* son
correcteur a trouvé plus de deux cents fautes dans l'édition
originale de Grasset.

11 février.
Contrairement à ce qu'on croit, les impressionnistes qui crurent
rompre avec la photographie inventèrent la photographie en
peinture. (Ingres jamais photographe.)

Qu'était l'audace fougueuse et visible de Delacroix à côté de
l'incroyable audace invisible des formes et des couleurs d'Ingres ?

Le secrétaire envoyé par l'ambassade de l'Uruguay est resté ici
quatre heures. Je le raccompagne. Il avait laissé sa femme et sa fille
dans la voiture. J'étais gêné. Il me dit : « Ne vous excusez pas. C'est
ainsi que nous traitons nos femmes. » Il trouve que ma peinture
manque d'audace. Je lui ai demandé ce qu'il appelait audace. Il
n'en savait rien. Ces cons ne voient pas que l'audace consiste en
1953 à n'avoir pas l'air d'être audacieux. L'intensité intérieure leur
échappe. Seules peuvent voir mes toiles les personnes qui ne sont
pas spécialisées dans la peinture — qui ne se forment pas une idée
préconçue de la « peinture moderne ». En fin de compte le rapin
épate toujours les personnes éprises de peinture.
Il faut trente ans pour oser peindre une toile. Ensuite trente ans
pour qu'elle soit vue.

Picasso a toujours insulté des habitudes. On prendra l'habitude
de ses insultes. Après, c'est rompre avec cette habitude d'insultes
qui insultera.

Répondre à l'improviste au questionnaire de la radio. On
regrette tout ce qu'on a dit.

1. Hôtel particulier de la famille Masséna d'Essling, construit en 1900, devenu
musée Masséna.
2. Jean Médecin.
3. Voir l'annexe IV.

13 février 1953.

Hier j'étais passé vers six heures aux Ponchettes où j'avais rendez-vous avec des journalistes italiens. J'ai trouvé le maire qui promenait un sénateur et lui faisait une conférence devant chaque toile et chaque dessin.

A. me raconte que madame Chirico dort et mange avec auprès d'elle un énorme sac de bijoux qu'elle entasse pour payer la révolution anti-communiste. (C'est une Russe blanche.) Elle est convaincue qu'elle détrônera Staline et prendra sa place et que Chirico deviendra peintre de la cour. C'est elle qui l'oblige à renier son passé, à peindre ce qu'il peint. Chirico déteste, méprise et refuse tous les artistes modernes. Picasso et moi trouvons seuls grâce devant ses yeux. Les Anchorena[1] me l'avaient déjà dit, mais ils ne m'avaient pas parlé des étonnants phantasmes de sa femme.

Dépêche de Françoise. Picasso a la grippe. J'irai la semaine prochaine.

Hier soir, petite rechute après le dîner avec Jean Guérin[2] (qui me raconte les phantasmes de Nancy Cunard[3], laquelle couverte de colliers d'os et de têtes de mort, croit être quelque chose comme la madame Menizabad de Stevenson. Une reine des nègres. Sa haine des Américains. Son communisme assez vague).

J'ai eu de nouveau la fièvre et cette insupportable fatigue des jambes.

L'après-midi, avions visité la petite maison de Biot qui devient adorable. Mais il y faisait très froid.

Ce matin, temps couvert. Il pleut. J'ai pris des notes pour le texte de Versailles et pour la monographie de Munich[4].

1. Marcello et Hortensia Anchorena, Argentins fortunés qui vécurent un temps à Paris, avenue Foch.
2. Ami de Jean Cocteau, peintre amateur.
3. Fille de Sir Bache Cunard et de Lady Emerald Cunard, née Maud Burke, connue pour son mécénat musical, Nancy Cunard, héritière de la « Cunard Line », se passionna pour les mouvements littéraires d'avant-garde, se liant avec Ezra Pound, Tristan Tzara, Louis Aragon. Ses photographies par Man Ray et Cecil Beaton la montrent les avant-bras surchargés de bracelets d'ivoire africains.
4. Jean Cocteau, *Démarche d'un poète*, avec dix-sept dessins de l'auteur et vingt reproductions, Munich, F. Bruckmann, 1953.

L'audace à l'extérieur. Le moment est venu de l'audace à l'intérieur, de ne pas en faire l'étalage. (De rendre l'audace invisible.)

Le veau d'or est toujours de boue.

La préfète me demande : « Continuez-vous à peindre ? » Je réponds *n'importe quoi* : « Il faut que je fasse le portrait de madame Favini. — Alors vous irez à Milan ? — Bien sûr. » Etc. Madame Favini commence à prendre forme. Sans doute serai-je obligé de faire le portrait de madame Favini [1]. Ensuite, elle existera. Elle aura chez elle des tableaux superbes. Elle ne supportera que la musique de Schönberg. Elle aura un mari qui gagne une fortune immense dans les chaussures. Il est possible que Thérèse me dise un jour : « Madame Favini a téléphoné. »

14 fév. 1953.
Visite de Maurice. Il y a des vieilles dames qui téléphonent à onze heures du soir pour que Colette endosse des chèques qu'on leur refuse partout « par erreur ». Il y a J. de Lucinge qui a dépensé seize millions pour faire dans le hall du Casino un dallage où les gens se cassent la gueule. Il y a Maurice de Rothschild qui a fait venir ses cuisiniers et déjeune à l'hôtel Victoria parce qu'il craint que l'Hôtel de Paris ne sale ses nourritures. Bref, il y a ce Monte-Carlo qui continue. Il y a le monde qui change sans que Monte-Carlo s'en aperçoive.

Ci-joint lettre de Jean Genet sur le *Journal d'un inconnu.*

————

JEAN GENET À JEAN COCTEAU

Mon Jean,
Vite un mot rapide pour te dire que j'ai lu ton livre et que j'ai été content. Il n'a peut-être pas la dureté, la vigueur de *La Difficulté d'être,* mais il y a dans ce livre une tendresse, un attendrissement même qui lui donnent — surtout quand on te connaît — une grande

1. *Madame Favini et sa fille,* 1953. Huile sur toile. H : 150 cm. L : 150 cm. Coll. Édouard Dermit. Voir reproduction dans *Démarche d'un poète, op. cit.,* et tome I, p. 70, n. 1.

séduction. J'y ai aimé ta faiblesse, mais tu as tort de croire à ta solitude puisqu'on t'aime — et souvent très intelligemment, partout dans le monde.

Je t'écris vite et mal, mon cher Jean, parce que je suis drogué par l'insomnie. J'ai les nerfs en boule. Je voulais seulement te dire encore une fois ma très grande affection, avec ma gratitude. Je t'embrasse.

Jean Genet

Excuse-moi, mes phrases sont très bêtes. C'est aussi la fatigue de ma main. Ne crois pas que je n'aime pas ton livre. Je m'aperçois que j'ai dit très mal ce que j'éprouvais : en l'écrivant ta main était flexible, mais non molle. J'aime ce fléchissement. Et toi je t'aimerai toujours.

Jean

———

René Bertrand[1] à Nice. Nous l'attendons à Santo Sospir.

Dimanche 15.

Relu *Opium*[2] (à propos du texte de ma monographie pour Bruckmann). Ce texte sera le dernier où je m'explique, où je me répète. Je baisse le rideau sur cette longue période. Je n'écrirai plus, ou n'écrirai plus que du neuf.

C'est effrayant ce que j'ai dit de choses importantes sur l'époque et qui n'ont laissé aucune trace dans les mémoires (moi-même...). Sans doute faut-il davantage de recul. Sans doute faudrait-il que les gens *lisent*. (Relisent.)

Nice-Matin annonce la mort d'André Brulé[3]. Encore un de plus ou un de moins. La liste s'allonge ou s'écourte. Brulé semblait

---

1. Philosophe, essayiste, égyptologue, René Bertrand, né à Nantes le 17 décembre 1897, est le dédicataire du *Journal d'un inconnu*. En novembre 1953, il publie *Sagesse et chimères*, Paris, Grasset, avec une préface de Jean Cocteau reproduite t. I, annexe XIII. Voir aussi tome I, p. 211, n. 2.

2. Jean Cocteau, *Opium*, journal d'une désintoxication, illustré de quarante dessins et trois collages de l'auteur, Paris, Stock, 1930.

3. André Brulé, né en 1883, comédien, metteur en scène, directeur du théâtre de la Madeleine, avait mis en scène, en 1940, deux pièces de Jean Cocteau : *Les Monstres sacrés*, qu'il créa avec Yvonne de Bray, et *Le Bel Indifférent* (voir *supra*, p. 35, n. 4).

verni, apte à se glisser dans les coulisses de notre drame. Sa frivolité légère qui l'enveloppait d'une cuirasse invulnérable.

J'ai ajouté quelques lignes au *Potomak*[1] (après le ridicule poème d'Alfred).

Monographie. Ajouté quelques pages sur la sexualité morale en face des œuvres d'art. On bande ou on ne bande pas. Tout le reste est intellect. (Naturellement cette sexualité morale ne saurait être éveillée par ce que le tableau représente. Cela n'aurait aucune valeur.)

René Bertrand viendra me voir à quatre heures. Thérèse lui a dit au téléphone que j'étais sorti. « Pourquoi lui avez-vous dit que j'étais sorti puisque je ne sors pas ? — Parce que Monsieur dormait. » Et elle ajoute : « *Une impératrice indochinoise* a demandé si *La Tentation sur la montagne*[2] était à vendre. »

Dans *Match :* « Cocteau n'a pas exposé son œuvre préférée, *Femme tombant,* parce qu'elle est peinte sur le mur même de son escalier. » D'où peuvent naître ces folies. On se le demande chaque fois avec surprise.

En lisant dans un magazine ma préface[3] pour les montages d'Harold[4], je me disais : « *Tiens, c'est étrange, il n'y a pas de fautes, d'inexactitudes.* » Là-dessus je tombe sur la dernière ligne : « Tel qu'*à* lui-même enfin. » Je m'étais félicité trop vite. Je n'ai jamais rien lu me concernant qui ne contînt une inexactitude.

Madame Favini, née Torsenu.

Les tempêtes ne parviennent pas jusqu'à nous, mais nous valent un février très médiocre.

1. Jean Cocteau, *Le Potomak*, 1913-1914, précédé d'un prospectus, 1916, et suivi des *Eugènes de la guerre*, 1915, avec quatre-vingt-quinze dessins de l'auteur, Paris, Société littéraire de France, 1919.
2. Voir t. I, p. 39, n. 1.
3. Voir l'annexe V.
4. *La Tête des uns, le corps des autres*, photomontages de Jean Harold, préface de Jean Cocteau, commentaires de Francis Claude, Paris, Le Soleil noir, 1953. — Des photomontages d'Harold décoraient la maison de Cocteau à Milly (voir *Du*, N° 233, *op. cit.*, pp. 15 et 27). Selon cette technique, Harold avait réalisé, en 1950, l'affiche du film *Orphée*.

Le texte de la monographie Bruckmann sera le dernier de cette longue construction que j'ai faite exprès avec des redites — ce que Varille appelait en Égypte des *réemplois*.

18 février.

La triade en Grèce antique. Jupiter-Poséidon-Pluton (fils de Saturne). Tous les dieux tremblent devant Jupiter sauf Poséidon et Pluton. Ils refusent d'obéir. Ne sont-ils pas aussi fils de Saturne ?

On plante au Cap les poteaux de ciment. Les vieux poteaux de bois du télégraphe ont vécu. Ils prennent le charme des fiacres. Un jour on télégraphiera par ondes. Les poteaux neufs deviendront vieux. Ils prendront du charme et du ridicule comme nos automobiles à essence.

Les rois d'Ur qui vivaient plusieurs siècles. On devait appeler un roi une dynastie. Ensuite les rois vivent moins. Ils arrivent à cent ans.

J'ai commencé le portrait de madame Favini et de sa fille. Tout vient par triangles et courbes qui s'y inscrivent.

En somme, pour lire un poème de moi (*Le Chiffre sept*[1] par exemple), pour voir une de mes toiles, il faudrait un Champollion qui découvre le secret de l'écriture. Il l'enseignerait aux autres et à moi-même. Je m'exprime par hiéroglyphes.

Ajouté des pages au texte de la monographie. Mais je n'atteindrai jamais les soixante pages que demande Bruckmann. Je lui ai écrit que le rythme d'un texte déterminait sa longueur. Ce qui est très difficile à comprendre en Allemagne. Je lui propose d'ajouter au texte un article en allemand ou un chapitre du *Journal d'un inconnu* : « Peindre sans être peintre ».

Déjeuné hier à Monte-Carlo avec Colette et Maurice dans cette salle à manger de l'Hôtel de Paris qui ressemble à la caverne d'Ali-Baba.

Colette s'est mise dans une sorte de brume naïve où elle n'entend que ce qu'elle veut, dont elle profite pour s'éloigner de notre

1. Paris, Pierre Seghers, 1952, avec une lithographie de Jean Cocteau en couverture.

monde. À la fin du déjeuner on appelle Maurice au téléphone. C'est Denise Mayer (femme du ministre de l'Intérieur). Elle annonce que son mari a signé la nomination de Colette au grade de grand officier. Elle ajoute : « *Dites-le-lui avec ménagement.* » Colette (à qui Maurice le dit sans ménagement) : « *Quel officier ? Qui est Denise Mayer ?* » Lorsque le personnel de la salle à manger la salue, elle dit à Maurice : « *Regarde, ils me reconnaissent de l'année dernière.* »

René Bertrand habite à Nice une petite maison glaciale, en haut de l'avenue Cyrnos. Sa femme malade. On devine au premier coup d'œil que seule compte sa science, sa vie intérieure dont il ne parle jamais à sa femme ni à ses administrés de Haute-Goulaine[1]. Il ne leur parle que de muscadet.

Il cherchait des documents à la bibliothèque de Nice. On n'y trouve que Bourget, Bordeaux, Marcel Prévost.

Il nous raconte, le soir, la vie de Platon que je connaissais mal. Platon aventurier politique. Il veut expérimenter son système gouvernemental. Cela ne donne rien en Grèce. Il essaye à Syracuse. On le coffre. On le vend comme esclave. Il se rachète pour trois millions. Il retourne en Grèce et constate que tout dégénère. Il recommence un essai à Syracuse où règne le fils du tyran. On le recoffre. Il mourra en Grèce (il y avait fondé son école). Il mourra *avec* cette Grèce qui s'effondre et ne se relèvera jamais après six siècles de gloire.

J'ai demandé à Bertrand comment il avait appris à lire toutes les langues mortes. Il a appris seul. Drioton l'a aidé un peu pour les hiéroglyphes.

Lettre de Claude Roy. Valentine[2] à qui Marie-Laure[3] avait promis de payer l'enterrement de sa mère, lui déclare au téléphone qu'elle veut bien donner de l'argent aux vivants mais qu'elle refuse d'en donner aux morts.
Affolée, Valentine téléphone à Dominique Éluard qui n'a pas le sou et qui paye. Style des riches. Style des pauvres. J'ai déjà donné

1. René Bertrand était maire de Haute-Goulaine (Loire-Atlantique).
2. Valentine Hugo.
3. Marie-Laure de Noailles.

cent mille francs à Valentine. Impossible, hélas, de donner davantage. Je dois encore un million à Jeannot et ne sais pas comment le lui rembourser.

Téléphone de Jeannot. Sa représentation d'adieux [1] (*Britannicus*) a remporté un triomphe. On l'a rappelé seul huit fois et des bouquets remplissaient sa loge. C'est Paris. Il vous boude quand on arrive et il vous fête quand on part.

Orengo à Monte-Carlo. Viendra ce soir avec les projets de couverture des livres qu'il réédite.

20 février 1953.
La gelée royale. C'est autour de cette gelée royale des abeilles que tourne la recherche des biologistes. Gelée dont les abeilles nourrissent la reine. Elle rendait les dieux immortels. (Ambroisie.)

Écrit à Bruckmann de ne pas m'imposer un cadre, d'attendre que le texte prenne la forme et l'étendue qui lui conviennent.

Vu Orengo. *Le Bal du comte d'Orgel* paraîtra en mars. *Appogiatures* et *La Difficulté d'être* mise au point, un peu plus tard. Il remet en vente le *Théâtre de poche* et *Drôle de ménage* sous les nouvelles couvertures.

La directrice du musée Fragonard de Grasse m'apporte son livre sur l'époque de Baudelaire. Dessins de Guys et photographies correspondantes. Sauf deux ou trois, les photographies de femmes n'ont pas le vif du dessin qui concentre une mode.

Mauriac enragé depuis son prix Nobel. Il attaque, dans *La Table ronde*, *La Nouvelle Revue française* avec une virulence analogue à celle de sa *Lettre ouverte*. Gallimard en est devenu comme fou. Il a téléphoné au Syndicat des éditeurs pour se plaindre de Bourdel [2] (Plon). Il voulait abandonner son poste. Il est curieux de voir combien l'indifférence des gens en face des attaques qui s'adressent aux autres cesse d'en être une lorsque l'attaque les vise. « Mauriac,

---

1. Les adieux de Jean Marais à la Comédie-Française ont eu lieu, en matinée, le dimanche 15 février 1953.
2. Maurice Bourdel, président-directeur général de la Librairie Plon, qui édite *La Table ronde*.

me disait Gallimard, qu'est-ce que cela peut bien vous faire ? » *Cela lui fait.*

Je suppose que Paulhan va répondre[1]. Cette guerre des revues est ridicule. Billy, dans *Le Figaro littéraire*, demande : « Contre qui et pour qui se démène Fr. Mauriac ? » Cela dans le propre journal de Mauriac. Depuis le prix Nobel, Mauriac s'acharne contre tous ceux qui usurpent ce qu'il croit être sa place. Il disait au conseil de *La Table ronde :* « Il importe de trouver quelqu'un pour déboulonner Malraux. »

Organisation de Montherlant. Il commande livre sur livre sur sa personne et sur son œuvre. Il vient d'envoyer à tous les critiques un opuscule où la directrice d'une école met à l'étude et porte aux nues *La Ville dont le prince est un enfant.* Pièce très vide et enfantine. Tableau d'honneur et touche-pipi.

Tout cela... Tout cela n'est rien si on n'a pas le nez dessus.

Coïncidences ? Déjeuner avec Charles de Noailles. Hier soir, Orengo demande à voir *Le Sang d'un poète.* On le lui montre. Et ce matin arrive Charles qui m'avait commandé le film.

L'affaire Valentine, Dominique, Marie-Laure est arrangée. J'ai parlé à Charles. Il enverra la somme à Jean Hugo pour qu'il la remette à Valentine et qu'on puisse rembourser madame Tézenas[2].

21 fév.

Une jeune fille m'écrit : « Pourquoi vos *Enfants terribles*[3] sont-ils riches ? » *Et elle prétend connaître le livre par cœur.* Pour ces enfants il n'y a que leur richesse intérieure qui compte et le monde qu'ils se sont fait. Il fallait montrer que pauvreté, richesse n'ont aucune prise sur eux.

Des Israéliens très importants en Palestine me demandent ce que c'est que *Le Chiffre sept* (sic). Comment donc lisent-ils la Bible ?

---

1. Jean Paulhan n'a pas répondu aux attaques de François Mauriac (voir *supra*, p. 21, n. 2).
2. Suzanne Champin, épouse de l'industriel Léon Tézenas. Liée à nombre d'écrivains et d'artistes, elle apporta son aide, dans les années 1950, au « Domaine musical ».
3. Roman. Paris, Grasset, 1929.

Je constate partout cette inculture, cet oubli des secrets, cette inexactitude dans l'esprit et dans les vocables.

Renvoyé à Seghers les épreuves de l'édition à cent francs du *Chiffre sept*[1]. J'ai encore trouvé beaucoup de fautes dans l'édition de luxe. J'ai supprimé deux strophes inutiles. Corrigé des vers faux, etc., et ajouté la petite notice[2] que Seghers me demande sur la naissance d'un poème.

Vie de Colette. Scandale sur scandale. Puis tout bascule et elle passe au rang d'idole. Elle achève son existence de pantomimes, d'instituts de beauté, de vieilles lesbiennes dans une apothéose de respectabilité. Hier les journaux annoncent ce qu'annonçait le coup de téléphone de Denise Mayer. On lui décerne la plus haute des récompenses. Ce genre de récompense se donne *in extremis*. Comme elle a raison d'opposer à tout cela un demi-sommeil de taupe, une ironie lucide et profonde qu'on devine, l'espace d'un éclair, dans son œil.

Édouard : je ne connais pas d'âme mieux faite.

Dimanche [*22 février 1953*].
Hier soir dînions à Antibes, chez Ginette[3]. Au retour vers Nice Édouard arrête au bord de la grande route pour laisser passer les voitures. Brusquement nous voyons une gerbe d'étincelles sur la droite en face et une moto vide vient s'échouer au milieu de la route à notre gauche. Le type a dû être projeté entre les arbres. On devine sa forme. Édouard cherche du secours et en une seconde la route se peuple. Nous repartons lorsqu'on emporte le type sur un brancard. À Santo Sospir, Doudou me dit : « La moto était rouge comme celle de Picard (le jardinier de Francine). Pourvu que ce ne soit pas lui ! » Légalement nous aurions dû rester jusqu'à l'arrivée de la police. Mais, depuis mon témoignage interminable après l'accident de Nimier, je ne pense qu'à éviter les témoignages.

La radio. On m'avait téléphoné de Radio Monaco pour me dire : « Le dialogue entre Colette et vous de vendredi prochain n'est pas

1. Cahier n° 270 de la collection « P.S. », Paris, Pierre Seghers ; achevé d'imprimer : 26 mars 1953.
2. Voir l'annexe VI.
3. Ginette Weill, amie de Francine Weisweiller.

possible. Il faut que l'émission passe ce soir. Pouvez-vous la faire seul ? » La voiture de Radio Monte-Carlo arrive à quatre heures. J'enregistre et je parle du Palais-Royal. Après, le type de la voiture me dit : « Il me semble que vous avez fait une erreur. On ne dit pas palais royal, on dit palais princier. » Malgré ce que je raconte du Palais-Royal et Colette, il croyait que j'avais parlé du palais du prince de Monaco.

Le matin j'avais été voir Colette à l'Hôtel de Paris. Elle se débattait au milieu des dépêches et des lettres de félicitations. La plupart des généraux très fiers d'écrire : « Votre collègue. Confraternel hommage. Etc. »
Les Français n'aiment que les titres, les décorations, les honneurs officiels. Une œuvre n'attire jamais cette avalanche de lettres.

L'appareil électrique à mixer tout chez Ginette. Rien ne ressemble à ce qui, chez Francine, est fait à la main. Différence entre la cuisine américaine et la cuisine française. Le mixage mécanique enlève le goût.

On ne peut s'engager dans un parti qu'avec une foi profonde. Être communiste sans une foi profonde dans le système, c'est communier à l'église sans une foi totale. C'est le type du sacrilège. Il me semble difficile d'être un vrai communiste sans être russe et sans être suspect au Parti.

Dépêche de Françoise. J'irai mardi à Vallauris, voir le *Guerre et Paix* de Picasso.

Le drame de Coccioli[1]. Je l'ai trouvé hier chez Orengo lequel, depuis deux jours, se ruine en téléphone pour arranger une affaire sentimentale des plus scandaleuses comme s'il s'agissait d'un mariage rompu. Signe de notre époque. On peut afficher ou publier n'importe quoi — mais on vous agrafe sur un détail. Par exemple Genet que le tribunal condamne pour le livre de luxe (introuvable) de *Querelle de Brest*[2] et qui a laissé publier le même *Querelle de Brest* en édition courante dans les œuvres complètes de Gallimard.

1. Carlo Coccioli, romancier italien, né à Livourne en 1920, a publié en 1951 *Le Ciel et la terre* ; en 1952, *Fabrizio Lupo* (dédié à Charles Orengo), etc. Voir t. I, p. 409.
2. Cette édition est illustrée de vingt-neuf dessins de Jean Cocteau. [Paris, Paul Morihien, 1947.]

Fait la couverture du programme du groupe orchestral de Nice pour les sinistrés hollandais.

Le roi Baudouin qui ne connaît pas son métier. Il a l'air d'un collégien en vadrouille. Il se dit malade pour couper aux sinistrés de Hollande et aux cérémonies officielles, mais il joue au golf sur la Côte. Il voyage encadré par deux flics qui ont l'air de l'embarquer dans le panier à salade. La reine d'Angleterre, type d'une souveraine qui connaît son métier, qui ne fait jamais une faute. Famille, protocole, élégance d'âme et d'allure. Tout est impeccable. Je n'aime pas les gens qui font mal leur métier. Le jeune Baudouin n'a qu'à ne pas être roi.

Magazines. Partout le divorce de Danièle et de son mari[1]. Étalage incroyable des drames intimes devant le public.

Le voyage dans le passé serait plus curieux que le voyage dans l'avenir. On sait vers quoi vont les choses, on ne sait plus d'où elles viennent. On aimerait vivre quelques jours avec Marco Polo chez le petit-fils de Gengis Khan. Les Chinois, les Mongols. L'invention du papier-monnaie en échange de l'or donné au prince. Son luxe inimaginable. Ses chasses. Pour aller d'un rabatteur à l'autre, il aurait fallu quatre jours de marche.

Chaque matin le prince Koubilaï (empereur des Mongols) donnait l'ordre au soleil de se lever. Devenu vieux, il en chargea un spécialiste. Il savait le mécanisme des astres, mais il fallait faire croire au peuple que le soleil ne se lèverait pas sans lui.

Le papier-monnaie était une écorce portant le timbre impérial. Avec cette écorce on pouvait acheter de l'or. L'inflation se produisit cinquante ans après.

Le prince était curieux du pape. Il se renseignait sur la religion catholique. Mais Jésus-Christ l'inquiétait, trop grand seigneur, à son gré. *Notre Seigneur.* Il craignait que l'emploi de ces termes le diminuât. (xiiie siècle.)

---

1. Les comédiens Danièle Delorme et Daniel Gélin.

C'est en hivernant à Sumatra lors de son voyage de retour, que Marco Polo vit des licornes. Leur corne était noire. En Europe, on les figurait sur les écussons en les croyant une fable. Elles obéissaient aux vierges.

Sur la couverture des magazines de la semaine, on voit la petite fille [1] de *Jeux interdits* [2] présentée par Odette à la reine d'Angleterre. [...]

Mode absurde qui consiste à publier son « journal » de son vivant. Mode lancée par Gide. Mais la méthode gidienne consiste à feindre de tout dire pour cacher tout. Un journal n'existe que si on y consigne sans réserve tout ce qui vous passe par la tête. Celui de Hugo nous intéresse bien davantage avec le recul.

Très beau soleil. Les crocus sortent. Les mandarines mûrissent sur l'arbre. Il neige à Paris.

J'ai parlé à Francine de la crainte de Doudou pour la motocyclette rouge. Elle y avait pensé. Mais si c'était Picard, nous l'aurions su ce matin.

Je compte refaire toute la grande toile de madame Favini. Dans ce portrait imaginaire, il faut plus d'audace. Une grande caricature peinte dépassant le style de la caricature.

S. m'a raconté les familles niçoises, aussi secrètes, aussi particulières que les familles lyonnaises. Mélange d'héroïsme, d'ironie, de paresse. Plus grecques qu'italiennes. Sortant peu mais donnant à Nice cette atmosphère de charme qui ne se trouve nulle part ailleurs sur la Côte. Les injures entre Niçois d'une violence et d'une diversité incroyables. Cannes est un lieu, Nice est une ville.

Visite de Dugardin, venu pour *Le Consul* [3] à Nice. Il a imposé Maria Powers qu'on ne voulait plus à l'Opéra parce qu'elle avait été sifflée dans *Aïda*. Grand succès du *Consul*. Grand succès du *Médium* [4] à Paris. Triomphe du spectacle des Noirs (Gershwin) que Dugardin a fait venir après Londres, à l'Empire.

1. Brigitte Fossey.
2. Film de René Clément, 1952.
3. Drame musical de Gian Carlo Menotti, 1950.
4. Drame musical de Gian Carlo Menotti, 1946.

Le directeur de l'Opéra de Nice et des arènes de Nîmes est complètement inculte. Il dit : « Je ne m'intéresse que d'argent. » Il ne mène pas ses affaires plus mal qu'un autre. C'est à son magasin d'accessoires que le milieu officiel niçois avait emprunté les chapeaux hauts de forme pour l'enterrement du prince de Monaco. Aucun fonctionnaire de Nice n'aurait pu se les mettre sur la tête. Je crois avoir déjà parlé de cet enterrement où Pagnol était en uniforme d'académicien, où l'on voyait une débauche d'uniformes d'opérette avec des ordres de toutes les couleurs. Mario Brun et Pasquini me racontent qu'ils étaient malades de rire, que ce rire se propageait, devenait un supplice, qu'on n'avait jamais vu un pareil cortège de carnaval.

Ce qui me frappe, c'est que ce monde d'honneurs, de décorations, de photographies dans les journaux est en somme le vrai monde et le nôtre une sorte de famille accrochée à une épave, en route vers on ne sait où.

Martine Carol. Les journaux publient : « Martine Carol, reine de Londres. » On voit côte à côte la photographie de la reine Élisabeth et de Martine. Il semble que les journaux basent leur industrie sur *l'espoir* : vous pouvez toutes arriver à cela. Et les querelles de ménage. Les magazines ne vivent que de divorces et de réussites dans l'immédiat. Le tout est de savoir si le journalisme et la radio ont tué *définitivement* les valeurs et s'il n'y aura plus qu'une chaîne de valeurs fausses, sans mise au point posthume. *Si nous ne sommes pas des dupes de l'honnêteté professionnelle.* Si le monde est devenu *parfaitement malhonnête*.

Maria Casarès, par exemple. Une grande actrice. Une grande dame. Or c'est une Martine Carol qui triomphe. Je vois dans un magazine le reportage sur la soirée d'adieux de Jeannot : « Ce magnifique Britannicus. » Les journalistes ne savent même pas qu'il joue Néron, ne connaissent pas Racine. Le titre de la pièce étant *Britannicus*, Jean Marais ne peut jouer que le rôle de Britannicus.

Toutes les époques furent-elles ignobles ? C'est possible. Le noble seul nous reste. Mais je ne crois pas qu'il existait les moyens actuels de propager l'ignoble, d'étouffer le noble sous les lauriers immédiats. Je sais bien que Stendhal... que Balzac... que Baudelaire...

mais les actrices vivent dans l'immédiat et le tapage ne se produisait qu'autour des grandes.

Marco Polo pas cru. « Le menteur de Venise. » Le prêtre à son lit de mort qui lui refuse l'absolution parce qu'il n'accepte pas de reconnaître que ses souvenirs sont des mensonges. La terrible solitude du poète qui *témoigne* et qu'on prend pour un *fantaisiste* ressemble à cet épouvantable dialogue. Le prêtre-notaire : « *Comment Jésus-Christ aurait-il pu descendre sur une terre ronde ? C'est de l'hérésie (sic).* » Et Marco Polo racontait peu de choses. C'est sa description de la houille qui faisait le plus rire. Une pierre noire qui brûle et qui remplace le bois. Il n'aurait jamais osé raconter la licorne de Sumatra. Il s'en tenait à des récits de marchand qu'il était avant tout, qu'il ne cessa d'être qu'après la prison de Gênes.

En 1936, j'ai stupéfié les directeurs du Rockefeller Building en leur décrivant la magnificence et la machinerie des théâtres du Japon. *Ils ne me croyaient pas.*

Style de madame Favini : « C'est dépassé. » — « Je le trouve un peu trop subjectif. » — « Il n'est pas atonal. » — « D'Annunzio, tout de même... » — « J'aime à mettre Favini dans ses petits souliers », ou « Je te vois venir avec tes gros sabots. » (Favini s'est enrichi dans les chaussures.)

Lucia dit : « Papa est un B.O.F. — Allons, allons, dit sa mère, laisse ton père tranquille, petit diable. » — « J'ai donné à ma fille des jouets superbes. Elle n'aime jouer qu'avec le Fly-tox. » — « J'adore les cheminées d'usines et les bijoux. » — « Mon mari a acheté des vieux trucs de Picasso. » (C'est Favini qui m'a commandé le portrait. Je me demande pourquoi.)

Les Torsenu étaient une famille de gros industriels de Nantes. Madame Favini en a gardé la précision dans le chiffre. Elle dit par exemple : « Le fisc a essayé de nous avoir. Il peut courir. » Très liée avec maître Machiavel, avocat du parti communiste. « Ma femme, dit Favini, est une véritable Joconde moderne. Quand elle sourit, elle me fait peur. » Elle : « Leonardo était un touche-à-tout, un fantaisiste. Je déteste les fantaisistes. Je m'arrête à Schönberg. » — « Paul Valéry m'amuse à cause de son enfantillage. » Très déroutante, très hautaine — très péremptoire. « Le palais Farnèse est un vrai bric-à-brac, un marché aux puces. Je n'y vivrais pas cinq minutes. Je ne m'en suis pas cachée à l'ambassadeur. » — « Le pape a du chic. » — « La reine d'Angleterre fait bien son boulot. Je ne le ferais pas, mais il faut reconnaître qu'elle le fait bien. » Le noir et le vert pâle sont ses couleurs. Elle ne porte que des perles. « On n'attrape pas les perles avec du vinaigre. » En posant elle me parle de ses ancêtres : « Les Torsenu sont des échevins. » — « J'ai fait arranger mes oreilles par Claoué. Je ne m'en cache pas. Je trouve ridicule qu'on cache ce genre de choses. »

Quelquefois, elle est méchante : « Je crois qu'on a décoré Colette. Quel est le nom du décorateur ? » Quelquefois, elle minaude : « Je suis une provinciale. Une pauvre provinciale. Racontez-moi ce qui se passe à Paris. En est-on encore aux abstraits ? »

Que peut-il se passer dans l'œil des organisateurs du carnaval de Nice lorsqu'ils décident que les couleurs de cette année seront « violine et turquoise » ?

23 fév.

Pauvre André Brulé. Il meurt. On lui consacre trois lignes. Il a été l'idole du public parisien. Jouvet meurt. Mauvais acteur. Mauvais metteur en scène. Deuil national.

24 fév.

Visite des Bebko avec les projets pour *La Dame à la licorne*. Je leur ai dessiné et indiqué le volume et le détail des masques. Le fils Bebko veut lâcher sa mère à cause de sa passion pour les films sous-marins. Ce serait encore un atelier qui se désorganise. Et le seul.

Le journal donne le détail de l'accident de samedi. Le motocycliste aurait heurté un taxi de marins américains sur notre droite. Il a été projeté en face de nous contre le trottoir : c'était un type de vingt-huit ans qui est mort.

Déjeuner de Vallauris. Picasso était à l'atelier où je vais le rejoindre avec Françoise. Il ouvre une porte fermée à clef et nous entrons dans la salle où se trouve *Guerre et Paix*. La première sensation est d'une nef, d'une église et il paraît que toutes les personnes qui entrent enlèvent leur chapeau. Moi je tire mon chapeau. C'est d'une jeunesse, d'une violence incroyables. Un équilibre entre la fougue et le calme. Un mariage entre *Le Bain turc* et *L'Entrée des croisés à Constantinople*. Aucune forme n'est réaliste mais tout est vrai, de ce vrai interne, le seul qui compte. Et, en sortant de là, il semble que la réalité soit pâle, incolore, bête, morte, éteinte.

La décoration qui va être exposée à Rome avec cent toiles trouvera sa place dans la chapelle de Vallauris. L'ensemble sera incurvé jusqu'à se rejoindre en haut (l'incurvation commençant très bas). De droite à gauche, le premier panneau montre la Guerre sur son char ou fiacre ou corbillard, avec sur le dos une sorte de hotte de dentelle noire pleine de crânes. Le personnage tient dans la main gauche un disque couvert de microbes et entouré de microbes qui volent. Sa main droite brandit un glaive sanglant et crocheté. Les chevaux de la Guerre piétinent un grand livre qui flambe (bibliothèque d'Alexandrie). Au-dessus des chevaux des silhouettes noires de guerriers agitent des ombres d'armes. En face des chevaux se dresse un immense personnage nu (la Paix) qui porte une lance et un bouclier où l'on devine une figure de femme sur laquelle Picasso a dessiné une colombe aux ailes ouvertes. Sur le panneau de gauche, une famille nue se groupe sur l'herbe. Une femme allaite un enfant et lit. Un homme souffle sur une marmite de soupe. Un autre se livre à quelque recherche mystérieuse. Plus loin, un enfant dirige une charrue que traîne un cheval ailé blanc. Ensuite des femmes dansent. Un chèvre-pied joue de la flûte accroupi sur un coquillage. Une manière d'enfant nageur ou voleur bascule à l'extrême gauche. En l'air un enfant avec un hibou sur la tête forme le centre d'un équilibre de perches au bout desquelles sont suspendus un bocal d'oiseaux, une cage de poissons et un sablier.

Le tout est peint libre, épais, par grandes taches. On devine les ébauches et les reprises. Picasso a laissé les coulures. Il dit : « On ne conseille pas à une personne malheureuse d'essuyer ses larmes. »

Il m'explique ce qu'il a fait, défait et refait. Il dit : « C'est toujours la pie voleuse et l'enfant prodigue — fable. » Après le déjeuner à La Galloise je retourne à l'atelier et Picasso, après m'avoir montré des toiles de Françoise et des gosses, me mène chez les Ramié à la poterie.

Il me raconte une histoire à laquelle il attache la plus grande importance et me dit : « Tu devrais en faire quelque chose. » Il venait de peindre une figure sur une assiette et remarqua sa ressemblance avec Huguette, femme d'un des potiers. Cette figure avait une barbe. « Eh bien, se dit-il, puisque c'est Huguette, enlevons la barbe. » Il enlève la barbe et la figure cesse de ressembler à Huguette. Il remet la barbe et Huguette réapparaît. Ajoutons que cette jeune femme est enceinte.

À la poterie il me montre une de ses inventions qui consiste à dessiner sur la terre avec des craies de couleur et, ensuite, il les fixe au four après un travail de liquide. Le pastel ou la craie se fixent et, pour l'œil, restent du pastel et de la craie[1].

Je suis retourné voir Françoise à la maison. Excellentes toiles de Françoise. Petites filles qui dansent comme des folles ou des monstres devant des groupes de musiciennes et de musiciens. La dormeuse qui lui fit me demander le texte de la *Sainte Ursule* d'Emmer[2].

Françoise m'interroge sur l'époque de Montparnasse. « On se battait et se disputait, lui dis-je. — Alors, dit-elle, c'était mieux que maintenant où tout se passe dans l'ouate, où les gens s'en foutent, où on peut leur montrer n'importe quoi, où ils *savent*. »

À table, Picasso : « Je suis entré dans le parti communiste[3] parce que je croyais me trouver une famille. J'ai, en effet, trouvé une famille avec tous les emmerdements que cela comporte. Le fils qui veut devenir avocat, le fils qui veut devenir prix de Rome. N'entre jamais dans une famille pareille.

— Du reste, ajoute Françoise, les communistes ne respectent que ceux qui ne sont pas du Parti. À ceux du Parti, ils réclament comme un dû ce qu'ils ne font que demander aux autres, à vous par exemple. »

Je demande à Picasso ce que les communistes pensent de *Guerre et Paix*. « Ils l'approuvent, me dit-il. C'est à moi *de les mettre dans la ligne.* »

Picasso me donne un dessous-de-plat qu'il a décoré à la poterie. Madame Ramié me donne un grand plat. Une tête de bélier en relief, très belle.

Je dis à Picasso : « La jeunesse manque d'héroïsme. C'est drôle qu'aucun jeune ne s'acharne à te tuer. » Il me répond : « J'ai pris les devants. »

1. Dans ses futures poteries, Jean Cocteau jouera de ces effets de craie et de pastel.
2. *La Légende de sainte Ursule*, film de Luciano Emmer, d'après les Carpaccio de Venise, texte de Jean Cocteau, 1948, recueilli dans *Poésie critique*, I, Paris, Gallimard, 1959, pp. 251-255.
3. Picasso avait adhéré au parti communiste français le 4 octobre 1944.

C'est exact [...] car les peintres, à côté de ce *Guerre et Paix* (je veux dire les peintres d'audace avouée), ne peuvent qu'avoir l'air faible et ridicule.

Picasso : « Je ne sais pas ce que je vais faire ni ce que je fais. Et si je veux raconter, le soir, à Françoise, ce que j'ai fait, je n'y arrive pas. La peinture est un métier d'aveugle. »

De Chagall qui travaille à la poterie : « Je lui donne tous mes secrets et il croit que je veux l'induire en erreur. Si je les lui vendais, il me croirait. »

De Stravinski (à propos de notre brouille) : « Il ne comprendra jamais qu'entre lui et toi ce n'est pas comme entre nous. »

Sur *Œdipus Rex*[1] : « C'est toi qui as fait scandale, ce n'est pas Stravinski. Il peut faire de plus en plus beau, mais il ne peut plus faire scandale. »

On prépare un livre en couleurs où l'on verra l'ensemble de *Guerre et Paix* et les moindres détails. Mourlot est à Vallauris. Rien de ce qu'invente Picasso qui ne devienne immédiatement « historique ».

Il n'y a que les enfants (exposition chez Muratore à Nice) qui obtiennent cette puissance et cette liberté. Que Picasso fasse le pont entre cette puissance enfantine et le calcul et la science de peindre me représente un vrai miracle.

Guerre et Paix est, encore une fois, une énorme insulte aux habitudes. Surtout aux habitudes de Rome. C'est pourquoi il est heureux qu'on l'y expose.

Je dis à Picasso : « Ton cheval ailé ressemble au *Cardinal Tavera* du Greco (hospice de Tolède). »

Picasso : « Il n'y a pas de reine des abeilles, il y a une abeille quelconque qu'on nourrit pour qu'elle devienne plus grosse et plus importante que les autres. »

1. Voir tome I, pp. 196-197.

Il doit avoir raison. [...] Par chance pour la Grande-Bretagne, la reine Élisabeth est une reine, mais c'est un hasard. La Japonaise d'hier me racontait que Kikugoro[1] est mort (il était Kikugoro IV). Kikugoro V n'est pas son fils. Si l'acteur estime que son fils n'est pas apte à le remplacer, il adopte un jeune acteur qui le mérite.

Mercredi [*25 février 1953*].

La pièce de Pasquini[2] est charmante, drôle, mieux qu'une quantité d'autres comédies. *Le Guérisseur*, c'est dans l'air. Picasso disait : « Lorsque tous les artistes ont la même idée, ce n'est pas parce qu'ils s'influencent, c'est parce qu'ils captent plus ou moins bien ce qui est dans l'air. C'est la preuve que l'idée est valable. »

Au sujet de madame Favini, Picasso dit qu'il passe son temps, dès le matin, avec Sabartés à inventer ce genre de fables et à leur donner corps. C'est le meilleur exercice pour l'imagination. Il dit : « On ne peut inventer que ce qui existe. » C'est pourquoi ce qu'on invente finit toujours par être réel.

Madame Guynet m'avait dit : « Matisse s'est couché, malade, parce que Chagall exposait aux Ponchettes. Chagall est malade parce que vous y exposez. » (Bêtise des peintres.)

Madame Ramié : « Chagall fait semblant d'avoir l'air bête. »

Picasso : « C'est difficile de faire si bien semblant d'avoir l'air bête. »

Madame Ramié voudrait que je fasse des poteries. (Je ne le ferai pas.) Je dis : « Je viendrai un jour. » Picasso : « Le premier jour, tu ne ferais que des bêtises comme moi au début. Il faut vivre un an à la poterie. » L'aide-potier me dit : « M. Picasso connaît maintenant le métier aussi bien que nous, mais il ose ce que nous n'oserions jamais imaginer ni entreprendre. »

Il faut savoir beaucoup de choses, comprendre beaucoup de choses, pour que *Guerre et Paix* ne se présente pas comme un barbouillage d'enfant monstrueux, d'enfant Gargantua de la peinture.

1. Jean Cocteau avait vu jouer cet acteur célèbre de Kabuki, à Tokyo, en mai 1936. Voir *Mon premier voyage (Tour du monde en 80 jours)*, Paris, Éd. de la N.R.F., 1937, pp. 165-169.

2. Pierre Pasquini et Henri Mari, *Le Guérisseur*, comédie créée à Nice, au Palais de la Méditerranée, le 24 février 1953.

Lors de la reprise de *Parade*[1] j'étais tellement dégoûté par l'exécution du cheval de Picasso que je l'exécutai moi-même, chez Laverdet. Le soir du spectacle les marchands de tableaux, Paul et Léonce Rosenberg en tête, disent à Picasso que j'ai « refait le cheval ». Picasso, furieux, se précipite dans les coulisses avec une escorte. Il voit le cheval. Il tombe dans mes bras. « Il n'y a que toi qui sais », dit-il devant l'escorte stupéfaite. J'avais exécuté le cheval scrupuleusement d'après ses dessins.

Picasso dit hier à Françoise : « Jean n'a qu'à regarder une heure *Guerre et Paix* et il peut le reproduire sans une faute, à distance. C'est une chose incroyable. » J'avais reproduit jadis, de mémoire (j'habitais chez Chanel, faubourg Saint-Honoré) la grande fresque du *Minotaure*. Picasso avait signé : « *Jean a fait ce Picasso*. » C'est cette vaste composition sur papier d'emballage que Paul Morihien devait un jour découper en tranches pour des envois de livres. (Il l'avait trouvée roulée dans une armoire. Elle était trop grande pour un de mes murs de la rue de Montpensier, et il ne connaissait rien encore de la valeur des choses peintes.)

L'esthétique de Picasso consiste à consacrer, à sanctifier des fautes. Il ne peut donc jamais faire une faute.

C'est, en somme, la première fois que Picasso me parle ouvertement du parti communiste. « J'ai eu, dis-je, la même histoire avec les catholiques. La *Lettre à Maritain*[2], c'était pour me donner une famille. J'ai dû fuir. »

L'article de Marcenac dans *Les Lettres françaises*. « Je m'éloigne de la vie, etc. » Alors que je pénètre dans son essence.

Jeudi 26 [*février 1953*].
Daisy Fellowes[3] vient déjeuner avec nous.

---

1. Ballet réaliste en un tableau de Jean Cocteau, musique d'Erik Satie, chorégraphie de Léonide Massine, rideau, décor et costumes de Pablo Picasso ; création par les Ballets russes, au théâtre du Châtelet, le 18 mai 1917 ; reprise, au théâtre des Champs-Élysées, le 21 décembre 1920. Voir Jean Cocteau, « La reprise de *Parade* », dans *Cahiers Jean Cocteau*, 7, Paris, Gallimard, 1978, pp. 137-139.
2. Jean Cocteau, *Lettre à Jacques Maritain*, Paris, Stock, 1926.
3. Voir tome I, p. 153, n. 3.

Naturellement Mario et Pasquini m'ont *demandé* quelques lignes sur *Le Guérisseur*[1]. Je les ai écrites. Mario viendra les prendre ce matin. Je l'ai assez fait pour des raseurs. Il est juste que je le fasse pour des personnes très serviables.

J'avais dit à Picasso que je commençais à être excédé par les listes et manifestes Rosenberg qu'on me demande de signer. « Les Rosenberg sont perdus, dit-il, et on s'en moque. Faisons-le pour nous. »

Couvert toute la toile Favini. Maintenant il faut peindre.

Madame Favini : « Je ne sais pas d'où ma fille peut tenir son profil de couteau à poisson. »

JEAN COCTEAU À GASTON GALLIMARD[2]

28 février 1953

Très cher Gaston,

Merci de votre bonne lettre. L'affaire Plon est en réalité une affaire Orengo-Monte-Carlo qui me permettait de racheter les livres.

Je pense à vous, dans ce soleil où je tâche de guérir mon « influenza ». Il est vrai que j'aime parler avec l'éditeur comme s'il n'était pas l'éditeur et m'exciter à la besogne. Si vous venez sur la Côte faites-moi signe. Je vous montrerai cette villa Santo Sospir que j'ai tatouée.

Je vous embrasse,

Jean

---

1. « Pierre Pasquini et Henri Mari viennent de nous donner à Nice, au Palais de la Méditerranée, une pièce de théâtre rapide, souple, drôle, d'une langue joyeuse.

« Jamais ils ne tombent dans les excès du comique, jamais ils n'emploient la perche sournoise que les salles éprises de rire nous tendent. Il en résulte une grâce d'équilibriste... »

Jean Cocteau.

2. Réponse à une lettre du 27 février, identique à celle du 11 mai, publiée *infra* p. 121.

Dimanche [1ᵉʳ mars 1953].
  Santé-mal. Cœur qui bat de travers. Fatigue depuis huit jours. Le docteur Ricoux me remonte avec des intraveineuses.

  Aucune nouvelle de *La Voix humaine* (reprise vendredi par Louise Conte). Silence bizarre. J'avais demandé qu'on m'envoie un télégramme.

  Déjeunons à Bordighera pour l'exposition de peinture américaine dont j'ai dû écrire la préface.

  Téléphoné avec Louise Conte. Il y a eu des mouvements dans la salle (en haut) comme toujours. Mais elle estime que c'est peu grave — qu'il n'y a que de petites coupures à faire dans les « allô ». En outre, à la Comédie-Française il y a toujours les partisans de l'un et les partisans de l'autre. Etc. Souvenir de Bovy — sacrosaint. (Téléphone de Jeannot qui assistait au spectacle et m'en parle comme d'un considérable succès de Conte.)

2 mars 1953.
  Avons été à Bordighera. Déjeuner chez Pini avec Peggy Guggenheim[1]. Vernissage. Ministres, consuls, vieilles dames et vieilles toiles américaines que je connaissais. Mais tout cela bien accroché, bien présenté, aéré par la gentillesse de Jean Guérin. Son propre tableau me semble être le meilleur, avec un charme grave, une grâce construite.
  Je parle à la radio et j'emmène Francine, très fatiguée.

  L'Angleterre chassée des Indes pour avoir préféré le commerce à la sagesse, malgré de hautes intelligences anglaises qui offrirent de se mettre à l'école. Mais il était trop tard. (La lettre de réponse des Indes est admirable.)
  La France est devenue une colonie, colonisée par des âmes incultes. Sa seule chance sera de vaincre ses vainqueurs comme les Grecs vaincus parviennent à vaincre sournoisement les Romains, comme les Juifs arrivant toujours à vaincre ceux qui les massacrent.

---

  1. En 1938, Peggy Guggenheim avait présenté, dans sa galerie de Londres, une importante exposition de dessins de Jean Cocteau (12 janvier-24 février).

Vers cinq heures, j'ai été voir madame Maeterlinck. Impossible de trouver l'entrée de la villa[1]. Nous rôdions avec Fernand[2] sur la plate-forme qui domine la route. Nous nous penchions vers des jardins couverts, des pièces d'eau entourées de plantes vertes. Enfin madame Maeterlinck est apparue et nous a expliqué par où on descendait chez elle.

La villa est immense, comme un temple d'Égypte. C'est une ébauche de casino que Maeterlinck acheta et arrangea pour y vivre. Je raconte à sa femme qu'on m'a demandé huit fois au moins de mettre *Pelléas* en scène, d'en faire les costumes et les décors. L'Opéra-Comique à qui je recommandai Valentine[3]. Et en dernier lieu, le Metropolitan Opera de New York et la Scala de Milan (qui me l'avait déjà demandé l'année dernière). Pour le film, il faudrait trouver une Mélisande. Et Pelléas. Jean Marais jouerait Golaud.

Madame Maeterlinck habite ces halls, ces couloirs, ces vestibules immenses avec un minuscule pékinois et le fantôme de Maeterlinck.

Sur sa plage déserte se donnent rendez-vous les nudistes. La villa, à pic sur la mer, est exactement en face de la pointe du Cap. Elle est prise dans des architectures qui ne seront jamais terminées. Ce qui lui donne une apparence de ruines.

Daisy nous raconte qu'un des problèmes du couronnement est celui des besoins naturels. Personne ne peut bouger, se retirer. On invente des appareils qui passent dans les jupes et dans les bottes.

Madame Maeterlinck : « On a volé *Pelléas* à Maeterlinck. Il arrive qu'on ne mette même pas son nom sur l'affiche. »

Mardi [*3 mars 1953*].

Sauf peut-être aux Indes (?) il n'y a plus de grande initiation. La seule grande initiation est celle des finances. Dans l'Antiquité les gouvernements qui ne relèvent pas de l'initiation et du chiffre trois s'effondrent. Les autres seuls s'épanouissent — mais jusqu'à la mort de l'initié. Le chiffre deux bascule vite sur ses jambes. Le trépied oppose au corps une base solide. Napoléon savait cela mais il a été perdu par le chiffre un, par l'orgueil. Un disciple de

---

1. La villa Orlamonde, partie des constructions de Castellamare (1925) restées sans emploi, entre Nice et Villefranche-sur-Mer, sur la Basse-Corniche.
2. Chauffeur de Francine Weisweiller.
3. Valentine Hugo a décoré *Pelléas et Mélisande*, à l'Opéra-Comique, en juillet 1947.

Pythagore (il en restait de par le monde) l'avertit de ne pas attaquer les Russes. De se défendre sans attaquer. Il était trop tard. Il était en proie au vertige des dictatures. Il se croyait délivré du mécanisme des Nombres.

Le monde actuel n'est plus que désordre fantaisiste. La science positive a tué la science spirituelle qui était invincible et illimitée. C'est par cette science spirituelle que les Grecs ont vaincu Xerxès à Delphes, sans troupes. C'est elle que Daniel enseigne à Nabuchodonosor. Elle refuse toujours la victoire *visible*, le résultat immédiat. Les Juifs éparpillés étaient invincibles. Ils savaient. Ils ne savent plus et se groupent en Palestine. Ils ne peuvent rien édifier de durable malgré toute leur finesse. Je l'ai compris, recevant les Israéliens.

Mercredi [*4 mars 1953*].

La marquise de Cuevas, de l'hôtel, à Los Angeles, téléphone à son mari (hôtel de Cannes) pour lui dire qu'elle sonne le service depuis un quart d'heure, sans réponse. Elle lui demande de téléphoner à ce service.

L'Aigrette[1]. Ballet de gens du monde qui se croient des professionnels. Succès à Cannes, déclenché par les cris de Cuevas. Madame R. vient saluer en scène. Son gros amant dit (dans la loge de Cuevas) : « Je me sens très duc d'Édimbourg. »

Le maréchal Pétain, furieux parce qu'on lui parle d'autoriser sa femme à venir le voir dans sa prison. « Qu'on me laisse tranquille ! » Les journalistes accusent la justice d'être sans cœur.

En Italie un élève de seize ans tue son professeur à coups de revolver pour ne lui avoir donné qu'un quatre en mathématiques. « Ai-je mérité ce quatre ? — Je le pense. » (L'élève tire quatre coups de revolver.) Genet était à Rome. Funérailles nationales du professeur.

À Tunis, un docteur bat sa femme. Elle en meurt. L'ordre des médecins le couvre.

---

1. Ballet de la princesse Marthe Bibesco, musique du prince George Chavchavadzé, chorégraphie de Birger Bartholin, décors et costumes de Rina Rosselli ; création par le ballet du marquis de Cuevas, au casino municipal de Cannes, le 27 février 1953.

Style des innombrables lettres que je reçois : « Je sais que vous n'aimez pas recevoir de lettres et y répondre — mais la mienne n'est pas comme les autres. Etc. »

La mère d'Olivier Larronde a détraqué son fils, avant même sa naissance, par un mélange de sciences occultes mal entendues. Elle le croit destiné à la réconciliation des peuples. La lutte d'Olivier pour se dégager de ces phantasmes l'a encore détraqué davantage. Sa petite sœur en est morte.

Le temps est très beau. Ce matin viennent les opérateurs de la télévision américaine.

J'ajoute chaque jour une page au texte de Bruckmann.

Téléphone de Jean Genet. Il passe à trois heures.

Pierre Pasquini parle de prolonger de dix jours l'exposition des Ponchettes.

Dicté et envoyé à Sentein[1] la préface pour l'annuaire de l'imprimerie.

Fait préface Willemetz. Dicté le chapitre que je dois lire pour le disque Sigaux. (Chapitre de la monographie lu par moi — Scène de *Bacchus*[2] [le cardinal et Hans] jouée par Marais et Vilar — *Un ami dort*[3] lu par Fresnay[4].)

Ai rêvé, nuit de dimanche, que je devais, pour sauver des amis, recevoir un coup de stylet dans la nuque. J'apprenais ensuite que la

1. François Sentein, né en 1920, journaliste et écrivain ami de Jean Cocteau, pour qui, à partir de 1941, il effectua quelques travaux. Voir François Sentein, *Minutes d'un libertin, 1938-1941*, Paris, La Table ronde, 1977, pp. 209-212, 232-233, 254-255.
2. *Bacchus*, pièce en trois actes de Jean Cocteau, décor, costumes et mise en scène de l'auteur ; création par la Compagnie Madeleine Renaud-Jean-Louis Barrault, au théâtre Marigny, le 20 décembre 1951. — Paris, Gallimard, 1952. Voir tome I.
3. « Un ami dort », dans Jean Cocteau, *Poésies 1946-1947*, s. l., Jean-Jacques Pauvert, 1947, puis dans Jean Cocteau, *Poèmes*, Paris, Gallimard, 1948.
4. Sur le disque Philips A 76.715 R, *Jean Cocteau*, cinquième de la collection « Auteurs du XXe siècle », réalisé par Gilbert Sigaux, la scène de *Bacchus* est enregistrée par Jean-Louis Barrault et Jean Desailly, et « Un ami dort » par Serge Reggiani.

blessure m'empêcherait désormais d'inventer ou de créer n'importe quoi.

Presque terminé le portrait Favini. J'écrivais à Françoise : « Cette femme de tête s'est arrangée pour que la pointe de sa collerette coïncide avec la boule du lustre, entre celles de la lune (par Scarpia), de sa boucle d'oreille, de sa bague et du Fly-tox de sa fille — choses auxquelles je n'aurais jamais pensé moi-même[1]. »

> *Pâle et rouge d'ongles*
> *Madame Favini*
> *N'en a jamais fini*
> *Entre les boules et les ongles*
> *Avec lesquels sa grâce jongle.*

Madame Favini : « Faites bien les taches de rousseur de ma fille. Il faut qu'elle sache un jour combien elle a été laide. »

Odeur presque désagréable de certaines fleurs jaunes auprès de l'atelier. Maurice Bessy[2] m'écrit de ne jamais toucher la plante appelée « rue ». Elle est couleur de salamandre et elle empoisonne.

5 mars.
Staline se meurt. Voilà ce que la presse annonce. Le monde entier présente cet incroyable remue-ménage d'une ruche comme celles d'hier soir dans un film du club des amateurs de Nice que je préside.

Staline paralysé. On l'empaillera. On l'exposera. On le déifiera. On lui désobéira. Dépêche étonnante d'Eisenhower glorifiant la camaraderie du peuple russe.

Téléphone de Charon. *La Voix humaine* au point mercredi soir. Grand succès de Louise Conte.

---

1. Madame Favini est peinte assise dans un intérieur orné d'une marine de Scarpia représentant un voilier au clair de lune. Sa fille joue à ses pieds avec un pulvérisateur de Fly-tox. Sur ce tableau, voir notice et quatrain inédits de Jean Cocteau, annexe VII.
2. Journaliste, écrivain, Maurice Bessy dirigeait, en 1953, les principaux magazines du spectacle : *Le Film français, Cinémonde, Une semaine de Paris, Paris-Théâtre*. Il publiait durant le festival de Cannes un bulletin quotidien auquel Jean Cocteau a collaboré par des textes et des dessins. Voir Maurice Bessy, *Les Passagers du souvenir*, Paris, Albin Michel, 1977.

Les Lettres françaises. Un journal qui doit s'adresser au peuple (aux intellectuels du peuple). Je le lis. Je n'arrive pas à comprendre de quoi on parle. À force de vouloir combiner l'intelligence et la ligne, il en résulte une grande obscurité.

Visite du rédacteur du *Times*. Il me dit : « Le *Daily Telegraph* cesse de paraître faute d'argent. » (! ?)

La bêtise de la presse. Dans *Noir et blanc,* un article sur l'Élysée, où le journaliste explique en cinq colonnes que la demeure du président de la République a été un bordel dès l'origine. Article type où la France se barbouille de merde.

Vu Jean Genet qui recommence à écrire et me raconte un projet de film.

Noir et blanc : « Chaplin est aussi détesté en Angleterre qu'en Amérique, etc. »
Maladie contagieuse du siècle : tout couvrir d'ordures. Nul n'y échappe.

Œuvres complètes. Orengo y travaille. Je suis stupéfait par le nombre d'œuvres accumulées dans ma vie. Comme je me posais un problème pour chacune et m'acharnais à le résoudre, n'abandonnant mes calculs que lorsque j'avais obtenu le total, je ne m'étais jamais avisé de l'ensemble. Le calcul de l'œuvre nouvelle me faisait oublier l'œuvre précédente. Arriverai-je, grâce au papier bible, au tour de force de réunir le tout en trois volumes ? (En éliminant une foule d'articles et de préfaces qui constitueraient à eux seuls une suite de livres.) On a cru que j'avais de la facilité. C'est justement mon manque de facilité qui m'hypnotise sur une tâche et me masque les autres. Sans m'en rendre compte, j'ai terriblement écrit.

6 mars.
Staline est mort. Les Anglais estiment qu'il était déjà mort lorsque Moscou annonçait une crise cardiaque. C'était le dernier colosse.

Staline savait rire. Je crains que ses successeurs ne le sachent pas. Lors du dîner avec de Gaulle il feignait de prendre Palewski pour l'ambassadeur de Pologne. Il embrassait ses généraux sur la bouche à la mode russe et disait à de Gaulle : « Cela vous plairait-il ? » Demandant à Churchill ce qu'il pensait de ce général et Churchill ayant répondu qu'il éprouvait pour sa personne une répulsion physique, Staline lui dit : « Vous n'avez qu'à en trouver un autre. »

On ne prend pas la vedette du monde sur commande. L'esprit anonyme du communisme puisera des forces dans l'absence d'une figure dominante de chef.

Ci-joint lettre d'Édith Piaf à propos de sa reprise du *Bel Indifférent*.

———

Édith Piaf, Riviera Night Club, Miami Beach, Florida, U.S.A.

Le 28 février 1953

Mon Jean chéri,

Quelle joie de lire et relire ta lettre, je sais combien sont nombreux ceux qui t'aiment mais si tu pouvais savoir à quel point moi je t'aime malgré les rares moments où nous nous voyons, c'est très drôle l'impression que j'ai à chaque fois que je te vois, j'ai envie de te protéger contre toute la méchanceté du monde et je m'aperçois à chaque fois que c'est toi qui me remontes et me redonnes du courage pour affronter justement ce monde si dur ! Ne trouves-tu pas que c'est merveilleux d'aimer quelqu'un sans avoir besoin de lui, de l'aimer seulement pour lui, parce que l'on sait que cet être est magnifique, eh bien je t'aime comme ça, quand j'entends ton nom ou que je le lis quelque part je reçois toujours un choc au cœur ! Aussi, je vais te jouer ton *Bel Indifférent* comme jamais, je crois aussi que je suis plus capable de comprendre tes nuances, toutes tes petites choses qui sont justement les plus grandes ! Je ne sais si tu le sais, mais Rouleau a mis ton acte pour un spectacle qu'il doit donner à Rio, et je jouerai avec Jacques *Le Bel Indifférent* ! Peut-être aurons-nous la joie de te voir et de bavarder de tout cela ! Jacques était fou de joie de ce que tu me dis à son sujet dans ta lettre, et je crois que tu ne seras pas déçu par lui !

Que devient Jeannot ? Si tu le vois, embrasse-le pour moi. Jacques me charge de te remercier de tout son cœur, il est si ému... tu penses ! Nous rentrons le douze mars ! Je t'embrasse de toute la force de mon amitié.

Ton Édith.

———

FRANÇOISE GILOT À JEAN COCTEAU

Vendredi 6 mars 1953

Cher ami,

Comment vous remercier sinon en vous disant merci, merci et encore MERCI pour la grande joie que vous me donnez en me permettant de lire cette *Légende de sainte Ursule* [1] qui après m'avoir étrangement frappé l'oreille avait fait son chemin sournoisement en moi jusqu'à se re-présenter sur une toile « dormante ».

Il y a ce que nous comprenons et ce qui nous comprend et j'ai toujours considéré ce texte comme extrêmement beau et important pour moi.

Qu'en pense Madame Favini ? Demi-cachée par d'étranges lieux géométriques de sa collerette, ou n'est ce pas elle qui singe les dormeuses-nageantes et les dormantes-nageuses de l'autre côté de la page [2].

Donnez-moi de ses nouvelles dernières et très fraîches.

Affectueusement de nous tous à vous.

Françoise

———

1. Voir *supra*, p. 53.
2. Allusion au dessin du verso de la lettre.

MADRIGAL NIÇOIS

Devons-nous croire l'eau
(S'il est vrai que l'eau mente
Que mente la dormante
De Françoise Gilot)

La dormante est sournoise
Son sommeil est suspect
Elle quitte Françoise
Pour rêver Guerre et Paix.

Jean
Mars 1953

7 mars.
Malenkov succède à Staline. Staline est mort jeudi soir 5 mars à douze heures.

Hier soir distribution des prix du Film-club de Nice. Dit quelques mots.
« Si Gœthe l'avait pu, lors de son voyage à Rome par petites étapes, au lieu d'emmener un jeune dessinateur il aurait emporté une caméra Kodachrome 16 millimètres — et au retour il aurait montré cette étonnante lanterne magique à Eckermann et à sa famille. »

Colette est venue avec Maurice nous voir hier matin. Elle n'a pas quitté la voiture où nous sommes montés lui rendre visite. Je la trouve beaucoup mieux. Je lui ai raconté le film des abeilles. Elle avait très envie de le voir. Hier, j'ai demandé au club qu'on le lui montre dans sa chambre. C'est encore un privilège artisanal du 16. On vous apporte le cinématographe à domicile comme on apportait l'eau chaude et la baignoire avant l'invention du robinet.

Matisse me téléphone qu'il a été hier voir l'exposition et qu'il a trouvé la tapisserie splendide. J'irai le voir mardi au Régina.

J'ai été embrasser Charles Chaplin à l'avion qui arrive de Genève. Il est descendu avec sa femme. Un homme à barbe grise ouvrait la marche sur l'échelle. Le speaker de la radio dit : « Un homme barbu apparaît. Ce n'est pas Chaplin. Qui est-ce ? — Demandez à Cocteau, crie l'homme barbu. — C'est Ansermet[1]. » Ensuite parut Charles que j'étais très ému de revoir après tant d'années. Nous sommes tombés dans les bras l'un de l'autre, au milieu de l'éclair des photographes.

Laurent en parle très bien dans *La Parisienne*.

Textes inexacts d'*Appogiatures* publiés par *La Table ronde* et *La Parisienne*. Je télégraphie à Parisot et à Orengo de réviser les épreuves. J'avais remis à Parisot, avant mon départ, des épreuves exactes.

Je le regrette, messieurs, mais je m'opiniâtre, jusqu'à nouvel ordre, jusqu'à ce qu'on me l'interdise. Il est possible que ce moment soit proche.

Avoir raison. Il est probable que cela compte, même si toute la structure visible des lettres s'y oppose.

La Condition humaine de Malraux les a tous hypnotisés. Règne du journalisme.

L'équilibre est rompu et ce déséquilibre devient un équilibre. Toute la littérature actuelle ressemble à un homme qui tombe, statufié dans un mouvement de sa chute.
Il faut, coûte que coûte, être éliminé de cette époque.

Les « engagés involontaires ».

Dans cette époque de chute mon refus de tomber est considéré comme une insolence.

Je suis en quarantaine. Mais à notre époque absurde il arrive qu'une quarantaine ne dure pas quarante jours.

10 mars 1953.
Parmi les livres secrètement escamotés, le livre de Bernanos sur

---

1. Le chef d'orchestre suisse Ernest Ansermet (1883-1969).

les aviateurs[1] et l'œuvre de Saint-Yves d'Alveydre[2] (élève de Fabre d'Olivet) — œuvre reprise par Jacques Weiss sous le titre : *L'Autorité face au pouvoir*. Ce livre de Weiss paraissait en 1950 chez Adyar (?). Inutile de dire qu'il est inconnu et introuvable. Seule documentation importante sur les politiques.

Été ce matin jusqu'à la Mauresque. Raymond Mortimer me parle des traductions de Mary Hoeck avec sévérité. Elle écrit mou.

Il sort d'une opération très embêtante de la prostate dont on ne s'inquiète jamais parce qu'on a l'habitude d'en rire et de croire les maladies de la prostate réservées aux vieux généraux. Somerset Maugham très en forme, très alerte, avec des bagues d'or à sa cravate de foulard vert. Il me demande si je ne regrette pas souvent l'effort que me coûte un film. Forme d'art si fragile et si fugace. Je lui réponds que oui, mais que tout est fragile et fugace. Il reste de la Grèce un pied de la tour Eiffel et quelques statues du Grand Palais et de la Chambre des députés. Rien de Pythagore et d'Héraclite.

Il paraît que la pièce de Green[3] semble ennuyeuse et mal construite. [...] Ce qui est drôle c'est que Green qui n'a aucun sens du théâtre a ce sens dans des livres comme *Minuit* ou *Léviathan*.

J'ai chaque semaine une idée de pièce qui enrichirait un auteur. Mais j'y renonce parce que la vraie idée de pièce doit s'imposer toute seule, nous encombrer, nous importuner jusqu'à ce que le travail d'écrire nous en délivre. [...] Les critiques modernes ne font aucune différence entre les pièces inévitables et les autres.

Bessy m'envoie sa publication qui édite les pièces de théâtre et me demande *La Machine infernale*[4], si Gallimard l'autorise. Or *La*

---

1. On ne sait à quel ouvrage il est fait allusion ici. La publication du deuxième volume des *Essais et écrits de combat* de Georges Bernanos, dans la Bibliothèque de la Pléiade, permettra peut-être de retrouver ce texte.
2. Le marquis Alexandre de Saint-Yves d'Alveydre (1842-1909), théosophe, prônait la « Synarchie », c'est-à-dire une organisation politique où coexisteraient harmonieusement l'économie, le pouvoir exécutif et l'ordre spirituel. Auteur de *Mission des Souverains*, 1882, *Mission des ouvriers*, 1883, *Mission des Juifs*, 1884, *Mission des Français*, 1887, *Jeanne d'Arc victorieuse*, épopée en vers, 1890, etc.
3. *Sud*, pièce en trois actes de Julien Green, créée au théâtre de l'Athénée-Louis Jouvet, le 6 mars 1953, dans une mise en scène de Jean Mercure et un décor de Georges Wakhevitch. C'est la première pièce du romancier.
4. Pièce en quatre actes de Jean Cocteau, créée à la Comédie des Champs-Élysées, le 10 avril 1934, dans une mise en scène de Louis Jouvet et des décors et costumes de Christian Bérard. — Paris, Grasset, 1934.

Machine est chez Grasset. Sa publication présente *Évangéline* de Bernstein. On demeure confondu en face de ce charabia vulgaire, en face du manque de naturel de ces dialogues qui veulent être « naturels », de cette méconnaissance totale du rythme et de la langue française.

Les critiques ne voient pas, par exemple, que dans *Les Parents terribles*[1] j'use de la plus extrême rigueur — que le style de cette pièce est un portrait du style familier, que la moindre syllabe compte, qu'un acteur qui changerait un terme démaillerait le tout.

Acharnement incroyable du jeune Michel Haddad (dix-huit ans) qui veut faire le film de *Thomas l'imposteur*[2], auquel j'oppose exprès une foule d'obstacles et qui les saute. *Combat* annonce qu'il jouera lui-même le rôle. Il n'a pas osé me le dire. Il ne m'a avoué que le scénario, la mise en scène et la musique. Je lui ai permis d'entreprendre ce travail parce que j'estime qu'il est ignoble de doucher l'élan et parce que je suis curieux de voir comment un garçon de dix-huit ans se représente la guerre de 14.

Il veut tourner à la Victorine. Je l'ai prévenu que la Victorine devenait, hélas, inutilisable à cause de la proximité de l'aérodrome de Nice.

Le maire de Nice voulait prolonger mon exposition, qui rapporte. Madame Guynet me téléphone que c'est impossible à cause de l'exposition des livres de la Bibliothèque nationale. L'exposition quittera les Ponchettes demain.

Voltaire, qui lança la légende du Masque de fer, dit de ce prisonnier, dont il affirme que nul *ne vit jamais la figure :* « On envoya dans le plus grand secret au château de l'île Sainte-Marguerite, dans la mer de Provence, un prisonnier inconnu, d'une taille au-dessus de l'ordinaire, jeune, et de *la figure la plus belle et la plus noble.* Ce prisonnier portait un masque... On avait ordre de le tuer s'il se découvrait[3]. »

1. Pièce en trois actes de Jean Cocteau, créée au théâtre des Ambassadeurs, le 14 novembre 1938, dans une mise en scène d'Alice Cocéa et des décors de Guillaume Monin. — Paris, Éd. de la N.R.F., 1938.
2. Roman de Jean Cocteau, Paris, Éd. de la N.R.F., 1923.
3. Voir Voltaire, *Le Siècle de Louis XIV,* dans *Œuvres historiques,* Paris, Gallimard, Bibliothèque de la Pléiade, 1958, pp. 895-897. Voltaire n'écrit pas que nul ne vit jamais la *figure* du Masque de fer. Il emploie judicieusement les termes *visage* et *figure* dans leurs acceptions du XVIIIe siècle. Littré donne encore comme premier sens de *figure :* « la forme extérieure d'un corps ».

Ce qui amuse, c'est que Georges Mongrédien[1] qui cherche à prouver que l'histoire lancée par Voltaire est ridicule, ne tient pas debout, relève toutes ses inexactitudes, sauf celle que je note et qui me semble être la plus probante d'une fable.

En fait de vérité historique je suis toujours porté à croire que c'est Alexandre Dumas qui a raison. On n'invente que ce qui est vrai et Dumas fait vivre l'Histoire morte.

Quelquefois (rarement) le soir avant de m'endormir, je vois, les yeux fermés, après plusieurs formations de taches de couleur à noyau et frange d'autres couleurs, apparaître, d'abord vagues et de plus en plus précises, de petites images de figures ou d'objets. Ces images sont de couleurs vives et très détaillées. Elles ne correspondent à rien de ce que je pense ni à rien de ce que je dessinerais ou peindrais. Elles disparaissent vite et deviennent des taches confuses. Si je cherche à provoquer ces images, je veux dire si, en ayant vu en apparaître une, j'attends d'en voir apparaître plusieurs, il est rare qu'elles se produisent.

Les journaux disent déjà que le *sarcophage* de Staline sera exposé sur la place Rouge auprès de celui de Lénine. L'idée pharaonique se présente même à l'imagination bornée du journalisme. J'avais parlé dans mon voyage d'Égypte de cette ressemblance entre le régime pharaonique et le régime de l'U.R.S.S.[2]. La grande idée de notre époque est d'avoir fait croire aux esclaves qu'ils étaient libres. Mais en Égypte on avait dû en venir à faire croire aux esclaves que le peuple partagerait après la mort le privilège des grades dans la divinisation.

Mort de Prokofiev. Il a bien mal choisi son moment pour mourir. C'est encore une branche de mon arbre qui tombe. Diaghilev. *Le Pas d'acier*[3]. Ma gifle à Doukelsky[4]. Comme je n'avais pas revu

---

1. Georges Mongrédien, *Le Masque de fer*, Paris, Hachette, 1952.
2. Voir Jean Cocteau, *Maalesh*, journal d'une tournée de théâtre, Paris, Gallimard, 1949, p. 134.
3. Ballet en deux tableaux, musique de Serge Prokofiev, chorégraphie de Léonide Massine, constructions et costumes de Georges Yakoulov ; création par les Ballets russes, au théâtre Sarah-Bernhardt, le 7 juin 1927.
4. À la première de *Pas d'acier*, ballet « soviétique », Jean Cocteau, à la suite d'une altercation en coulisses, avait giflé le compositeur Vladimir Doukelsky, collaborateur

Prokofiev depuis cette époque, il me demeurait tout jeune, rouge et la tête rase. Stravinski disait : « Il a la bêtise du gendarme russe. » La mort de Staline reléguera la nouvelle de sa mort en cinquième page (quelques lignes). On en parlera sans doute après les funérailles de Staline qui doivent être quelque chose d'extraordinaire et que Joxe[1] a de la chance de voir. La musique de Prokofiev a commencé le style qui intéresse sans émouvoir. Il est impossible que cette musique provoque une érection morale. Prokofiev avait demandé publiquement pardon et déclaré : « Je ne le ferai plus », parce que Moscou reprochait à sa musique de n'être pas dans la ligne. Sans doute pas assez populaire. La radio française la met davantage à ses programmes que celle de Stravinski.

Frank a téléphoné. Il est arrivé hier à Cannes avec son film des *Parents terribles*[2]. Après les formalités de douane, il me le présentera sans doute à Beaulieu.

Ci-joint une lettre de Touchard qui me met au courant de *La Voix humaine* dimanche.

———

PIERRE-AIMÉ TOUCHARD À JEAN COCTEAU

COMÉDIE FRANÇAISE   8 mars 1953
   Administrateur
      Général

Cher Monsieur,

J'ai assisté hier soir à la troisième représentation de *La Voix humaine* devant une salle silencieuse et émue, suivant passionné-

des Ballets russes (connu sous le pseudonyme de Vernon Duke). Dans une lettre à Boris Kochno, secrétaire de Serge de Diaghilev, Cocteau précisait : « Il était difficile de supporter de Dima [*diminutif du prénom de Doukelsky*] (vu sa tronche, sa rose, son tube, sa canne Louis XV) des reproches sur la frivolité parisienne. [...] Mes jugements étaient d'ordre esthétique et d'ordre moral. Je reproche à Massine d'avoir fait d'une chose aussi grande que la révolution russe une image de cotillon accessible aux dames qui payent une loge six mille francs. Je ne m'attaquais pas au musicien ni au décorateur. » Voir Boris Kochno, *Diaghilev et les Ballets russes*, Paris, Fayard, 1973, p. 261, et Richard Buckle, *Diaghilev*, Paris, Jean-Claude Lattès, 1980, pp. 577-579.
   1. Louis Joxe, ambassadeur de France à Moscou de 1952 à 1955.
   2. *Intimate Relations*, film de Charles Frank.

ment le jeu de Louise Conte. La partie est donc gagnée, maintenant, et je pense que nous avons bien fait de faire ici l'épreuve du spectacle avant de l'envoyer en Alsace. Il y avait dans le texte intégral de petites phrases qui « dataient » (en particulier les trop nombreux jeux de scène provoqués par les interruptions de la conversation téléphonique, qui avaient fatalement perdu de leur vérité). Il a fallu aussi réduire un peu la durée de l'acte. J'espère que ces coupures vous satisferont. De toute façon, à votre retour à Paris, il vous sera facile de faire rétablir celles qui vous paraîtraient regrettables.

Je suis heureux de ce succès, et pour vous qui êtes absent, et envers qui je me sentais davantage responsable, — et pour Louise qui s'est consacrée à la préparation de cette représentation avec une fougue, une sincérité et un acharnement admirables. Elle a joué hier avec une véritable maîtrise, dominant un personnage et une situation qui jusque-là la bouleversaient peut-être trop profondément.

Jacques Charon m'a dit que vous n'étiez pas encore complètement rétabli. Permettez-moi de vous adresser tous mes vœux, en même temps que l'expression de mon très fidèle dévouement.

P.-A. Touchard

Style de Vallauris. Picasso m'envoie une carte postale où *L'Homme au mouton*[1] se découvre lorsqu'on soulève une serviette cachant les fesses d'une baigneuse. Cette baigneuse est attaquée par un enfant vêtu en cow-boy et tenant deux revolvers (sic).

11 mars 1953.
La radio d'Amérique annonce : « La mort d'un grand Russe. » Suit le nom de Prokofiev.

Les drapeaux en berne. M. René Mayer, à la Chambre, déclare que c'est une habitude des condoléances officielles. Ne pas mettre en berne serait donc un acte politique, exprimerait une « opinion ». Et voilà tous les élèves très sages sur leurs bancs.

---

1. Bronze de Pablo Picasso érigé, en 1950, sur la place centrale de Vallauris.

Frank me montrera le film à Beaulieu — jeudi, cinq heures.

Hier, Orengo m'a lu au téléphone l'article de Déon sur le *Journal d'un inconnu*. [...]

À la radio on me pose toujours la même question à propos des films de Chaplin : « Puisque vous employez la plastique n'êtes-vous pas choqué par l'absence de plastique dans les films de Chaplin ? » — Si j'emploie la plastique c'est instinctif et je ne m'en rends pas compte. Celle de Chaplin est d'ordre moral et sentimental. C'est pareil. Il en obtient le relief. Du reste, il est une plastique à lui tout seul. Sa marche, ses gestes sont une danse.

Vendredi 13.
Mlle Boivin avait embrouillé toutes les pages de texte de la monographie et même l'ordre original. Il a fallu tout reclasser. Ce travail stupide a duré deux heures.

Irai déjeuner chez Picasso demain. Clouzot a téléphoné de Vence. Il déjeune ici lundi.

Vu le film des *Parents terribles* (version anglaise). Si je n'avais pas fait le film français[1], le film anglais me paraîtrait remarquable. Les faiblesses viennent du jeune premier assez fade et de ce que Léo cesse d'être l'épine dorsale de l'œuvre. Elle devient une brave vieille fille anglaise. Yvonne est la meilleure Yvonne après de Bray. La trouvaille, c'est Madeleine. Une Suédoise. Elle est de premier ordre. Supérieure à toutes les actrices qui ont joué le rôle. Parfaite à voir et à entendre. Frank a manqué la fin en voulant trop signaler que la « jeunesse » se dirige vers l'avenir. Je lui conseille de terminer le film sur la phrase de Léo : « Que tout était en ordre. » Je déteste ces « marches vers l'avenir et le soleil ». Cela coupe l'émotion du drame.
C'est, à ma connaissance, le seul remake fidèle que je connaisse. Frank était accompagné du personnel des douanes. Le docteur Ricoux et sa famille ont été les Français types : opposant mon film à celui de Frank et n'admettant rien de son immense travail. (En sa présence.) Frank a du reste tort d'insister pour que le film passe au Festival. Ma présidence rendant ma situation très délicate.

---

1. *Les Parents terribles*, film de Jean Cocteau, 1948. — Paris, *Le Monde illustré théâtral et littéraire*, n° 37, 11 décembre 1948.

Il paraît que *Bacchus* a remporté un succès considérable à Berlin. Mais je n'ai aucune nouvelle directe. Je l'ai appris par Francine qui le tenait de Pierre Peyraud.

Jacques Ibert doit venir me voir aujourd'hui pour mettre au point le texte et la musique des fêtes de Versailles.

Le magazine *Noir et blanc.* La connerie intégrale. Et ils osent parler de mon livre. Ce qui restera de l'époque : (d'après eux) Maeterlinck, *Cyrano de Bergerac*, l'*Antigone* d'Anouilh *(sic)*. On se demande si la sottise a jamais atteint ces limites. Ce magazine croit *que je m'amuse prodigieusement.*

Frivolité incurable du journalisme. Article d'Aniante[1]. Son œil trompe. On se croit compris.

15 mars 1953.

J'ai été déjeuner à Vallauris chez Picasso. J'avais apporté une grande boîte de caviar. Françoise a sorti une bouteille de vodka. Picasso a beaucoup bu et beaucoup mangé. Il ne prend plus ses poudres et ne boit plus d'eau. Je suppose qu'il doit être définitivement blanchi. [...] Tout Vallauris connaît l'histoire.

Favini, les rapports de madame Favini et de maître Machiavello, l'avocat communiste de Milan. Nous avons beaucoup parlé de cette famille et du danger de connaître des gens pareils.

Picasso m'a demandé, puisque je parlerai à Rome de *Guerre et Paix*, si je ferais une conférence au moment de son exposition. C'est Casanova qui le lui avait dit. Nous sommes retournés voir la fresque et différentes toiles représentant Françoise et les gosses. Ensuite nous sommes allés à la poterie où Picasso m'a fait faire neuf assiettes avec le trait gravé à la pointe. Il les terminera et me les montrera à mon retour.

Dîné avec Kisling[2] à la villa. Nous avons repassé des souvenirs de Montparnasse. (Modigliani emportant un de ses dessins aux

---

1. Antonio Aniante, écrivain italien habitant à Nice.
2. Moïse Kisling, né à Cracovie le 22 janvier 1891, avait rencontré Jean Cocteau à Montparnasse en 1916. Il figure avec Picasso, Max Jacob, Modigliani, André Salmon, etc., sur les photographies historiques prises à Montparnasse par Cocteau cette année-là (voir *Album Cocteau, op. cit.,* p. 26). De 1916 datent des portraits du poète par Kisling (voir reproductions dans *Kisling 1891-1953,* publié par Jean Kisling, texte de Joseph Kessel, Turin, 1971, pp. 106 et 142, et dans *Album Cocteau, op. cit.,* p. 27) et du peintre par Cocteau (voir reproductions dans Pierre Chanel, *Jean Cocteau, poète graphique,* Paris, Chêne/Stock, 1975, pp. 31-32). Peu de temps après ce dîner, Kisling décédera à Sanary, dans sa villa « La Baie », emporté par une crise d'urémie le 29 avril 1953.

cabinets pour se torcher devant un acheteur péniblement convaincu par Kisling. La haine entre les artistes. Mon grand portrait [1] de Modigliani emporté à la Rotonde par Kisling pour payer une dette d'apéritifs. Max disant : « Comment ne pas adorer Jésus-Christ qui a consenti à venir jouer le rôle d'un père Ubu sur la terre ? » Michel Georges-Michel [2] à qui Kisling avait cassé la gueule à la terrasse du Dôme. Au commissariat de police, Michel Georges-Michel invitant à dîner Kisling et Apollinaire qui avait servi de témoin. Un camarade de Kisling acceptant de lui donner cent cinquante francs en échange de l'*Arlequin* de Picasso et de cinq papiers collés de Picasso et de Braque. Un type dégoûté de la Bourse priant Basler [3] de lui acheter toutes les toiles au-dessous de deux cents francs. Sur le nombre il avait eu quinze Modigliani, douze Utrillo. Opération que tâche de réussir Hersent qui paye très cher des croûtes abstraites.)

Kisling porte une cravate américaine de toutes les couleurs. Il me raconte sa brouille avec Léger à New York parce qu'il avait répondu à un journaliste qui lui demandait quel est le meilleur peintre américain que c'était Léger. Je devine la terrible rancœur des peintres contre Picasso à la manière dont il parle de ses « vaisselles » et dont il s'étonne qu'un des jeunes auxquels Picasso a rendu la vie impossible ne l'ait pas encore tué. (Il n'emploie pas le terme dans le sens figuratif où je l'emploie.)

Avant de me rendre à Vallauris j'avais reçu la visite d'un certain M. Mathieu, propriétaire d'un grand hôtel de Nice. Il m'apportait son livre : *Le Secret du bonheur* et me dit : « C'est la Bible des temps modernes. Du reste, je ressemble à saint Thomas d'Aquin. Je sauverai le monde. Ma femme est une ambassadrice de la mode. (Il me montre une photographie de sa femme en costume de bain.) Vous la voyez assise devant l'affiche d'une conférence que j'ai faite au palais de la Méditerranée. C'est moi, disait-elle, *le secret du bonheur*. Paul Reboux a consenti à me faire une préface. Rien que je ne prouve comme Descartes. Rien que je ne pressente comme Pascal. Vous verrez ma découverte : l'homme sera sauvé par les

1. Ce portrait célèbre de Jean Cocteau (New York, The Henry and Rose Pearlman Foundation) a été peint par Modigliani, en 1916, dans l'atelier de Kisling, 3, rue Joseph-Bara. Voir Jean Cocteau, *Modigliani*, Paris, Fernand Hazan, 1950.
2. Michel Georges-Michel (Paris 1883-1985), chroniqueur, romancier (*Les Montparnos*, 1923), peintre.
3. Adolphe Basler, critique d'art et marchand de tableaux.

machines. Il travaillera moins et il occupera ses loisirs en s'instruisant et en se perfectionnant. »

Ce redoutable imbécile a découvert le secret du bonheur : se croire un prodige.

Avant-hier, comme j'attendais Jacques Ibert, on m'annonce un monsieur et une dame. J'ai cru que c'étaient les Ibert. Je me trouve en face d'un couple que je ne connais pas. La dame me dit : « Nous venons de la part de madame Favini. » C'était Solange Morin, envoyée par Françoise. Elle venait me demander un texte pour l'hommage des musiciens à Éluard (*Pensée française*)[1]. Je l'ai fait[2].

Classé et corrigé les cinq exemplaires à la machine du texte pour la monographie. Envoyé à Orengo le chapitre : « Une sexualité nouvelle[3] » pour si *La Parisienne* demande un texte de moi.

Hier, Picasso parle de l'opium. « À part la roue, dit-il, l'homme n'a découvert que cela. » Il regrette qu'on ne puisse pas fumer librement et me demande si je fume toujours. Je lui réponds que non et que je le regrette autant que lui. « L'opium, ajoute-t-il, provoque de la bonté. La preuve, c'est que le fumeur n'est pas avare de son privilège. Il veut que tout le monde fume. » Impossible d'être moins « dans la ligne » que Picasso. Au fond il est du parti communiste sans être communiste. Nous sommes loin des communistes qui tueraient père et mère pour servir la cause.

Picasso : « On me croit très riche, mais on oublie que je verse une fortune au fisc. Même si je fais un cadeau le fisc estime que je le vole. »

Vent froid. Picasso dit qu'on gèle sur cette côte. Son fils Paulo habitait un hôtel glacial à Vallauris. Les propriétaires disaient : « Quand on se lève on n'a pas besoin de chauffage. On se remue. Le soir, on n'a pas besoin de chauffage : on se couche. »

Le commissaire de police de Vallauris ne quitte pas Picasso. Picasso lui demande ce qu'on pense d'un commissaire qui ne quitte

---

1. Ce concert d'hommage, donné le 15 avril 1953, à la Maison de la Pensée française, avenue Matignon, réunissait des poèmes de Paul Éluard mis en musique par Claude Arrieu, Georges Auric, Elsa Barraine, Robert Caby, Henri Cliquet-Pleyel, Louis Durey, Francis Poulenc et Henri Sauguet.
2. Voir l'annexe VIII.
3. Voir « Une sexualité inconnue », dans *Démarche d'un poète, op. cit.*, pp. 27-29.

pas un communiste. (Don Camillo.) Le commissaire s'en fout. Picasso le soupçonne d'écrire en secret des romans policiers. Picasso l'emmène aux corridas de Nîmes.

Picasso dit à madame Ramié : « Vous pouvez donner soixante-dix assiettes à Cocteau, il vous les fera l'une après l'autre. Il n'y a que lui et moi qui possédions une pareille faculté de travail. »

Je parlais de l'invasion, des visites et des journalistes. Picasso me dit : « Ne nous plaignons pas de faire salle comble. »

« Quelquefois je les dirige sur Prévert. Mais cela ne les intéresse pas. Ils me répondent qu'il n'est pas " international ". »

On ne manquera pas de dire que la création picassienne est d'ordre diabolique. Or le diable ne peut créer, il ne peut que détruire. On dira que la création de Picasso est une destruction. Peut-être, mais il ne saurait y avoir création sans destruction, sans destruction de ce qui est. Que Picasso dérange les peintres, qu'il les écrase, que ce gros mangeur les dévore, c'est exact. S'ils rêvent de sa mort, ils se trompent. Ses œuvres seront plus agissantes que sa personne. Mais sa mort serait une catastrophe. Un pareil génie ne se reproduira plus.

Si je n'avais pas mal pris le départ, je serais devenu aussi encombrant que Picasso. Par chance pour moi et pour les autres, on m'a évité cette dictature.

Travaillé pour Versailles. Je voudrais finir sur deux strophes en vers. J'en ai déjà écrit une centaine. Je n'en garderai que deux. Picasso à qui je le raconte me dit qu'il a plusieurs cahiers pleins de préparations pour *Guerre et Paix*. On va les publier dans le livre.

Picasso. Il a établi comme un dogme que toute chose ayant l'air « bien faite » dénonçait une volonté d'esthétique, un manque d'élégance de l'esprit. Il en arrive à barbouiller une figure sur une foule de figures bien faites. Ce « mal fait » qui lui est propre et qui résulte de mille recherches trompe la jeunesse qui ne se doute pas du rythme de son travail. De la sorte il égare les barbouilleurs et il discrédite, par avance, ceux qui sont capables de le contredire et qu'on prendra pour des esthètes. C'est un guerrier terrible, apte à toutes les ruses, connaissant toutes les bottes, agile comme un matador. Matisse ne peut prononcer cinq paroles sans y mêler son nom. Il est le cauchemar et l'idole des peintres. Situation unique. Et en outre l'argent engagé sur sa personne empêche de consommer sa perte. Il règne, contre les peintres, contre la politique, contre tout.

17 mars 1953.

Matisse. Il a toujours sa figure poupine, ce rose que donne la barbe blanche, comme l'avait Saint-Pol Roux. Le torse un peu informe dans le fauteuil. On devine toute une armature sous les chandails. Sa petite-fille (la fille de Pierre Matisse) vient d'Amérique. Elle a vingt ans. Elle est rousse. Très charmante et très américaine dans la manière de s'habiller. Les seins en pointe, le corsage blanc, la ceinture de cuir noir, la jupe gitane. Elle raconte qu'en Amérique on n'ose plus ouvrir la bouche. On est tout de suite suspect. Police active. On surveille tout le monde. Matisse me montre une grande décoration murale en découpages qu'il termine pour un jardin en Amérique. Soleil. Tête au milieu. Fleurs. Il travaille comme Renoir sculptait, de son fauteuil, avec une perche. Il découpe lui-même les papiers de couleur et indique la place où on les épingle.

L'esprit critique de Picasso (de défense) cesse de s'exercer dès qu'on travaille auprès de lui. Il devient alors fraternel. Chaque fois que j'achevais une assiette, il la prenait, la portait à madame Ramié, s'écriait : « Il n'en a pas manqué une. » Il lui plaisait aussi de démontrer par la bande que Chagall n'arrivait pas à s'en sortir.

Lu hier soir la traduction d'*Oblomov* de Gontcharov, que Dimitri Markevitch[1] m'envoie. C'est étrange. Dans Dostoïevski la confusion russe est admirable. Ici elle effiloche les bords. Elle ôte de la force et du relief au personnage d'Oblomov qui pourrait être un « type ».

Je croyais être, avec Picasso, le seul à pouvoir vaincre un certain *impossible*. Édouard l'a vaincu dans le portrait (en rouge) de Francine. Je n'arrive pas à comprendre en quel lieu secret de sa

---

1. Frère cadet du compositeur et chef d'orchestre Igor Markevitch.

personne il puise sa science. Comment il ne se trompe jamais. Et s'il se trompe, il corrige immédiatement sa faute.

Matisse m'avait téléphoné : « Votre tapisserie est splendide. » Picasso la passe sous silence. Il m'a semblé comprendre que cette réussite lui était insupportable. Il m'a surtout parlé des dessins de Francine et du portrait de madame Favini qu'il trouve supérieur à tout le reste.

La Russie a les meilleurs savants et les meilleurs biologistes. Cinq sosies de Staline étaient soignés pour suivre sur eux les réactions possibles du chef. Nulle part plus qu'en Russie l'homme ne cherche à se croire responsable, ne s'insurge plus contre l'irresponsabilité. La seule chance du monde c'est que le prévisible se prouve imprévisible et que les choses se produisent toujours autrement qu'on ne le redoute. Il existe des forces secrètes immenses. Un rythme de la nature qui s'oppose malicieusement aux correctifs qu'on cherche à lui imposer.

Siècle inattentif. Je remarque, par exemple, que dans mon livre les gens ne voient qu'un détail qui leur en cache mille, ne parlent que d'un paragraphe qu'ils ont dû lire sans se donner la peine de lire le reste.

Le drôle, c'est mon courage à noter, à travailler, à vivre, tout en sachant que c'est une sale blague et que je ne suis pas dans le coup. (Sécrétion ?)

Picasso part du fini pour arriver à quoi ? À l'infini. Le bienfait lui semble être une volonté d'esthétique, une inélégance de l'esprit. Plusieurs visages finis sous le dernier visage : infini.

19 mars 1953.
Turin. Hôtel des Princes de Piémont.
Nous avons eu hier un accident d'automobile qui aurait pu être très grave, à la sortie de Sospel. En voulant éviter une jeep militaire qui tournait devant nous sans prévenir, Fernand a dû précipiter la voiture contre le rocher et un poteau télégraphique. La Bentley est en miettes et nous n'avons eu que le choc. Francine à la joue gauche. Doudou au front. Moi, rien. Fernand, rien.
Gendarmes. Huissier. Photographe pour l'assurance. Télépho-

nons d'un hôtel à Toso[1] (le garage de Saint-Jean) d'envoyer une grosse voiture avec le triptyque et un chauffeur avec le passeport. À cinq heures la voiture arrive. Nous changeons de véhicule. Fernand reste avec sa ruine. C'est la seconde fois qu'il ne peut nous suivre en Italie. La première, il avait pris un vieux passeport qui le représentait avec une barbe. Nous avions dû le planter là en pleine montagne, en blanc, pareil à un amiral qui se saborde. Hier le pauvre Fernand avait les larmes aux yeux. Montagnes et gorges pleines de neige. Sommes arrivés à Turin pour neuf heures.

Ce matin visite de mademoiselle Antonetto. Très gracieuse et parfaitement compréhensive. Elle me donne notre programme avec crainte. Déjeuners, journalistes, radio et télévision. Francis Poulenc arrive dans le hall. Il a joué hier devant un public de vieilles dames très froides. Arthur Rubinstein avait juré qu'il ne jouerait plus jamais devant ce public. Cela me donnait des craintes, car mon texte[2] est assez sévère. Mais il paraît que le public des conférences est beaucoup plus mêlé, plus jeune et plus agréable.

Cinq heures. Avons déjeuné chez le président de la Fiat et de l'Association. Il me semble qu'il a voulu organiser à Turin des espèces d'*Annales*[3]. Ses conférenciers parlaient ensuite à Milan, à Gênes, à Rome. C'est pourquoi, me dit-il, l'Association a élargi son cercle jusque dans ces différentes villes. À cinq heures et demie il vient me prendre à l'hôtel pour la conférence de presse. Afin de m'éviter d'autres conférences de presse, ils ont réuni les journalistes de Milan, de Gênes et de Rome.

Rien ne m'intimide, rien ne me gêne davantage que ces séances où finalement les journalistes sont aussi intimidés, aussi gênés que moi. Et que dire ? Ils se forment de nous une idée fausse qui leur est commode et à quoi ils tiennent. Détruire cette idée les oblige à un travail supplémentaire. Je tâcherai de parler le moins possible.

Rome centralise de plus en plus. Milan centralise au maléfice de Turin. Jadis, les villes italiennes étaient chacune autonome et

---

1. Robert Toso faisait parfois office de chauffeur pour Mme Weisweiller. Voir p. 337.
2. Texte vraisemblablement extrait de *Démarche d'un poète, op. cit.*, monographie encore inédite.
3. Organe de l' « Université des Annales » fondée par Yvonne Sarcey, *Les Annales-Conferencia*, suspendu en 1940, reparaissait depuis 1946. Comme le titre l'indique, il s'agissait d'une organisation de conférences autant que d'une revue.

semblable aux villes d'Allemagne. Turin, Milan, Gênes étaient des pays. L'importance grandissante de Rome les relègue au rang de province. Elles en souffrent et tâchent de se tenir à la hauteur.

Que connaît-on de moi en Italie ? Des films et quelques livres, car la langue française est très lue, au point que les Italiens se demandent pourquoi on en fait des traductions. Mais mon nom a couru plus vite que mon œuvre et il est difficile à mon œuvre, trop nombreuse, de le rejoindre. Tout ce que je dirai demain sera du chinois pour ceux qui m'écoutent. Je le crains beaucoup. Il est vrai que j'aime mieux n'importe quoi que de répondre faussement à ce qu'on attend de ma personne. Je préfère décevoir et rester vrai.

Conférence de presse — très amicale et simple. Sauf deux dames journalistes qui voulaient me voir seul et m'ont posé des questions de détail auxquelles il était impossible de répondre, tout s'est passé par groupes et facilement.

Le soir télévision. Pas trop mal. Toujours difficile de répondre court et clair aux questions que la dame me pose. On se voit sur un petit écran placé entre les appareils de prise de vue.

[*20 mars 1953.*]
Je déjeune ce matin avec Igor Markevitch.

Pendant que je parlais à la conférence de presse, Doudou a été entraîné par un peintre dont on m'avait dit qu'il était le révolutionnaire type par rapport à son époque. (J'avais expliqué à mademoiselle Antonetto le cas de Doudou.) Le malheureux peintre était simplement un artiste du Salon, pareil aux peintres de Nice, en mieux et sans espoir.

En voyage on se demande si cet insupportable Paris n'est pas la seule capitale qui ne soit pas une ville de province.

Je parle à six heures. Demain Gênes en voiture. Gênes-Milan en voiture. Milan-Rome en avion, si possible. Poulenc me dit que « tout le monde est à Rome ». Ce doit être les quelques personnes que j'évite de rencontrer à Paris.

Markevitch, à qui je demande pourquoi il renonce à ses propres œuvres pour en diriger d'autres, me raconte qu'il a essayé *Le*

Paradis perdu[1] et que rien n'y déroutait plus maintenant, que la partition avait *déposé*, avait gagné des forces. Il avait été déçu par l'accueil qu'on faisait à ses ouvrages. Il leur avait tourné le dos pour devenir chef d'orchestre. Il estime que ses ouvrages ont travaillé dans l'ombre et qu'il les redonnera peu à peu. J'aimerais bien réentendre notre cantate. J'en avais écrit les paroles sur une musique déjà faite. Cette méthode donnait à l'ensemble du mystère et de l'étrangeté[2].

On n'imagine pas un étranger venant parler au public français dans sa propre langue. Or c'est ce qui se passe un peu partout dans le monde, où les Français parlent en public dans leur propre langue et sont compris.

La presse est pleine de l'affaire du portrait de Staline par Picasso[3]. J'avais déjeuné chez Picasso le jour de la parution de ce portrait dans *Les Lettres françaises*. Il m'en avait parlé avec un sourire et une inquiétude. Le portrait, exécuté en cinq minutes, avait, sans nul doute, quelque chose de caricatural, de guignolesque. Dire que l'affaire est venue de ce que le portrait n'est pas assez réaliste est inexact. C'est un des premiers mauvais dessins de Picasso. Aragon a dû lui demander de l'envoyer trop vite. Et, après tout, Picasso ne connaissait pas Staline. L'affaire est donc un prétexte pour atteindre Aragon et son « intellectualisme ». Moscou a dû donner des ordres sévères contre la tendance intellectuelle et opportuniste du Parti en France. Je suis heureux d'être en Italie et

1. Oratorio d'Igor Markevitch, 1934-1935. En 1934, pendant son séjour chez Igor Markevitch à Corsier-sur-Vevey, Jean Cocteau avait pris part à l'élaboration du texte de cet oratorio. Voir Igor Markevitch, *Être et avoir été*, Paris, Gallimard, 1980, pp. 302 et 308. *Le Monde* du 13 mars 1953 signale une exécution de l'ouvrage à Bruxelles sous la direction du compositeur.
2. *Cantate*, poème de Jean Cocteau, musique d'Igor Markevitch ; première audition, théâtre Pigalle, le 4 juin 1930. — Le poème est reproduit dans *Cahiers Jean Cocteau*, 7, Paris, Gallimard, 1978, pp. 141-146, et la couverture du programme, illustrée d'un dessin en couleurs de Cocteau, dans *Jean Cocteau, poète graphique, op. cit.*, p. 87.
Igor Markevitch a raconté (*Être et avoir été, op. cit.*, pp. 198-199) cette paradoxale genèse. C'était l'époque où Jean Cocteau tournait *Le Sang d'un poète* ; il était sans cesse retardé, de sorte que la composition musicale avançait, mais sans texte. Ensuite Jean Cocteau vint écouter la musique. Il notait des rythmes verbaux en se servant de phrases triviales, par exemple : *donnez-moi du pain et du fromage*. « Jean emportait ces embryons, qu'il appelait son " chiffrage ", et me rapportait à la fois suivante le poème calqué par-dessus. »
3. Ce portrait au fusain, daté du 8 mars 1953, avait paru dans *Les Lettres françaises* du 12 mars. En première page de *L'Humanité* du 18 mars, un communiqué du comité central du parti communiste avait désapprouvé catégoriquement cette publication.

d'éviter cette marmelade où Mauriac trouve le moyen de jouer son rôle. Les uns disent : « Le portrait n'est pas assez réaliste. » Les autres : « Voilà ce qui résulte d'une obligation qu'on donne à Picasso de faire un portrait réaliste. » Les deux sont ridicules. Picasso étant capable de n'importe quoi et l'ayant prouvé sans cesse. Mais je m'étonnais de la liberté où on le laisse. Premier coup : Aragon. Second coup : Picasso, c'est probable. Éluard n'est plus là pour le défendre.

Soir. C'est fait. Théâtre merveilleux tout en ors et comble. J'ai lu sans lire. Public extrêmement attentif et chaud. Il valait mille fois mieux être difficile à suivre que de traiter une salle étrangère comme si c'étaient des enfants. Faute de Jules Romains et Maurice Garçon. Rien ne blesse davantage une salle étrangère. Cette salle vous sait gré de croire qu'elle suivra, même si elle a de la peine à suivre. Je devais parler une heure. J'ai parlé une heure vingt. Je couperai un peu pour les autres villes. Après la séance, avons été à la réception du Centre. Le consul français m'a beaucoup remercié.

21 [mars 1953].
Arrivée à Gênes par la route. Nous avons emmené mademoiselle Antonetto. Je dois parler à cinq heures et demie. J'ai coupé les passages qui allongeaient le texte. Ce n'est pas le trac que j'ai — mais ce malaise spécial qui me prend chaque fois que je dois parler en public.

Trois heures du matin. Cauchemar. Le palais des doges. Il y avait trop de monde pour le petit théâtre. On gèle. Le micro souffle. Portes ouvertes. Je devine qu'on m'entend très mal et je saute des pages. Le public est vraiment d'une grande gentillesse. On va boire un verre au Centre. Le soir dîner chez la marquise Doria. On y reste jusqu'à deux heures du matin parce que l'atmosphère est charmante. Nous y retournons déjeuner avant de partir pour Milan.

J'ai parlé un quart d'heure de trop. Je coupe pour Milan et Rome.

Lundi [23 mars 1953].
Déjeuner chez les Doria. Départ à cinq heures, en voiture. Sommes à huit heures à Milan. Grand Hôtel *et* de Milan (?). Dîner chez Giannino — où l'on m'offre un livre publié par le restaurant.

Richesse et avarice des Génois. Les armateurs ont d'immenses fortunes et ne donnent rien pour la construction d'une salle de concert. On donne les concerts dans ce palais ducal où j'ai parlé, où l'acoustique est ignoble.

Sommes reçus à Milan par le géant Visconti [1]. Je vois son ventre. Doudou sa poitrine. Francine ses jambes.

Chez les Doria, on dit : « Par malheur le catholicisme a négligé le christianisme et l'a laissé aux mains des communistes qui en ont fait ce qu'ils veulent. Ce qui fait qu'il ne règne plus nulle part. »

Stendhal aurait aimé le palais Doria. On y parle de tout avec une liberté incroyable.

Nous parlions des grandes actrices sans théâtre. Luisa Casati [2], la Morosini (à Venise, les femmes du peuple lui disaient dans la rue : « Merci à Dieu de t'avoir faite si belle »). Je demande si ce type de femme se retrouve chez les jeunes Italiennes. Doria me dit que non, que c'est actuellement le style « bonne mère », le style de la reine Élisabeth.

Dans mon texte je dis : « Les poètes sont des bagnes. Les œuvres des forçats qui s'évadent. » Doria me raconte qu'une dame élégante avait compris que je sortais du bagne.

D'autres personnes m'ont cru communiste parce que j'admirais Picasso.

Le tribunal de Gênes se montre d'une sévérité terrible pour la moindre licence et juge sous une vaste fresque de femmes nues.

Les Doria n'ont conservé que l'étage du haut. Le reste du palais, ils le louent. Leur terrasse donne sur le jardin et sur la houle d'argent des toits de Gênes. Une étonnante carapace d'ardoises et de maisons plates où les fenêtres d'angle sont peintes en trompe-l'œil.

---

1. Ferdinando Visconti.
2. Luisa Amman, héritière d'un grand industriel d'origine viennoise, épouse du marquis Camillo Casati, amie de D'Annunzio. L'extravagance de son comportement, de ses toilettes, de ses demeures était célèbre. Elle mourut à Londres dans les années cinquante. Voir Jean Cocteau, *Portraits-Souvenir*, *op. cit.*, chap. XI, et *La Difficulté d'être*, *op. cit.*, pp. 112-116.

L'avocat me dit : « Les armateurs génois ont une adresse surprenante pour cacher leur fortune. Même ce qu'ils avouent dépasse la richesse de toutes les autres villes d'Italie. Lorsqu'ils subissent une perte en mer, le capitaine est toujours responsable. »

À Milan la circulation est si compliquée que nous prenons un taxi pour rentrer à l'hôtel. Le chien de police assis, les oreilles droites, auprès du chauffeur, se couche dès qu'il aperçoit un agent de police, les chauffeurs n'ayant pas le droit d'emmener leur chien.

Quatre heures. Réception à midi au Centre français, dont la sœur[1] de Simone de Beauvoir est directrice. Voix et visage de Simone. On ne peut pas recevoir mieux ni avec plus de grâce. Tout le monde parle un français impeccable. Déjeuner seuls. Me repose jusqu'à six heures.

Cinq heures. On me filme au bar de l'hôtel.

Mardi [24 mars 1953].
Hier, c'était au point. Immense théâtre neuf magnifique, dans un sous-sol. C'est même le premier théâtre neuf qui m'étonne par son luxe. La salle est pleine. La voix porte. Les coupures m'ôtent la fatigue. Je parle une heure. Le succès a un sens. Le jeune danseur du ballet de l'Amérique latine qui m'écoutait des coulisses, me dit : « Je voudrais pouvoir danser comme vous parlez. » Je vois sur la figure de Francine et de Doudou que tout allait bien. Le soir, dînons avec le géant. Nous prendrons l'avion à deux heures pour Rome où je parle à six.

De quel bord est Cocteau, demande un journaliste à Rognoni qui répond : « D'aucun bord. C'est un anarchiste indépendant. »

Remplir la salle de Milan et se faire rappeler plusieurs fois est, paraît-il, un tour de force dans une ville où *Toi et Moi* de Géraldy est la seule œuvre française très populaire. Il est vrai que ce n'est pas le même public qui se dérange. Le succès de *Toi et Moi* n'en reste pas moins une preuve assez triste de la mauvaise compréhension des ouvrages. Je suis certain que la sœur de Simone a beaucoup fait pour changer cet état de choses. Elle et son mari qui est professeur, ancien élève de Sartre.

1. Hélène de Roulet, née Hélène de Beauvoir.

Mercredi [25 mars 1953].

Arrivons à Rome par l'avion à quatre heures et demie. Je parle à six heures. Toujours le même malaise qui ne doit pas être autre chose lorsqu'on vient vous chercher pour vous conduire à l'échafaud. Une fois en scène je me jette dans l'eau froide. Mais avant je n'arrive pas à me dire que ce n'est rien.

Belle et bonne salle, peut-être plus sensible mais peut-être aussi plus superficielle. Les photographes montent sur la scène et m'aveuglent. La salle les conspue. Lettres : « Nous ne voulons pas nous mêler à ce public — venez chez nous. Etc. » Mais il me semble que les gens qui méprisent ce public feraient mieux de venir m'entendre. « Je n'ai pas été voir *Orphée* parce que l'ignoble Malaparte se permettait de vous présenter. Etc. » Or ce sont justement ces personnes-là qu'il nous faudrait dans les salles. Réception. Fatigue. Fuite. Dîner calme à l'Apuleius d'Ostia qui nous offre deux vases étrusques. Je me couche abruti de fatigue. En outre la chaise de « conférencier » était trop basse. J'ai dû lire debout, gêné par les absurdes microphones qui déforment la voix et ne me servent jamais à rien. Mais dans l'ensemble très bonne séance finale.

On fait vite des fantômes de ce qu'on ne voit plus et on se trompe sur cette étrange farce du temps. Pour moi Francesca Bertini était une ombre heureuse des écrans muets. Or, hier, on m'annonce qu'elle habite l'hôtel et qu'elle désire me voir. J'entre dans l'énorme salon qui ressemble au décor de ses anciens films. Un orchestre joue faux comme ceux des salles de ma jeunesse. Francesca Bertini se lève d'une table où elle était en train de m'écrire. Ce n'est plus du tout la même personne. Mais, soit qu'on l'ait opérée, soit qu'elle se maintienne par le courage et la volonté des femmes de cette génération, elle n'a pas l'air d'une vieille. Elle me dit qu'elle a joué trois cents fois *La Dame aux camélias* en Espagne et en espagnol et qu'elle va tourner *Moll Flanders*. Je lui demande si elle tournera en Angleterre, ce qui me semble indispensable. Elle hausse une épaule chargée d'œillets roses : « Ils ne comprennent plus rien. Ils me font tourner une *Moll Flanders* moderne et ils tournent à Rome. Mon rêve est de jouer la reine dans *L'Aigle à deux têtes*[1] ou n'importe quel autre rôle d'une de vos

---

1. Pièce en trois actes de Jean Cocteau, créée au théâtre Hébertot, le 20 décembre 1946 ; mise en scène de l'auteur, décors d'André Beaurepaire, robes de Christian Bérard, hymne royal de Georges Auric. — Paris, Gallimard, 1946.

pièces. » (Je pense à Jocaste [1].) Je réponds que je n'ai momentanément aucun projet de théâtre. Elle doit être beaucoup moins âgée qu'on ne l'imagine. On vieillit toujours les actrices célèbres qui commencent très jeunes.

À Rome, le comte R. me montre un tableau qui représente le Vésuve par un peintre italien « moderne ». Il me dit : « Je ne peux pas aller plus loin. » Je lui ai répondu que ce voyage ne le fatiguerait pas beaucoup.

Pendant ces quatre exercices dans quatre villes très différentes j'ai pu me rendre compte de la nécessité d'étudier le public pour une mise au point des paroles. Malgré une grande connaissance de la langue française de ces quatre publics, il m'était indispensable d'aider la parole par le geste et de trouver un rythme lent qui donne l'illusion d'être rapide. J'ai peu à peu coupé tous les paragraphes d'une écriture trop concise pour passer la rampe. Le public de Rome paraissait comprendre mieux les nuances, parce qu'il pénétrait moins dans l'ensemble. Je crois que les publics de Turin et de Milan sont plus attentifs, moins distraits par la vie légère et remuante de Rome. Je me demande ce que donnera l'exposition Picasso, si elle provoquera de la colère ou de la stupeur.

L'histoire des Russes est inconcevable. Le triomphe de l'art bourgeois, de la platitude du salon des Beaux-Arts dans un pays révolutionnaire et qui traite toutes les audaces de peinture bourgeoise, de littérature bourgeoise. Le communisme russe devrait s'annexer toutes les gauches. Il n'admet que les droites les plus sordides. Picasso communiste, le « camarade Picasso » est le plus étonnant des anachronismes. On en arrive (en Italie, par exemple) à être cru communiste parce qu'on admire Picasso qui représente exactement ce que le communisme condamne.

Et ces imbéciles de droite qui devraient en profiter pour exalter les gauches en art. Mais l'Église et le communisme se ressemblent dans leur haine du génie.

Moravia est à l'index. Il me disait hier : « Mes livres sont à l'index mais pas les films d'après mes livres, parce qu'ils ont déjà subi une transformation amoindrissante. »

1. Dans *La Machine infernale, op. cit.*

Force paradoxale de Picasso qui, bien que communiste, est parvenu à ce que son exposition romaine se fasse sous les auspices du gouvernement italien.

Naïveté idéaliste du communisme français. On songe à la dame qui avait couché avec Guillaume II et refusait de l'argent. « Que puis-je faire pour vous ? » La dame se jette à genoux : « Sire ! Rendez-nous l'Alsace-Lorraine. » À rapprocher de la lettre ouverte de François Coppée (à Guillaume II). Cette lettre s'achevait par cette phrase si drôle « Allons, Sire, un bon mouvement. Rendez-nous l'Alsace-Lorraine ».

Jeudi [26 mars 1953].
J'ai fait douze assiettes pour le Véfour. J'en ai préparé douze autres à fond de couleur. Oliver en voulait sept. Je lui conseillerai d'éditer deux services de douze.

Visite de Chanel avec Déon. Elle me raconte *Sud*, la pièce de Green. Très mal jouée. A. A.[1] n'a pas l'air d'une jeune fille mais d'une institutrice. Mercure ne laissant pas libres de jeunes acteurs qui n'ont pour eux que le charme instinctif de la maladresse.
J'avais reçu hier une lettre de Green. « J'ai beaucoup coupé et ajouté des petites phrases explicatives. »

Julien est un homme de chambre et de solitude. Ce n'est pas un homme de théâtre et de foules. Cette histoire de théâtre lui semble un rêve. Il dit à Chanel qui lui demandait le premier soir s'il avait peur : « Peur ? Non. Pourquoi ? »

Avons retrouvé le jardin rempli de fleurs. Après le travail Véfour je me mettrai au travail Versailles. Je me suis arrangé avec Ibert à Rome. Il me comprenait mal parce qu'il doit être habitué à des plans précis. Or ce genre de choses exige une *chance*, un synchronisme *de la dernière minute*.

Lettre de Parinaud : « On entoure *La Parisienne* d'une espèce de conspiration du silence. » Bien sûr. Le silence est la grande arme du bruit.

---

1. Anouk Aimée, créatrice du principal rôle féminin de *Sud*.

Madame Favini. J'avais envoyé à Picasso cette dépêche de Milan : *Exige excuses et auto-critique de Cocteau pour mon portrait. Compte sur votre témoignage. Léonor Favini.*

Il est à noter que dans l'affaire burlesque du portrait de Staline, on n'attaque jamais Picasso : on attaque Aragon. Lettres de concierges. Lettre indigne écrite par Fougeron[1] où éclate toute sa rancœur contre un grand peintre que rien n'empêchera d'être libre.

Cette affaire du portrait de Staline serait drôle si elle n'était tragique. On ne reproche pas au portrait d'être un mauvais dessin de Picasso. On lui reproche de n'être pas réaliste, alors qu'il est le comble du réalisme, mais, hélas, manqué — ce qui est normal puisque Picasso ne connaissait pas Staline et qu'il a été obligé de faire le dessin en cinq minutes. Malentendu total dont toute la presse du monde fait ses choux gras.

Réponse de Picasso aux journalistes qui l'interrogent : « On n'insulte pas une personne qui envoie une couronne mortuaire parce que cette couronne est laide. »

J'oubliais de dire, parce que ceux qui liront un jour ces lignes ne sauront plus de quoi je parle, que *Les Lettres françaises* ont dû publier une page de lettres « indignées » émanant de toutes les cellules communistes de France. « Il fallait montrer le génie, la bonté, la douceur paternelle, l'humour, la noblesse, etc. de notre Staline. » (« Nous connaissons l'attachement du camarade Picasso à la classe ouvrière... etc. ») L'affaire du portrait Staline est trop significative de notre époque pour que je la passe sous silence. Le public élevé au rang de critique. Cela ne s'était encore jamais vu.

Samedi [28 mars 1953].
Terminé les vingt-quatre assiettes du Véfour. J'attends qu'elles sèchent pour les reprendre en détail. Préparé la préface pour Venise.

---

1. André Fougeron, né à Paris en 1913, peintre du « réalisme socialiste ».

Mort de Dufy[1]. L'enterrement a eu lieu à Nice pendant notre voyage. Dépêche de Parinaud pour *Arts*. Lui ai envoyé l'article ce matin. « L'œuvre de Raoul Dufy est une grande signature inimitable... etc.[2]. » Encore un homme de notre équipage qui tombe à la mer.

Déjeunons à Monte-Carlo avec Chanel et les Mille[3].

À quatre heures, visite des organisateurs des fêtes de Versailles.

Picasso m'a dit qu'Aragon avait eu à Moscou une légère attaque avec perte de mémoire. La campagne contre lui continue. Je crains toutes ces fatigues pour sa santé.

Télégramme de Seghers. L'édition courante du *Chiffre sept* paraît mercredi.

Dimanche [*29 mars 1953*].
Arrivée de Carole.

Pour Picasso tout se tourne toujours en gloire. Les communistes n'osent pas l'attaquer. Le milieu du *Figaro* l'exalte contre les communistes. *Match* est plein de photographies en couleurs de sa famille et de ses œuvres.

Visite de Pierre Larrivet dont j'ai fait réparer la figure par Claoué. Dans le même état que toute la jeunesse dont les lettres m'arrivent chaque jour. Que faire ? Les conseils ne servent à rien. Si je recommande un jeune on suppose que je cherche à me décharger de lui sur les autres.

---

1. Raoul Dufy, né au Havre le 3 juin 1877, mort à Forcalquier le 23 mars 1953, avait rencontré Jean Cocteau dès 1915. Deux images de Dufy illustrent *Le Mot*, périodique fondé et dirigé par Paul Iribe et Jean Cocteau (n° 10, du 13 février 1915, et n° 13, du 6 mars 1915). Voir les reproductions de deux portraits de Jean Cocteau par Raoul Dufy, vers 1919, dans Raymond Cogniat, *Dessins et aquarelles du XXe siècle*, Paris, Hachette, 1966, p. 64, et dans *L'Avant-Scène cinéma* (Jean Cocteau, *Le Sang d'un poète*, *Le Testament d'Orphée*), n° 307-308, 1-15 mai 1983, p. 109.
2. Voir l'annexe IX.
3. Les frères Hervé et Gérard Mille. Hervé, né en 1909, journaliste, directeur de magazines (*Paris-Match*, *Marie-Claire*, etc.) ; Gérard (1911-1963), décorateur.

Roland Petit dans le ballet *Le Loup*[1] d'Anouilh a copié les dents et la fourrure de *La Belle et la Bête*[2]. Il récolte sans que personne s'en aperçoive.

L'affaire *Bacchus* avec l'Église. Ce sont les communistes qui prirent ma défense. L'affaire du portrait de Staline avec les communistes. Le milieu catholique prend la défense de Picasso.

Déjeuner Chanel, hier. Les Mille se rendent compte à leurs dépens du danger d'un gala de théâtre (Green). Les gens les mieux ne comprennent les choses que lorsqu'elles leur arrivent.

Ai reçu les organisateurs des fêtes de Versailles. Je leur propose d'enregistrer mon texte à Nice, d'enregistrer à part la musique d'Ibert et de monter et mixer ensuite leur bande. L'éclairage de Versailles coûte quarante millions. L'ensemble coûtera de soixante à soixante-dix millions. Je ne vois pas comment ils peuvent s'équilibrer avec les recettes. L'entrée coûte deux cents francs. Ils comptent sur dix mille spectateurs par séance. Sous Louis XIV, les grandes eaux ne pouvaient fonctionner que dix minutes. Le mécanisme est resté le même. Elles ne peuvent donc fonctionner que pendant mon texte. Les haut-parleurs seront cachés derrière le bassin de Latone et en haut des arbres.

J'ai préparé le texte de Versailles. Deux strophes forment l'équilibre au début et à la fin. Entre les strophes, des phrases seront dites, comme des colonnes. Les haut-parleurs, la nuit, le parc, m'obligent à une certaine pompe (un peu funèbre). L'inverse du genre « automnal ».

Le moindre geste de Picasso, même maladroit, tourne à son avantage. Mon moindre geste, même adroit, tourne à mon désavantage. Il semble qu'en parlant de Picasso, les journalistes les plus bêtes se flattent. Il semble qu'en parlant de moi, les journalistes les moins bêtes se blessent. C'est la raison du silence assourdissant qui entoure mes entreprises, de mon nom supprimé dans les articles où il s'impose, du nom de Picasso ajouté dans des articles où il ne s'impose pas. Picasso n'a rien perdu en adhérant au parti commu-

1. Ballet en trois tableaux de Jean Anouilh et Georges Neveux, musique d'Henri Dutilleux, chorégraphie de Roland Petit, décors et costumes de Jean Carzou ; création au théâtre de l'Empire, le 17 mars 1953, avec Roland Petit dans le rôle du Loup.
2. Film de Jean Cocteau, 1945-1946. — New York, New York University Press, 1970.

niste. Il a trop d'électeurs. La droite le réclame. La gauche répond :
« Il est à nous. » On se l'arrache. Et l'Espagne, malgré l'album
contre Franco[1], lui ouvre ses portes toutes grandes. Dali, ce matin,
va jusqu'à dire que ce médiocre portrait de Staline est le meilleur
portrait de Staline. Je tâcherai de déjeuner mercredi avec Picasso,
pour voir ce qu'il pense de ce vacarme.

Personne n'ose déclarer en public ce qu'il me dit dans les lettres
et dans les dédicaces. Du monde entier je reçois de l'amour qui
reste secret. C'est sans doute une manière de force occulte, un style
de gloire, inévitables. Mon style de gloire.

Nombre incroyable de personnes incultes, d'analphabètes qui
sont travaillés par la rage d'écrire et qui me demandent mon aide.

Ci-joint les photographies et le programme de *Bacchus* au
Schiller-Theater de Berlin[2].

Ci-joint le texte pour Versailles[3].

1ᵉʳ avril 1953.

Déjeuner à Vallauris chez Picasso, avec sa fille Marie-Conception
(Maya). Elle a dix-huit ans et son profil ressemble à ceux que je
dessinais de son père à Naples en 1916[4] (c'est Picasso qui m'en a
fait la remarque). Nous parlons de l'affaire du portrait. Comme je
disais : « Ils vont tuer Aragon », Françoise me raconte qu'Elsa lui a
écrit : « Ce portrait est un homicide par imprudence. » *Aragon ne
peut plus rien écrire.*

Nous allons à la poterie voir mes assiettes. Georges Salles, dont
Picasso doit faire le portrait, vient nous rejoindre. Il y avait dans le
magasin madame Cuttoli. Copenhague et Stockholm lui ont
demandé de me décider à venir en novembre. La femme qui tisse
ma tapisserie s'est cassé le bras, ce qui retarde le travail. Mais elle
ne veut pas le confier à ses aides. Mes assiettes sont très simples et

---

1. Voir Jean Cocteau, « Songe et mensonge de Franco » (Ouvrage offert au peuple
espagnol par P. Picasso), 1937, dans Jean Cocteau, *Poésie de journalisme*, Paris, Pierre
Belfond, 1973, pp. 83-84.
2. Plus exactement au Schlosspark-Theater, Berlin-Steglitz (même organisation).
3. Ce texte, publié dans *La Table ronde* d'août 1953, est reproduit dans *Cahiers Jean
Cocteau*, 9, Paris, Gallimard, 1981, pp. 183-187.
4. Erreur de mémoire : c'est de février à avril 1917 que Jean Cocteau dessina des
profils de Picasso, à Rome et à Naples, pendant la préparation du ballet *Parade*. Voir
Album Cocteau, op. cit., p. 28, et *Jean Cocteau poète graphique, op. cit.*, pp. 34-35.

Picasso les a laissées blanches. J'en donne une à madame Ramié, une à Françoise, une à Maya. Je rapporte les autres à Francine. Sous les assiettes, madame Ramié a laissé la marque : « D'après Picasso. » Je dis à Paulo : « Ton père trouve toujours le moyen d'avoir le dessus, même quand il est dessous. »

3 avril 1953.
Lettres des Rosen, inquiétantes. Par économies stupides ils vont manquer le ballet.

Depuis quatre jours je m'acharne sur la grande toile : *Naissance de Pégase*[1]. Organisation de lignes d'une difficulté extrême. J'ai pu tout établir ce matin. Je n'ose pas commencer à peindre. Je sais ce que je dois faire — mais je me demande si j'en serai capable. Il y a un an que je rêve sur ce tableau. J'aimerais arriver à réussir le tableau littéraire, type.

Téléphone du secrétaire du Festival. Dîner dimanche à Cannes avec Favre Le Bret. Réunion des membres du jury à quatre heures. L'*Orphée II* est à quai, près du monument de Virginie Hériot[2].

5 avril 1953.
Je reçois un journal où le jeune Haddad annonce qu'il compte devenir l'Orson Welles français et autres stupidités publicitaires. J'ai dû lui écrire une lettre désagréable à recevoir. En outre, dans le même journal, il a commis l'inconvenance de publier en fac-similé la lettre que j'avais écrite à André Bernheim[3] pour lui rendre service. Il s'était présenté à moi comme un travailleur. La sauce tourne. Je n'ose jamais doucher un élan et voilà ce qui en résulte. Rien de plus difficile que d'aider les jeunes.

Cannes. Première réunion des membres du jury qui me nomment président. On nous montre le film de Walt Disney : *Peter Pan*. Ce film m'a enchanté par sa grâce et sa technique surprenante. Spaak me dit : « Votre enthousiasme m'étonne. Moi ça m'embête. Je joue à d'autres jeux. » Or c'est justement parce que ce film est très loin

---

1. Huile sur toile : H. 156 cm. L. 153 cm. Coll. Édouard Dermit. Reproduction dans *Démarche d'un poète, op. cit.*
2. Ce monument de Virginie Hériot (1890-1932), figure du yachting, par Raoul Bénard, s'élève sur la jetée Albert-Édouard.
3. Imprésario parisien, propriétaire du théâtre de la Madeleine.

de moi qu'il me charme. Je joue aussi à d'autres jeux et je le regrette. Circulation entre Nice et Cannes insupportable. Trop de voitures sur des routes étroites. D'Antibes à Juan les voitures faisaient la queue.

Je n'avais pas compris que Cannes exigeait ma présence dès ce soir. J'irai mardi voir le film et je m'installerai mercredi à l'hôtel en attendant que l'*Orphée II* soit prêt. Je ne croyais être attendu à Cannes que le 12.

Je prendrai des notes sur chaque film vu pour les lire au jury avant le vote.

On a répété dans un journal que je trouvais le film de Clouzot magnifique. D'où la mauvaise humeur des Américains qui prétendaient que nous jugions d'avance. Favre Le Bret a dû se rendre à Hollywood pour les convaincre de participer au Festival.

Terminé l'ensemble de la *Naissance de Pégase*. J'ai frotté la peinture à sec, ce qui donne au tableau le style des fresques.

8 avril 1953.
Après le déjeuner Cuttoli, j'irai à Cannes voir un film et je m'installerai au Carlton en attendant que l'*Orphée* soit habitable. Lundi prochain sans doute. Le Festival s'achève le 29. Je retiendrai les places pour Munich (2 mai). Bebko s'est trompée, envoyant à Munich une tête de carnaval au lieu des petits masques des licornes[1]. Il faudra sans doute repeindre et retailler le tout.
Cannes. Drôle de jury. Chauvet doit expliquer les films (qu'il comprend mal) à Spaak qui ne les comprend pas. Hier, comme nous sortions du film américain, Maurois arrivait pour conférencier dans la grande salle assez froide, escorté d'une cinquantaine de personnes qui formaient son maigre public. Visite de Maurice. Colette rentre à Paris après-demain. Elle ne savait même pas que Michel de Bry m'avait tapé en son nom d'un dessin pour l'enveloppe du disque *L'Enfant et les Sortilèges*. En outre de Bry ne m'a même pas remercié de l'envoi. Pareillement Sigaux qui ne m'a pas remercié de l'enregistrement de Nice. Mœurs modernes. Colette dit : « Quand ils ont tiré leur coup, on ne les revoit plus. » Oliver a

---

1. Pour le ballet de Jean Cocteau, *La Dame à la licorne*.

téléphoné en réclamant ses assiettes. Doudou doit les filmer ce soir en couleurs. On fera l'emballage demain. En mon absence j'ai demandé à Doudou de peindre le crabe esquissé en bas à l'extrême droite de la *Naissance de Pégase*.

Hier soir dîner ici avec Chanel qui voudrait louer la péniche de Jeannot pour ne pas passer les journées de soleil rue Cambon.

Si j'étais seul juge de Cannes, je donnerais le prix du meilleur acteur à Walt Disney pour le capitaine Crochet. Nous avons à distribuer un grand prix et six prix à notre convenance, ce qui n'est pas lourd. Car si je crée un prix de féerie, un prix de danse, etc. et s'il nous faut deux « oscars » d'acteurs, il ne reste pas de place pour la mise en scène, la musique, le court métrage. Je proposerai de donner les prix d'interprètes en marge des prix cinématographiques. Impossible de créer un prix de dialogues, à cause des langues étrangères. Plus je verrai de films avant le Festival, plus je serai libre ensuite. Je montrerai seulement à Francine et à Doudou les films qui en valent la peine.

Je voudrais quitter le bateau le moins possible afin d'éviter les contacts avec des critiques et des personnalités qui me déplaisent. Et les journalistes auxquels le règlement nous interdit de donner notre opinion.

Je recherche encore la signification du mythe de la *Naissance de Pégase*. La poésie naissant de la tête coupée de la Gorgone. Je ne représenterai pas le visage de Persée. Impossible de « représenter » le visage du héros qui participe à ce mystère.

Film autrichien[1] interminable. (Et du genre œuvre nationale.) Après ce film j'ai passé un quart d'heure horrible qui me prouve combien j'ai raison de vivre à l'écart. La radio m'a fait interroger par trois enfants de dix à treize ans. Un petit garçon et deux petites filles. Ces pauvres gosses parlent de toute chose et ils sont stupides. Ils emploient les termes à tort et à travers. Ils jugent. Ils demandent de quel droit on juge. Ils s'imaginent qu'il y a une « époque moderne ». Cette époque moderne doit, selon eux, exclure la poésie définitivement morte et démodée. La faute doit être aux écoles, aux professeurs qui les dessèchent. *Bref je tremblais de dégoût*. Je remercie le ciel d'avoir préservé mon enfance. Ces gosses

---

1. *1er avril an 2000*, film de Wolfgang Liebeneiner.

ont perdu la leur. Ils valent les messieurs et dames du bar du Carlton.

9 avril.

Décidément je suis de la famille des accusés. Je ne suis pas de celle des juges. Robinson me disait hier soir : « J'ai toujours joué les rôles de voleur, de criminel — et me voilà juge. » Nous avons été prendre un verre ensemble après le film brésilien [1] — qui est, à mon estime et à la sienne, « un peu trop beau ». Cela manque de ce qui empêche les Français de comprendre *Les Enfants terribles* [2]. La beauté photographique, la science du cadrage, le pittoresque des gueules et des costumes, tout cela empêche de croire au drame.

Les gosses d'hier. Je comprends pourquoi un gosse tue son professeur qui lui donnait la note quatre. C'est la faute des professeurs qui fabriquent des monstres. D'où sortaient ces trois monstres d'hier ? Sans doute d'une école où on ne les éclaire sur rien.

Quelques questions posées par les trois enfants : « Pourquoi que vous jugez ? C'est au public de juger. » « Pourquoi Picasso montre-t-il ses tableaux puisque personne n'y comprend rien ? Il n'a qu'à les garder chez lui. » « Le surréalisme, c'est idiot. On voit ce qu'on voit. » « Votre film *Orphée* m'a fait penser à Virgile. C'est plein de vieilles choses. » « Pourquoi on fait toujours de vieilles histoires. Ce n'est pas moderne. » Etc. La faute est aussi à ceux qui permettent aux gosses de parler en public. Je commence à comprendre pourquoi on interdisait aux enfants de parler à table.

Spaak. C'est par dérogation spéciale qu'on a pris un Belge. Il est contre tout et ne comprend rien au film japonais que je n'ai pas encore vu et qui est, paraît-il, de premier ordre. On me raconte qu'il a passé son temps à plaisanter sur les gnocchis, sous prétexte qu'un des personnages s'appelait Ioki. Je suis, en somme, consterné d'avoir accepté cette présidence.

Les trois gosses. J'en arrive à me demander si on ne leur avait pas soufflé leur attitude. S'ils ne reflétaient pas la sottise des grandes personnes qui les emploient.

---

1. *O Cangaceiro*, film de Victor de Lima Barreto.
2. Film de Jean-Pierre Melville et Jean Cocteau, 1950.

J'avais cependant remarqué chez Carole une petite tendance à être incrédule. Mais elle a Francine pour combattre cette tendance. Et, par contre, elle se montre sensible à des œuvres que les grandes personnes réprouvent.

Je me félicite d'avoir choisi mon fils. Et d'où sortait-il ? D'une famille dépaysée de paysans yougoslaves qui habitent les mines de l'Est. À Bouligny où règne une sottise crasse. Ni le père ni la mère ne savent écrire. Mais la mère connaît toutes les sagas par cœur et les chante. Édouard a vécu comme un petit sauvage. Ses frères et sœurs ne lui ressemblent pas. Un enfant de sa trempe est aussi rare qu'un grand artiste. Je ne lui ai jamais donné un seul conseil. Je lui en demande. Il devine tout. Son âme est parfaite. Hier soir, après cette ignoble séance de radio, je l'ai appelé au téléphone pour entendre sa voix. J'étais démoralisé, écœuré. Le spectacle de Farouk dans le bar n'avait pas arrangé les choses.

Peut-être si on enseignait la biologie aux gosses comprendraient-ils que nous sommes entourés de mystères. Dans l'enseignement on ne fait aucune place à la féerie réaliste, c'est-à-dire aux problèmes que soulève le moindre de nos actes, à la terrible énigme de vivre sur cette boule dangereuse et de s'y croire en sécurité. Les pauvres gosses d'hier se contentent de vivre en surface et s'imaginent inaugurer une ère nouvelle où « on ne vous la fait plus ». Le film de *Peter Pan* leur représenterait le comble du ridicule.

Trois petits « Mauriac ». C'est sans doute ce que Mauriac appelle : être resté un enfant.

Autre situation grotesque. Je suis arraché de la « radio des enfants » par cette « Joséphine[1] » qui publie chez Seghers et se remue beaucoup. Elle me prend la main et me considère en silence. « Je crois maintenant aux dieux et qu'ils existent — et qu'ils apparaissent. Je vous vois. Que vous êtes beau ! » Par chance elle devait prendre le train. Je me suis sauvé, caché dans ma chambre, l'âme à l'envers. Avec l'envie de vomir mon âme. De la *rendre*. De rendre l'âme, exactement.

---

1. Auteur, sous ce pseudonyme, de *L'Antipoète* (coll. P.S., 254), Paris, Pierre Seghers, 1953.

Le film de Graham Greene. *Le Fond du problème*[1]. Tout recommence comme à l'époque d'Hervieu et de Lavedan. Les adultères et les prêtres. Prêtres le matin et prêtres le soir. Et Dieu à toutes les sauces.

(Ce matin, le film de Hitchcock[2] était au moins raconté par un *conteur*, par un grand metteur en scène. C'était aussi une histoire de prêtre.)

Cannes : Farouk et la Môme Moineau[3]. La Môme Moineau a l'air d'une mauvaise farce. Un gros petit garçon boudiné dans un uniforme d'officier de marine et portant un masque de carnaval. Farouk est une insulte aux femmes, aux hommes, à la monarchie, à la démocratie. La Môme Moineau est une insulte au soleil, aux fleurs, aux braves gens, à la Côte.

10 avril 1953.

Je sais maintenant par expérience comment un jury procède et rejette la beauté accidentelle si quelqu'un n'est pas là pour l'influencer et pour le secouer.

Voir de très mauvais films rend malade. On en sort diminué, honteux.

11 avril 1953.

Que fais-je dans ce festival ? Je me le demande. C'est aussi peu ma place que possible. Et pourquoi tous ces gens qui ont toujours éreinté mes films me nomment-ils leur président ? Le même rythme continue. Prestige en dehors de la compréhension. Des forces qui agissent malgré tout, en marge de ce qui les provoque.

Peu à peu nous apprenons à nous connaître. Par exemple Spaak qui jouait les lourdauds se prouve très clairvoyant, et si certaine féerie lui échappe, c'est qu'elle n'est pas assez puissante pour le

---

1. *The Heart of the matter*, film anglais de George More O'Ferrall, d'après le roman de Graham Greene.
2. *I confess (La Loi du silence).*
3. Lucienne Dhotelle (1908-1968). Chanteuse des rues à Paris, elle est remarquée par le couturier Paul Poiret. Le directeur de l'Olympia, Paul Franck, la fait débuter dans ce music-hall sous le nom de « la Môme Moineau ». Au début des années trente, elle épouse Felicio Benitez Rexach, le plus riche entrepreneur de Saint-Domingue, qu'elle a rencontré au cours d'une tournée à New York. Chaque année, elle séjournait à Cannes dans sa villa Bagatelle, alors que son yacht mouillait dans le port.

convaincre. Il était dégoûté par le sentimentalisme grotesque de l'*Hélène Boucher*[1], par la vulgarité du dialogue, alors que Lang que je croyais plus fin s'y est laissé prendre.

Je redoute la séance de ce soir. On nous montre le film de Clouzot, *Le Salaire de la peur*, qui se déroule à mille lieues au-dessus des autres œuvres de la course aux prix. Mais, outre que mes collègues ne semblent pas goûter beaucoup l'équilibre et la force, il y en a parmi nous que mon désir de primer ce film indispose. Ils prendront le contre-pied systématiquement. (Lang.)

Les juges du court métrage sont plus jeunes et plus malins. Ils me disent avoir vu un sketch anglais et un dessin animé japonais de premier ordre. Les fameux *Oiseaux de mer* de Disney, que tout le monde admire, leur a semblé d'un mécanisme conventionnel.

Comme de juste quelques membres de notre jury aiment mieux *Blanche-Neige* que *Peter Pan*. Les nains et les champignons ne furent pas pour leur déplaire.

Le triste est de se brouiller avec des nations sans raison valable. Un véritable Autrichien ne peut pas approuver la farce autrichienne, mais les Autrichiens du Festival y comptent et préparent de grandes fêtes où nous serons gênés, notre opinion étant faite et unanime. Gêne aussi vis-à-vis de l'Angleterre qui méprise ses bons films (comme les Italiens) et nous envoie une barbe sinistre, ce qui étonne de Graham Greene après des films comme *Le Rocher de Brighton*[2] et le *gosse*[3] (j'ai oublié le titre). D'après ce que m'avait raconté Somerset Maugham, la veille de mon départ, ce film reflète la vie de ménage des G. On se tourmente et on se confesse. Ne pas oublier que c'est le traducteur de Mauriac.

Très beau temps. Ai vu hier l'*Orphée II* encore sens dessus dessous. Les ouvriers terminent le travail lundi. J'irai me réfugier sur le yacht si le Carlton me fatigue.

Il résulte de ce festival que je constate (et il le faut) combien toute la beauté véritable ne se montre qu'à très peu de personnes dont pas une n'habite Cannes. Combien, dans le monde, on ignore l'audace et les secrets de beauté. Combien le cinématographe est entre les mains de pignoufs sans le moindre contact avec les

1. *Horizons sans fin (Hélène Boucher)*, film de Jean Dréville.
2. Film de John Boulting, 1947 (titre français : *Le Gang des tueurs*).
3. Bobby Henrey, dans *The Fallen Idol (Première désillusion)*, film anglais de Carol Reed, 1948.

pointes de l'époque. Ce qui fait le prestige des *Rapaces*[1], du *Sang d'un poète*, de *L'Âge d'or*[2], des *Enfants terribles*, d'*Orphée* leur demeure lettre morte. Ils aiment les films astiqués à la peau de chamois, le technicolor tendre, les problèmes superficiels, les acteurs agréables.

L'échec à Cannes de *La Belle et la Bête*[3] et d'*Orphée* tombe sous le sens. Au dernier festival, l'article de J.-J. Gautier, critique du *Figaro*, sur *Le Médium*[4] de Menotti, résumait cet état d'esprit inculte. Avant-hier, j'ai glissé *Le Chiffre sept* dans la poche de Gance parce que Gance, avec toutes ses fautes énormes, est le plus sensible à la grandeur. Le poème l'a bouleversé. J'en étais sûr. J'aurais honte que les autres le lisent.

Spaak avait apporté son exemplaire de luxe des *Enfants terribles* pour que je le lui dédicace.

Avant-hier tout le parti communiste attendait Maurice Thorez à la gare. Mais on l'avait fait descendre en route et poursuivre en voiture, pour éviter la cohue. Le Parti ne le savait pas. Un journaliste américain qui ressemblait à Thorez fut enlevé, embrassé, porté en triomphe. Gag de Chaplin.

Potins d'un festival. Un journaliste de Cannes a répandu partout la nouvelle que je m'enfermais seul avec Favre pour voir les films et que j'interdisais l'entrée de la salle à nos collègues.

Difficulté des places. Nous devons avoir toujours la même place. J'ai choisi la mienne, un dix-sept au bord d'une travée de balcon. Mais si je manque des films déjà vus on dira que ma place était vide, même si je la passe à une personne désireuse d'assister au film (ce que je ne ferai pas, puisque je manquerai seulement les films médiocres). Ce qui signifiera que ces films sont condamnés d'avance.

Croisé hier soir Alexandre Alexandre. Avons fait semblant de ne pas nous voir. Que ferai-je lorsque je rencontrerai Claude[5] ou

1. Film d'Erich von Stroheim, 1924.
2. Film de Luis Buñuel et Salvador Dali, 1930.
3. Film de Jean Cocteau, 1945-1946. — New York, New York University Press, 1970.
4. Drame musical en deux actes de Gian Carlo Menotti, 1946, filmé par l'auteur, 1951.
5. Claude Mauriac.

J.-J. Gautier, par exemple? mon devoir étant de ne pas rendre l'atmosphère irrespirable.

11 avril.

Ce soir nous avons vu *Le Salaire,* en cachant Clouzot dans la cabine des projectionnistes et ensuite dans ma chambre. Le film a produit un effet considérable. Pour ne pas avoir l'air de comploter nous redescendons par les cuisines. Et les Clouzot peuvent rejoindre leur voiture sans être vus. Clouzot me dit : « Ils nous détestent — mais ils nous subissent. »

Tati. *Les Vacances de M. Hulot.* Chaplin m'a raconté en 1935 qu'après avoir terminé un film il *secouait l'arbre.* « *Je fais tomber tout ce qui ne tient pas solidement aux branches.* » Le pauvre Tati ramasse les fruits blets de cet arbre et les range les uns contre les autres. Il ne possède aucune présence. Sauf quelques gags assez drôles et qui s'achèvent en queue de poisson, il n'y a de valable que la justesse des dialogues et les dialogues confus comme ceux de la loge du *Sang d'un poète.* Mais j'ai fait le truc des dialogues confus il y a trente ans.

12 avril.

Leçon de morale suédoise[1]. Enfant naturel. Père dénaturé. Famille fautive. Tout s'arrange. Nul.

Clemenceau[2]. Magie des vieilles estampes au cinématographe. Elles vivent. Documents remarquables. Film où Clemenceau s'exprime en personne par la voix d'acteurs médiocres. Tout ce qui intéresserait est escamoté. Toupet incroyable du gouvernement qui nous impose, pour un festival international, un film ne parlant que de *boches* et de *hordes allemandes.* J'ai prié Erlanger[3] de savoir qui pouvait avoir intérêt à imposer ce film et de quel droit on nous lance sur des routes extra-cinématographiques.

13 avril.

Cinéma. Paulvé dit à Bessy : « Cocteau devrait me verser une rente. Je l'ai rendu célèbre. » On a déjà imprimé le gros titre dans

1. *Pour les ardentes amours de ma jeunesse,* film d'Arne Mattson.
2. *La Vie passionnée de Clemenceau,* film de Gilbert Prouteau, texte et découpage de Jacques Le Bailly.
3. L'historien Philippe Erlanger, né en 1903, chef du service des échanges artistiques au ministère des Affaires étrangères, fondateur du Festival de Cannes.

un journal : « Gide était lu par les élites. Michèle Morgan lui a donné la gloire. » Et dans un autre (également en gros titre) : « Martine Carol n'est pas d'accord avec Victor Hugo. »

On m'a demandé un grand panneau pour le hall du Festival. J'irai le peindre ou ce matin ou après le film à cinq heures.

Toujours aucune réponse au texte sur Versailles. Je les avais prévenus que ce texte ne ressemblerait pas à ce qu'ils attendent. Hier Philippe Erlanger m'a longuement parlé du règne de Louis XIV, des erreurs de Saint-Simon qui accueillait n'importe quelle anecdote, des calculs du roi dont toute l'intrigue consistait à étouffer la gloire des princes de son entourage, Monsieur en première ligne. Ses succès militaires le rendaient malade. Louis voulait briller seul et ne reculait devant aucune injustice pour éteindre les lumières autour de lui. S'il avait deviné que Racine l'emporterait avec ses pièces et non pas comme son historiographe, sans doute aurait-il exercé sa censure. Molière était son cirque. Il lui livrait ses chrétiens — à savoir les docteurs, les marquis, les Turcs, la noblesse de province. On riait parce que le roi riait, mais on riait jaune. Monstrueux égoïsme. Il disait : « Un monarque ne doit s'attacher à personne. »

Comités, commissions, prérogatives, paperasses. Lorsque je dis : « Nous n'avons qu'à refuser », on me regarde comme si je ne savais rien, comme si j'exprimais une opinion de fou.

Les parents de Doudou arrivent demain dans la petite maison de Biot. Ces choses-là n'arrivent que dans *L'Auberge de l'ange gardien* [1]. Il fallait une Francine et un Doudou pour qu'elles se produisissent à notre époque.

Hier soir, en revenant du film et comme je passais devant un restaurant comble, tous les dîneurs m'ont applaudi. En France on ne sait jamais à quoi s'attendre. C'est pile ou face.

Réponse à Erlanger téléphonant pour savoir qui a inspiré le *Clemenceau* : « Les ministres. — Et pour quelle raison ? — Vous n'avez pas à psychanalyser nos sentiments. »

---

1. Roman de la comtesse de Ségur, 1864.

Remarquons avec Orson Welles combien toutes ces personnes prennent un festival au sérieux. S'ils l'envisageaient comme nous il n'y aurait pas à craindre les haines.

14 avril.

On est surpris par l'intelligence qui dirige le film *La Provinciale* [1] (d'après le livre de Moravia). L'ensemble du film est un peu Maupassant et même Marcel Proust. Mais l'adresse du conteur cinématographique, l'économie des dialogues et des gestes sauvent tout. Chaque seconde a de la force sans le secours d'une « trouvaille » — sauf en ce qui concerne le tissu même du film, fait de retours et d'emmêlements du temps avec une maîtrise devant laquelle on s'incline. La grosse Romaine est un type inoubliable. (Film impossible à revoir.)

Francine a la fièvre et reste couchée au Cap. Nous craignons qu'elle n'ait pris la rubéole de sa fille.

Je compte proposer ce matin un palmarès idéal (à mes yeux) en tenant compte de tout ce que j'ai entendu dire aux uns et aux autres. Je demanderai qu'on discute sur la base de ce palmarès. Erlanger me propose un prix Jean-Cocteau qu'on donnerait à l'Amérique, assez mal servie.

15 avril.

« La danse commence [2]. » Il y a du soleil et des nuages. Il ne fait pas chaud. J'ai porté ma lettre et mon exemple du système de vote à la secrétaire pour qu'on les ronéotype. On les distribuera demain. Parlé à la radio, ce qui n'est pas commode puisqu'on nous ferme la bouche.

Déjeuner avec Frank qui n'arrive pas à comprendre que son film sur *Les Parents terribles* est placé hors concours, par faveur spéciale, et voudrait un oscar pour la jeune actrice.

Après déjeuner Picasso me téléphone. Il demande des places pour les Ramié. Photographies sur l'*Orphée II* qui rentre de son essai en mer. Bref une bousculade dont j'ai perdu l'habitude.

---

1. Film de Mario Soldati.
2. En 1953, le Festival de Cannes a eu lieu du 15 au 29 avril. Voir l'annexe X.

Dréville parlant de son film tragique : « Il ne faut pas le voir sans personne dans la salle. Lorsque la salle est pleine, il soulève des éclats de rire. » Il en soulevait, hélas, dans la salle vide.

Plaintes de ceux qui passent en matinée. J'ai dit à la radio que le programme ne nous regardait pas. Notre programme risquerait d'indiquer des préférences. C'est Favre Le Bret qui s'en charge. Il n'a pas vu les films.

Rien ne sera plus désagréable que de nous rendre aux fêtes d'un pays, mauvaise opinion faite du film qu'il présente.

Au fond, les festivals ne m'ayant jamais ménagé, il n'y a aucune raison pour que je me gêne.

16 avril.
Hier soir, très bonne soirée d'ouverture. Le film de Clouzot était comme un bélier qui enfonce le mur et ouvre une brèche pour les séances. Grosse impression. Picasso ne trouve pas ses places. Je lui donne la mienne et Erlanger donne la sienne à Françoise. Nous nous installons aux places de secours. Après *Le Salaire*, souper aux Ambassadeurs. Très luxueux et très ennuyeux. Je quitte avant la fin, avec Arletty ma voisine. Elle voudrait reprendre *L'École des veuves*[1]. J'ai serré la main de J.-J. Gautier et de Claude Mauriac. Ils se demandaient visiblement quelle serait mon attitude. Pas de brouilles pendant le Festival.

Je regardais les femmes, hier soir. Il y en avait de très belles. C'est la première fois depuis des siècles qu'il n'y a *pas de mode*. Impossible de dire : « La mode de 1953. » Chaque femme, chaque couturier font ce qu'ils veulent. De même pour les coiffures. Dans une époque de désindividualisation ce spectacle offre un spectacle d'individualisme sans force, de faiblesse, de désordre, d'inélégance.

17 avril.
Le film anglais d'après *Les Parents terribles* a fait la plus mauvaise impression. C'est une photographie plate de la pièce qui

---

1. Pièce en un acte de Jean Cocteau, écrite pour Arletty d'après le conte de Pétrone *La Matrone d'Éphèse*, créée à l'ABC le 27 mars 1936, dans une mise en scène de l'auteur et un décor de Marcel Khill (supervisé par Christian Bérard). — *Théâtre de poche*, *op. cit.*, pp. 43-46. Voir propos d'Arletty dans *Jean Cocteau*, album *Masques*, Paris, 1983, pp. 115-117.

était une *peinture* d'après le style direct, alors que mon film était une *peinture* d'après la pièce. La jeune fille suédoise[1] est charmante. Les autres acteurs parlent à toute vitesse pour prendre le style de France. Michel[2] est en bois et la sinueuse Léo[3] devient une dame en ligne droite. Ceux qui connaissaient pièce et film ont mal supporté le spectacle. Les autres se sont laissé prendre par l'action. L'actrice qui joue Yvonne[4] évoque Dermoz[5]. Elle est intéressante, un peu théâtre, ce que n'était pas l'admirable Yvonne de Bray dans mon propre film[6].

Soir. Goujaterie sans nom du public de ce festival. On entre après le début de la projection. On parle, on dérange, on sort, on se lève avant la fin. J'ai demandé à Flaud de faire une annonce pour demander au public d'être exact et convenable par respect envers les nations participantes.

Coup bas des Américains. Le *New York Herald* publie un article où il accuse *Le Salaire de la peur* d'être un film communiste et insultant pour l'Amérique. Ce n'était ni l'attitude de la délégation américaine, ni celle de Robinson. Or je constate que Robinson a peur — ce qui est normal. En ce qui me concerne je n'admettrai jamais que des considérations extra-cinématographiques puissent influencer nos votes.

Réception pour la Madeleine suédoise[7]. Elle est charmante. J'ai renversé tout mon verre de Cinzano sur sa robe.

Ce matin j'ai vu le film documentaire en couleurs du voyage au Brésil (Italie)[8]. Je reste sous l'impression terrible d'un veau mangé vivant par des poissons (ils n'en laissent que la carcasse) et d'un énorme serpent qui en avale un autre.

1. Elsy Albiin.
2. Russell Enoch.
3. Ruth Dunning.
4. Marianne Spencer. Le rôle de Georges, le père, est tenu, dans *Intimate Relations*, par Harold Warrender.
5. Germaine Dermoz avait créé le rôle d'Yvonne, au théâtre des Ambassadeurs, en 1938.
6. Distribution du film *Les Parents terribles*, 1948 : Yvonne de Bray (Yvonne), Gabrielle Dorziat (Léo), Marcel André (Georges), Jean Marais (Michel), Josette Day (Madeleine).
7. Elsy Albiin.
8. *Magie verte*, film de Gian Gaspare Napolitano.

Soir. *Le Grand Bouddha*[1]. On a lu mon annonce pendant l'entracte — mais elle ne pouvait être très efficace ce soir et le film portait à la fatigue et à la fuite.

L'après-midi j'avais eu la visite du producteur japonais qui se rend compte à merveille de ce qui cloche. Il m'offre une coproduction où je dirigerais tout. Je lui ai dit que, peut-être, plus tard, je penserais à un film muet commenté (comme au théâtre de Kobe) par des chœurs et des conteurs, avec le style du nô et leurs admirables mimes.

Il y a un moment de fatigue où les films n'entrent plus en nous. Une sorte de sommeil qui ne fait pas dormir ressemble à celui des enfants qui n'écoutent plus le conte mais seulement le murmure de la voix de leur mère. Je suivais et je ne suivais pas. Très pénible.

18 avril.

Le film anglais des *Parents terribles* est à mon œuvre ce que l'Agfacolor est aux paysages.

L'autre jour, Robinson s'était donné tant de mal pour comprendre des sous-titres français qu'il ne s'était pas aperçu que le film était en langue anglaise.

Hier soir, passé au Brummel. Farouk assis dans l'entrée. Il reste là toutes les nuits, il semble aimer les portes, les vestibules. Peut-être parce qu'il n'a encore jamais fait antichambre.

Vais au Cap. Rentrerai pour la réception américaine.

Clouzot a déjeuné avec la délégation américaine. Les choses s'arrangent. Ils croyaient que le « Je vous dis merde » d'O'Brien était une insulte, ne sachant pas que c'était notre formule française de porte-chance. (En vérité c'est le choix d'Yves Montand qui leur rend le film suspect.)

Comme nous avons eu le courage de voir d'abord les films seuls on déclare que les prix sont distribués à l'avance. Rien de plus inexact. Sauf pour un ou deux films je ne me doute pas de ce qui obtiendra une majorité.

---

1. Film japonais de Teinosuke Kinugasa.

Soir. Étrange époque. Faites un film moral — tout le monde le trouve stupide — faites un film immoral, tout le monde le trouve atroce. *Les Oiseaux de mer* de Walt Disney sont acclamés par le public. Le jury du court métrage les déteste. Ils disent : « Ce sont les Folies-Bergère. »

Dimanche [19 avril 1953].
Dimanche à Santo Sospir. Je rentre à Cannes. Il est sept heures. On me mène à Walt Disney dans le bar. Spaak avait lu mon texte et Disney le portait dans sa poche avec sa médaille de Légion d'honneur. Robinson très embêté par l'offensive américaine. Je le regrette. Mais je ne me laisse pas coloniser jusqu'à nouvel ordre. Jusqu'à nouvel ordre, la France reste libre.
Le soir le film belge [1] plein d'images magnifiques (on ne l'aime pas) et *Le Renne blanc* [2], maladresse qui évoque la cinémathèque, le cinématographe d'il y a vingt ans — ce qui ne m'empêchait pas de tourner *Le Sang d'un poète* — (on l'aime). Ô public incompréhensible, absurde, aveugle et sourd. On m'avait parlé de la musique du *Renne* comme d'une merveille. Cette musique est prétentieuse et détestable. Ensuite, au bar, les Finlandais viennent me serrer la main. J'ai dû parler allemand et j'ai profité de le parler mal pour ne pas m'étendre sur leur mérite.

Lundi [20 avril 1953].
Film mexicain nul *(Les Trois Femmes* [3]). L'après-midi, le film de Dréville, *Horizons sans fin (Hélène Boucher).* Meilleur public que le soir. Dréville avait placé des claqueurs qui ne savaient pas au juste où applaudir. Ils ont applaudi un looping d'appareil. Succès. Fleurs. Embrassades. Foule à la sortie. La vulgarité plaît.

Ce soir rude épreuve du film autrichien et de la réception autrichienne.

Mardi et mercredi [21 et 22 avril 1953].
Trop fatigué pour écrire. Films sur films. Aucun ne réveille personne. *Les Enfants d'Hiroshima* [4]. Je craignais une réaction

---

1. *Bongolo*, film d'André Cauvin.
2. Film finlandais d'Erik Blomberg.
3. *Las Tres Perfectas Casadas*, film de Roberto Cavaldon.
4. Film japonais de Kaneto Shindo.

américaine — mais les Américains approuvent le film. La Fédération des auteurs de films me nomme président d'honneur. J'ai lu un texte plein de gaffes volontaires où je donne des exemples de scandales du monde cinématograhique. Ce texte publié et radiodiffusé soulèvera de la colère. Vu Descaves[1] qui va rétablir les coupes de Bovy dans *La Voix humaine*. Hier soir, *Lili*[2]. Cela se passe, on dirait, dans une vitrine des magasins du Printemps. Très beaux visages de l'actrice (Leslie Caron) et de l'acteur (Ferrer). Rien de plus bizarre que cette Côte d'Azur vue en technicolor par les Américains. Festival ridicule où je m'efforcerai de jouer mon rôle ridicule jusqu'au bout.

23 avril.

Surprise du festival : le court métrage *Crin blanc*[3]. C'est le seul film qui mérite le voyage et nos fatigues. Le film espagnol, *Bonjour M. Marshall*[4], reste charmant. Chaque fois qu'on moquait l'Amérique la salle applaudissait. Avec la même impolitesse la salle coupait *Crin blanc* de ces applaudissements intempestifs qui s'adressent au pittoresque et qui empêchent de voir et d'entendre.

Le soir, à minuit, *fête espagnole* au Martinez. La danseuse de flamenco. Elle glisse, elle tombe, elle rage, elle est superbe. Animal et plante. On se couche à quatre heures du matin. Et ce matin c'était le mariage de la fille Ricoux à Beaulieu. Cortège trois quarts d'heure en retard. Le chat des Ricoux avait saccagé le voile de la mariée. Je rentre à Cannes pour présider la bataille des fleurs à côté du maire et de Robinson. Les vieux fiacres, les marches militaires, les fleurs qui, au quatrième tour des fiacres, font la Croisette pareille à un cimetière. Éreintés nous rentrons à l'hôtel avec Robinson.

Chez Tati ce sont les gags qui provoquent les situations. Chez Chaplin ce sont les situations qui provoquent les gags. (Il faudrait lui donner le prix de la critique.)

27 avril.

Trop stupide. Je renonce à écrire.

---

1. Pierre Descaves, nouvel administrateur général de la Comédie-Française. Voir la lettre de son prédécesseur, Pierre-Aimé Touchard, à Jean Cocteau, *supra*, pp. 71-72.
2. Comédie musicale américaine de Charles Walters.
3. Film d'Albert Lamorisse.
4. *Bienvenue Mr Marshall*, film de Luis García Berlanga.

Rien de plus loin de moi qu'un festival. J'y ai toujours été matraqué par le jury. Mes seuls prix en France furent des prix plébiscitaires, des prix exceptionnels, des prix de la critique, le prix Delluc[1]. On imagine ma gêne d'être juge. Car je ne voudrais pas faire subir mon sort aux autres et le nombre des films, l'obligation de choisir m'obligent à prendre cette attitude. En outre un président de jury ne possède pas une voix plus haute que celles de ses camarades et s'ils se penchent vers moi il est normal naturel[2] que je me penche vers eux. Bref les grandes fatigues d'un festival aboutissent nécessairement à une atmosphère de gêne et de mauvaise humeur. Je le déplore. Il me plairait que les festivals ne distribuassent pas de prix et ne fussent qu'un lieu de rencontre et d'échanges. Présider le jury de Cannes est une expérience que je ne renouvellerai pas. J'y ai apporté tout le sérieux possible. Je n'ai jamais manqué une séance et versé de baume sur les blessures d'amour-propre. Mes collègues et moi nous avons assisté aux films comme un public et non comme un tribunal. Nous n'avons jamais adopté un style de silence, de réserve ni de mystère. Nous pouvons donc essuyer les griefs avec une âme sereine. Je n'en regrette pas moins d'avoir à prononcer et ratifier des verdicts[3].

1er mai.

Fini. Jeannot est venu avec moi se reposer deux jours à Saint-Jean. Francine et Doudou reviennent ce soir. Dans l'ensemble, le

1. Pour *La Belle et la Bête*, en 1946.
2. « Naturel » écrit au-dessus de « normal ». J. Cocteau a laissé les deux adjectifs, sans choisir.
3. Maurice Bessy, dans un article, intitulé « Rideau », du *Bulletin d'information du Festival du film de Cannes* (n° 16, du 30 avril 1953), tirait les conclusions de la manifestation :

« Les dés sont jetés. Constants et chimériques, les juges se sont prononcés. " Je suis de ceux qui réagissent aux coups de poing, nous confiait Jean Cocteau avant l'ultime débat, je suis opposé à l'usage de " grilles " pour discuter des mérites d'une œuvre. "

« Cocteau fut un grand président et le Festival de Cannes doit beaucoup à sa présence, à son dévouement. Il a su, à tout moment, prévoir et conseiller. S'il est vrai qu'on ne peut échapper à l'arbitraire du juge qu'en se plaçant sous le despotisme de la loi, il est bon de souligner que sous son influence, les jurés ont décidé avec une extrême bonne foi ; et aussi avec cœur, le cœur passionné qui concilie les choses contraires et admet les incompatibles.

« Tous ceux qui apprécient la contribution de Cocteau à l'œuvre poétique, romanesque, philosophique, dramatique, cinématographique et picturale (qui dit mieux ?) de cette époque, lui sauront gré d'avoir associé un nom glorieux à une compétition dont notre Pays s'enorgueillit à bon droit. »

Jean Cocteau avait conservé cet article dans son Journal, mais il y avait barré la parenthèse : « (qui dit mieux ?) »

Festival était une réussite. Le dernier soir, aux Ambassadeurs, toute la salle m'a jeté les œillets des tables. J'ai dit au micro que je souhaitais voir le Festival prendre son sens véritable : une rencontre des esprits et des cœurs. Après moi ont parlé Robinson et Gary Cooper. Hier, l'hôtel m'a présenté une note de suppléments de cinquante mille francs. Voilà comment la France paye les services qu'elle vous demande.

J'avais accepté ce rôle pour obtenir les grands prix à Clouzot et à Charles Vanel. Pour les obtenir j'ai dû lâcher du lest. Par exemple, en ce qui concerne le film mexicain *La Red (Le Filet)*[1] que je déteste. Il fallait récompenser le Japon pour *Les Enfants d'Hiroshima*. Drame De Sica. Madame De Filippo[2] nous ayant déclaré que toute récompense secondaire lui serait une insulte, nous n'avons pas cité *Stazione Termini*. Là-dessus, madame De Filippo s'est fait blâmer par les Italiens. Elle a gardé la chambre.

Ce changement de rythme m'a décoiffé l'âme. J'ai toutes les peines du monde à me reprendre, à me remettre au travail.

De mes contacts avec les cinéastes sérieux il sort que le cinématographe coûte trop cher. La feuille de papier sur laquelle nous nous exprimons revient à cent millions presque irrécupérables si le film n'est pas tourné dans un but commercial. C'est ce qui explique pourquoi les meilleurs films du Festival sont des courts métrages. La jeunesse y trouve un véhicule moins lourd et moins cher, avec les chances de la télévision. Je persiste à croire que la mesure de nos films est mauvaise. Trop longue pour correspondre à la pièce de théâtre, trop courte pour correspondre au roman. Le court métrage se trouve sacrifié dans les programmes.

Le cas Buñuel. Son film[3] m'a navré comme si un ami mourait devant moi. Mais les « spécialistes » trouvent le moyen de voir dans ce film une paraphrase de *L'Âge d'or*. Cela relève du système de la jeunesse à Saint-Germain-des-Prés. « C'est exprès. » À ce compte tout ce qu'on nous reproche, gagne. Buñuel s'académise :

---

1. Film d'Emilio Fernandez.
2. Titina De Filippo, sœur du dramaturge, acteur et metteur en scène italien Eduardo De Filippo. Elle-même actrice, elle accompagnait Vittorio De Sica à ce festival de Cannes.
3. *El.*

c'est exprès. Tati amateurise : c'est exprès. Tout se renverse. Le vrai travail est méprisé comme une atteinte à la paresse, au farniente. On accepte seulement ce qui reflète le comble de l'esthétisme moderne considéré sous l'angle antiesthétique. Cette jeunesse ne se rend pas compte que le « mal fait » de Picasso résulte de préparatifs innombrables et de figures bien faites qu'il recouvre jusqu'à l'ébauche. Il ôte l'édifice et ne laisse que l'échafaudage, mais l'échafaudage a été construit sur l'édifice, et la force fantôme de l'édifice reste présente dessous.

[*Munich,*] *9 mai 1953.*

Le travail au théâtre [1] ne m'a pas laissé une minute libre pour aller voir les châteaux de Louis II, ces châteaux qui ruinaient la Bavière et qui la relèvent par le nombre des visiteurs.

J'ai dû faire acheter des étoffes et refaire tous les costumes et tout le décor. Les ouvrières n'osaient pas couper les étoffes. Elles les trouvaient trop belles. L'ensemble est très étrange et un peu chinois. J'ai maquillé les artistes en blanc et reconstruit de toutes pièces le lion héraldique, monture du chevalier. La petite Veronika, dans le rôle de la licorne, est étonnante. C'est une véritable actrice. Sa mort émeut. Rosen dont je ne savais rien a inventé une chorégraphie d'une grande noblesse.

Je ne sais ce qu'on pensera ce soir, mais les musiciens en frac sur une petite estrade et dans le décor ont dérouté quelques jeunes qui ne savent plus que c'est une tradition allemande. Celle de Reinhardt, de Kurt Weill, de Piscator. La jeunesse a été coupée de tout par la guerre, comme en France où les jeunes prennent pour du neuf les très vieilles méthodes de Barrault et de Vilar.

Hier, soirée des robes de Dior au Bayerischer Hof. Contraste entre les mannequins et les tables. Il y avait, à une table, une grosse dame rouge avec un vaste chapeau ébouriffé de plumes blanches et les mêmes plumes blanches autour du cou. Les mannequins qui circulaient comme si elles ne regardaient rien et évoluaient dans un autre monde avaient très bien vu la salle et me l'ont racontée ensuite.

J'étais au centre, en haut de marches, à la table du ministre,

1. *La Dame à la licorne,* ballet, décor et costumes de Jean Cocteau, musique de Jacques Chailley, chorégraphie de Heinz Rosen, avec Veronika Mlakar (la licorne), Boris Trailine (le chevalier), Geneviève Lespagnol (la dame) ; création à Munich, au Theater am Gärtnerplatz, le 9 mai 1953. — *Théâtre,* t. II, Paris, Grasset, 1957, pp. 631-632.

entre deux petites princesses qui dormaient debout et à qui ce
défilé de robes tournait la tête.

Les mannequins assisteront ce soir au spectacle. Radios, photographes, cinématographes, journalistes se succèdent et me fatiguent. C'est Cannes qui recommence. Ai vu chez Desch Gründgens
qui se soignait en Suisse. Je lui trouve bonne mine et l'œil plus vif.

On a monté *Bacchus* à Berlin en coupant le texte, avec un vieux
cardinal et une mise en scène absurde.

Ici, dans un cabaret, on donne *Le Bel Indifférent*. Je n'ai pas eu le
temps de m'y rendre. Je suppose que je ne perds rien. Et toujours
de nouvelles actrices jouent *La Voix humaine* à droite et à gauche.

10 mai 1953.

La Dame a remporté un triomphe. Tout le monde s'embrasse.
Veronika soulève de l'enthousiasme. On me rappelle sans cesse
avec des acclamations.

Souper du consul et autre souper chez lui. Rentré à cinq heures
du matin.

Les Français ne se rendent pas compte que l'Europe se reforme
en Allemagne. Lorsqu'ils ont dit *les boches* ils ont tout dit. Ils
restent sur une vieille rancœur d'Alsace-Lorraine. Ils ne se doutent
même pas que la Bavière a perdu autant de monde par le nazisme
que la France. (Proportionnellement.) Que de Bavarois sont morts
dans les camps — que de mères ont eu leurs fils décapités à la
hache.

Munich est une capitale des arts. Les bombes ne peuvent détruire
cette *Stimmung*. J'ai visité hier les ruines de l'Opéra où les
corneilles logent en haut et, en bas, où stagne une eau profonde. De
tout cet immense théâtre, il ne subsiste qu'une nef irréelle, des
immeubles en demi-cercle qui furent les loges, une carcasse de
ferraille, des tôles et des fils qui se tordent et qui pendent comme la
chevelure même de la mort. Eh bien, cette ruine étrange conserve
en elle une continuité de chant et d'acclamations, ces acclamations
qui ne viennent pas des mains mais du cœur. Les acclamations qui
nous ont récompensés hier soir de notre travail.

Un triomphe comme celui d'hier soir on croirait qu'on ne peut y
prétendre qu'une seule fois dans sa vie. Chaque fois que je montre
un film ou une pièce en Allemagne, je le remporte. La plasticité de
l'âme allemande est féminine. Elle épouse la force qu'on lui
présente. Refuser ce mariage est un crime et une sottise dans
laquelle nos politiciens retombent toujours.

14 mai 1953.

Milly. Paris m'embrouille. Impossible de circuler. Voitures trop larges dans des rues trop étroites. Vu Piaf dans *Le Bel Indifférent* [1]. Elle fait de cette petite pièce une tragi-comédie. Public d'étrangers. Je peux rester dans le fauteuil sans que personne de la salle ne me reconnaisse.

Le Bal du comte d'Orgel presque terminé. Livre de luxe impeccable. La nouvelle *Difficulté d'être* déjà mise en vente. Article de Mauriac dans *La Table ronde*. Il note avec amertume qu'on publie dans sa propre revue un article (d'ailleurs remarquable, dit-il) de Michel Déon sur le *Journal d'un inconnu* où je le maltraite. Il me lance fleurs et épines. Il cite des lettres du Maroc où on le traite de vieux con. Le prix Nobel semble lui avoir tourné la tête.

Suis épouvanté par le nombre de lettres à répondre.

Paris dort et ronfle très haut.

Le luxe mort. Il n'y a plus que le luxe spirituel qui compte. Et l'argent s'y oppose. Prix des places. Impossible de montrer un spectacle au seul public qui en soit digne. À Munich où la vie n'est pas chère, le théâtre est un cérémonial, une église ouverte à tous. L'enthousiasme résulte d'un mélange des publics. À Marigny, par exemple, il y a deux publics. Celui des fauteuils chers et celui des galeries. Après avoir payé sa place mille francs, le public des fauteuils estime qu'il ne doit plus rien aux artistes.

Fait l'article sur *La Licorne* pour *Arts* [2]. Fait l'article Lido [3] sur la danse. Fait le dessin pour l'œuvre des enfants d'artistes. Reste le terrible pensum des lettres à répondre.

À Munich, Margaret Rosen n'est pas contente parce que les danseurs n'ont pas reçu d'invitation écrite pour le souper du

---

1. Édith Piaf et Jacques Pills avaient repris *Le Bel Indifférent* au théâtre Marigny, en avril 1953, dans une mise en scène de Raymond Rouleau, un rideau et un décor de Lila de Nobili. L'enregistrement de la pièce par Édith Piaf fut réalisé à cette occasion (disque Columbia FS 1021 ; réédition dans *Hommage à Jean Cocteau*, trois disques, Pathé 2 C 161 — 11311 à 11313).
2. Voir l'annexe XI.
3. Serge Lido (1907-1984), photographe de danse.

ministre. « Cette consul est une fou ! C'est dégoûtante. (Et tout bas à notre oreille) Sapotage... »

En fait les consuls n'arrangent pas les choses. Crainte des responsabilités et de perdre leur place. Leur travail se résume à entasser des fiches sur tout le monde. Je dois avoir la mienne : « A rencontré Leni Riefenstahl dans sa chambre d'hôtel. » Madame Riefenstahl venait me demander d'intervenir auprès de Jean Marais pour son film *Les Diables rouges* (version définitive de *Penthésilée*). « Où trouverai-je quatre cents chevaux blancs ? Les skis et la neige seront plus simples. »

Vu hier les Paul Morand qui ont loué un appartement au 28 de ma rue. Ils vivent entre Tanger et la Suisse.

À New York les personnes qui vont voir *Limelight* doivent donner à la porte leur nom et leur adresse.

La police de New York a demandé à un Allemand naturalisé américain s'il était exact qu'il avait acheté il y a cinq ans un livre de Brecht dans une librairie. Il a été obligé de conduire la police dans sa bibliothèque. On a cherché et emporté le livre.

Il est triste qu'une nation victorieuse adopte les vices de la nation vaincue. Comme on saurait gré à l'Amérique de ne pas prendre le style gestapo. Mais la peur l'aveugle et la jette dans les fautes.

L'Allemagne est plastique. Elle adopte la forme qu'on veut. Il était facile de lui donner la nôtre. On la suspecte à tort. Livrée à elle-même n'importe quelle dictature pourrait la reprendre en main, malgré son désir de rester libre.

Nous avons parlé avec Morand de ces journaux intimes qui paraissent du vivant des écrivains. « Relu *Andromaque*. Déjeuné chez madame Untel. » Un journal doit paraître après notre mort.

Le drame entre les fils Kisling a commencé le soir même de sa mort [1]. Vendre ou ne pas vendre la maison. « L'automobile est à moi — Non, à moi. » La pauvre Renée [2] au milieu de ces disputes.

---

1. Voir *supra*, p. 74, n. 2.
2. Mme Kisling, dite René-Jean.

À Montparnasse, Renée avait l'air d'un cheval vicieux. Elle est devenue le modèle des mères de famille. Mais sa préférence secrète va au fils qui ressemble à sa jeunesse.

Problème de la correspondance. Que ferai-je de celle qui s'accumulera pendant notre voyage en mer et en Espagne ?

Pour un accord de dollars, le prochain Nobel irait à Léger[1]. Paul Morand me dit : « Ce que Nobel a fait de moins dangereux, c'est la dynamite. »

Samedi 15 [mai 1953].
Beau soleil sur le jardin. Je ne verrai pas les pivoines odorantes qu'on m'avait données à Barbizon. Elles fleurissent plus tard que les rouges. Je me promène avec Annam dans un vacarme d'oiseaux.
Hier soir visite de François Michel. Parinaud avait donné pour *La Parisienne* des « propos » qu'il avait « recueillis chez moi ». Ces propos avaient étonné Michel qui me les montre. Avec quelle stupeur on constate que les personnes avec lesquelles on parle n'écoutent rien, entendent autre chose, vous prêtent leur style et remplissent de sottises les vides entre les quatre ou cinq notes qu'elles ont écrites de travers. Je conseille à Michel de reprendre des passages d'*Entretiens autour du cinématographe*[2]. Fraigneau a perdu sa mère. Elle s'était endormie près du réchaud à gaz. Elle est morte. Il vient de rentrer à Paris. Sa mère habitait Nîmes.

Cette nuit, comme je ne dormais pas, j'ai essayé de classer mes livres pour les *Œuvres complètes*. J'étais effrayé par leur nombre et par la difficulté d'une classification qui permette de les publier en trois volumes sur du papier très mince qui ne serait pas du papier bible.
Ce matin des livres oubliés me sautent dans la mémoire. En outre Variot[3] a trouvé à la Bibliothèque nationale une foule d'articles et de préfaces. J'en profiterai pour corriger et couper, pour donner à l'ensemble une tenue que ne peuvent avoir des

---

1. Le diplomate Alexis Léger, poète sous le nom de Saint-John Perse (1887-1975). Le prix Nobel ne lui sera attribué qu'en 1960.
2. Entretiens recueillis par André Fraigneau, Paris, André Bonne, 1951, repris dans Jean Cocteau, *Entretiens sur le cinématographe*, Paris, Pierre Belfond, 1973.
3. Jean Variot, collaborateur des Éditions Plon.

œuvres vraiment complètes. Ce que devrait être l'œuvre, voilà quel sera le travail. Il me semble tout à fait légitime de se reprendre jusqu'à la dernière minute et, par exemple, au lieu des deux versions de *La Machine à écrire*[1], de publier la première[2], celle que je regrette de n'avoir pas donnée au théâtre.

Mauriac parlant du *Journal d'un inconnu* bat la louange et le vinaigre : « Et même il lui arrive de penser. C'est très fort. » Sans doute ce grand penseur estime-t-il que je n'ai jamais pensé. Il est probable que penser autrement que Mauriac signifie à ses yeux qu'on ne pense pas ou qu'on *pense mal*, comme ils disent.

Il est vrai que j'ai toujours *pensé* dans un sens qui n'est pas le leur et qui leur échappe. Que peut comprendre un Mauriac à l'*Essai de critique indirecte*[3], à *Opium*[4], au *Secret professionnel*[5], à tant d'ouvrages où le bien et le mal, le diable et le bon Dieu n'entrent jamais en ligne de compte. « Je pèche donc je pense. »

Madeleine devient folle avec ses chats. Elle les sépare. Elle en confie à tous les étages. La grand-mère, les mères, les fils, les filles se battent lorsqu'on les rassemble. Chacun veut vivre sur l'épaule de Madeleine. Avant la naissance des fils ils s'entendaient à merveille. Madeleine se trouve brusquement au milieu des complications psychologiques d'une famille de Dostoïevski. Elle ne peut plus suivre.

À Milly, c'est la paix. Annam est un gros bébé-chien adorable. Les chats ne s'occupent pas de lui et vivent en égoïstes assez sauvages. On les voit peu. Quelquefois ils disparaissent un ou deux jours.

Munich déjà si loin. Cannes encore davantage. Le mal qu'on se donne pour construire des bonshommes de neige qui fondent dès qu'on tourne le dos.

---

1. Pièce en trois actes de Jean Cocteau, créée au théâtre Hébertot, le 29 avril 1941, dans une mise en scène de Raymond Rouleau et des décors de Jean Marais. — Paris, Gallimard, 1941.
2. Elle sera créée à la Comédie-Française (salle Luxembourg), le 21 mars 1956, dans une mise en scène de Jean Meyer et des décors de Suzanne Lalique, et publiée dans *Paris-Théâtre*, n° 109, juin 1956.
3. Jean Cocteau, *Essai de critique indirecte (Le Mystère laïc, Des beaux-arts considérés comme un assassinat)*, précédé d'une introduction par Bernard Grasset, Paris, Grasset, 1932.
4. Voir *supra*, p. 39, n. 2.
5. Jean Cocteau, *Le Secret professionnel*, Paris, Stock, 1922.

Et les lettres... les lettres. Chacun se croit seul et vous reproche de ne pas le prendre en charge. Chacun veut qu'on le lise, qu'on le loue, qu'on le préface, qu'on intervienne auprès des éditeurs. Chacun veut qu'on tourne ses films, qu'on place ses pièces. Chacun croit qu'on a toutes les chances et que le sort s'acharne contre lui.

Plus j'avance plus je constate que la gloire (ce qu'on appelle la gloire) relève du phénomène architectural et géométrique caché sous les désordres apparents de la nature. Ce n'est pas l'œuvre qui nous gagne du terrain. C'est une harmonie d'ondes qui s'échappent de notre morale particulière, invisible à tous. Tous l'éprouvent bien qu'ils la combattent et l'ignorent. C'est de la sorte qu'un nom se forme et prend de la puissance en marge d'une œuvre presque toujours incomprise et mal lue. Je serais abandonné de longue date si mon œuvre agissait seule. Il est vrai que l'œuvre aussi propulse des ondes qui dépassent en efficacité la connaissance que les gens en peuvent avoir.

René Bertrand devrait, dans son prochain livre, appliquer les lois géométriques auxquelles obéissent les formes à ces formes secrètes de l'esprit, expliquant pourquoi certaines œuvres agissent malgré l'incompréhension qu'elles rencontrent, incompréhension qui, contre toute attente, assure leur durée. Il ne s'agit donc ni de plaire ni de déplaire, ni qu'on parle ou ne parle pas de vous, ni qu'on vous approuve ou qu'on vous désapprouve. Il s'agit de ne jamais faire un seul faux pas dans sa démarche interne. Il s'agit de se rendre invisible en distrayant le monde inattentif par des exercices superficiels d'une grande visibilité.

S'il fallait compter sur la ligne extérieure que deviendrait-on au milieu du tohu-bohu, au milieu des critiques et des journalistes qui prennent des pièces reprises pour des pièces nouvelles et qui, n'apercevant pas la ligne interne reliant nos œuvres entre elles, les croient nées d'un caprice et ne découvrent un lien qu'entre les œuvres d'auteurs qui se répètent et qui exploitent une grosse mine. La science actuelle prouve l'impeccable rayonnement d'une fleur, d'un minerai, d'un astre, mais qui, dans le domaine des lettres, je vous le demande, s'efforce de juger selon cette méthode scientifique ? (Larousse. Cocteau Jean. Écrivain français, né à Maisons-Laffitte en 1889. Sa *fantaisie* s'exprime par des poèmes, des drames, des films. Sic.)

17 mai 1953.

La Bourse est morte par la faute du libre trafic de l'or. Plus de jeu
d'actions. Tout se fait par les ministres et par la fraude (chute de la
piastre). Un agent de change qui vivait sur les courtages peut vivre
à peine. La Bourse est vide. Les affaires se produisent en dehors.

Lettre du ministre : « Je vous décerne le grand prix des prési-
dents des festivals de Cannes. »

Pourquoi j'ai accepté cette présidence. 1°. Je voulais que le film
de Clouzot remportât le grand prix. On ne le lui aurait pas donné.
Un autre président aurait eu la frousse des Américains. 2°. Je
voulais prouver que ma solitude n'est pas un système. Que je peux
parfaitement prendre contact avec ce que j'évite. Que je savais
manier la cape. En fin de compte le taureau a jeté des fleurs au
torero.

J'ai renoncé à l'usage de l'opium depuis 1940 (après l'exode),
parce que l'opium qui est *le contraire de la vulgarité* risque de vous
mettre en contact avec *le comble de la vulgarité* : la police.

[...]

Le nouveau Larousse. On a simplement oublié Raymond Radiguet. J'ai signalé ce scandale à Hollier-Larousse. On a corrigé le
« poète fantaisiste » du Rimbaud. C'est moi qui hérite de la
« fantaisie ».

24 mai 1953.

Milly. Arrivons de Paris. Comment écrire dans ce Palais-Royal où
s'enchevêtrent les chattes, les visiteurs, les visiteuses, les corres-
pondances. Et tout cet entassement, tout cet inextricable accom-
pagnés par le téléphone.

La pièce de Green, *Sud.* Très belle pièce. Les uns ne la comprennent pas parce qu'ils ne veulent pas la comprendre, les autres parce
que ne comprenant rien à rien, ni *Sud,* ni *Phèdre,* ni *Andromaque,* ni
Hamlet, ni même Molière et que le comportement des femmes de
Green leur semble inexplicable. En fait, incomprise, la pièce doit
paraître fort ennuyeuse. « De quoi s'agit-il ? » Comprise (et tout y
est clair), elle semble très courte. Plusieurs siècles d'histoires de
cocus ont mis le public sur un rail dont tout déraillement le laisse
stupide.

On me dira que le coup de foudre du lieutenant pour le jeune C. est bien rapide. L'immédiat est justement la définition même du coup de foudre. En outre, le théâtre exige ces raccourcis.

On répète partout que la pièce est mal jouée. J'étais si heureux d'entendre enfin la vraie langue française que je ne m'en suis pas aperçu.

Époque où se passe la pièce. Impossible d'étaler des sentiments dont on ne parlait pas. Mais les phrases de la jeune fille et du père nous prouvent qu'ils savent.

Green si timide a de l'héroïsme dans sa chambre, seul avec son encre et son papier. Cet héroïsme éclate aux feux de la rampe. Il s'exerce même contre le catholicisme, en faveur du Christ.

Avons été remercier les artistes. En tête le nouveau qui joue le rôle de Ian[1]. Il y est de premier ordre.

Les Rosen étaient catastrophés par mon article dans *Arts*. Je ne parlais pas assez d'eux. À Chaillot on n'avait pas manqué de leur laisser entendre que je désapprouvais la chorégraphie de Rosen. Style parisien. Fait une lettre ouverte à Rosen[2] où je le couvre des éloges qu'il mérite.

Les gens voudraient tous qu'on fasse leur travail et ne pensent jamais qu'on a son propre travail. Le ministre des P.T.T. me rend visite et me demande un film sur le téléphone. Haddad ne décolle pas de chez Madeleine et m'accable avec son entreprise. Il faudrait sauver Versailles, les enfants des artistes de Pont-aux-Dames, se rendre à des bals corporatifs, à des cocktails en l'honneur de X. et de Z., à cinquante vernissages. « *Je déchire.* » Je n'ai été qu'à l'exposition Picasso, rue d'Astorg, où son génie réconforte. Admirable paysage brun, rose et bleu. Le lavoir près de l'atelier de Françoise.

La guenon de bronze. Sa tête est faite avec deux petites automobiles mises l'une sur l'autre. Sa queue avec une queue de poêle. Métaphores. Picasso excelle à ce que quelque chose se dépayse et devienne autre chose. Je dois parler de son œuvre le 27 à

1. Pierre Vaneck.
2. Voir l'annexe XII.

Rome. Je ne prépare rien. Je tâcherai d'inventer, d'improviser sur place. Jadis j'y réussissais à merveille. Maintenant j'ai peur. C'est pour vaincre cette peur que je m'oblige à ne prendre aucune note.

La chaleur. Paris et les voitures trop larges. Le sergent de ville : « Ce ne sont pas les voitures qui sont trop larges. Ce sont les rues qui sont trop étroites. » Paris ville d'arbres. S'il n'y avait pas ce fleuve de voitures, on aimerait se promener, flâner. Avant-hier j'ai voulu m'asseoir à la terrasse d'un café près du Carlton. Un photographe est venu me photographier. Un type m'a demandé un article sur Django Reinhardt[1]. Des dames m'ont fait signer des autographes. Etc.

Vercors m'a montré son film sur Léonard de Vinci. Mais l'œuvre de Léonard ne supporte pas le court métrage. Et il fallait montrer le vautour dans la robe[2], le même modèle qui change de sexe, les coulisses. On n'éprouve aucun besoin de revoir saint Jean et la Joconde si l'indiscrétion d'une caméra ne leur ajoute pas quelque chose.

Vercors a été victime d'un accident déplorable. L'explosion d'un four et l'incendie l'ont blessé au pied, ont ruiné tout son travail de reproduction des peintres. Picasso m'avait dit que son procédé de reproduction était extraordinaire.

Hier été chez Plon établir, avec Variot, la base de trois volumes des *Œuvres complètes*. Comme je ne conserve jamais rien, la documentation et les dates rendent le travail très difficile.

Je compte mettre, dans le premier volume, romans, voyages, pièces, sous le titre *Poésie romanesque et dramatique* (romans et pièces).

1. Le guitariste de jazz Django Reinhardt, né en 1910, venait de mourir en mai 1953. Voir Charles Delaunay, *Django Reinhardt*, souvenirs précédés d'un inédit de Jean Cocteau, Paris, Éditions Jazz-hot, 1954. Jean Cocteau a donné aussi un texte liminaire au film sur Django Reinhardt réalisé par Paul Paviot en 1958.
2. Après la publication d'*Un souvenir d'enfance de Léonard de Vinci* par Sigmund Freud, en 1910, son disciple Oskar Pfister crut reconnaître, dans le contour de la draperie de la Vierge du tableau de Léonard *La Vierge à l'Enfant avec sainte Anne* (Paris, musée du Louvre), la silhouette du vautour du souvenir d'enfance du peintre. Il s'est avéré depuis que Freud avait fondé son étude sur une traduction fautive du texte de Léonard, dans lequel l'oiseau n'est pas un vautour mais un milan (*nibbio*). Voir Meyer Shapiro, « Léonard et Freud : une étude d'histoire de l'art », dans *Style, artiste et société*, Paris, Gallimard, 1982, pp. 93-138.

Dans le deuxième volume, les poèmes et le début des essais critiques, sous le titre *Poésie et poésie critique*.

Dans le dernier volume, le reste de la poésie critique et les préfaces ou articles. Cet ordre est à revoir avec Orengo à Saint-Jean.

Gallimard m'écrit en se plaignant de mes infidélités chez les autres éditeurs. « Vous êtes plus à votre place ici que chez Plon. » C'est possible, mais aurait-il payé plusieurs millions la reprise des livres chez Morihien ? Son rêve est de posséder tout. [...]

GASTON GALLIMARD À JEAN COCTEAU

M. Jean Cocteau
11 mai 1953

Mon cher Jean,

Voilà longtemps que je veux vous écrire et vous dire que j'aurais aimé passer une soirée avec vous et renouer cette amitié (jamais dénouée) à laquelle je tiens. J'ai toujours déploré que nos travaux ou nos loisirs ne nous aient pas davantage rapprochés. Cependant vous n'êtes jamais un absent pour moi. J'aime entendre parler de vous. J'aime vous lire. Et c'est cette affection que j'ai pour vous, ce respect aussi qui m'empêche toujours de vous écrire pour vous rappeler que je suis votre éditeur. Je n'ai jamais aimé « relancer » mes amis. Je me rends compte aujourd'hui que j'ai bien tort puisque vous êtes amené à céder à d'autres des textes que j'aurais voulu publier, comme par exemple votre *Théâtre de poche*. Faut-il donc que je vous importune régulièrement, car vous savez bien au fond du cœur que votre place est ici plus que chez Plon.

Écrivez-moi donc pour me rassurer.

Votre
Gaston Gallimard

JEAN COCTEAU À GASTON GALLIMARD

15 mai 1953

Très cher Gaston,

Je vous l'avais déjà expliqué : Orengo (Rocher, pas Plon) a racheté les droits de Morihien pour une somme que jamais je n'eusse osé demander à une maison ne tenant pas ses assises à Monaco. Le *Théâtre de poche* n'a fait que changer de couverture. Seule *La Difficulté d'être* pleine de fautes a été mise au pilon et rééditée. Pourquoi ne faites-vous pas un livre avec le *Discours du grand sommeil*, un de mes meilleurs poèmes qui a toujours été enveloppé dans les *Poésies* et n'a jamais paru en édition originale ? Que de choses nous pourrions faire ensemble après une bonne rencontre autour d'une table au Véfour. Mais je traverse Paris. Seriez-vous libre mardi ou mercredi ? Téléphonez-le à Madeleine, ma gouvernante, à Richelieu 55-72.

Je vous embrasse,

Jean

———

Chantage amical de Grasset. Il se décide à publier l'essai de Dubourg sur mon théâtre et mes films. Mais il ajoute : « Il faut faire coïncider cette publication avec une œuvre maîtresse de toi. » Je lui ai donné le *Journal d'un inconnu*. Il exige déjà un autre livre.

Nous sommes sans gouvernement. On parle de Paul Reynaud (sic). « *La route de l'or sera définitivement coupée.* »

Le charmant spectacle de Nico[1] à la Rose rouge. Yves Robert possède le talent de fixer dans un cadre minuscule ces improvisations que Bérard et Sauguet réussissaient si bien en se déguisant avec n'importe quoi. *Tour du monde en quatre-vingts jours* très ingénieux et très drôle. Je regrette le naufrage. « Vingt mille banknotes, capitaine, si nous arrivons avant ce soir à Liverpool ! » Il suffisait de deux bandes de vagues, d'un mât balancé où s'accrochent Passepartout et Philéas, d'un fond noir et des lumières de Liverpool sur une maquette.

1. Nico Papatakis, directeur du cabaret parisien La Rose rouge, rue de Rennes.

Film en couleurs exécuté par onze gosses de un à cinq ans. Ce film est une merveille. On dirait des toiles vivantes de Bonnard.

Excellentes scènes sous-marines produites avec un guignol de mains gantées de blanc et de rouge.

Spectacle ouvert par une malheureuse qui chante les éternelles complaintes de Prévert et des sous-Prévert.

[...]

Béranger devait être le Prévert de l'époque Hugo. On le croyait un poète.

Les Japonais ont tellement touché et embrassé une page que j'avais écrite pour eux, qu'ils me demandent de la leur récrire[1].

Ci-joint la très belle traduction que Neville m'envoie de mon poème à Lorca[2].

25 mai 1953.

Le journal de Nijinsky[3]. J'avais toujours supposé que le silence renfrogné de Nijinsky cachait de la haine pour le milieu du Ballet russe. Son journal ressemble à ce que serait celui de Chaplin s'il se prenait, en Suisse, d'une sorte de folie. Car Nijinsky n'est pas fou. Il est la proie d'un mysticisme assez puéril, d'un humanitarisme qui le divinise. Il est Dieu. Il sauvera le monde. Il aura « pitié du cœur des hommes ». C'est la sécheresse de cœur de Diaghilev, celle de Stravinski dont il souffre et qui le révolte. Le mariage l'a détraqué. Il était voué à une solitude, à un mariage avec lui-même. Le journal, assez terrible, documente assez mal à cause de son idée fixe : la crainte qu'on l'enferme, qu'on le mette dans un asile de fous. Il m'avait raconté l'histoire de ses poses chez Rodin d'une toute autre sorte. Diaghilev, qui avait obtenu un article de Rodin sur le *Faune*, après le scandale Calmette (déjà *Le Figaro* !), pria Rodin de faire une statue de Nijinsky. Rodin s'enferma dans l'atelier de l'hôtel Biron avec son modèle. Diaghilev attendait sur le perron, près de l'ancienne chambre de Rilke.

À la première séance, où Rodin dessinait, Nijinsky s'étonna d'entendre ronfler. Il posait de dos. Il se retourna. Rodin dormait, échoué dans un fauteuil et dans sa barbe.

1. Voir l'annexe XIII.
2. « Lettre d'adieu à mon ami Federico », dans *Appogiatures, op. cit.*, pp. 101-102. Voir l'annexe XIV.
3. *Journal de Nijinsky*, traduit et préfacé par G. Solpray, Paris, Gallimard, 1953.

Le lendemain, même pose de dos. Autres râles étranges. Nijinsky se retourne. Rodin, la braguette ouverte, se branle. La statue en est restée là. Diaghilev riait beaucoup de cette aventure. Nijinsky détestait l'entendre raconter. Il ne supportait plus les désordres sexuels. Il était déjà en route vers cet idéalisme que même la qualité d'amour de sa femme scandalise. Il se propose de brûler la Bourse. De danser pour rien. De réconcilier les hommes. Il se sauve de chez lui, à Saint-Moritz. Le chapitre où il cherche un logement et court dans la montagne est admirable. On pense à certaines pages de Charles-Albert Cingria.

Il est probable que cet idéalisme (qu'on retrouve chez Einstein et chez Chaplin) idéalisait sa danse, projetait des ondes, pénétrait inconsciemment les âmes les moins généreuses. Tout ce qu'il ruminait, méditait, cachait devait agir à son insu et provoquer ses triomphes.

Cette folie-là, on l'enferme. Celle d'un Hitler détraque et influence le monde. Le journal est signé : Dieu et Nijinsky.

Nijinsky en voulait à sa femme de manger de la viande. Il ne mangeait que des légumes. Il estimait que la viande pousse l'homme vers la sexualité. Il se donne à Diaghilev comme moyen de poursuivre sa tâche. C'est un sacrifice à la russe. Le désir physique de sa femme le révolte.

Vite en mer. J'ai l'âme décoiffée.

Mais il va encore falloir quitter ce merveilleux jardin et les iris, et les pivoines et ce qui tombe et ce qui pousse — et les cerises qui commencent. Ce qui manque sur la Côte c'est cet extraordinaire désordre en ordre, ces masses de verdure, cette jungle entre le verger et la garenne, Annam qui halète et qui souffle dans tous les trous. Et l'inimitable odeur des roses.

27 mai 1953.
Rome. Grand Hôtel. L'avion de New York avait trois heures de retard. Avons déjeuné à Orly. Étions à l'aéroport de Rome à six heures. Le sénateur Reale nous attendait. (Et l'inévitable photographe.) Reale a mis une voiture à notre disposition. Mais il a été impossible de retrouver le chauffeur. Ce qui nous permettait de

prendre un vieux fiacre. J'aime les vieux fiacres de Rome. On entre en contact direct avec la ville. Après le dîner, je me couche. Je dois me rendre à l'exposition Picasso à onze heures. Je parle à six heures dans le même théâtre que la dernière fois. L'exposition est, paraît-il, trop remuante et bruyante pour qu'on y parle. Picasso n'est pas venu à Rome. Ils le connaissent mal. Ce matador a besoin de toréadors et de picadors pour fatiguer le taureau. C'est nous. Et le taureau, c'est le public. Tzara et un peintre italien ont déjà manié la cape rouge. Je n'ai emporté aucune note. J'improviserai. Je tâcherai de faire ce que je faisais jadis. Une lettre de Maurice Sandoz[1] qui habite Rome me le remet en mémoire. Je ne l'ai pas rencontré depuis la Suisse en 1913[2].

Rencontré hier soir Kenneth Anger[3]. Il tourne un film[4] de 16 mm. Il a enfin trouvé une commandite. Il tourne à l'écran rouge (clair de lune) avec un seul personnage en costume, multiplié dans des jardins.

Folie admirable des fontaines de Rome. Des colosses et des monstres crachent l'eau partout. Les façades des maisons plantées comme sur un théâtre. Les banderoles pour le vote. Considérable publicité communiste, côte à côte avec la publicité plus modeste des démocrates chrétiens. J'ai demandé à Reale si l'exposition avait soulevé des histoires politiques. Il me dit que non, à cause des personnalités de toutes sortes qui la président.

L'ennuyeux est d'avoir toujours l'air mêlé aux histoires politiques. On ne peut plus parler de rien ni de personne sans passer pour prendre parti. Le parti des arts existait seul à notre époque de Montparnasse. On y était divisé, on se jugeait, on se condamnait, mais dans un domaine où la politique ne jouait aucun rôle.

Le comité annonce que je parlerai de « Picasso et ses amis ». Il est probable que je parlerai d'autre chose. J'aime mieux ne pas y

1. Écrivain suisse, auteur de textes illustrés par Salvador Dali, de souvenirs sur Diaghilev et Nijinsky dans *La Salière de cristal*, Paris, La Table ronde, 1952, etc.
2. Erreur de mémoire : c'est en mars 1914 que Jean Cocteau séjourna à Leysin auprès d'Igor Stravinski.
3. Cinéaste américain d'avant-garde, né à Hollywood en 1930. Il réalisa, en 1947, *Fireworks*, présenté au festival du Film maudit de Biarritz (29 juillet-5 août 1949), organisé sous la présidence de Jean Cocteau. En 1951, il filma, en 16 mm et en noir et blanc, le mimodrame de Jean Cocteau, *Le Jeune Homme et la Mort*, avec Jean Babilée et Nathalie Philippart. Voir Dominique Noguez, *Une renaissance du cinéma, le cinéma « underground » américain*, Paris, Klincksieck, 1984, pp. 93-94.
4. *Waterworks*, tourné à Tivoli, dans les jardins de la villa d'Este.

penser. Si j'y pense je chercherai à m'en souvenir et je m'embrouillerai. Plonger dans le vide me réussira peut-être mieux. On nage pour ne pas se noyer. Il faudra nager une heure.

J'ai nagé une heure. Tout le monde était content sauf moi. On a pris cette improvisation[1] au magnétophone. Je le regrette. Il apparaîtra que j'ai plusieurs fois perdu pied.

L'exposition est magnifique. Les toiles sont libres, posées sur des lattes de bois qui les éloignent des murs et permettent de les tourner dans plusieurs sens. Un jeune architecte a communiqué à l'ensemble un aspect d'irréalité très simple. Tout ce qui n'est pas la peinture demeure invisible. Il a tendu des toiles blanches entre les vitrages des plafonds et les salles, ce qui donne une lumière très douce et très puissante. Les panneaux de *Guerre et Paix* sont exposés côte à côte et non face à face. Des plans inclinés conduisent d'une salle dans une autre. Beaucoup de monde et de prêtres. Une dame m'a demandé ce que coûtait une des toiles. Cette même dame était ensuite aux prises avec un des gardiens qui lui expliquait un portrait de Françoise. Il cachait le chignon de Françoise avec sa casquette et disait : « Que voyez-vous ? — Un profil. » Ensuite il cachait le profil et disait : « Ne voyez-vous pas un autre profil ? » C'était le chignon de Françoise. Pour un Latin il faut *comprendre*. Deviner une devinette. Il m'a semblé que peu de personnes se livraient à la jouissance de voir un homme déformer le monde à son usage et obliger les formes à le suivre dans ses enfers.

Ce qui m'a dérouté et déferré, c'est l'erreur d'avoir affiché un titre : *Picasso et ses amis*. On se demande pourquoi. Il en résulte que j'ai passé Max Jacob sous silence parce que je m'en tenais à mon programme et que chaque fois que je pensais à l'affiche, je trébuchais et craignais les mélanges. Au moment de raconter Max j'ai vu Doudou en coulisse qui me faisait un signe. Cela signifiait : « Tu as parlé une heure. » J'ai coupé court. Alors que tous m'ont affirmé qu'on s'attendait à ce que je parlasse encore vingt minutes. Ma seule crainte est qu'on relève le texte d'après l'enregistrement du magnétophone et qu'on mette mes vides sur le compte d'impardonnables oublis.

1. Voir « L'improvisation de Rome » dans Jean Cocteau, *La Corrida du premier mai*, Paris, Grasset, 1957, pp. 157-205.

29 mai 1953.

Les lettres, les lettres, les lettres. J'ai répondu ce matin. Je voudrais être libre de peindre — de terminer la *Naissance de Pégase*. Francine arrive demain.

À peine tranquille au Cap, on me téléphone de l'ambassade d'Italie que le maire de Vintimille m'a dédié la fête des fleurs qui a lieu dimanche. Cette fête des fleurs de Vintimille est célèbre. Si je refuse de m'y rendre, je répondrai mal à l'honneur qui m'est fait. Et pourtant je n'irai pas. Ce sont toutes ces choses contre lesquelles je lutte qui font croire que je m'exhibe alors que je n'aime que ma solitude.

Ci-joint la lettre de Green en réponse à celle où je le félicite de *Sud*.

————

JULIEN GREEN À JEAN COCTEAU

26 mai 1953

Bien cher Jean,

Robert[1] m'avait rapporté tout ce que tu lui avais dit de ma pièce (tu penses comme je l'ai interrogé !) mais j'attendais malgré tout cette lettre que je garderai sur moi, ces jours-ci, pour la relire. À la joie qu'elle m'a donnée je mesure la tristesse que j'aurais eue si tu n'avais pas aimé *Sud*. Tu as raison de penser que j'ai mis beaucoup de moi-même dans ce premier essai théâtral. Je savais bien que tu me comprendrais et j'espérais que ma tragédie (puisque c'en est une) te plairait, mais quand Robert m'a redit tes phrases, les yeux brillants de bonheur comme s'il se fût agi de son œuvre (mais cela, c'est Robert), mon cœur a battu très fort et j'ai eu vers toi un grand élan d'affection. Je te remercie et t'embrasse de toutes mes forces.

Julien

————

1. L'écrivain Robert de Saint-Jean, ami de Julien Green.

30 mai 1953.
Terminé la *Naissance de Pégase*. La beauté nous fait perdre la tête. La poésie naît de cette décollation.

Dimanche [*31 mai 1953*].
J'avais oublié la visite à Milly du jeune Haddad et de son producteur. L'affaire se termine en farce. M. Damilou me dit : « *Il est bien entendu que c'est vous qui faites le film.* » Je lui ai répondu qu'il n'en était pas question, que si je faisais le film je le ferais seul. Haddad m'avait laissé croire qu'il se chargeait de tout et que le producteur était d'accord.

Il pleut. Malchance pour la bataille de fleurs de Vintimille.

Revoir le tableau. Pour Persée je me suis inspiré d'un costume de Bramante. Trop élégant. Trop voulu.

Reçu l'essai de mise en pages de Bruckmann. Difficulté d'un texte français en Allemagne. Faute à chaque ligne. Au lieu de groupe des Six, ils impriment groupe des Sioux.

Ce qui frappe dans l'exposition Picasso à Rome c'est que tout y est en nœuds et en ondes. Il y a toujours période d'ondes et de grâce entre les nœuds où la véritable personnalité du peintre s'exprime.

1er juin 1953.
Télégramme des Willemetz, Jeannot, Clairjois, Lulu, après signature du contrat des Bouffes.

Je fais tant de choses dans les rêves que j'en éprouve de la fatigue. J'aimerais souvent noter ce qui s'y passe comme on raconterait la vie réelle. Seulement toute la singularité précise s'en évapore le matin. Il faudrait avoir le courage de noter entre deux sommeils.
Cette nuit je me rendormais et si je ne rêvais pas la suite exacte, je la rêvais presque. C'étaient les mêmes personnes dans des circonstances différentes.

Si notre ligne droite plonge dans l'eau de l'imagination, elle ne cesse pas d'être droite. C'est l'eau de l'imagination qui la déforme.

Hier, travaillé à la *Naissance de Pégase* de neuf heures à cinq heures du matin. Supprimé des draperies et des surfaces trop gracieuses pour le sujet. Le tableau doit être baroque mais sans détails baroques. Je regrette de n'avoir pas traité ce sujet à une très grande échelle. Je l'aurais fait exécuter en tapisserie à Aubusson où je suppose que l'atelier Bouret doit finir la deuxième épreuve de *Judith et Holopherne.*

« *Toute chose se sent serrée à la gorge* » (Kafka) et Kafka dit encore : « *Je ne puis assurer, de par ma nature, autre chose qu'un mandat que personne ne m'a donné.* »

Dans l'essai de caractères expédié par Bruckmann, les typographes allemands ont fait une faute à chaque mot. Certains mots sont même incompréhensibles. Écrit au docteur H. de confier le travail à d'autres typographes. On n'en sortirait pas.

Préparatifs du voyage en Espagne. Voudrais être à Grenade le 22 pour les danses dans l'Alhambra.

L'ennuyeux d'une improvisation en public (celle sur Picasso) c'est qu'on se corrige ensuite sans arrêt avec une étonnante mémoire des fautes qu'on a commises. Cela ne sert plus à rien et cela encombre la tête, empêche de penser à autre chose. J'aurais été curieux d'entendre l'enregistrement du magnétophone. Curieux et consterné.

Il faudra que je dicte tout ce qui manque dans ce journal (Grèce et retour de Grèce). J'ai noté sur des feuilles libres. Considérable passage sur Proust pendant la relecture de son œuvre à Mortefontaine[1].

Jacques Chardonne, rencontré chez Grasset : « Je ne voulais pas vous revoir. Vous êtes devenu un mythe. Vous êtes présent et vous n'êtes pas présent. C'est très curieux. » J'essaye de lui expliquer combien je participe peu à ce mythe et qu'on me le fabrique malgré moi. Chardonne s'imagine que je bouge sans cesse, que je marche sur quatre jambes. Grasset lui prouve que je ne bouge jamais du Cap. Il est probable que Cannes et Munich suffisent pour donner

---

1. Ces notes sur feuilles libres sont publiées, en totalité, dans le tome I.

l'illusion d'un mouvement perpétuel. On ne voit plus bouger ceux qui bougent sans cesse. On ne voit plus sortir ceux qui sortent sans cesse. Bougez un peu. Sortez un soir. Cela se remarque. Vous passez alors pour faire preuve d'une activité dévorante. (Solitude compromise — voir *Journal d'un inconnu*.)

Préparé les poèmes que Ponti me demande pour la Biennale.

Franz Kafka, jusqu'à sa mort, paraissait avoir dix-huit ans. Une jeune fille dont il parle dans son journal lui en donnait seize. Il dit : « *Je lutte. Personne ne le sait.* » Max Brod devait être le seul à suivre le drame. Autre méthode de défense de l'invisible.

> *Enlacez vos noms sur les arbres,*
> *Enlacez vos noms sur les marbres,*
> *Dans les latrines,*
> *Sur les vitrines,*
> *À la suie et à la craie,*
> *Beaux amoureux indiscrets.*
>
> *Coupez vos noms dans la minute*
> *Qui fait semblant d'avoir été*
> *Pour que votre rêve exécute*
> *Sa dentelle d'éternité.*

(Ébauche pour le papier découpé de Seghers [1].)

Il ne saurait y avoir, à proprement parler, de peinture abstraite puisque toute peinture représente soit une idée du peintre, soit, en fin de compte, le peintre lui-même. En ce qui concerne Picasso il n'a jamais prétendu faire de peinture abstraite. Il cherche férocement la ressemblance et il y arrive toujours de telle sorte que l'objet ou la figure qui sont à l'origine de son travail perdent souvent relief et force à côté de leur représentation. Il m'est arrivé, en sortant du hangar où Picasso venait de peindre *Guerre et Paix*, de trouver la nature faible et confuse.

Le danger qu'il représente pour les jeunes vient de ce qu'il referme les portes qu'il ouvre. Essayer de le suivre serait s'y cogner.

---

1. Jean Cocteau, *Dentelle d'éternité* (coll. Les poèmes-objets), Paris, Pierre Seghers, 1953. Voir reproduction dans *Album Cocteau, op. cit.*, p. 218.

Il représente un espoir parce qu'il prouve que l'individualisme
n'est pas menacé de mort et que l'art se révolte contre un idéal de
termites.

2 juin 1953.

Depuis ce matin neuf heures jusqu'à ce soir six heures, nous
n'avons pas quitté la retransmission du couronnement de la reine
Élisabeth[1]. La radio semblait venir du fond des âges. C'était sans
doute un spectacle incroyable pour l'œil — mais c'était un
spectacle inouï pour l'oreille. Cela relevait de ces grands rhap-
sodes, de ces troubadours qui racontent et qui embellissent. La
différence, à notre époque, c'est que, dans chaque maison, le
troubadour-reporter n'invente pas et ne cherche pas à embellir. Il
constate et penche son appareil vers les musiques, les cloches, le
ressac des foules. La cérémonie de Westminster inspire le respect.
Impossible de ne pas être bouleversé, entraîné, étonné par une
pareille croyance dans le temporel et dans l'éternel, par cette griffe
d'or profondément enfoncée dans notre pauvre globe terrestre, par
cette irréalité solide, par des rites aussi étranges et aussi fatals que
ceux des ruches. Je ne pense pas qu'une chose analogue se puisse
produire nulle part ailleurs. Peut-être est-ce la dernière fois que le
monde y assiste. Cela débutait par des pages, des valets de conte,
de l'écarlate et des cavalcades. Cela se terminait par des escadrilles
à réaction dans le ciel. Et tout ce mélange de siècles autour d'une
citrouille changée en carrosse, où siège une jeune femme ravissante. Elle porte le globe, le sceptre et la couronne au milieu d'une
foule hurlante qui l'attendait depuis la veille dans la pluie et dans
le froid. La Grande-Bretagne aurait pu dire : « Cette rude époque
nous oblige à rendre le couronnement intime, à marier la reine et
son peuple sans faste. » Au contraire, la Grande-Bretagne a tiré son
feu d'artifice, a déployé tout le luxe imaginable et inimaginable, a
donné l'exemple d'un de ces excès dont le monde moderne semble
avoir honte, ce qui le mène à la grisaille et au désespoir.

Les reporters égorgés, étranglés, épuisés qui se renvoyaient le
cortège d'un bout à l'autre de Londres.

1. Le précédent couronnement d'un souverain anglais, celui du roi George VI, avait
inspiré à Jean Cocteau un article, « Le carrosse jaune d'œuf », publié dans *Ce soir*, le
25 mai 1937, et recueilli dans *Poésie de journalisme, op. cit.*, pp. 77-79.

Les cortèges militaires sur trois kilomètres, les calèches, les carrosses des princes et le carrosse royal, tout cela sans se faire attendre une minute, avec la précision des jaquemarts d'une horloge. La foule accrochée partout comme les essaims d'abeilles, cette foule obéissante jusqu'à la minute où, la reine apparaissant à la fenêtre de Buckingham Palace, elle se rua et rompit les barrages. Et il suffisait de passer un peu haut en avion sur Londres pour que cette énorme machine de luxe disparût, que la ville semblât vide et morte, comme le spectacle auditif disparaissait pendant notre courte panne d'électricité.

La reine a été ointe, la reine a été prise dans l'armure des ancêtres, la reine a vu s'agenouiller devant elle : le duc d'Édimbourg, les archevêques, les ducs et les pairs. La reine s'est changée en symbole. La reine ne sera plus la même femme ce soir. Force d'un cérémonial. Le cérémonial, sous toutes ses formes, ôte à l'humanité la crainte de n'être rien.

Après une pareille journée on se demande si l'Angleterre n'est pas la plus forte. Pour la vaincre il faudrait couler l'île et tout le monde y mourrait debout comme un vieil amiral.

Personne, ce soir, en Angleterre ne pense : « La terre est une sale blague. » Ce dont la médiocrité actuelle tend à nous convaincre.

Politesse — enthousiasme — exactitude au théâtre — respect en face des œuvres — toutes formes de cérémonial qui nous manquent à cause de ce « charme slave » que s'imaginent avoir les Français. « Il me reste le *charme slave* », disait un grand-duc ruiné par la révolution russe. Si ce charme existe en France, c'est tout ce qui nous reste et il serait prudent de l'entretenir. À l'étranger, le moindre effort dans ce sens est payé de retour. Chacun de mes voyages me le prouve. Mais il faudrait tout de même que les consuls nous aidassent un peu.

Au festival de Cannes je me suis rendu compte de ce qu'on pouvait obtenir avec un peu d'exactitude, de franchise et de courtoisie.

L'Angleterre est peut-être bête. La France aussi est bête. Mais j'aime mieux la bêtise respectueuse que la bêtise critique (le self-enthousiasme que la self-critique).

Reçu le disque d'*Œdipus Rex* envoyé à Villefranche (?) par Columbia. Sur la couverture mon dessin du masque d'Œdipe et nos photographies par Sanford Roth.

La reine Élisabeth pensera cette nuit comme Jeanne d'Arc après le sacre de Reims : « Et voilà le soir d'un beau jour. » Grande tristesse des fêtes. Le duc et la duchesse de Windsor assistant au couronnement devant un pauvre petit poste de télévision auprès duquel on voit des tasses et des soucoupes. Ivresse des foules. Gueule de bois. Réalisme de l'Angleterre. Grand spectacle ruineux. Affaires avec la Chine communiste.

La Parisienne. Cette revue qui promettait par la liberté de son allure tombe dans le trou des autres. Aucune ligne interne. Esthétisme frivole. Le pire. Présence incroyable de M. Vinneuil[1] qui m'insulte et ne doit la vie qu'au recours en grâce que j'ai signé.

Ma méthode était bonne. Rester à l'écart. J'ai écrit à François Michel de ne plus jamais me demander de textes. Ma tentative de prise de contact était absurde. Il fallait m'en tenir à la feuille épinglée sur le mur de ma chambre : *Refuser les offres de conférences et de galas cinématographiques. Ne jamais me mêler au monde du cinématographe. Écrire pour soi. Le texte pour Versailles doit être ma dernière faute.*

4 juin 1953.
Je songe à la lettre d'une Anglaise le mois dernier : « Notre ordre cache un désordre. Votre désordre cache un ordre. » Je me le demande. Le discours de Mendès France prouve une vérité de La Palice. La France se suicide. Politique et littérature se valent chez nous. Aveugles et mesquines. Tant qu'on ne suivra pas les directives d'un seul homme on tombera dans l'erreur des personnes qui consultent plusieurs médecins et mélangent plusieurs régimes. Durupt m'a dit que Kisling était mort de cela. Mais, hélas, à moins d'une prise de force désastreuse et incompatible avec notre style, quel membre du gouvernement acceptera qu'une tête dépasse la

---

1. François Vinneuil, pseudonyme de Lucien Rebatet (1903-1972), dont Jean Cocteau eut à subir les attaques, pendant l'Occupation, dans le journal collaborationniste *Je suis partout*. Voir *Jean Cocteau, l'homme et les miroirs, op. cit.*, pp. 423-425.

sienne ? Vanité française. Rien à voir avec l'orgueil de la Grande-Bretagne.

Journalistes. On ne m'*envisage* jamais. On me *dévisage* toujours.

Mercredi, je quitterai la France, heureux de prendre le large. Cette France de 1953 ressemble à un petit café littéraire plein de fumée, de prétention et de sottise.

Avant-hier, je m'étais installé près des mosaïques pour peindre le jardin. Chance des peintres. Danger d'écrire.

Quelque chose en moi se décourage et j'en ai honte. Il faut arriver à vaincre cette faiblesse.

En 1930 j'ai inventé, dans *Le Sang d'un poète*, le brouhaha qui remplace les textes. J'avais mêlé plusieurs enregistrements de ma propre voix afin d'obtenir le bourdonnement frivole des loges mondaines sous la neige. En 1953 on fait gloire à Tati de cette découverte dans son film *Les Vacances de M. Hulot*.

Lamentables imitations d'*Appogiatures* par un poète dans le dernier numéro de *La Parisienne*. Les intellectuels ne commencent à voir les choses qu'en bas de l'échelle, lorsqu'elles se dégradent et prennent de la vulgarité, de la grossièreté. Aucun sens du neuf, de ce qu'il comporte d'invisible. En outre leur manque de mémoire ne laisse aucune chance à ce qui est invisible de devenir visible un jour. La noblesse, l'audace, le style glissent entre deux eaux, à moins qu'un jeune archéologue ne nous découvre. C'est pourquoi mon seul effort doit porter sur la mise au point des *Œuvres complètes*.

Il me reste à dicter le voyage en Grèce et les notes sur Proust. Lassitude. Je dicterai à notre retour d'Espagne.

René Bertrand m'envoie la figure géométrique obtenue par les rayons X d'une particule d'émeraude. Il m'écrit : « Vous avez raison pour le kaléidoscope. » Il est probable qu'une œuvre véritable s'organise en dehors du jugement et que c'est la seule excuse de notre entêtement à plaider chez les sourds. Les œuvres que les intellectuels estiment importantes ne doivent projeter aucune figure géométrique dans l'inactualité. L'expérience prouve que la découpe du papier plié, replié et déplié, organise une dentelle interne insignifiante si la main qui découpe est insignifiante. Il est possible que tout se répercute ailleurs mais que la rosace des œuvres qui intéressent seulement l'actualité dénonce, dans l'inactualité, la faiblesse de ces œuvres et des particules qui les composent.

Hier j'ai demandé qu'on me coupe les cheveux très court afin de ne plus ressembler à l'homme que mes photographies répandent. Ne plus ressembler en rien, ni physiquement ni moralement, à l'image que le monde se fait de nous.

Vivre dans cet autre monde qui s'oppose à l'idée de temps.

(Gênes.) Coup d'œil inoubliable du marquis Doria sur ma Légion d'honneur. Pourquoi portez-vous cela, disait cet œil. Je ne la porte plus. Le soir de la Rose rouge je me suis amusé, par contraste, à mettre à ma boutonnière l'ordre de la Courtoisie française. C'était mon adieu aux insignes.

Froid du mois de mars.

5 juin 1953.
Orage. Onze trombes d'eau jusqu'au ciel. On les voyait comme de longues bandes sombres entre les nuages et la mer. Valises. (Investiture refusée à Mendès France, comme prévu.) Peut-être la France, plus impudique, expose-t-elle un désordre que les autres pays cachent.

Été à Biot. La charmante famille de Doudou. Le cœur étalé sur les figures. Habitudes prises dans le pire. Difficulté d'une adaptation dans le confort. Franchise de sa mère — « Même au paradis, il faudrait m'habituer. » Anna [1] lui manque.

6 juin 1953.
Le mauvais temps complique notre voyage. Le bateau devait quitter le port de Saint-Jean hier soir. Francine a demandé qu'il ne parte que cet après-midi si Paul le juge possible. Il pleut mais le vent a tourné. Il souffle d'est. Il y a des chances pour que le temps

---

1. L'une des sœurs d'Édouard Dermit.

s'améliore après la pluie. Selon le temps nous partirons comme convenu ou nous renoncerons aux fêtes de Grenade et ne partirons que le 1er juillet, après l'anniversaire de Carole.

Ce qui me fait conseiller à Francine de ne pas remettre notre voyage c'est l'espèce de vide formé par ce genre de reculs. On n'est plus là et on est encore là. Le travail en souffre. On traîne. On attend l'autre date. Paul doit venir ce matin dire s'il part ou s'il reste.

Je me trouve déjà dans un vide. L'encre résiste. Je n'ose attaquer une nouvelle toile. Hier, Doudou a photographié *Madame Favini*, la *Naissance de Pégase* et le petit tableau du jardin (pour Bruckmann). On se demande avec angoisse si on a déroulé toute sa bobine. Si cette mauvaise grâce de l'époque ne s'infiltre pas en nous, ne paralyse pas nos forces secrètes. Si nous ne devenons pas victimes de l'àquoibonisme sans même nous en apercevoir. Si je ne peins pas pour boucher ce vide qui m'empêche d'écrire, d'envisager un travail sérieux.

Relu les derniers poèmes, ceux que je destinais à la Biennale. Ils reflètent ce vide dont je souffre. Il y manque l'essentiel. Je les supprime. Mieux vaut le vide qu'une baisse de courbe. Se taire et attendre cet état d'hypnose où rien d'autre n'existe que ce qu'on fait.

Je me console en me disant que j'ai déjà éprouvé cette sensation d'être incapable de travailler sérieusement. Chaque fois, je pensais « c'est définitif ». Mais, hélas, d'après certains signes il me semble que la menace est plus grave, que ma nuit se dépeuple, ne me tourmente plus pour prendre le large, pour me quitter sous une forme quelconque. Qu'elle me laisse *libre*.

Trois fois pendant l'improvisation de Rome et en face du public, j'ai senti ce vide. J'étais *abandonné*. Il a fallu m'en tirer tout seul.

Chance de Picasso. Il évoque ces « hommes-mères » dont parle Nietzsche. Un accouchement ininterrompu les sauve de l'esprit critique. Rien ne les paralyse dans le travail.

Puissance d'une organisation du travail manuel. Picasso se repose à la poterie. Il ne laisse jamais tomber son feu. Son moteur tourne. Il lui faut très peu de chose pour le remettre en marche.

Je laisse mon moteur refroidir. Peindre est ma seule sauvegarde. Mais je ne peins pas assez. Il faudrait sculpter. M'acharner contre quelque chose qui résiste. Ne jamais rester inactif.

Je n'ai jamais exercé ma fameuse « intelligence ». Je ne comptais que sur des ondes venant je ne sais d'où. L'intelligence ne m'est d'aucune aide, sauf en ce qui concerne un contrôle des forces qui s'échappent de moi. Sans ces ondes je suis en proie à la *bêtise*, à une bêtise qui en arrive à s'émerveiller de l'intelligence des articles de revue, de cette formidable autorité intellectuelle des médiocres.

Quoi que je fasse je me trouve toujours être en dehors du coup. *Bien sûr.* Et on ne se gêne pas pour me le dire. Mais il importe d'être en dehors du coup avec des paroles. Non par le silence.

Recommencer ma vie ? Jamais. À ce drame il faut un dernier acte. On se demande toujours si c'est le dernier acte qui se déroule. Et il est rare qu'un bon drame finisse bien. C'est la perspective de ce dénouement qui nous donne une espèce de crainte.

Vu du dehors. Les ouvriers de la Côte. Je disais à Pasquini que j'observe les ouvriers (ils construisent la maison voisine) et qu'ils ont l'air très heureux. Pasquini me raconte alors le drame de plusieurs de ces ouvriers qu'on paye si mal. L'un se suicide, l'autre tue sa femme ou son gosse pour leur éviter la misère. Le soleil nous trompe et farde tout cela.

Vu Paul. Météo pessimiste. Attendrons lundi pour décider si nous partons ou si nous remettons le voyage.

Télégramme de Reale. On m'enverra mardi le texte Picasso pour que je le corrige.

La politique française se couvre de ridicule et croit sauver la face avec les fêtes de Versailles. Il vaudrait mieux laisser tomber Versailles en ruine et reconstruire la maison de France qui ne tient plus debout.

Dimanche [*7 juin 1953*].
Pluie. Il est plus que certain que nous remettrons notre voyage.
D'autant plus que Lily[1] me téléphone qu'on pourrait avancer la
petite fête de l'anniversaire de Carole — ce qui laisserait Francine
libre le 1er juillet.

Portrait de l'aide-maçon au bonnet de papier[2]. Je me suis servi
pour les yeux qu'il a très gros, naïfs et glauques des billes que
m'avait rapportées Ginette[3]. Je les ai incrustées dans le panneau
avant de peindre.

Je trouve un très bel article sur le *Journal d'un inconnu* dans *Arts
et tourisme* de Monaco. Ces choses-là se produisent dès que
l'écrivain ou le journaliste n'est pas en contact avec ses collègues
de Paris. Hier je voyais, dans un magazine de Paris, une note sur
Nicole Stéphane qui interprète le rôle de Madame Curie dans le
film de Franju[4]. On parle d'elle dans *Le Silence de la mer*[5]. On se
garde bien de dire qu'elle a été admirable dans *Les Enfants
terribles*. Il y a comme une espèce de consigne de passer mes films
sous silence.

Fragments du texte de Versailles[6] dans *Match*. Aucune nouvelle
des fêtes. Il est possible que la pluie et le froid les empêchent. On ne
manquera pas de me reprocher, à cause de la fausse rime
« encore », les quatre vers[7] « *Les menuets pompeux* » que j'ai
changés en « *Princes, les menuets* ». C'était une rime vocale. Je ne

---

1. Lily Baudon, amie de Francine Weisweiller.
2. Localisation actuelle inconnue.
3. Voir *supra*, p. 45, n. 3.
4. *Monsieur et Madame Curie*, film de Georges Franju, 1953.
5. Film de Jean-Pierre Melville, 1949.
6. Voir *supra*, p. 92, n. 3.
7. « Versailles » se termine par un envoi de deux quatrains, dont le premier :

> *Princes, les menuets où lentement on bouge*
> *Les dansez-vous encor*
> *Les dansez-vous encore avec vos talons rouges*
> *Au royaume des morts ?*

reparaîtra dans « Versailles un bougeoir... », poème de *Clair-Obscur*, Monaco, Éditions
du Rocher, 1954, p. 86, ainsi modifié :

> *Princes, les menuets qui pompeusement bougent*
> *Les dansez-vous alors*
> *Alors les dansez-vous avec vos talons rouges*
> *Au royaume des morts ?*

pensais pas à la publication. Et le pléonasme « miracle merveilleux » a été changé dans le texte vocal. Texte de Maurois très faible.

Le film en couleurs. J'hésite. Une pièce ? Il faudrait qu'elle me vînt toute seule. Je me contente d'écrire ce journal. Lu et relu le journal de Kafka. Après la mort, un journal intime, c'est comme si on recevait une longue lettre.

Portraits-Souvenir. Je corrige les épreuves de la nouvelle édition pour laquelle j'ai dessiné une couverture. Retrouverai-je jamais ce vif ? Il est toujours à craindre que la tête s'alourdisse, ne fricasse plus — comme on dit du fer rouge plongé dans l'eau froide.

Le petit prince Charles demande à un gentilhomme du palais de Buckingham : « Où allez-vous ? — Voir la reine. — C'est qui la reine ? — Votre mère. — Ah ! »

Il était tombé de sa chaise pendant la cérémonie du sacre. On a publié la photographie où il disparaît de la loge, où la reine mère et la princesse Margaret le cherchent. Il entendra parler longtemps de cette chute. Jadis on en eût tiré des présages. Dans les innombrables documents des magazines, deux choses étonnent. Le dîner royal à la place même où Charles Ier écoutait la sentence. Le couple Windsor se laissant photographier chez une Américaine en face d'un misérable petit poste de télévision.

Chez Philippe[1], c'était mieux. On avait orné, drapé plusieurs postes. J'étais invité à cette séance.

Mon oreille a tout *vu*. Aucun document ne m'est une surprise.

Le chef-d'œuvre inconnu (?). Encore un prix. J'ai donné ma voix à Mondor.

C'est parce que notre figure se grave définitivement ailleurs qu'il ne faut jamais commettre la moindre faute sur le parcours de notre ligne morale. « Cela ne se verra pas. » Péché contre l'esprit. On imagine ce qu'une petite faute risque de devenir dans la projection géométrique de nos actes.

[...]

---

1. Sans doute dans un local de la firme Philips.

La reine rêvait de gagner le derby. Voilà de ses rêves. C'est un juif, Victor Sassoon, qui le gagne. La reine avait fait « *Sir* » le jockey de Sassoon. Elle paye. J'ai voyagé auprès de Victor S. sur les mers de Chine[1]. Son pyjama noir, ses poches pleines de pierreries, son œil de glace derrière un monocle. Il boite. On l'entendait boiter de ma cabine. Charles Chaplin écoutait sa canne dans le couloir et me disait : « L'île au trésor ! »

Le carrosse du sacre. C'est comme si Charles Ier avait été ramené à Londres par Cromwell en automobile.

L'Europe s'accroche au passé. (Versailles.) Les Russes et l'Orient s'accrochent à l'avenir. Les uns et les autres se trompent — car il n'existe ni passé ni avenir.

FABLE

La vérité dans son seau
Avait froid. Passait un sot.
Il s'écria : « Je vous remonte. »
Et elle en est morte de honte.

Curieuse dépêche de Barcelone : « Alberto Puig sera aérodrome. Méfie-toi d'une espèce de nain malfaisant qui pourrait s'y trouver Neville. » Ce nain me décide. Remettons le voyage au 1er juillet. Temps ignoble.

Les sacres ont toujours eu lieu dans les costumes de leur époque. Napoléon inventa, le premier, le sacre mascarade. La foule riait sur le passage des carrosses parce que le cortège impérial était déguisé et maquillé en plein jour (Mémoires d'un homme de la rue). Le couronnement d'Élisabeth est un magnifique aveu du désaccord qui existe entre notre époque et la pompe.

La grande Élisabeth était entrée à Westminster à cheval. Cela signifiait : je vous en ferai voir. Et elle en a fait voir. Aujourd'hui peu importe si la reine « pense ». On ne questionne pas la reine. Elle-même ne se questionne pas. Elle refuserait, avec hauteur, de se répondre.

[...]

---

1. Voir « Puissances occultes », dans *Mon premier voyage (Tour du monde en 80 jours), op. cit.*, pp. 187-188.

L'année dernière, je dînais chez les Anchorena avec les Windsor. Après le dîner le duc avait perdu son porte-cigarettes. Nous voilà tous à quatre pattes. « Il perd tout, me dit la duchesse, et c'est toujours moi qui le lui retrouve. » Je pensais : « Pas sa couronne. » Devant ce poste de télévision le duc et la duchesse ont l'air d'être au commissariat de police et de reconnaître des objets perdus.

[...]

Rien n'est plus drôle que les déclarations successives des candidats alertés par Auriol. Mesures financières « draconiennes » à prendre. Alors que ces ministres sont dispensés d'impôts et se contentent d'imposer les autres.

8 juin 1953.
Description du tableau : *Naissance de Pégase.*
L'ensemble est mat, assez clair et comme peint à la fresque. Au centre, Persée, sans visage, nu et barré de bandes blanches qui tiennent sa cape, mise dans le style d'un personnage de Bramante. Il tient de la main droite son arme à poignée jaune et noire, de la main gauche, son bouclier blanc sur lequel on devine l'ébauche d'une figure mi-humaine, mi-animale. La tête (vide de traits) se détache sur une nuée orageuse. À droite, en haut, une des sœurs de Méduse prend la fuite, en silhouette qui se détache sur le sable rose et sur un couchant mauve à soleil orange. De l'autre sœur on ne voit qu'une jambe qui court. À l'extrême droite, en bas, est un crabe, touchant presque la main de Méduse morte dont le bras (sous Persée) mène à l'extrême gauche où son corps décapité conserve une forme de spasme. Les linges de sa robe sont renversés sur elle jusqu'à sa main gauche cramponnée à l'un d'eux, auprès de la tête, hérissée de serpents. Du sang où elle baigne s'échappe une vapeur blanche qui devient, à l'extrême gauche en haut, le cheval Pégase hennissant et s'envolant avec de vastes ailes, dans un nuage irisé. Persée est d'une couleur brun-mauve avec des reflets bleu pâle. La Méduse est verte, tigrée de taches fauves.

J'ai, poétiquement parlant, tellement travaillé sur cette toile qu'il me semble impossible qu'elle ne dégage pas quelque force. J'en avais imaginé le mécanisme en Grèce (à Delphes). Je n'ai osé m'y mettre que beaucoup plus tard.

Créer des formes expressives, c'est mettre au monde des objets qui vivent d'une vie propre, qui ne sont plus à nos ordres. La vie d'un tableau achevé, bouclé, possède une activité silencieuse très inquiétante. Veulent-ils, ces tableaux, être vus ou demeurer dans l'ombre ? On devine que cela les regarde, eux, et qu'ils agiront comme ils l'entendent.

Picasso est sensible au portrait de madame Favini parce que cette toile se rapproche du mécanisme des siennes. Mes autres toiles procèdent d'un mécanisme qui m'est propre (d'une syntaxe qui m'est propre) et qui tend à les rendre invisibles, comme mon écriture, trop rapide et trop précise pour la paresse moderne des esprits.

Aucun critique littéraire ne parle plus jamais du dire. Ils ne parlent que des idées et les idées bien dites leur échappent.

J'ai toujours été frappé par la difficulté que j'avais à me faire comprendre lorsque je dois prendre la parole autour d'une table d'un comité que je préside. Il semble que les oreilles de mes collègues deviennent sourdes, que leur œil s'arrondit. C'est sans doute que je n'emploie pas le vocabulaire d'usage, que je cherche à dire des choses précises, que j'évite le vague.

Je me souviens, à une séance organisée par Sartre pour la libération du jeune Henri Martin, que le charmant Edmond Fleg[1], après une chose que j'avais dite, proposa en quelque sorte de la *traduire*, comme si je m'étais exprimé dans une langue étrangère.

Même jeu avec les bonnes sœurs de l'hôpital. Lorsque je disais : « Ma sœur, auriez-vous l'obligeance de prévenir le docteur que je l'attendrai après ses visites », je parlais à une sourde. Il fallait dire : « Cherchez-moi le docteur. » « Seriez-vous assez aimable pour m'apporter mon livre » est incompréhensible. Il faut dire « Je veux mon livre ».

Ma phrase à la séance de Sartre était à peu près : « Martin ne m'intéresse ni comme résistant ni comme communiste. La particularité de notre démarche vient de ce qu'elle est humaine et ne relève d'aucune cause. Elle est une cause en soi. » Traduite par Fleg ma phrase devenait : « Il ne s'agit pas de savoir si Martin est résistant ou communiste. Sartre n'a basé sa démarche auprès du

1. Le poète E. Flegenheimer, dit E. Fleg (1874-1963).

président de la République que sur le fait d'une condamnation excessive, disproportionnée avec la faute. C'est notre point de vue moral et humain que nous défendons en prenant la défense d'Henri Martin. »

Le dogme du malheur glorieux est un dogme d'imbécillité. Chaque personne devrait se dire : « Tâchons d'être heureuse et de ne pas nuire au prochain. » Or, chaque personne pense : « Il est beau d'être malheureux et indispensable de s'en venger sur le prochain. » La jeunesse d'aujourd'hui déclare couramment : « Seriez-vous heureux ? Quelle horreur ! » Cela relève de la même sottise qui consiste à prendre bonté pour bêtise, méchanceté pour intellect. La bonté dure sera mise sur le compte d'une sécheresse. Luther dit : « Dieu est bête. » Hans : « Il ne le dirait pas du diable. Il aurait peur. » C'est la phrase clef de *Bacchus*.

La langue française est une chausse-trape. Du reste personne ne parle plus, n'écrit plus une langue correcte. Je croyais la langue allemande courante demeurée plus intacte. On m'affirme, en Allemagne, que c'est faux.
Ce sont les étrangers qui parlent et écrivent le mieux notre langue. (James Lord, par exemple. Ses lettres.)

La belle langue française (et malgré mes innombrables fautes, je me vante de l'écrire) deviendra incompréhensible. Il faudra, pour nous lire, l'attention qu'exigent les *Essais* de Montaigne. (Attention à laquelle peu de monde accepte de se contraindre.)
[...]

Tout ce qu'on fait ayant une signification occulte, différente de celle qu'on lui attribue, il importe de ne pas se dire : « Je puis bien me permettre une petite incartade. » Je ne me laisse plus jamais aller, ni dans une lettre, ni dans un télégramme, ni au téléphone.

Si je trébuche à la radio, je me corrige inutilement ensuite toute la nuit. J'ai une sensation d'irréparable.

Après avoir parlé sur l'estrade, à la fin du festival de Cannes, j'étais malade de n'avoir pas dit ce que je me proposais de dire. Le succès de mes paroles ne jouait aucun rôle dans l'affaire. Je me suis corrigé dans le P.-S. d'un article du journal *Arts*, comme les enfants qui retournent marcher maniaquement sur certaines rainures de trottoirs.

L'homme ne semble pas pouvoir vivre sans un totem parce que sans ce totem il lui faudrait une intelligence sublime dont Voltaire s'est cru capable. Être incrédule n'est possible que si l'incrédulité repose sur la certitude d'une énigme insoluble dépassant celle de l'existence de Dieu.

L'idée totem de Dieu créant le monde est absurde parce qu'elle implique un commencement qui n'a aucun sens dans le règne de l'éternité. (Les amibes.) Que notre monde commence et finisse, c'est-à-dire que ce fragment d'atome change de figure chimique au cours d'une sorte d'explosion ininterrompue, cela se conçoit. Mais que notre misérable petit monde soit privilégié, créé *avec amour*, puni en outre, cela ne se peut concevoir. Ce dogme de la faute est né de notre orgueil grotesque et de notre besoin d'être exceptionnels. Quelque chose comme l'aiguille à tricoter d'Andersen [1]. Sans l'idée de faute, de punition, de justice immanente, le désordre et l'injustice apparents de la nature étaient inadmissibles. Il faut que l'homme explique tout. Il lui a fallu construire cette fable.

Le cardinal : « Dieu est bon. » *Hans :* « Qu'il le prouve. » Alors se montre la malice de l'Église. « Dieu veut être aimé sans preuves. » Les catholiques veulent créer un Dieu à leur image, ayant une justice qui ressemble à la leur. Il leur faudra donc être des coupables — coûte que coûte.

Bacchus est, par excellence, une pièce à conviction versée au procès de l'intelligence, c'est-à-dire de la bêtise sous sa forme transcendante.

SACRE

Si vous n'y aviez pas été
Nous y serions encore ensemble
Car sur les poudres de l'été
Un cheval de reine va l'amble
(Si vous n'y aviez pas été).

Mais imprudemment vous y fûtes
Avec vos joueurs de flûte.

1. *L'Aiguille à repriser*, conte de Hans Christian Andersen, 1845.

9 juin 1953.

L'hypnose et la poudre aux yeux des événements que l'actualité monte en épingle ne doivent jamais nous tromper sur ce qui importe. Le cinquantenaire de Raymond Radiguet [1], voilà l'événement type de notre monde à nous. Nul n'en tient compte. Silence total.

Sartre, si généreux, si intéressé par toute chose, est tombé à pic pour servir d'excuse à toute une jeunesse vide (qui ne l'a pas lu).

11 juin 1953.

Hier, à Nice, parlé pour la radio quarante-cinq minutes, avec Poulenc, du Groupe des Six, de Satie, de Stravinski, de Schoenberg et des tendances actuelles de la musique. Grande liberté dans les paroles. Document très curieux.

On a toujours la manie de croire qu'on « traverse une crise ». Quelle crise ? Il n'y a que des crises. Sans crise il n'y aurait rien.

Poulenc a parlé de Stravinski influencé par Satie et raconte qu'il a été influencé par les œuvres de Stravinski sur lesquelles Satie avait exercé son influence. J'ai raconté Stravinski au Mont-Boron, devenu plus royaliste que le roi et premier adversaire du *Sacre*. Il réorchestrait *Le Sacre* pendant que nous composions *Œdipus Rex*. Poulenc oppose les œuvres blanches de Stravinski aux œuvres bariolées. Je constate que Schoenberg joue auprès de la jeunesse actuelle le rôle que Satie jouait auprès de nous. Satie et Schoenberg, en sens inverse, dégraissent la musique.

Mauvais temps général. Tornades en Amérique. Inondations en Espagne. Pluie diluvienne à Berlin. Chaleur à Moscou. Sur la Côte, c'est ce qu'on appelle : « Le diable bat sa femme. »

On me demande l'affiche pour Vence — comme celle que Matisse avait faite pour Nice. On parle du caractère de Chagall. Je dis : « Il est de la race des élèves qui cachent leur composition avec un dictionnaire. »

1. Né au parc Saint-Maur le 18 juin 1903.

Fait l'affiche de Vence.

Reçu l'improvisation Picasso et lettre de Reale. Tout est à refaire. Je m'en doutais. (Reale viendra samedi ou dimanche.)

Dans la presse américaine. Pour la première fois la question est posée des essais atomiques comme responsables des troubles et des désastres qui désorganisent les climats du globe.

C'est un Ruy Blas qui nous manque. « *Ô ministres intègres.* » D'où sortirait-il ?
[...]

En Grande-Bretagne l'objecteur de conscience est libre de dire ce qu'il veut en public mais tout le monde la boucle au bistro. En France on coffre l'objecteur de conscience et tout le monde a le droit de dire ce qu'il veut au bistro.

Poulenc a déjeuné ce matin. Il commence un opéra pour la Scala de Milan : *Dialogue des carmélites* (Bernanos).

Refait le fond bleu de l'affiche de Vence. Je ne le trouvais pas assez dur pour une affiche. (Travail de la main gauche puisque ma main droite est incapable de se mettre au travail.)

Si je pense, je pense mal. J'aime mieux ne penser à rien. Admettre le vide. Attendre. Colette a raison : je suis un mauvais oisif. Ce rien faire auquel je m'oblige est un vrai supplice.

Même la préface du guide de Grèce m'apparaît comme une montagne inaccessible.

Il y a des minutes où ma bêtise me fait peur.

Le pauvre Désormière[1]. On le rééduque. Il entend, il pense, il s'exprime par gestes. Il ne peut plus prononcer une parole.

Avons, avec Poulenc, écouté le disque d'*Œdipus Rex*. C'est la dernière œuvre à cheval sur les *Noces* et le classicisme maniaque.

---

1. Le chef d'orchestre Roger Désormière (1898-1963), atteint d'hémiplégie en 1952

Stravinski poussait ce classicisme maniaque jusqu'à mettre un vers de Boileau en épigraphe à sa partition d'*Orphée*. À Mont-Boron son œuvre lui devenait suspecte. Il n'en était pas encore l'ennemi.

Il semble que Hindemith se dessèche volontairement et dans le même sens que Stravinski. Ils deviennent des professeurs après avoir été des mauvais élèves admirables. Peut-être l'Amérique y entre-t-elle pour quelque chose.

Schoenberg aussi était un professeur. Mais il a bénéficié de ce que la jeunesse l'ignorait encore et qu'elle en a reçu la secousse longtemps après qu'elle aurait dû se produire. Il arrive comme un antidote à Stravinski lequel ne tire aucun bénéfice d'avoir voulu être son propre antidote.

Ce qu'on appelle mon intelligence n'est que ma faculté d'être attentif et une horreur maladive de l'inexactitude.

12 juin.
Il va falloir prendre des décisions de lutte contre le malaise qui me paralyse. Mais il est de plus en plus important de considérer Picasso comme un cas exceptionnel et quasi monstrueux. Il est devenu *le visible*. Mettre tout en œuvre pour ne pas craindre *l'invisibilité*.

Essayé un poème sur Picasso de la même masse que le sonnet de Góngora sur Greco. Débuté par : « *Les yeux tristes en bas vers le rire des bouches.* » L'enverrai à Ponti pour la Biennale.

Trouver d'abord, chercher après. Valéry *trouve, à force de chercher*.

Les enfants refusés aux examens et réprimandés par leur institutrice se jettent dans la Seine. On ne supporte plus rien dans ce vide.

Style des journalistes de l'époque : *Prendre conscience de nous-mêmes dans Malraux et dans Camus.* Quelle conscience ?

13 juin 1953.
Viens d'apprendre par le journal la mort de Marcel Herrand[1].

---

1. Sur le comédien Marcel Herrand (1897-1953), voir Jean Cocteau, *Carte blanche*, dans *Le Rappel à l'ordre*, Paris, Stock, 1926, pp. 51-52, et t. I, p. 49, n. 1.

La mort de Marcel. Heurtebise — Roméo — les Pitoëff — Fauconnet — le *Dit des jeux du monde* — *Les Mamelles de Tirésias* — tout cela en poussière dans les mémoires[1].

Aucun homme ne s'est jamais augmenté en diminuant un autre homme.

Tuer l'orgueil. Se dire chaque soir qu'on n'est rien et que ce qu'on récolte est déjà incroyable.

Les dates de Shakespeare. Une pièce par an écrite et jouée. La splendeur vient de ce qu'il n'existe aucune préoccupation de splendeur, mais seulement de théâtre. Il fallait une pièce après une autre pour la troupe du Globe.

Il semble que la politique oblige ces misérables à avouer qu'il faudrait tout reprendre à zéro — mais si des zéros reprennent à zéro, la leçon est zéro.
[...]

Visite à huit heures de Reale et d'amis italiens. Déjeunons tous demain avec Picasso à Vallauris.

———

JEAN COCTEAU À GASTON GALLIMARD

13 juin 1953

Saint-Jean-Cap-Ferrat, A.-M.

Cher Gaston,

Dans ce triste monde j'attache encore la plus grande importance aux rapports humains. J'aurais tant aimé vous voir à Paris et bavarder avec vous. Je vous aurais expliqué en détail les graves embêtements qui m'ont obligé à vous paraître infidèle. Ruiné par le fisc et les charges de toutes sortes auxquelles je ne pouvais faire

———

1. Jean Cocteau évoque d'anciens rôles de Marcel Herrand : Heurtebise dans *Orphée* de Jean Cocteau (1926), avec Georges et Ludmilla Pitoëff, Roméo dans *Roméo et Juliette* de Jean Cocteau (1924), rôles dans le *Dit des jeux du monde* de Paul Méral, musique d'Arthur Honegger, costumes de Guy Pierre Fauconnet (1918) et dans *Les Mamelles de Tirésias* de Guillaume Apollinaire (1917).

face qu'avec certaines aides. Vous n'étiez jamais libre et lorsque je passais rue Sébastien-Bottin je vous trouvais en conférence. Lorsque je repasserai par Paris il est indispensable que je vous parle cœur à cœur. Ne croyez jamais que je me détourne d'une amitié ni que j'en use à la légère.

Mille choses à votre femme et à vous.

Jean

[*14 juin 1953*.]

Soir. Avons déjeuné à Juan avec Françoise, Paulo, Reale, Luciano Emmer et autres Italiens que Françoise appelle « voleurs de bicyclettes ». Avant, à la Galloise, Emmer nous avait exposé son programme pour le considérable film en couleurs sur Picasso qu'il prépare [1] et dont il voudrait que je fasse et dise les textes.

Picasso qui traverse une crise de fatigue n'en a pas l'air. Je le vois porté par la crainte et l'admiration fétichiste qu'il inspire dans toutes les parties du monde. Étant l'esprit le plus négatif, destructeur et prêt à trouver que tout est absurde, vain, inutile, il est indispensable qu'il résiste par un travail continuel contre sa pente. Son atelier presque vide (puisque tout ce qui le peuplait se trouve à Rome) est un incroyable bric-à-brac d'objets qu'il ramasse et qui attendent de changer leur signification en une autre, d'en prendre une qu'il leur impose. Casseroles, vieilles voitures d'enfants, vieux vélos cassés, et une foule de récoltes informes (ferrailles et ustensiles hors d'usage) s'entassent dans les coins et sont accrochés aux murs. Tout cela, s'il le décide, se transforme en petite fille qui saute à la corde, en chèvre pleine, en centaures et en satyres. Et partout sont posés des colombes qu'il exécute à toute vitesse, des hiboux zébrés et maquillés en vieilles femmes de carnaval, des ébauches de meubles informes, des profils de Françoise et des portraits de Paloma et de Claude. Emmer avait un peu le vertige au milieu de cet effarant marché aux puces où il lui faudra choisir, mettre de l'ordre.

Reale qui retournait à Milan par la route m'a ramené à **Santo Sospir**. Emmer prenait l'avion à Nice.

---

1. *Picasso*, film de Luciano Emmer, 1954.

Époque sans pudeur. Reportages où l'on montre Andrée Debar en Argentine, photographiée avec Peron qui non seulement trouve naturel de voir sa femme représentée dans un film par une actrice mais accepte de jouer lui-même avec cette actrice maquillée, coiffée et déguisée en Eva Peron.

Affiches géantes à New York représentant une famille américaine à genoux. Texte : « *Priez chrétien* » — comme on dit : « *Votez démocrate-chrétien.* » Ces affiches portent la marque publicitaire du Vatican.

Dernier effort mondial pour les Rosenberg dont rien ne prouve qu'ils sont coupables. On doit les électrocuter le 17. Nous sommes le 14. Je pensais à la phrase de Talleyrand à Napoléon après la mort du duc d'Enghien : « C'est plus qu'un crime, Sire. C'est une faute. » J'ai reçu hier l'appel télégraphique de madame Yves Farges. Je n'y comprenais rien parce que la poste s'était trompée et avait libellé le télégramme de la façon suivante : « Pour obtenir la grâce des revendeurs. » Revendeurs à la place des Rosenberg. L'entêtement des Américains parce qu'ils craignent d'avoir l'air *faibles*. En graciant ce couple l'Amérique se ferait une immense publicité à bon compte. Même en admettant que les R. soient coupables, que peuvent-ils désormais sous les verrous ? Céder aux communistes, voilà ce que New York ne peut admettre, oubliant que des milliers de personnes qui ne sont pas communistes interviennent pour empêcher l'exécution. Du moment qu'on intervient, on est communiste. C'est aussi simple et aussi absurde.

La réception de Grcgh à l'Académie [1] après trente-cinq échecs et une patience exemplaire. Réception et discours burlesques. Léautaud passant quai de Conti voulut entrer à la séance pour entendre le discours de Gregh, « *ce vieux polichinelle* ». On l'a vidé à cause de ses pantoufles, de sa chemise sale et de son filet à provisions. Il en résulte que le pauvre Gregh, ridiculisé par les journalistes, au lieu de son portrait dans les journaux, voit en première page ceux de Léautaud vedette inattendue et fort superbe de cette pantalonnade. On cite la phrase de Mauriac : « Gregh a fait de bien mauvais vers. Mais on les a oubliés. C'est notre excuse. » Et une autre : « Notre

---

1. Fernand Gregh fut reçu à l'Académie française, par Jules Romains, le 4 juin 1953. Voir *supra*, p. 17, n. 2.

seule distraction consiste à empêcher d'entrer à l'Académie les hommes qui le méritent. » (Textuel.)

16 juin.
Téléphone de Françoise pour les Rosenberg. Tout me semble inutile. Eisenhower s'entêtera. En admettant que les R. soient coupables, les gracier serait les rendre inoffensifs. On n'en parlera plus. Les tuer c'est faire le jeu des Russes. En faire des innocents, des martyrs. Les Américains deviennent des criminels. La Maison-Blanche, la Maison-Rouge. Etc. Il est même possible que le président des U.S.A. y laisse sa propre peau. Manque puéril de psychologie.

Hier, été voir Delannoy tourner ses extérieurs à la Victorine, avec Fresnay. Déjeuné avec les Delannoy, P. et Yvonne[1]. Ils dînent tous ce soir à Santo Sospir. Il pleut. J'imagine la tête des Berchols qui attrapent des torticolis à force de consulter le ciel.

Au lieu de nouvelles de la Chambre, la radio annonce une chanson de Vincent Auriol, place des Vosges.

Je dis à un journaliste : « Il y a une grande exposition du Greco à Bordeaux. » Il me répond : « Je ne savais pas qu'elle faisait de la peinture. »
Cela me rappelle le duc de Gramont qui me disait : « Verlaine... c'est bien cette dame qui peignait sur éventails[2]. »

Film du couronnement. Il faut être juste. Rien de ce qui risquait d'être ridicule ne l'a été. L'Angleterre en avouant franchement l'obligation où elle se trouvait d'avoir recours à des costumes pour un sacre, prouve au monde la médiocrité qui le dégrade. Il y a, dans ce spectacle, une incroyable audace d'un peuple bravant le ridicule et n'y tombant pas à force de croyance en tout ce à quoi notre époque enseigne de ne plus croire. Un acte de folie collective contre l'àquoibonisme, le je m'enfoutisme actuels. Une provocation de grande envergure. Je sais ce qu'un pareil spectacle recouvre de faiblesses et de méconnaissances des véritables valeurs, le mauvais

1. Yvonne Printemps, épouse de Pierre Fresnay.
2. Confusion avec Madeleine Lemaire (1845-1928), peintre de fleurs, illustratrice de Marcel Proust (*Les Plaisirs et les Jours*).

goût qu'il cache sous un manteau d'écarlate. Il n'en reste pas moins vrai que le monde entier éprouve en face de ce spectacle une nostalgie des fastes morts. La publicité s'y exprime sous sa forme la plus noble. La reine donne encore une fois une leçon à l'avarice. La frégate de France qui regorge de richesses cachées peut prendre exemple sur ce lion et cette licorne sans le sou. Voilà de l'argent jeté par la fenêtre et qui rentre par la porte.

Seuls rôles bien tenus : le peuple et les ecclésiastiques.

Cinquantième version du *Sacre*. S'éreinter, se casser la tête, sur un texte auquel personne au monde ne comprendra rien.

17 juin.
Sursis des Rosenberg. Sursis détestable obtenu par une volte de procédure du juge Douglas. À moins que le président E. — pour n'avoir pas l'air de céder — agisse par la bande.

Révolte des ouvriers de Berlin-Est.

Les investitures ont été refusées sur des programmes conformistes qui semblaient à ces messieurs le comble de la hardiesse. Il est probable que Marie [1] sera investi sur un programme encore plus vague que ceux de ses prédécesseurs.

Hier soir dîner Fresnay-Delannoy. Fresnay inépuisable de mémoire en ce qui concerne notre enfance et les spectacles que nous organisions chez les Dietz [2]. Yvonne reste le type de la femme-théâtre. « La femme doit jouer un rôle, sinon l'homme la mange, etc. »

Le temps continue à être trouble. Il se dégage vers le soir. Il pleut le matin. Mer calme. Partirons le 1er pour l'Espagne. (Temps dégagé à midi.)

Envoyé *Sacre*. Fait préface Grèce [3]. (Envoyé.)

1. André Marie, député de Seine-Maritime, président du Conseil désigné le 11 juin 1953, non investi par l'Assemblée nationale.
2. Pierre Fresnay était apparenté à Hermann Dietz, dont Jean Cocteau, en 1906-1907, fréquenta le cours privé, rue Claude-Bernard. Le 30 décembre 1906, les élèves représentèrent une revue, *Sisowath en ballade*. Voir Jean Cocteau, *Portraits-Souvenir*, *op. cit.*, chap. IX, *Jean Cocteau, l'homme et les miroirs*, *op. cit.*, pp. 35-41, et *Album Cocteau*, *op. cit.*, p. 9.
3. Voir l'annexe XV.

1953

Le cuir de l'arbre fauve en fleurs exhibé par
Une immobile course ouvrait, hélas, les vannes
D'un trop rapide enfer laissant de son départ
Faux un éclair aveugle avec un bruit de canne
Sexuel attirail d'une puissance d'or
Équivalente (ou non, ou presque) au parfum mort
Après la pluie — extrait funèbre du troène —
D'un soleil orageux favorable à la haine.

Les oracles des grenouilles la nuit.

Déjeunerai samedi à Vallauris.

Fait part hier à madame Guynet de mon désir d'exposer la tapisserie *Judith* et les dessins préparatoires soit à Turin, soit à Milan. James arrive à Paris avec les Cézanne pour l'exposition d'Aix. Attendrai Orengo pour photographier les toiles.

Sacre[1]. Il s'agissait de donner le poids de l'intelligible à l'inintelligible. (Réalisme de Picasso.)
   Traduction du poème : « Le cheval de picador et les cornes. » — « Seuls peuvent comprendre ceux qui connaissent les règles (sens double) d'une corrida. » — « Federico fusillé devient Picasso qui le venge. » — « La mise à mort. » — « Le drame des arènes trouve sa justification dans les peintures de Picasso. »

On me demande toujours si j'ai un secret (le secret de ma force). On s'acharne à nous demander nos secrets avec l'insistance de Dalila. *Oui, j'ai un secret.* Mais si je le disais, si je l'écrivais, même dans ce journal, il cesserait d'être un secret et je perdrais ma force.

COURONNEMENT DE LA REINE D'ANGLETERRE

S'il ne l'avait d'un signe en le chrême et le chrome
Ointe   s'il ne touchait au sceptre du pistil
Si les figures à l'envers au ciel du dôme
Ne fussent dieux de quel monde surgirait-il ?

1. Sous le titre « Hommage à Picasso », dans *Clair-Obscur, op. cit.*, pp. 163-164.

Point rouge sur le chef et fort reconnaissable
Dans la foule sinon d'une vitesse en l'air
La reine construisait d'eau salée et de sable
Une île favorable à l'écume de mer.

C'est du moins sur la sottise ce qui surnage
D'insolite dans un sacre mené debout
Par l'écarlate et par une pompe sauvage
Crucifiés [1] *sur nos portes comme un hibou.*

Reale m'avait apporté un « centre » sculpté et peint de charrette sicilienne. « La Battaglia di Ponte Ammiraglia — inspirata dal quadro del pittore Renato Guttuso. » À gauche : « Lo Stemma di Bagheria. » À droite : « La Trinacria. — Stemma della Cicilia. [2] » Style de nos tirs forains. Très belles et très vives couleurs.

Le solstice multicolore   La poitrine
Des montagnes   La plume droite sur le chef
Noble   Un nuage interminable de farine
Et les jambes courant autour du relief.

Il égorgeait les coqs des fermes
Volait sa béquille à l'infirme
Le beau navigateur des larmes [3].

Je me demande si ce vide pénible où je flotte n'est pas *un tournant.* Les derniers poèmes peuvent me le laisser croire. À moins qu'ils ne soient qu'une lutte, une rage contre le vide.

Ci-joint lettre de Seghers pour la mise au point du papier découpé du poème. Il est probable que je referai le texte.

––––––

1. *Sic.* Erreur sur le genre d'*écarlate,* qui est féminin.
2. « La bataille de Ponte Ammiraglia — inspirée du tableau du peintre Renato Guttuso. » — « Les armes de Bagheria. » — « La Trinacrie. — Armes de la Sicile. » Trinacrie, nom grec de la Sicile (« aux trois promontoires »), usité au Moyen Âge.
3. Sous le titre « Tête d'homme », ces trois vers sont recueillis dans *Clair-Obscur, op. cit.,* p. 127.

PIERRE SEGHERS À JEAN COCTEAU

Pierre Seghers, Éditeur,
230, boulevard Raspail, Paris (XIVe).

Monsieur Jean Cocteau   Paris, le 12 juin 1953
Saint-Jean-Cap-Ferrat
Alpes-Maritimes

Mon cher Jean,

Veux-tu tout d'abord excuser cette lettre que je dicte comme une cigogne, le pied levé prêt à partir.

Je t'envoie une première épreuve de *Dentelle d'éternité.* Peux-tu la renvoyer corrigée à mon bureau qui fait le nécessaire en mon absence auprès de l'imprimeur.

Nous aurons ensuite une épreuve définitive.

Tu indiqueras sur cette épreuve quelles sont les lettres que tu veux voir venir en couleurs. Nous pourrons utiliser un rouge et une autre teinte, si cela te convient.

J'ai mis au point la question découpe : chaque exemplaire sera entièrement découpé à la main, d'après ton modèle par un artisan qui s'appelle Jon et qui est un homme exquis.

Je te verrai très prochainement à St-Jean. J'arriverai à Juan dans une semaine environ.

On a déjà annoncé dans la presse cette *Dentelle* et j'ai trouvé pour la réalisation, les fonds, couleurs, etc., des idées qui, je le crois, te conviendront.

À bientôt ; je t'embrasse.

À toi

                                              P.

———

Vulgarité dégoûtante des voix de la radio française. De toutes les langues la langue française est celle qui tombe le plus facilement dans la vulgarité.

(Quatrième exercice d'obscurité aveuglante.)

COLLÈGE

Septembre sécrétait l'huile de ses veines
Le crayon hachait bleu la crête des Cévennes

Le collège allaitait d'un plâtre ignoble à voir
Les élèves debout dans l'eau des réservoirs.
Ils le voulurent mais ce naïf suicide
Rongeait l'os de la règle avec sa langue acide
Alors que l'archevêque entre ses pâles mains
Dorait sur tranche la honte des examens.

Comme le temps — bonace — éclaircies. Tout à coup les trombes. La révolte des ouvriers de Berlin-Est. Les Rosenberg. Les vingt mille prisonniers coréens qui s'évadent.

18 juin 1953.
Investiture refusée. Pas si mal. Le comble est toujours mieux que le médiocre.

Sursis des Rosenberg de plus en plus vague (?). On découvrira quelque bonne preuve contre la moralité ou le loyalisme du juge Douglas.

Samedi [20 juin 1953].
Les Rosenberg électrocutés à Sing Sing. L'armistice de Corée en l'air. L'Allemagne en pleine catastrophe. La France qui n'arrive pas à former un gouvernement. Voilà le journal de ce matin.

Toute chose se sent serrée à la gorge (Kafka).

La télédiffusion me demande de commenter le film *Lumière* (vie de la famille Lumière).

Dimanche [21 juin 1953].
Hier déjeuner à Juan avec les Picasso, les Braque, les Yves Montand. Remonté à Vallauris avec les Braque.
En sortant du restaurant de Juan, Picasso me dit : « As-tu toujours fait ce que tu voulais faire ? » Je lui ai répondu : « Je me pose souvent cette question. »

Braque regardait chez Gris une toile qui ne lui plaisait pas beaucoup. Pour cacher sa gêne il dit : « Il y a là, dans ce coin, quelque chose qui me semble bizarre. » Gris va chercher ses esquisses. « Bien sûr, dit-il, en les consultant, je me suis trompé. —

Prenez garde, dit Braque, si vous vous trompez vous pourriez bien peindre trois compotiers dans une pomme. »

Picasso à qui Françoise citait le mot de je ne sais quel peintre (Marcoussis ?) : « Gris a fait les comptes du cubisme », réplique sévèrement que Gris reste un exemple de privations nobles et d'austérité.

Je dis à Picasso : « Tu signes d'abord ta toile et tu peins le tableau après, pour honorer ta signature. »

J'ai donné le texte de Rome à Françoise.

Mes derniers poèmes. Écrits pour les traducteurs. La langue d'un poète ne pouvant qu'être traduite. Autant aller jusqu'au bout du clair-obscur.

Crise ministérielle. Le pire est toujours meilleur que le médiocre.

Allemagne. Il ne s'agit plus de savoir qui a raison ou tort. Il s'agit de savoir qui, ayant raison ou tort, imposera ses directives.

Les Rosenberg exécutés à Sing Sing. Victimes dépassées par leur signification. (Dreyfus.) Madame Straus disait de Dreyfus : « Il faudrait changer d'innocent. »

Hommage à Góngora[1]. Douze strophes.

Les journalistes. « Que préparez-vous ? — Rien. — À quoi travaillez-vous ? — À rien. — Alors que faites-vous d'autre ? — Rien. J'essaye de vivre. »

Mi Lang Fang disait à quatre-vingts ans : « Je commence à pouvoir jouer les ingénues. » À soixante-trois ans, je commence à comprendre ce que doit être un poème. (Trop tard.)

Le ralenti du film[2] sur le travail de Matisse nous montre de quelles hésitations scrupuleuses, de quelle longue étude, son trait

1. Dans *Clair-Obscur, op. cit.*, pp. 153-155.
2. *Henri Matisse*, film de François Campeaux, 1945-1946.

résulte. Il semble le jeter sans réfléchir, mais les fleurs filmées avec la même méthode prouvent la pensée profonde qui les colore.

Matisse — le courage et l'élégance. Jamais, au centre de sa chambre du Regina, dans un lit de soie sauvage, rose et calme, nous ne l'entendîmes se plaindre. Il n'a rien perdu de vif. S'il ne peut peindre, il découpe et il épingle les formes. Il reste l'exemple du peintre tel que le personnifiait Renoir.

Picasso me dit qu'on fait à Matisse des piqûres pour le cœur qui lui abîment les yeux.

Crise ministérielle. Les animaux malades de la peste. Le lion manque.

Pays adorable qui ne craint pas le ridicule. On se demande si M. Auriol va dissoudre la Chambre. Il chante place des Vosges. Après ses cinq échecs d'investiture, il convoque les groupes. Cela donne une dispute de collège entre élèves qui veulent fonder un club sportif.

La France, qu'on accuse d'incapacité, donne un exemple de légèreté parfaite à ce monde prétentieux et si lourd.

J'aime mieux un président qui chante place des Vosges et qui préside la kermesse aux Étoiles, qu'un président qui refuse la grâce des Rosenberg ou qu'un chef qui se trouve dans l'obligation de réprimer les émeutes allemandes. Sage. Telle un jour apparaîtra la France après que les pays auront fait le compte des désastres provoqués par la manière forte.

Clouzot se croit peintre. Il l'a déclaré à Braque. Je dis à Françoise : « Il a dû commencer par peindre une bouteille et une serviette. » (Exact.) C'est toujours ce qui arrive lorsqu'on se croit peintre.

Hommage à Góngora. J'ai dit ce que je voulais dire et si vous me dites que non je vous dis merde.

Politique 1953, en France. Les docteurs se disputent sur leurs méthodes respectives et laissent crever le malade. Une dame disait à son petit garçon (le mari se mourait et on attendait l'oracle des professeurs) : « Va voir. Je n'en peux plus d'attendre. Regarde par le trou de serrure si le professeur Utinel et le docteur Faure s'entendent. » Le petit garçon y va et revient : « Le monsieur a baissé culotte et l'autre lui souffle dans le derrière. — Quoi ? » Le professeur Utinel consultait le docteur Faure pour ses hémorroïdes.

Écrirai-je une pièce ? Je l'ignore. J'écris des poèmes. Et pour vaincre le charme je me mets à l'école de l'ingrat.

Ne savent-ils plus rien ou ne veulent-ils plus rien savoir ? Je crois, hélas, qu'ils ne savent plus rien. Mais alors où vont les oreilles ? Les oreilles ont-elles définitivement des murs ?

Une salle d'escrime, disait Françoise, c'est ce qui évoque le mieux Jarry.

Braque disait : « Beaucoup de cubistes avaient débuté dans la caricature. Ils cherchaient à le faire oublier par l'étroitesse et la sévérité d'une discipline aristotélicienne. » (Ce qui répondait un peu à l'avance au panégyrique de Gris par Picasso.) Gris avait commencé dans *L'Assiette au beurre*.

Je demande à Braque ce que sont devenus les peintres de la cave des Rosenberg (pas ceux de Sing Sing — Léonce et Paul) : Metzinger, Herbin, Gleizes, etc. Je n'avais plus jamais entendu parler d'eux. Or, Braque me dit qu'ils travaillent, vendent, écrivent des manifestes.

Je lui raconte ma stupeur en constatant que tous les élèves de l'école des Beaux-Arts d'Istanbul faisaient du Lhote malgré les Van Gogh, les Matisse, les Picasso, les Braque épinglés sur les murs. Il est vrai que Lhote était jadis professeur à Istanbul.

En 1912, le cubisme se recommandait beaucoup davantage des théoriciens que de Picasso ou de Braque. Dans *La Révolte des anges* d'Anatole France, un jeune homme « moderne » parlant de Delacroix déclare : « J'aime mieux Gleizes et Metzinger. »

Mes premiers contacts avec des « peintres modernes » furent Gleizes et Lhote [1]. Il fallut ma rencontre avec Picasso pour m'ouvrir les yeux.

---

1. Albert Gleizes (1881-1953) et André Lhote (1885-1962) avaient rencontré Jean Cocteau dès 1915. Ils illustrent le dernier numéro du *Mot*, périodique fondé et dirigé par Paul Iribe et Jean Cocteau (n° 20, du 1ᵉʳ juillet 1915).

L'interdit jeté sur certains peintres ne les empêche ni de se remuer ni de vendre. Mais cet interdit les chasse à jamais des ouvrages sur l'histoire de la peinture. Ces interdits sont occultes, féroces et répondent à une certaine ligne dont un artiste est perdu s'il la néglige. C'est en quoi Picasso a raison lorsqu'il vante l'attitude de Gris. Elle l'a sauvé de cette quarantaine où restera Kisling, par exemple. Au premier coup d'œil ces interdits semblent être une injustice — mais, au fond, ils répondent au cours d'un fleuve qui mène implacablement au Louvre les œuvres subversives et en écarte les œuvres plaisantes. Je parle des œuvres plaisantes qui paraissent subversives. Le surréalisme a beaucoup servi ce classement féroce. Malheur à qui se déclasse par méconnaissance d'une ligne de famille (d'un certain air de famille dans l'audace). Ce qui semble étrange c'est que le prix de Rome et la villa Médicis jouissent encore de quelque prestige, puisque leur fausse route est éclatante, même sur le plan commercial. Cependant il ne faut pas oublier que toutes les grandes croûtes du Salon des Artistes français, les Chabas [1], les Detaille [2], les Didier-Pouget [3], les Bail [4], les cardinaux à table et les ramoneurs dans la neige, les collines de bruyères, les servantes qui astiquent des bassines de cuivre, les allégories patriotiques, etc., remplissent d'innombrables salons inconnus et que très peu de monde possède un Van Gogh, un Cézanne, un Renoir. Les croûtes ne disparaissent pas, comme on aurait tendance à l'imaginer. Tous les « peintres de Nice » vendent assez cher et fort bien. Il y a au magasin du Louvre un rayon de peinture où les *Arabes au puits* et les *Moutons au crépuscule* ne découragent pas une clientèle innombrable. Le modèle intéresse plus que la peinture en soi et cela reste vrai chez les personnes qui s'y connaissent. Je disais hier à Braque : « Vous êtes le premier à n'avoir pas trompé le public. » Apelle avait même trompé les oiseaux. C'est cette substitution de l'interprétation pure au « sujet » qui mène des collectionneurs actuels à se méfier de toute toile représentative. En achetant les impressionnistes ils achètent des titres, des valeurs, des noms. C'est ainsi que les malins manqueront le coche et se méfieront des jeunes dont le rôle sera de renverser la vapeur. Ces jeunes leur resteront aussi invisibles que le furent Van Gogh, Cézanne et Renoir, rue Laffitte, lorsque les

1. Paul Chabas (1869-1937), peintre des baigneuses.
2. Édouard Detaille (1848-1912), peintre de la vie militaire.
3. William Didier-Pouget (1864-1959), peintre des bruyères dans la brume.
4. Joseph Bail (1862-1921), peintre des marmitons.

Rothschild se moquaient d'eux. Et il est normal que ces jeunes
écopent comme les autres. S'ils écopent cela prouvera leur nouveauté. Déplaire en plaisant sera leur enfer. Il est probable qu'on
traitera ces peintres du lundi de peintres du dimanche, de naïfs.
Chacun son tour.

L'idée de difficulté, d'audace affichant l'audace est devenue si
puissante, si ancrée dans les crânes que l'œuvre de Radiguet
(lequel imagina révolutionnairement de contredire un désordre
actif) en souffre encore, tandis que Rimbaud qui se devait à son
époque de contredire un ordre passif se trouve répondre exactement au credo moderne. Désormais rien ne sera plus difficile, plus
ingrat, plus long à imposer que le calme. Les jeunes se doivent de le
comprendre et que leur rôle est mille fois plus difficile à jouer que
le rôle inverse. Peut-être, après ma mort, si ce journal paraît, la
chose sera-t-elle acquise. Je me le demande. Les excès de surface
ont faussé l'œil qui reconnaît une mode à ses costumes et ne
consulte jamais le regard des œuvres. C'est cependant au *regard*
qu'on reconnaît la beauté nouvelle sous quelque costume qu'elle se
présente à nous.

On ne change certaines valeurs qu'en s'appuyant sur elles tout en
les démolissant. Rimbaud juge sévèrement Baudelaire mais il le
classe. Baudelaire démolit Ingres au bénéfice de Delacroix. Mais il
ne le déclasse pas. Il le situe. Picasso démolissait l'impressionnisme tout en achetant des Vuillard. Il adore Corot que les
imbéciles méprisent. À une belle exposition Fabiani les crétins de
l'intelligentsia passaient devant une grande Italienne de Corot en
croyant que c'était une vieille toile mise là par erreur. Le snobisme
intellectuel a remplacé le snobisme tout court qui prenait, à
l'exemple des rois, conseil auprès des spécialistes de l'audace, par
crainte de commettre une bourde.

Jeannot téléphone qu'il a signé pour *Monte-Cristo*[1]. Je l'y ai
beaucoup poussé. À moins de tourner certains rôles comme ceux de
mes films, j'aime mieux le voir s'amuser dans une folie que de
s'éreinter pour des histoires ennuyeuses ou que d'endosser des
vestes comme *Nez de cuir*[2].

---

1. Film de Robert Vernay, qui avait déjà réalisé, en 1942, un *Comte de Monte-Cristo*
interprété par Pierre Richard-Willm.
2. Film d'Yves Allégret, 1951, d'après le roman de Jean de La Varende.

Il avait tourné avec Benzi le rôle de son père à cause de son entêtement à se croire sur la pente de l'âge. Or le film [1] qui plaît ne marche pas bien parce que le gros public des jeunes filles refuse de voir Jeannot dans un rôle de père. Rien de plus inattendu que les réactions de cette foule que nous connaissons mal. Je craignais pour Jeannot un refroidissement chez cette foule anonyme préférable aux esthètes. Or il a remporté un vrai triomphe l'autre soir à la kermesse. Quoi qu'il en dise, un acteur a besoin de cette chaleur absurde. Simone Signoret me dit : « Même s'il se trompe ou s'il interprète un film médiocre, son feu le sauve. » Par contre elle se montre pour Alain Cuny d'une sévérité incroyable. C'est parce que Cuny, dont le physique correspondait exactement à ce que tout ce petit monde approuve, ne rayonne pas et ne possède aucun laisser-aller, ce laisser-aller que la jeunesse moderne affiche dans l'habillement et dans l'allure. Ces jeunes lui en veulent de mal répondre à leur attente. Par contre la « beauté » de Jeannot qui les éloigne de lui semble contredite par une beauté interne qu'ils confondent avec une indifférence au style intellectuel, indifférence qui est — chose curieuse — le propre du *style intellectuel de notre époque*. Ce fameux « rien » qu'on exige des artistes qui savent soi-disant tout et qui ne doivent le montrer sous aucun prétexte. Je note ces méandres de l'esprit, parce qu'ils peuvent un jour éclairer la période complexe que nous sommes en train de vivre. Le succès de mon film des *Parents terribles* [2] vint dans ce milieu d'une admiration sans bornes pour les deux vieilles dames (*on voudrait être vite vieilles*, disait Gréco, à la sortie) et du désordre, du laisser-aller, où Jeannot était inimitable. De même pour Marcel André, ses gestes d'épouvantail, ses grimaces, son air de lâcher les commandes. Je m'étonnais que les faveurs de ce milieu allassent autant à Dorziat qu'à de Bray. C'est que le mépris dont jouissent les valeurs anciennes — beauté, grâce, jeunesse, maquillage — se trouve annulé par des gueules. On ne respecte plus rien, sauf les gueules. Jeannot, dans *Les parents terribles*, arrive à la gueule par sa crainte de bénéficier d'un bon physique.

Tout cela m'était souligné par une jeune actrice qui ne se maquille pas, ne se coiffe pas, interprète les rôles vaches. Non seulement Simone Signoret plaît à ce milieu jeune, mais à des étrangers qui en subissent les modes sans le savoir. Je l'ai constaté au festival de Cannes.

1. *L'Appel du destin*, film de Georges Lacombe, 1952.
2. Voir *supra*, p. 73, n. 1, et p. 105, n. 6.

Orson Welles bénéficie de ce goût du ratage de grande envergure où il excelle et que cette jeunesse place très au-dessus d'une réussite qu'on me fait souvent payer cher sous prétexte que je tombe dans l'esthétisme.

Les Anglais, dans le remake des *Parents terribles*, ont raté le coche en croyant que seuls des Français pouvaient comprendre un laisser-aller de style. Ils le remplacent par une fausse tenue sans comprendre que mon laisser-aller était le comble de la tenue et que cette tenue dans le laisser-aller n'est autre que la vie. Cette vie intense que l'écran et la scène exigent, à quelque nationalité qu'on appartienne. La tante Léo de Frank devient une brave dame et Michel une pauvre victime de la froideur convenable d'Oxford. Seule la jeune fille est supérieure aux actrices qui m'ont joué le rôle. C'est une Suédoise et qui montre son âme sans crainte du shocking.

J'ajoute que sur le laisser-aller, sur la bohème se greffe le culte des vertus domestiques, la morale bourgeoise (comme chez les surréalistes). Se marier, avoir des enfants.

En Italie les jeunes filles à la mode affectent de s'ennuyer de tout. Elles se disent « magnolia ». Pâles, décoiffées, assises sur les marches de la place d'Espagne, elles revalorisent le style Marlène Dietrich 1934, surtout celui des disques où elle chante exprès faux des complaintes qui annonçaient le pessimisme pleurnichard de Prévert. *Barbara* (ou la barbe) c'est la fausse barbe de Marlène lorsqu'elle chantait : « *Il pleut. Je m'ennuie. J'arrive dans la grande ville qui ne veut pas de moi.* » Piaf a perfectionné le genre en supprimant la beauté physique de Marlène dans les rôles d'espionnes et dans celui de *L'Ange bleu*. La radio redresse la pente en donnant beaucoup de chansonnettes 1900, du style gaillard.

Ne pas oublier la lettre que m'écrivait Heinrich Mann avant *L'Ange bleu* [1] : « Sternberg s'obstine à m'imposer une grosse fille de brasserie, son nom est Marlène Dietrich. » *(Sic.)*

Et la phrase d'Hébertot lorsque je reprochais à Edwige de prendre trop de pilules : « Tu oublies qu'Edwige est une grosse brune. »

Edwige est parvenue à être une blonde mince, mais elle tombe en

---

1. Film de Joseph von Sternberg, 1930, d'après *Professor Unrat*, roman de Heinrich Mann (frère de Thomas Mann).

défaveur parce qu'elle est une « camélia [1] » sans rien de « magnolia ». Une mourante suspecte. Une lutte héroïque dénonçant de l'optimisme. On la refusait comme dame jeune. On la refusera comme vieille dame. Ce n'est pas une « magnolia ». C'est un corset. En outre elle n'est pas « sexy ». Car on est « sexy » et « magnolia ». Ces demoiselles couchent par ennui avec des garçons que cela ennuie de coucher avec elles.

Bref et pour en finir avec nos ridicules, la fabrication de Saint-Germain-des-Prés doit avoir l'air d'un dégoût suprême de la fabrication. Un naturel sans l'ombre de naturel. L'artifice poussé jusqu'à l'état normal. L'insolence et l'indolence. Tout cela sort de Sartre qui ne se doutait pas des monstres qu'il allait mettre au monde.

Il serait curieux de faire une étude sur les Incroyables, les Merveilleuses, les zazous, les existentialistes et leurs ancêtres. En passant par l'alcibiadisme, le dandysme, etc. La prodigieuse coiffure à ailes collées des zazous mâles. Les zazous femelles pareilles à Thomas Diafoirus pour la coiffure et une petite croix bretonne accrochée au cou. La barbe courte et le pantalon de toile trop étroit de l'existentialiste mâle. Sa chemise à carreaux. Ses savates. La crasse savante de l'existentialiste femelle, ses cheveux qui pendent en longues mèches plates sur les épaules. La chemise noire. L'immense dédain de tout ce qui n'est pas de cette race. Le racisme des modes. L'exagération de nos modes jeunes chez les Anglais ou chez les Américains. La veste des zazous venait des nègres de Harlem. Le communisme à l'américaine de l'existentialiste. Les caves. Les clubs des caves. Les livres et les revues sous le bras. Accessoires. On ne lit jamais. Dans *Orphée* je leur avais fabriqué une ruche comme pour les abeilles (place Stalingrad aux Lilas). Après le dernier jour de tournage ils restaient sur place. Ils avaient pris l'habitude de ma ruche artificielle. Le commencement d'*Orphée* est d'une exactitude scrupuleuse. Règne de Blin, acteur bègue, intellectuel anti-intellectuel, très charmant traîneur de savates. Dans *Orphée* il m'était impossible de confier le rôle du chef de bande à un autre. Il était le seul à pouvoir dire : « Assez étonnante, je l'avoue » comme le disait André Breton [2]. Aux

---

1. Allusion à *La Dame aux camélias*, où Edwige Feuillère s'illustra dans le rôle titre.
2. Voir les dialogues d'*Orphée*, *op. cit.*, p. 49. Roger Blin (1907-1984) joue dans ce film le rôle du Premier écrivain.

extérieurs (maison d'Orphée) Alain m'avait amené un car de figurants qu'il espérait déguiser en existentialistes. Ils ressemblaient à une noce de village. J'ai perdu un jour. Le lendemain les cars me déversaient toute la terrasse du Flore. Tout devint riche et vrai, ne me donna aucun mal. Le travail se faisait seul. Raymond Faure (le journaliste) n'est pas dans le rôle. Il me fallait Harold. Je l'ai gardé parce qu'il est pauvre et rêvait de jouer dans le film. Ces considérations sentimentales ne doivent pas entrer en ligne de compte.

Aragon me téléphone pour savoir si j'accepte de signer une demande de révision du procès Rosenberg. Son texte commençait par « Convaincus de l'innocence, etc. ». Je lui ai dit que personne (sauf du parti communiste) n'accepterait de signer ce texte où il convenait d'abord de rendre hommage aux juges qui n'ont pas accepté le verdict. Il ne s'agit pas de nous faire dire que nous sommes convaincus de l'innocence des Rosenberg, il s'agit de nous en convaincre. J'ai fait changer le texte en « Rendant hommage aux juges qui n'ont pas accepté la sentence, les soussignés espèrent qu'une réhabilitation rapide, etc. », ce qui n'empêchera pas l'Amérique de nous fermer ses portes. Être un brave homme consiste à se fermer toutes les portes.

Relu Chamfort. Presque toutes les pages pourraient être écrites ce matin. Un journaliste ferait fortune en les publiant et en avouant après sa supercherie.

24 juin 1953.
À la fête de l'escadre pour le couronnement de la reine les Anglais ont conduit les marins russes sur la tombe de Karl Marx. Voilà qui est très fort.

Traduction des poèmes. L'obscurité traduite : il reste toujours quelque chose. La trop grande clarté traduite : il ne reste rien.

L'Amérique, son mépris et nos dettes. L'Angleterre qui se tourne vers Moscou. L'Allemagne que nous n'avons pas su apprivoiser. Le derrière entre trois chaises.

Le rocher de Monaco. Une petite ville exquise de Stendhal. Loin de tout. Des personnes qui ne descendent jamais. Orengo l'habite. [...]

À Paris une société comme la mienne se borne à faire les comptes pour des voleurs.

Plus je travaille plus je me ruine. L'État me vole. Il est naturel que je veuille me défendre légalement contre l'État.

Pagnol pousse la méthode à l'extrême. On le menace. Mais la législation monégasque le couvre.

Orengo apporte le premier exemplaire du *Bal du comte d'Orgel* à Santo Sospir.

Francine reste à Paris jusqu'à notre départ (le 1er juillet). L'avons conduite ce matin à l'aéroport de Nice.

Fait les huit dessins pour les exemplaires de tête du *Bal* (au brou de noix).

Les imprimeurs et graveurs du *Bal* sont si enchantés de leur travail qu'ils me demandent de leur confier un ouvrage de poèmes et de dessins en couleurs dont ils prendraient la dépense à leur charge.

Le buste en terre cuite de Pouchkine chez Orengo. *Objet sublime.* Sa merveilleuse petite tête de bélier [1]. Le buste vient du garde-meuble de Tsarskoïe Selo. Le directeur russe du garde-meuble l'avait emporté la veille de la révolution. En quittant la Côte, il l'a vendu à Orengo. Je suis fou de ce buste. Je ferais des bassesses pour l'avoir. J'ai demandé à Orengo de me le photographier sous plusieurs angles.

En voyant le visage de Pouchkine on comprend que l'amour de son œuvre traverse toutes les crises, tous les régimes. Pas la peine de le lire (du reste il est intraduisible). Il n'y a qu'à le regarder.

---

1. « Hommage à Pouchkine », dans *Clair-Obscur, op. cit.*, pp. 173-174, commence par ce vers : *De ce jeune bélier l'intraduisible absence...* Voir aussi l'article de Jean Cocteau, « Le sang noir de Pouchkine », publié dans *Ce soir*, le 30 mars 1937, et la reproduction de l'affiche, par Jean Cocteau, de l'exposition parisienne du centenaire de la mort de Pouchkine (1937), dans *Poésie de journalisme, op. cit.*, pp. 69-72 et illustration n° 15.

Pour les imprimeurs et graveurs du *Bal*, j'ai envie d'illustrer (de très loin) les derniers poèmes sous le titre *Clair-Obscur*.

Pinay refuse de demander l'investiture. Auriol se trouve dans une situation incroyable. Il semble qu'on veuille l'empêcher de renouveler son septennat. Si la France avait le courage de mettre tous les étrangers qui la critiquent à la porte et de vivre sur ses richesses agricoles, en vase clos, l'or sortirait des cachettes, on payerait les créanciers et le monde nous respecterait. Au lieu de cela on joue les bravaches, on refuse les offres de la main droite, on demande l'aumône de la main gauche, on cache l'or, on pleure misère, on se couvre de ridicule et de boue.

Chamfort : on constate que les longs règnes sont toujours déplorables. Dieu est éternel. Jugez vous-même.
[...]

Picasso : « On prétend que je me suis foutu du monde. Bien sûr que je me suis foutu du monde. Tout le monde s'est foutu du monde. Il n'y a pas que moi. Dieu aussi s'est foutu du monde. »

Devant les derniers paysages de Picasso, Braque ne disait rien. Au café, le soir, Picasso loua l'attitude austère de Gris, avec ce génie qu'il a de la vengeance. Il l'appuya par un panégyrique de Matisse.

Déjeuné chez les Gaillard à Vence. On a déniché un député du Calvados pour former un gouvernement provisoire[1].

Aragon me demande ma signature pour une demande de réhabilitation des Rosenberg. Je lui dis que nul, sauf un communiste, ne peut signer son texte. Je le lui corrige. Il le publie sous ce titre : « Une initiative de Jean Cocteau[2]. »

À Versailles on a remplacé ma voix par celles d'acteurs, coupé mon texte à droite, à gauche et en deux.

---

1. Joseph Laniel, député du Calvados, président du Conseil des ministres du 26 juin 1953 au 12 juin 1954.
2. Voir l'annexe XVI.

Tout cela me pousse à devenir de plus en plus misanthrope. Je suis dégoûté d'être à toutes les sauces, sauf celle que j'aime.

25 juin.

Le docteur R. de Beaulieu me raconte que, pendant l'Occupation, lui et le professeur P. ont caché un collègue juif dans leur cave. On le ravitaillait par un soupirail. Le jour de l'arrivée des Américains, on le sort. Le voilà décoré de la Légion d'honneur, de la croix de Guerre, de la croix de la Libération. Sa clientèle triple. Il parle de haut à ses sauveurs.

On a maintenant officiellement inventé de dire de Picasso qu'il était le diable, qu'il désintégrait la figure humaine, qu'il détruisait la beauté, etc.

Comme si tous les génies n'en avaient pas usé de même — incarné le diable selon le point de vue de Saint-Sulpice. Dieu aussi est le diable à ce compte. Son règne n'est-il pas destructif ? S'il faut en croire le témoignage du journal de chaque matin, Dieu n'a jamais procédé que par catastrophes[1].

Je n'aime pas les anecdotes. Mais, hier soir, en parlant avec des amis, il m'en est revenu quelques-unes assez amusantes.

Jacqueline de Pourtalès devenue Rehbinder, et son mari étant photographe[2], regardait une photographie de la princesse Lucien Murat. Elle la détestait. Elle me dit : « Comme on voit qu'elle a dû être laide ! »

Le duc de Rohan me racontait : « Un soir, sortant de l'Opéra, j'ai donné par erreur un louis d'or à une pauvre femme qui me demandait l'aumône. J'avais mis la main dans ma poche et ne trouvai que ce louis. J'étais, hélas, dans l'obligation de le lui remettre. Elle s'écria : " Voilà un grand seigneur ! " » Et il ajoute : « Elle ne croyait pas si bien dire. »

---

1. Jean Cocteau avait placé l'épigraphe suivante aux premières éditions de son essai *Le Secret professionnel*, Paris, Stock, 1922 et Au Sans Pareil, 1925 :

AU JUGEMENT DERNIER

J'interroge :
— Et les catastrophes de chemin de fer, Seigneur ?
Comment m'expliquerez-vous les catastrophes de chemin de fer ?
DIEU (gêné). — Ça ne s'explique pas. Ça se sent.
2. Vladimir Rehbinder photographia Jean Cocteau dans les années vingt.

Le duc croyait faire des mots célèbres. Il dit, un soir, en ma présence, à la princesse Lucien Murat, sa fille, qui se présentait pour le dîner fort mal tenue : « Marie, si vous n'étiez pas ce que vous êtes, on pourrait vous prendre pour ce que vous n'êtes pas. » Après ce genre de mots il regardait autour de lui avec une satisfaction d'auteur dramatique.

Le duc ressemblait à un pot de chambre avec un œil peint au fond. Sa femme, née Verteilhac [1], écrivait des vers inénarrables. Nous en sûmes une foule par cœur, Max Jacob et moi. Jean et Hélie de Gaigneron [2] en eurent la mémoire pleine. Elle avait *le malheur d'expression*. Une sorte de génie de l'absurde.

Auguste Dorchain, critique des *Annales*, dit un jour à ces grandes dames poétesses que seule la comtesse de Noailles était un vrai poète et qu'elles étaient des amateurs.

« Un amateur ! s'écria la baronne de Baye, moi qui ne compte plus mes pieds [3] ? »

« On ne sait plus qu'inventer ! » Madame Dorchain, à un dîner littéraire chez la duchesse, disait cela en brandissant une pince à asperges.

« Vous regardez ma poitrine, monsieur l'abbé, dit la vieille et grosse madame de Talleyrand à l'abbé Mugnier [4]. La toucheriez-vous ? Il me semble que vous en crevez d'envie. »
« Madame, répondit l'abbé, je n'oserais la toucher. Ce ne sont pas encore des reliques. »

1. Herminie de La Brousse de Verteilhac (1853-1926), épouse du prince de Léon devenu à la mort de son père, en 1893, onzième duc de Rohan. Membre de la Société des gens de lettres, poétesse et aquarelliste, elle fut une grande amie de Robert de Montesquiou. Jean Cocteau s'est souvent moqué des vers de la duchesse. Voir sa lettre à sa mère du 5 juillet 1922, dans *Album Cocteau, op. cit.*, p. 53. Dans *La Fin du Potomak*, Paris, Gallimard, 1940, pp. 125-126, il la surnomme la duchesse Bizarre : « Cette duchesse tenait ce titre d'un don bizarre : elle avait le malheur d'expression... »
2. Le peintre Jean de Gaigneron, élève de Jacques-Émile Blanche, et son frère aîné Hélie, amis de longue date de Jean Cocteau.
3. Dans *Portraits-Souvenir, op. cit.*, chap. xv, Jean Cocteau rapporte ainsi la répartie de la baronne : « Des amateurs ! Des amateurs ! *Nous qui ne comptons plus nos pieds sur nos doigts !* »
4. Voir t. I, p. 218, n. 2, et Abbé Mugnier (1853-1944), *Journal*, 1879-1939, Paris, Mercure de France, 1985.

Un soir qu'il pleuvait et que l'abbé Mugnier avait dîné place des États-Unis, où l'on n'avait parlé que d'Église, Francis de Croisset voulut l'accompagner jusqu'à la voiture. « Ne craignez-vous pas la pluie, monsieur l'abbé ? » demandait-il. Et l'abbé : « Je crains Dieu, cher Abner, et n'ai pas d'autre crainte[1]. »

C'est Francis qui m'a raconté l'anecdote. Il s'amusait souvent de ses ridicules.

À un dîner chez les Wedel-Jarlsberg — Wedel était alors ambassadeur de Norvège — il me déclara ne rien comprendre à la peinture de Picasso. Je lui demandai s'il comprenait le dessert de son chef. Il prit très mal la plaisanterie. Tout devint aigre au point que j'oubliai que j'étais son hôte. Je lui demandai (nous étions en 1917) : « Vos leçons de patriotisme m'étonnent. Avez-vous fait quelque chose pour la France ? »

Il s'écria : « J'ai envoyé trois cents jeunes gens pour skier dans les Vosges » et comme il prononçait « chier », un fou rire général termina cette longue scène désagréable.

La princesse Murat avait épousé Charles de Chambrun. Ils étaient l'un et l'autre sur le retour. À un dîner chez eux, elle lâche un pet. Chambrun, qui parlait avec sa voisine, se tourne vers elle : « Taisez-vous, Marie. Vous parlez toujours pour ne rien dire. »

À l'Académie, un peu avant sa mort, Chambrun était si bas qu'il se présentait à des collègues de province en s'inclinant et en disant son numéro de téléphone.

Gaston Palewski est fort coureur. À la fin d'une soirée il serrait de près une dame et lui dit : « J'ai entendu que vous n'aviez pas votre voiture. Permettez que je vous reconduise dans la mienne. » La dame répond : « Vous êtes bien aimable, mais je suis un peu fatiguée. Je préfère rentrer à pied. »

Palewski me disait en parlant du général de Gaulle : « Il faut voir ses beaux yeux cernés pour le comprendre. »

C'est ce même jour que je lui ai dit : « Le général a trop d'orgueil pour se contenter d'une majorité. Il cherche l'unanimité, ou une

---

1. Citation de l'*Athalie* de Racine.

minorité de premier ordre. Mais une minorité de premier ordre reste le privilège des poètes. Jeanne d'Arc était un poète. Elle n'avait que trois voix. »

Le président de la République me demandait, pendant un déjeuner intime à l'Élysée, pourquoi je ne portais pas ma Légion d'honneur. C'est que, lui répondis-je, je ne suis plus à l'âge où l'on porte des rubans.

Jadis il y avait des responsables. Cette race n'existe plus. Lorsque Al Brown[1] fut expulsé de France pour des chèques sans provision, je fis porter une lettre à la Présidence. Le Président m'envoya, par retour, un garde à cheval qui fit grand effet à l'hôtel de Castille. Il m'apportait la grâce d'Al Brown.

Comme j'avais besoin de Marais pour un film et que j'estimais son rôle terminé à la division Leclerc, je priai Palewski de nous le rendre. « J'écrirai au colonel que cela regarde. — Téléphonez-lui. — Je lui téléphonerai. — Non, téléphonez-lui tout de suite. — Vous êtes impossible. — C'est possible mais je connais les bureaux. Je ne quitterai pas le ministère avant d'avoir en main ce que je demande. »
C'est ainsi que je quittai le ministère avec l'ordre dans ma poche.

À un dîner chez les Rohan, Achille Murat, âgé de quatorze ans et qui arrivait du Caucase, nous racontait une chasse à l'ours. Nous l'écoutions avec intérêt. Cela changeait des propos absurdes. L'ambassadeur d'Angleterre coupa le récit, disant au duc : « Comment en France permettez-vous aux enfants de parler à table ? » Ce fut atroce.

Un soir, à un dîner par petites tables chez les Étienne de Beaumont[2], j'étais à côté d'une dame dont je ne savais pas le nom. L'ambassadeur d'Angleterre, qui était en face, me dit : « Vous avez fait une grave erreur dans votre livre du tour du monde. Vous nous accusez d'avoir bombardé l'Acropole. — C'est exact, lui dis-je, et je rectifierai. C'est cet imbécile de Morosini le coupable. »
Ma voisine était la comtesse Morosini.

---

1. Voir t. I, p. 57, n. 1.
2. Voir t. I, p. 45, n. 1.

La comtesse Morosini était une beauté célèbre. (Elle n'est pas morte. Elle habite Venise.) Anna de Noailles me disait d'elle, un soir où, chez la princesse de Polignac, elle écoutait d'un œil vague et presque offensé une musique de Debussy qu'elle ne pouvait suivre : « Elle n'a pas l'habitude qu'on lui fasse attendre son plaisir si longtemps. »

Alexandre de Gabriac, à cette soirée, s'approche de François de Gouy [1] : « Vous sortez et on me dit que votre grand-mère est morte ce matin ! » François avait pas mal bu. « On exagère beaucoup », répond-il.

Il m'est arrivé de demander à un jeune homme qui venait de perdre son père : « Comment se porte votre père ? » et d'ajouter stupidement, en comprenant ma gaffe : « Enfin... je veux dire : il est toujours mort ? »

Dialogue entre Tristan Bernard et une dame : « Monsieur Bernard, ne prenez pas cette chaise, elle branle. — Donnez-moi son adresse. »

Après l'échec du *Passage du Malin*, de Mauriac, Bernstein va voir les coulisses. « Êtes-vous content ? » demande-t-il à Mauriac. Et Mauriac répond : « Moins que vous. »

Madame de Gontaut-Biron avait épousé en secondes noces James Hyde, Américain célèbre à Paris pour sa fortune et sa barbiche.
Divorce. Un jour d'automne ils se rencontrent dans le parc de Versailles et feignent de s'ignorer. Mais son chien à elle et sa chienne à lui folâtrent et se collent. Il a fallu contact et longue manœuvre pour les décoller.

Le prince de Polignac disait : « Au fond, je n'aime pas les autres. »

La princesse Edmond l'interrogeait sur son air de chien battu. « J'aime et je suis aimé, dit-il. — Alors ? — Hélas, il ne s'agit pas de la même personne. »

---

1. François de Gouy d'Arsy et son ami américain Russell Hubbard Greeley étaient liés, dès le début des années vingt, à Jean Cocteau, Raymond Radiguet, Jean Hugo.

J'ai entendu madame F., sociétaire de la Comédie-Française, me dire : « Je ne suis plus d'âge à jouer les mères. »

27 juin 1953.
Relu *La Condition humaine* de Malraux. Du moins, essayé de le relire. C'est du Claude Farrère. C'est détestable. Voilà ce que l' « école du soir » nous donne en exemple.

Ils ont trouvé un M. Joseph Laniel pour ne pas leur mettre de bâtons dans les roues et nous mettre des impôts nouveaux.

Envoyé la préface des *Cent rimes* et le texte pour l'hommage à Marcel Herrand.

Si je me creuse bien, je découvre que je m'embête. Je ne m'étais *jamais* embêté.

Déjeunerai demain à Vallauris.

Reçu l'exemplaire de la nouvelle édition des *Portraits-Souvenir* chez Grasset. Ma couverture très bien tirée. Faute page 86 : lignes interverties rendant le texte incompréhensible.

28 juin 1953.
Déjeuner à Juan-les-Pins avec les Picasso, Penrose, Lee Miller[1] que j'ai eu peine à reconnaître.
Je prends Picasso à part et je lui raconte l'inconcevable coup que viennent de me faire *Les Lettres françaises*. Il me demande de le raconter à Françoise et à madame P. Picasso me dit : « C'est très grave. Aragon ne fait que des histoires de ce genre. » Madame P. n'en revenait pas. Picasso me conseille d'écrire une lettre que portera madame P. J'écris la lettre et je la lui montre ainsi qu'à madame P. « Méfie-toi de ce que tu écris, me disait Picasso, à l'heure actuelle tout est une arme. »

---

1. Lee Miller (1908-1977), photographe américaine, élève de Man Ray, épouse de Sir Roland Penrose, historien d'art et collectionneur anglais. Elle interprète le principal rôle féminin du film de Jean Cocteau, *Le Sang d'un poète*, 1930. Voir le catalogue de l'exposition *Atelier Man Ray, Berenice Abbott, Jacques-André Boiffard, Bill Brandt, Lee Miller, 1920-1935*, Paris, Centre Georges-Pompidou, 1982, pp. 54-62.

Picasso raconte qu'à un souper de Cannes, Van Dongen avait fait une table de peintres. Il y avait placé le bottier Greco.

L'obscurité jouit de grands privilèges. (Et la pudeur qui nous la dicte porte sa récompense immédiate.) Zorzi, m'envoyant de Venise les épreuves de *Sacre,* m'écrit. « Votre admirable poème. » Si le poème n'était pas obscur, il m'écrirait : « Votre charmant, votre délicieux poème. » Comme s'expriment les personnes en face des portraits de Paulo Picasso en arlequin et sur l'âne. Ils n'oseraient pas le dire en face de ses monstres.

Picasso démiurge. Le diable opère avec une feinte douceur. Il donne le change. Il n'y a que Dieu qui ose opérer par crimes et par catastrophes.

Je découvre quelquefois une bêtise quasi divine dans les savantes combinaisons de Picasso.

M. Laniel est « investi ». C'est-à-dire qu'il endosse une veste.

À Vence chez R. G.[1] je me suis longuement collé l'œil au microscope. J'ai constaté une fois de plus que les dimensions n'existent pas et que si l'idée du « minuscule » était valable (elle ne peut l'être) ces microbes plus compliqués qu'une vaste usine — les infusoires — ne pourraient répondre aux exigences de leur complication. En outre la plupart de ces êtres sont immortels (?). Il faut entendre qu'ils vivent à une autre échelle que la nôtre. Il en résulte qu'on affirme qu'ils sont importés chez nous par erreur et qu'ils le supportent, mais qu'ils appartiennent en réalité à d'autres systèmes où leur existence est normale, saine et organisée. Les microbes seraient donc une sorte de colonie venue d'un système étranger et s'adaptant au nôtre où ils nous habitent pour répondre à leurs besoins. Il me semble que cette théorie est absurde et que les fameux « autres mondes » sont là, tout près, à des distances incalculables. Les géantes usines invisibles à l'œil nu que j'observe au microscope devraient inciter à se pencher sur les problèmes que

---

1. Robert Gaillard, né en 1909, journaliste, romancier (*L'Homme de la Jamaïque, Marie des Îles,* etc.), biographe (*Alexandre Dumas*), s'intéresse aussi à l'entomologie (*Un fossile vivant, le scorpion*) et à la biologie.

je soulève dans mon chapitre « Des distances[1] », chapitre auquel personne encore ne comprend rien.

Francine arrive ce soir à cinq heures et demie, retour de Mortefontaine où elle assistait à l'anniversaire de sa fille.

Fait poèmes pour *Clair-Obscur*. Hommage à Van Gogh — hommage à Kafka — hommage à Pouchkine[2]. Écrire « en clair » est trop dangereux maintenant où chaque phrase est interprétée à faux. Arme secrète.

Temps voilé. Ces voiles doivent provenir des glaces du pôle qui fondent. On annonçait hier au pôle vingt-quatre degrés de chaleur. Les Américains, comme il fallait s'y attendre, démentent la responsabilité des nuages atomiques.

Quelle était la plus grande vedette du monde ? Staline. Il meurt. Trois mois après il n'en reste rien. Aucun journal, même communiste, ne prononce jamais son nom.

Article de Gérard Bauër sur Picasso. On pourrait lui répondre : « Ne faites-vous pas fausse route ? Le diable opère avec une feinte douceur. Son arme secrète est la beauté. Dieu seul est libre de détruire sa propre œuvre ou de la corriger par des catastrophes. »
Feinte douceur (l'art de Saint-Sulpice, par exemple).

Lucien Guitry disait à un auteur, lequel venait de lui lire une pièce : « Voyez-vous, mon cher, je vous étonnerai sans doute, mais j'aimerais jouer un rôle de cul. — Hé, hé... à bien réfléchir, répond l'auteur, somme toute, mon personnage... c'est un cul... un vrai cul ! »

En fait de diable c'est bien à ce qu'on en imagine que ressemble cette statuette de Paganini[3] que j'ai achetée à Nice. Et même ce

---

1. Voir *supra*, p. 17, n. 1.
2. Voir dans *Clair-Obscur, op. cit.*, pp. 170, 172 et 173-174.
3. Voir dans *Clair-Obscur, op. cit.*, le quatrain « Sur une statuette de Paganini », p. 144.

violon du diable de l'*Histoire du soldat*[1]. Son détachement, son allure de mandragore.

30 juin 1953.
Il semble qu'on a fait à Auriol le coup de la carte forcée (son discours de Pau le prouve). S'étant adroitement débarrassée du Général, la Résistance (?) gouverne. Corniglion ou le maquis de Carabas. [...]

Travaillé toute la journée d'hier aux dessins en couleurs pour *Clair-Obscur.*

Époque où tout ce qui est en clair étant interprété dans un mauvais sens, il vaut mieux être obscur. (Comme la Bible.)

Près d'Amiens un gosse de quatorze ans s'est pendu hier. Il allait recevoir le prix d'honneur de son collège. Ce drame inexplicable est très explicable. Le père engueulait le gosse pour une boîte d'allumettes. Le gosse s'est dit : « Quoi ? Je les honore. Que faire pour les rendre possibles ? » Il s'est pendu. Le père est un criminel. J'en suis sûr. Tous ces drames sont la faute des familles qui ne se rendent pas compte de ce qui se passe dans la tête des enfants.

Je me reproche encore d'avoir un jour engueulé Édouard à Milly parce qu'il m'avait cassé une table. Je ne le retrouvais plus. Il pleurait au fond du jardin. Il était tout jeune. J'ai mesuré ma sottise à ses larmes.

Autre forme de ma sottise. J'ai mis vingt ans à comprendre que je pouvais avoir des doubles de mes poèmes avec le calque bleu. Je les écrivais en double.

Magazines. Parmi la folie des spectacles de l'époque, la reine d'Angleterre acclamée par les marins communistes n'est pas la moindre. On devine que Churchill fait sans cesse peser cette menace russe sur les Américains.

---

1. L'œuvre de Charles Ferdinand Ramuz et Igor Stravinski (1918) eut Jean Cocteau pour récitant le 15 novembre 1934, au Grand Théâtre de Genève, sous la direction de Hermann Scherchen, et le 5 octobre 1962, au théâtre de Vevey, sous la direction d'Igor Markevitch, exécution enregistrée sur disque Philips L 02. 306 L. Voir *Mémorial Jean Cocteau*, Genève, La Revue de Belles-Lettres, 1969, p. 16, et Igor Markevitch, *Être et avoir été, op. cit.*, p. 306.

. . . .

Paragraphe barré parce que j'y parlais politique. Aucun intérêt futur et pour les personnes auxquelles je m'adresse.

Benda dit que la France cherche son équilibre entre son esprit conformiste et son esprit révolutionnaire, que nos meilleures périodes sont celles où ces deux esprits se combinent — où l'un ne massacre ou n'emprisonne pas l'autre.
C'est ce que j'appelais (dans ma langue) les pointes qui se contredisent et dont la France tire sa singulière électricité. (Mon allocution à la B.B.C. de Londres.)

Depuis que j'écris des poèmes et que je les illustre, mon malaise de vide est passé. Sans doute ces poèmes demandaient-ils à sortir.

Rien de plus néfaste que ces haltes, que ces remises en marche. Picasso disait : « Il faut tout recommencer comme si c'était la première fois. » C'est la raison pour laquelle il n'arrête jamais de travailler et passe d'un travail à un autre. Il en résulte une inflation, une incroyable avalanche d'œuvres qui circulent à travers le monde.

On en veut plus à Picasso de l'argent qu'il gagne que de son génie. Il a renversé cette vieille idole des artistes qu'on laisse crever de faim. L'or de son génie demeure invisible à l'avarice française mais l'or contre lequel il l'échange, elle le voit. Cet or scandalise davantage que l'œuvre. Même à Rome, une dame s'approche de moi à l'exposition et me demande en désignant une toile : « Combien cela vaut-il ? »

1ᵉʳ juillet 1953.
Après une heure d'avion arrivée à Barcelone. Journalistes. Questions auxquelles il est impossible de répondre. Et le mur des langues. L'*Orphée II* n'arrivera au port que demain. Lucien [1] est arrivé avec la voiture. Sommes descendus au Ritz. Petite promenade à pied. Étonnante architecture 1900. Dali. Une maison près de l'hôtel a l'air d'être construite par Dali. Demain, s'il fait beau, corrida. Ai fait retenir des places. Le journaliste qui m'interroge à l'hôtel me dit : « Il y a cinq ou six personnes dans une arène qui

---

1. L'un des deux chauffeurs de Francine Weisweiller.

savent ce qui se passe. » Vacarme infernal des trams. Avons acheté un saucisson rouge de Burgos et le mangeons dans la chambre.

Le journaliste me demande : « Estimez-vous que cette époque de désintégration atomique soit favorable à la poésie ? » Je lui réponds : « C'est comme si vous me demandiez si telle ou telle époque de l'Espagne est favorable ou défavorable aux courses de taureaux. Il y aura toujours des poètes, des peintres et des courses de taureaux. D'autant plus que vous me dites que cinq ou six personnes sur quatre mille sont seules capables de les comprendre. Ceci prouve que la corrida est une poésie violente. Dans notre corrida de poètes le public est le taureau. Notre métier conjugue un spectacle et une science. Mais le taureau y tue toujours. Il faut bien manier la cape et n'avoir pas peur de la mort. Il y a une mise à mort par course, et c'est la nôtre. Je ne compte même plus mes morts. Mourir ne m'effraye pas. J'en ai pris l'habitude. »

Notes écrites dans l'avion.
Ce ne sont pas nos contemporains qui nous comprennent mal, ce sont les hommes.

La faiblesse de Valéry c'est le peu de chance qu'il laisse à la pensée, aux contacts inattendus semblables à ceux du rêve. Il les provoque, il les dirige davantage qu'il ne se laisse diriger par eux.

C'est par les exégèses qu'elle suscite que l'obscurité du poète triomphe.

« Lorsque vous écrivez pensez-vous à vous ou aux autres ? — Les autres, c'est moi. »

Ce que les gens appellent penser consiste à constater des rapports entre des objets proches les uns des autres, à ne jamais découvrir des rapports entre des objets éloignés les uns des autres. (Étrangers les uns aux autres.)

S'ils lisent des maximes les gens aiment ce qu'ils auraient pu dire, ce qui les aide à l'exprimer. Leur paresse les écarte de ce qu'ils n'auraient jamais pu dire, de ce qu'ils risqueraient d'*apprendre*.

Une bonne maxime n'est pas réversible.

Mon mépris pour l'humanité est devenu tellement total que je me méprise moi-même. J'ai toutes les peines du monde à m'accorder la moindre considération.

Penser à quelque chose c'est se condamner à la solitude. « Pensez-vous quelquefois ? demandait le curé de Milly à sa vieille bonne. — Oh ! oui, Monsieur le curé. — Et quand vous pensez, à quoi pensez-vous ? — À rien. »
Admirable vieille bonne.

L'envoyé du journal de Barcelone (distribué dans toute l'Espagne) : « On dit que vous êtes communiste. Est-ce vrai ? — Non. Je ne suis pas communiste, mais j'ai des amis communistes. Ce n'est pas pareil. »

En 1916 à Paris, la politique ne jouait aucun rôle. Il n'y avait qu'une politique de l'art. Je ne me demandais pas si Picasso était espagnol, Modigliani italien, Stravinski russe. Nous étions tous de Montparnasse.

Maintenant si je vais à l'enterrement de Paul Éluard, je deviens communiste. C'est la rage des étiquettes. Un homme libre est un monstre de baraque foraine, l'animal d'un règne disparu.

La première question que les journalistes espagnols me posent : « Auriez-vous aimé qu'on fasse appel à vous pour former le gouvernement ? »

Le reporter qui est venu à l'hôtel me dit : « Les Espagnols sont encore plus individualistes que les Français. » Je lui réponds que de loin il est difficile de s'en rendre compte, le génie de leur race s'affirmant plus que celui de la nôtre par une couleur générale, par une sorte de feu qui semble commun à tous. On est faussement porté à croire qu'il y a plusieurs Français et un seul Espagnol.

2 juillet.
Les grands hôtels. Endroits funèbres. Les mêmes dans toutes les villes du monde. Sortes de no man's land avec le même orchestre qui joue les mêmes musiques. La suite de *L'Arlésienne*. La valse de *Faust*. Les mêmes familles autour des tables. La même cuisine. Les

mêmes garçons avec leurs longues jupes faites d'une nappe. Le même hall. Les mêmes lustres. Dans un coin du hall de ce Ritz, il y a un vieux monsieur sous des châles qui ressemble à George V. Il s'en fait une gloire, paraît-il. Après le dîner les journalistes nous apportent les articles qui annoncent mon arrivée. « Les mêmes articles. » Il semble que le monde se dépersonnalise de plus en plus. Les journalistes appellent les boîtes où l'on danse les danses espagnoles : la Barcelone de Carco *(sic)*. Je me suis réveillé ce matin après un cauchemar avec accident, oreille coupée d'un domestique de mon grand-père qui me traînait derrière une motocyclette, ambassade où j'allais chercher de l'aide, où des dames montaient des escaliers en robe de cour, et ne m'écoutaient pas. Je criais sur le trottoir : « Je ne suis pas fait pour vivre sur cette terre ! Je ne veux plus vivre sur cette terre. »

Puig arrive aujourd'hui de France. Il nous sauvera de ce Ritz. Il est l'ami des Gitans. C'est chez lui que les Auric virent des fêtes admirables.

S'il fait beau la corrida aura lieu. Ce matin, il fait beau.

On moque Dali. On le traite de clown. Picasso, on espère encore qu'il viendra. On le respecte mais on blâme ses toiles récentes. (Je parle des journalistes — les mêmes, je le répète, dans le monde entier.) Grande liberté dans les paroles en ce qui concerne la politique. Je demande si les impôts sont lourds. On me répond que tous les avocats d'Espagne se liguent pour les combattre et pour tourner la loi. Personne ne paye ce qu'on lui demande.

La corrida m'est fort utile dans mes réponses. Elle est un spectacle et une science. Peu de personnes la comprennent, ce qui n'empêche pas les foules de s'y rendre. « Mais vous êtes célèbre. — Célèbre et incompris, comme vos corridas. »

Moi : Il n'y a jamais eu autant de jeunes poètes en France.
Le journaliste : Pourquoi dans cette époque ?
Moi : Il faut bien que la jeunesse chante son désespoir.

Après un riz à l'espagnole avons visité tout ce qui, dans Barcelone, montre les sources d'inspiration de Dali et de Miró. L'extraordinaire rocher génial de l'église de la Sainte-Famille et les autres maisons d'Antonio Gaudi. Le parc Güell, l'esplanade sur le temple égyptien aux colonnes de travers, les vagues et les plaques de mosaïque toutes de casse et de déchets magnifiquement encastrés dans le ciment. Gaudi fait penser à Gustave Doré, à certains dessins de Victor Hugo. C'est un facteur Cheval avec la science d'un architecte.

À six heures, la corrida dans les grandes arènes. Taureaux trop jeunes et faibles. Ce spectacle ne compte, pour ceux qui n'entendent pas la vraie langue d'une corrida, que si le taureau est terrible et le matador merveilleux. La corrida doit être un drame. Elle ne fut qu'une comédie. (Une boucherie.) Le gosse qui saute dans l'arène, les toreros qui le sortent, la police qui l'emmène. Au début de la course on avait posé devant moi, sur le rebord, la cape bleue d'un des matadors. J'ignorais que Puig avait prié qu'on m'en fît l'hommage. Je ne l'ai su que le soir.

Une fois Alberto Puig arrivé à Barcelone et à l'hôtel, tout change. La grenade s'ouvre et montre son cœur. Jusqu'à trois heures du matin nous verrons un spectacle sublime et propre à réconcilier avec le genre humain. Les Gitans qui dansent et qui chantent. Ce fleuve des Gitans arrive de si loin. On se demande si la source n'en est pas pharaonique, comme ils le prétendent. Ils dansent, dans une très petite arrière-boutique à la chaux, avec la violence et la noblesse de certaines attaques de nerfs, avec cette mystérieuse lutte contre un ange de l'épilepsie. Ce sont en outre de grands comédiens et ils le savent. La vedette de la petite troupe est une fille de quatorze ans. Elle a le profil de Séti Ier.

Tout cet admirable petit monde adore Alberto et le cajole entre chaque danse. Chacun possède son « génie », ses gestes propres, son rythme de pieds, ses gestes de doigts, ses trouvailles. Et souvent leur grimace assise a l'air de les projeter de leur chaise dans une sorte de sanglot. À tour de rôle ils se lèvent, entrent dans le cercle, trépignent, aident à comprendre d'où viennent les courbes et les rythmes brisés, tragiques ou grotesques, le mécanisme des lignes et des taches de Picasso, lequel peint comme ils dansent.

Ils sanglotent et crachent des fleurs de feu qu'ils piétinent pour les éteindre.

On dirait qu'ils cherchent à s'éteindre eux-mêmes qui sont du feu, en trépignant, en claquant des mains, en se claquant le ventre, les cuisses, les pieds, en relevant leur veste comme pour la protéger contre la flamme du flamenco. Dès que le feu est éteint, ils s'asseyent.

Elle charmait les serpents de ses bras, sur son petit cheval noir en colère [1].

Nouvelles de l'*Orphée II*. Les marins ont dû se réfugier à Port-Vendres à cause d'une tempête. Ils ne peuvent arriver que dimanche.

Serrano m'a envoyé un bouquet tricolore. Sommes sortis avec lui le soir. Tous nos souvenirs de la place de la Madeleine.

Le restaurant de Bofarull [2] que j'avais connu à Cannes. On mange entre les tonneaux, sous des lustres d'oignons, de piments, d'herbes sèches.

On est venu m'apporter les excuses de Lucien Defawes, directeur de Cinescola [3]. Il se trouve à Pampelune. Il ne sait du reste pas que je me trouve à Barcelone. Ses excuses sont une initiative de ses secrétaires. (J'avais oublié que j'étais membre d'honneur de cette académie.)

À la corrida, un journaliste de tauromachie, mon voisin de droite, qui ne me connaissait pas, a cru que tous les honneurs qu'on me faisait étaient à son adresse. Il tirait si fort la couverture que je ne me suis pas douté une minute que ces honneurs s'adressaient à moi. Je m'effaçais le plus possible, croyant qu'on le photographiait lui et que c'est à lui qu'on offrait les capes. Cette histoire a beaucoup fait rire les autres journalistes et le frère de Puig, placé non loin de nous.

---

1. Voir dans Jean Cocteau, *Faire-part*, texte établi par Pierre Chanel, Paris, Guy Chambelland — Librairie Saint-Germain-des-Prés, 1968, p. 54, le poème « Dolores », composé à Barcelone, le 13 juillet 1953, qui commence par :

> *Des serpents de ses bras elle était la charmeuse*
> *Le petit cheval noir de ses talons ruait...*

2. Propriétaire du restaurant barcelonais Los Caracoles, calle Escudillero, 14.
3. Organisation internationale d'enseignement cinématographique, dont le siège était à Hollywood.

3 juillet.

Encore des photographes ce matin et ces dessinateurs qui font de moi des caricatures où je ressemble à Sabartés.

Irai voir la sœur de Picasso[1] vers sept heures avec Alberto Puig.

Visite chez les Ruiz. Madame Vilato trop malade pour nous recevoir. Toute la famille dans un appartement qui ressemble à ceux de Picasso. Sordide et royal. J'irai la voir dimanche.

Dîner au bord de la mer, dans une guinguette pareille à celle d'Istanbul.

4 juillet 1953.

Visite au musée d'Art moderne. Ce qui me passionne, c'est la mauvaise peinture.

Visite à l'exposition d'art roman qui est admirable et n'intéresse ici personne. Jadis, on n'allait pas voir toutes ces œuvres, on allait à l'église. Maintenant, à la chapelle Matisse, on ne va pas à la chapelle, on va voir Matisse.

5 juillet 1953.

Mon anniversaire. J'ai soixante-quatre ans. À une heure du matin au cercle nautique Puig et la troupe des Gitans entrent dans la petite salle portant un gâteau avec soixante-quatre bougies. Je les souffle[2]. On claque des mains. On chante, on danse, on trépigne jusqu'à cinq heures. À trois heures, d'après les nouvelles du cercle, l'*Orphée II* entre au port.

Les Gitans ne font pas que claquer le rythme. Ils s'applaudissent.

Corrida. Autant la première corrida était plate et laide, autant celle d'aujourd'hui était diverse et magnifique. Les taureaux

---

1. María de los Dolores (Lola) Ruíz avait épousé un médecin, Juan Vilato y Gómez.
2. AUX GITANS QUI M'ONT APPORTÉ MON GÂTEAU D'ANNIVERSAIRE

> *Soixante-quatre feux allumés par le vôtre*
> *Par votre long joyeux sanglot bariolé*
> *Par autour du Christ mort vos grimaces d'apôtres*
> *Firent, et Alberto, mon souffle jeune. Olé !*

> Jean Cocteau
> *Barcelone, 5 juillet 1953.*

(Cité dans *Jean Cocteau, l'homme et les miroirs, op. cit.*, p. 344.)

n'étaient peut-être pas fameux, mais les matadors (des nouveaux) avaient l'héroïsme théâtral. On les sentait prêts à faire n'importe quelle bravade pour prendre place. L'un était roulé par la bête, l'autre envoyé en l'air entre les cornes. À la dernière course le matador m'a dédié son taureau.

6 juillet.
Hier soir dîné avec Serrano chez des amis à lui. On m'offre le même gâteau que la veille, avec les soixante-quatre bougies fatidiques. Ce qui me fait cent vingt-huit ans. Le pâtissier leur a dit : « Ce doit être pour le même monsieur. »

Avons enfin des nouvelles de l'*Orphée II*. Francine a pu téléphoner avec le marin. Paul était malade à Port-de-Bouc, près de Marseille. Il va mieux et le bateau pourrait être après-demain à Barcelone.

Visité le musée de la marine avec Carlès et le directeur. Étonnante architecture d'une simplicité à quoi ne parviennent d'habitude que les ruines. Arcades et pilastres sans fin. C'était le chantier naval. La mer arrivait en bas de la pente d'où on lançait les navires.

Ai fait un grand nombre de dessins du flamenco, pour Puig. (Se prononce Putch.)

7 juillet.
Visite à la famille de Picasso. Sa sœur toute ronde et jeune et rose avec un petit chignon de brioche. Elle est infirme — assise au coin d'une petite chambre où les enfants et petits-enfants s'entassent et parlent tous à la fois. Paul joue de la guitare. On chante, on tape des pieds et des mains. Mais je dois partir vite parce que les Puig m'attendent à l'hôtel. J'ai promis de revenir mercredi à huit heures et de rester jusqu'à dix heures. (Heure où l'on dîne.) Dînons dans les halles. Et je me couche. (À Barcelone, sur la grande promenade, on parle et on circule jusqu'à six heures du matin.)

Je dois me rendre à onze heures chez le consul. Ensuite irons à la campagne, chez les Puig.

Les Espagnols ne crient pas Hollé ! — mais Olé — en traînant sur l'*o*.

8 juillet.

Avons été à Palamos chez les Puig. Route très longue. Bonne odeur des campagnes (odeur des cheveux d'enfant). La sœur d'Alberto a acheté la maison de Sert [1], qui domine le golfe. Alberto a partagé en deux les domaines. Le sien est à gauche en face de la mer et se prolonge jusqu'à la pointe, à pic sur un autre golfe en haut duquel le village grec était construit en amphithéâtre. Avons visité les fouilles. Retour à Barcelone vers onze heures. Télégramme de Paul encore malade. Il faudra donc nous rendre à Madrid en voiture et redescendre sur Málaga par l'Andalousie. Saurons aujourd'hui si le bateau pourra nous rejoindre à Málaga.

C'est à Palamos (Castel) qu'Alberto donnait ces grandes fêtes de Gitans où Nora Auric [2] nous demandait toujours de nous rendre.

Visite au consul qui se plaint comme tous les consuls. On les a diminués et l'ambassade de Madrid se sucre. Et la vie est plus chère à Barcelone qu'à Madrid. Etc., etc.

La semaine du cinéma français a échoué à la foire de Barcelone à cause d'un sabotage des appareils. On n'entendait rien et la salle sifflait. Il a fallu renoncer à la semaine française après les drames insolubles d'appareils et de douanes. Il m'a semblé que le consul (M. Périer) ne s'est adressé à aucune des personnes importantes de Barcelone — qu'il ne les connaît pas. Il ne s'est trouvé aux prises qu'avec les gangsters du milieu. (Les films envoyés étaient : *La Jeune Folle* [3], *Jour de fête* [4], *Casque d'or* [5], *Le Salaire de la peur* [6].)

Avons un peu traîné dans Barcelone à cause de cette assommante histoire de bateau. Mais tout était agréable à cause de la gentillesse des Puig.

Puig me montre l'exemplaire du *Potomak* dédicacé à Misia. Sert lui avait demandé de le prendre au Castel. C'est sur la route

1. Voir t. I, p. 219, n. 1.
2. Le peintre Nora Auric, épouse du compositeur.
3. Film d'Yves Allégret, 1952.
4. Film de Jacques Tati, 1948.
5. Film de Jacques Becker, 1952.
6. Film d'Henri-Georges Clouzot, 1953.

Barcelone-Palamos qu'Embiricos[1] s'est tué en automobile. (Le frère de Roussy, seconde femme de Sert.)

Les Gitans boivent beaucoup pendant les danses. (Plusieurs bouteilles de whisky.) Ils ne se saoulent pas. Ils s'énervent pour obtenir l'état de crise du flamenco. Ils portent de belles chemises et des costumes de très bonne coupe. Selon la danse ils gardent la chemise dans le pantalon ou la sortent et font un nœud à la taille. Ils changent leurs souliers contre des chaussures à hauts talons. La femme passe une robe à pois et à volants. Ses cheveux en désordre lui cachent quelquefois toute la figure. Il lui arrive d'arracher le foulard de son cou et de l'agiter autour d'elle pendant qu'elle trépigne sur place.

Les danses se font dans les boîtes des rues du *Journal du voleur* de Jean Genet[2].

L'opinion est ici que Lorca a été la victime de vengeances particulières. Il habitait chez des amis communistes à Grenade. Ces amis, craignant qu'on ne le trouvât chez eux, le conduisirent imprudemment dans un village au lieu de le perdre dans une grande ville. Toutes les démarches à Grenade pour le retrouver et le sauver ont été mal faites. Ses ennemis l'ont découvert dans ce village et l'exécution aurait eu lieu sous un olivier. Lorca avait demandé un prêtre. On le lui refusa en disant qu'il ne pouvait espérer sauver son âme[3].

Je viens d'enregistrer, en bas, au magnétophone, pour les centres universitaires.

Vu Antonio de Cabo Tuero, directeur du Teatro de Cámara de Barcelone. Les censures empêchent ici presque toutes les pièces étrangères. Le Théâtre de Chambre joue une fois avec les meilleurs acteurs espagnols. Ils ont joué *La Voix humaine* et *Le Bel Indifférent*. Ils vont donner *Les Parents terribles*.

J'ai dit à la radio entre autres choses : « Inventer c'est rapprocher deux objets si différents et si éloignés l'un de l'autre que

---

1. Jean Cocteau confond ici le prince Alexis Mdivani, frère de Roussy Sert, et le fils d'un armateur grec qui admirait beaucoup son œuvre.
2. Le Barrio Chino, dans l'angle formé, à Barcelone, par les Ramblas et le Paralelo, où se situe le début du *Journal du voleur*, Paris, Gallimard, 1949.
3. Voir « Cet olivier-là », dans *Clair-Obscur, op. cit.*, pp. 189-190.

personne au monde ne pouvait imaginer ce rapprochement. Comprendre c'est admettre ce rapprochement inattendu et voir tout de suite le sens du nouvel objet né de ce mariage. »

Il est impossible de créer une chose sans en détruire une autre. C'est pourquoi on nous traite de destructeurs. La nature ne procède pas autrement. Pour se perpétuer elle s'entre-dévore.

La beauté déplace continuellement ses lignes. Un bel objet est une courte halte d'un mouvement perpétuel.

Exemple d'une chose bien dite et mal comprise. J'avais écrit dans *Le Coq et l'Arlequin*[1] : « Il n'y a pas de précurseurs. Il n'y a que des retardataires[2] » — voulant dire par là que l'invention ne saurait être « en avance » mais qu'on le croit parce que le public retarde. Reverdy devint fou de fureur contre cette petite phrase qu'il prenait pour une insulte à son adresse. *Je le traitais de retardataire.* La phrase était trop rapide pour son esprit lent. J'ai toujours été la victime de cette sorte de méprises. J'estimais et j'estime encore que notre politesse consiste à croire les personnes auxquelles nous nous adressons capables de comprendre immédiatement le bref de nos formules. La langue française permet ces dangereux raccourcis. Il est rare qu'on les puisse traduire dans une autre langue.

Alberto m'apporte le numéro de la *Revista* qui doit sortir demain. Toute la première page est occupée par ma photographie devant l'arlequin de Picasso du musée d'Art moderne, toute la dernière page par un article de Tharrats et par des scènes de mes films et du *Jeune Homme et la Mort*[3].

---

1. Paris, Éditions de la Sirène, 1918, repris dans *Le Rappel à l'ordre, op. cit.*
2. Jean Cocteau résume ici l'un de ses aphorismes du *Coq et l'Arlequin* (*Le Rappel à l'ordre*, p. 18) : « Lorsqu'une œuvre semble en avance sur son époque, c'est simplement que son époque est en retard sur elle. »
3. Mimodrame de Jean Cocteau : danse, décors et costumes racontés par l'auteur à Roland Petit, chorégraphe, Georges Wakhevitch, décorateur, Karinska, costumière, aidée de Christian Bérard ; musique : *Passacaille en* do *mineur* de Jean-Sébastien Bach, orchestrée par Ottorino Respighi ; création au théâtre des Champs-Élysées, le 25 juin 1946, par Jean Babilée et Nathalie Philippart. Voir « D'un mimodrame », dans *La Difficulté d'être, op. cit.*, pp. 242-258 ; *Paris-Théâtre*, n° 89, octobre 1954, pp. 29-42 ; Jean Babilée, « Témoignage », dans *Cahiers Jean Cocteau*, 7, Paris, Gallimard, 1978, pp. 72-73 ; Roland Petit, « Autour du *Jeune Homme et la Mort* », dans *Cocteau*, numéro hors série de *Libération*, octobre 1983, p. 78 ; et *supra*, p. 125, n. 3.

Beaucoup d'artistes accusent d'un manque de tenue ceux dont le registre dépasse le leur.

Il est probable que le prestige du poète vient d'ondes qu'il dégage et qui se répandent plus vite que son œuvre.

Dès que je m'éloigne du centre on voit tourner ma roue.

Ce que le monde appelle dispersion c'est la méconnaissance qu'il a d'une œuvre et du bloc qu'elle forme. Ne connaissant que certains points de l'itinéraire et ne reliant pas ces points entre eux, les gens en déduisent que ces points sont posés au hasard sur notre carte.

La censure espagnole. Elle ne permet pas aux esprits de respirer. Elle étouffe la vie dans l'œuf. Elle ne se rend pas compte que la moindre coupure équivaut à une faute du torero et coûte la vie à une œuvre.

Le sang de notre lutte ne se voit pas. Nous en sommes barbouillés. Si on le voyait nous ferions peur et on pourrait nous suivre à la piste.

Lorsque j'étais très jeune j'étais lié à Saint-Jean-de-Luz avec Bombita[1]. Il portait encore la coleta véritable, une petite natte de cheveux qui m'émerveillait. C'est une erreur que d'avoir supprimé la natte, que de lui avoir substitué une coleta postiche. Toute singularité qu'on supprime est une erreur. C'est le premier trou dans une belle étoffe. Le trou devient vite de plus en plus large. Si large qu'il tiendra toute la place et que l'étoffe disparaîtra. C'est ce sentiment qui a soulevé l'année dernière en Espagne le scandale des cornes qu'on épointe. Le scandale public a eu raison de cette tendance à *épointer tout*. On n'épointe plus les cornes.

Les âmes sensibles qui plaignent le taureau oublient de plaindre le poulet et le bœuf qu'ils mangent. Presque tout le monde supporte le spectacle d'une corrida. Presque personne ne peut supporter le spectacle des abattoirs dans le film de Franju : *Le Sang des bêtes*[2].

---

1. Le torero Ricardo Bombita (1879-1936). Voir Jean Cocteau, *La Corrida du premier mai*, *op. cit.*, p. 108, et *Le Requiem*, Paris, Gallimard, 1962, pp. 44-47.
2. Documentaire de Georges Franju, 1949.

Ce qui n'empêche pas les bonnes âmes de trouver les abattoirs moins inhumains que les arènes.

Picasso me disait un jour : « J'ai fait un miracle. — Lequel ? — Une vieille dame infirme était venue voir mon exposition dans une petite voiture. Elle s'est sauvée à toutes jambes. »

J'ai été très frappé de voir que le public d'une corrida quittait les arènes avant la fin, comme le public de théâtre. Je croyais l'impolitesse moderne incompatible avec ce cérémonial.

Lorsque des espontáneos sautent sur la piste, le public des places de soleil s'amuse et le public des places d'ombre se fâche. On leur crie : « Ignorante ! » Les toreros les empoignent, les vident et la police les emmène. On les relâche au bout de vingt-quatre heures. Nombre de matadors célèbres ont commencé par être des espontáneos. Ils dérangent le drame. Ils risquent inutilement leur peau et s'ils réussissent ils discréditent la « sangre torera » ce qui correspond au sang bleu de la noblesse.

Le picador est détesté, sifflé, quoi qu'il fasse. C'est le guignol de la course. S'il tombe de cheval on acclame le taureau. Le picador est un très pauvre saint Georges.

9 juillet.

Cette nuit, on m'a téléphoné de *Paris-Presse* la mort de Rosemonde Gérard[1]. Je le craignais pour Maurice. C'est la fin de cette famille comparable par son style aux familles de Gitans. Une grande roulotte, voilà Cambo[2] et les hôtels parisiens où la famille campait pour les pièces.

Je n'ai jamais entendu Rosemonde ni Maurice médire de personne. On les rencontrait toujours ensemble comme deux oiseaux sur le même perchoir. Il est possible que Maurice meure de cette mort. Lucien Daudet[3] — Nel Boudot-Lamotte[4] — Maurice. Leur

---

1. La poétesse Rosemonde Gérard (1866-1953) avait épousé, en 1889, Edmond Rostand (1868-1918) : mère de Maurice Rostand (1891-1968), poète, romancier et dramaturge, et de Jean Rostand (1894-1977), biologiste et écrivain.

2. À Cambo, au Pays Basque, Edmond Rostand s'était fait construire la villa Arnaga. Le jeune Jean Cocteau y avait été reçu en octobre 1912. Voir *Album Cocteau, op. cit.*, p. 17.

3. Voir t. I, p. 271, n. 1.

4. Emmanuel Boudot-Lamotte (1908-1981), écrivain d'art, disciple d'Henri Focillon, photographe, traducteur de Stephen Hudson ; secrétaire particulier de Gaston Gallimard de 1930 à 1944, puis directeur des Éditions J. B. Janin.

Le Picador est arrêté, sifflé quand il tombe le guignol de la course. S'il hurle le cheval accélère le taureau. Le Picador et + sait g

deuil est celui de veufs. On n'avait jamais coupé le cordon ombilical.

Six heures et demie. Toros. (Petites arènes.) Il y a dans les grandes arènes un spectacle de patinage sur glace.

Très belle corrida. Mais les jeunes matadors furent téméraires. C'est par miracle qu'ils ne se sont pas fait tuer. Le public est mal élevé, comme partout. La moindre faute et les prouesses qu'on acclamait sont oubliées. La dernière course. Les arènes se vident. On laisse l'homme et le taureau se battre tout seuls.

Si l'avant-dernière course était un drame, celle d'hier était une tragédie magnifique. Toreros roulés, pantalons déchirés réparés avec des épingles anglaises, taureaux énormes pareils à ces machines de guerre imaginées par Léonard, boléros bardés d'or et d'argent, matador porté en triomphe par les jeunes spectateurs de la course. On a même applaudi un picador, ce que je n'avais jamais vu.

La démarche lente, en traînant les pieds, le corps en avant formant un arc de cercle, du matador que le taureau observe de loin, immobile. « Hé ! Hé ! Toro ! » Le matador le brave, l'excite et la marche lente continue jusqu'à ce que le duel s'engage.

Les taureaux ont été soignés, lustrés, nourris dans les meilleurs pâturages. On en mangera partout demain dans Barcelone. Jadis on servait pendant la course des sandwiches faits avec la viande du premier taureau tué.

Nuit. On traverse une charcuterie. On entre dans un bric-à-brac qui ressemblerait à certaines anciennes boîtes de Montmartre, à l'hôtel Saint-Yves [1] déformé par un rêve. Sur une petite estrade un pianiste tourne le dos. Il accompagne des monstres qui ne savent ni chanter ni danser et qui chantent et dansent. Il y avait un vieux monsieur édenté. Il semblait souffrir d'une oreille. Il chantait des chansons de Trenet, d'Ulmer, des valses de Strauss en jouant des castagnettes *(sic)*. Une grosse vieille dame (on annonce la super-

---

1. Petit hôtel de Paris, 4, rue de l'Université, aujourd'hui disparu. Il était fréquenté, entre les deux guerres, par des bohèmes, des artistes, des écrivains (Maurice Sachs y séjourna).

chanteuse madame X) pousse quelques vagissements qui semblent être *Madame Butterfly*. Une dame très maigre avec un nez long et des tics de la bouche, danse une « danse orientale ». Tous se savent *drôles*, mais, tout de même, se sentent des « artistes ». Le public, très respectueux de ces grotesques. Jeunes gens graves, la bouche entrouverte.

La sœur de Picasso m'a donné un grand carton contenant une corrida. Toute la famille a signé autour de la boîte. Nous avons chanté, dansé, tapé des pieds et des mains.

L'*Orphée II* arriverait ce soir (?).

10 juillet.
Manolete[1] lui-même se faisait parfois siffler et pourtant il était un dieu des courses comme Nijinsky était un dieu de la danse. On le portait en triomphe jusqu'à son hôtel. (L'hôtel Oriente sur la Rambla.) La mort de Manolete a été un deuil national. Il s'est fait tuer dans une petite course de village. On aurait pu le sauver dans une ville. Mais c'est peut-être mieux. Il aurait sans doute fallu couper la jambe. Il y a des images allégoriques de sa mort dans la moindre auberge.

Demain, nous verrons toréer à cheval.

Si les corridas étaient interdites, nous penserions : « Dire que cela était et que cela n'est plus ; que nous aurions pu voir un tel spectacle ! »

Au Portugal on mime le spectacle. Il n'y a pas de mise à mort. Des boules rendent les cornes inoffensives. On ne peut recevoir que des coups. La mise à mort est simulée avec un bâton.

En Espagne la censure d'Église interdit *tout*. Les pièces peuvent se jouer une fois (par le Théâtre de Chambre) et encore faut-il que l'Église le permette. De grands acteurs acceptent de jouer un seul

---

1. Le torero Manuel Rodríguez Sánchez Manolete, né à Cordoue en 1917, tué en plaza de Linares le 28 août 1947, l'une des plus hautes figures de la tauromachie. Voir « Hommage à Manolete », suite de trois poèmes, dans *La Corrida du premier mai*, *op. cit.*, pp. 115-122. Le premier de ces poèmes paraîtra dans *Clair-Obscur*, *op. cit.*, pp. 166-167.

soir parce qu'ils ne peuvent se montrer dans aucun rôle, ni classique, ni moderne.

Il résulte de cette censure d'Église exactement le contraire de ce que l'Église suppute. Ce peuple violent, avide de spectacles violents, ne les trouvant pas au théâtre, les cherche dans la vie et dans la politique. L'Église admet les corridas parce qu'elles empêchent de penser. Empêcher de penser, voilà, comme le dit le cardinal de *Bacchus*, la grande affaire de l'Église.

Dali avait voulu organiser, décorer et costumer une messe à Barcelone pour l'âme de Picasso, pour le ramener au catholicisme. Le gouvernement avait accepté. L'Église s'y opposa.

La corrida de Dali, où le taureau mort était enlevé au ciel par hélicoptère. Dominguin [1] marchait (il ne déteste pas la publicité). On a beaucoup parlé de cette course. Elle n'a jamais eu lieu.

Par la faute des marins de l'*Orphée II*, nous avons épuisé Barcelone.

Après la révolution l'Église a voulu se faire craindre. Elle n'est arrivée qu'à se faire haïr. Le peuple espagnol est superstitieux. Mais il déteste les prêtres. C'est pourquoi on les égorge à la première émeute.

Tennessee Williams arrivé du matin. Avons vu les gosses du flamenco ensemble. Tennessee toujours un peu coriace, un peu loin de ce qui n'est pas d'ordre sexuel.

Travaillé au poème « Hommage à Manolete ». Hier soir le patron m'a donné cette image populaire de Manolete mort [2] que j'avais admirée au mur.

13 juillet.

Nous avons pris le rythme. Il nous arrive de déjeuner à quatre heures, de dîner à onze. Tennessee était mort de fatigue. Il s'était levé à sept heures, baigné à la plage.

1. Le torero Luis Miguel Dominguin, né à Madrid en 1926.
2. Cette image, que Jean Cocteau conservait à Milly, est reproduite dans *Du*, n° 233, *op. cit.*, p. 28. On lit à la fin d' « Hommage à Manolete » :
*Songe une gloire au bord de cette eau morte assise
Ainsi le vîmes-nous fluvial sur l'image
Sainte...*

Les jeunes intellectuels de Barcelone affectent de mépriser la corrida. J'ai toutes les peines du monde à leur expliquer que je ne suis pas un intellectuel.

Corrida. La première course à cheval. Si on n'a pas vu ce spectacle on ne peut en imaginer l'élégance. Ce cheval de Velázquez, ce cavalier qui le commande par les genoux, ces voltes et cette fuite en flèche à la minute où le taureau fonce. Un gosse a sauté dans l'arène à l'avant-dernière course avec un bâton et un chiffon rouge. Il a été jeté en l'air et piétiné par le taureau. Tout le monde l'a cru mort. Sauf une course où la maladresse d'un picador avait obligé le matador à combattre une bête épuisée au milieu des hurlements de la foule, les courses furent très belles. Tous les matadors ont eu l'oreille.

Étais hier soir avec Tennessee Williams pendant qu'on l'interrogeait pour la radio nationale. Le mur des langues donnait lieu à d'extraordinaires méprises. Personne ne se comprenait, mais nous finissions par très bien nous comprendre l'un et l'autre. J'essayais alors de faire comprendre ce qu'il avait dit. Mais je ne me faisais pas comprendre davantage. Cela n'avait du reste aucune importance puisque dans ce genre d'interviews il ne reste rien de ce qu'on a voulu dire. On lui demanda quels étaient à son estime les deux plus grands acteurs américains. Il répondit que c'étaient Marlon Brando et Greta Garbo. Il ajouta que Garbo n'avait jamais joué sur un théâtre mais qu'elle serait la plus grande actrice de théâtre si elle le voulait. Je dis alors que Garbo avait traversé le mur de gloire et qu'elle se désintégrait. Qu'elle ne paraîtra plus ni dans un film, ni sur les planches. Ma déveine est qu'elle voulait jouer *L'Aigle à deux têtes* [1], lorsque Tallulah [2] m'en fit une catastrophe à New York.

14 juillet.
Été voir les nègres du basket-ball. Grand numéro de cirque qui ne vous laisse rien. Pendant la pause un extraordinaire jongleur mexicain. Le stade. Places tellement à pic qu'on devinait dans l'ombre un vertigineux espalier de visages. Travaillé toute la nuit au poème sur Manolete — ajouté deux strophes. N'en pouvais plus

1. Voir *supra*, p. 86, n. 1.
2. Voir t. I, p. 41, n. 1.

à neuf heures du matin. Chaque fois que je change un mot le reste se démaille et je dois reprendre le tout. Mélange de vers qui boitent et de vers qui ne boitent pas. Il est possible que je perfectionne encore le mécanisme. Mais pas trop, ce qui supprimerait la vie.

Hier soir après le spectacle Alberto m'a montré les épreuves de la page du poème sur Góngora, entouré de mes dessins de la corrida et du flamenco. Le poème intraduisible est traduit en bas mot à mot sans aucune recherche de rythme. Neville m'a envoyé de Madrid sa traduction du poème à Lorca[1].

Je voudrais ajouter à mes hommages, un hommage à Antonio Gaudi[2], l'architecte de Barcelone.

Toujours pas d'*Orphée II*. Farce un peu longue. Si le bateau n'est pas là ce soir nous partirons pour Madrid.

À côté de V. à la corrida de dimanche une dame française mourait de peur quand la foule a hué le picador. Elle croyait à un commencement de révolution.

Il est vrai que la colère d'une foule espagnole a de quoi faire peur. Même lorsqu'ils s'excitent par jeu les Espagnols vont à l'extrême. L'autre soir les Gitans mettaient le feu aux affiches de cette petite salle en bois comme la foule a mis le feu aux églises. Je veux dire qu'une foule espagnole excitée mettrait aussi bien le feu à des églises qu'à des affiches de toros.

L'arrestation de Beria. Les journalistes en cherchent la cause. « Si l'équipe du Kremlin, disent-ils, n'avait pas exécuté Beria, Beria aurait exécuté l'équipe. » (Robespierre.)
La véritable cause de ce coup de théâtre c'est que Beria était honoré par Staline. L'accuser, d'une minute à l'autre, de trahison, est la seule manière pour le régime de renier Staline par la bande. (De condamner sa politique.) Il serait logique d'accuser Beria d'avoir tué Staline avec la complicité des docteurs (Blouses blanches).

1. Voir *supra*, p. 123.
2. Voir « Hommage à Antonio Gaudi », dans *Clair-Obscur, op. cit.*, p. 165.

Margarita[1] nous a envoyé pour le 14 juillet une grande corbeille tricolore.

15 juillet.
Partirons demain en avion pour Madrid. La voiture ira nous rejoindre.

Je m'aperçois de plus en plus que les Méditerranéens forment une race qui n'a aucun rapport avec les autres.

Dans une corrida le vent est terrible, s'il soulève la muleta. Squelette des matadors. Belmonte[2] avait une scoliose, Manolete une légère déviation de la colonne vertébrale. Cela aidait la courbe de passage du taureau. En fin de compte le taureau ne cherche pas à tuer mais à obéir à l'homme qui lui parle, qui le gouverne. Dominguin a ce pouvoir de parler aux bêtes, de les charmer, de les obliger à obéir.

Ci-joint l' « Hommage à Góngora[3] ». On me l'a apporté du journal tout à l'heure pendant que je buvais un verre avec Tennessee Williams.
Il demande : « Qui est Góngora ? » Chose incroyable. Un autre Américain, parlant de Sancho, dit à Alberto : « Le secrétaire de don Quichotte ».

16 juillet.
Déjeuné avec Tennessee Williams et Cabo. Ce matin j'avais eu la visite d'un jeune auteur presque acculé au suicide par le torquémadisme. À Barcelone on est libre de dire tout ce qu'on veut — on ne peut rien publier. À Madrid il importe de se taire.

19 juillet.
Sommes arrivés à Madrid par avion. Très secoués. La descente vers un sol rose, fauve, beige, vert pâle. Hôtel Palace (il n'y avait plus de places au Ritz). Ignoble caravansérail. Déjeunons chez Horcher[4]. Horcher nous fait la cuisine et nous invite à déjeuner demain.

---

1. Sœur d'Alberto Puig.
2. Le torero Juan Belmonte (1892-1962), l'un des maîtres de l'art tauromachique. Voir *infra*, p. 218.
3. Voir *supra*, p. 195, n. 2.
4. Calle de Alfonso XII, 6.

Allons le soir chez don Luis Escobar. Dominguin arrive avec son nain, habillé en petit garçon (petite chemise ouverte, petites culottes courtes). Dîner près de plaza Mayor. Au centre de cette belle place une statue remplace maintenant les bûchers de l'Inquisition. On descend des marches sous une voûte et on entre dans une petite auberge (Las Cuevas de Luis Candelas [1]). On dîne au fond dans une minuscule salle tapissée de vieilles images de tauromachie. Tête de taureau noir. Vitrine avec un magnifique costume d'un torero célèbre, couvert de pampilles d'or et de corail.

Il est probable que Luis Miguel Dominguin cessera de toréer. La foule lui résiste malgré sa gloire — ce qui le conduirait aux bravades et aux imprudences. Don Luis lui conseille d'en finir avec les arènes. Il l'a vu s'asseoir sur la barrière pour mettre les banderilles et le taureau l'encadrer de ses cornes. « Ce sont, dit-il, des spectacles qu'on ne supporte pas. » Je suppose que Manolete qui n'avait pas la beauté de Dominguin avait ce qui lui manque : la sangre torera. Il rayonnait et possédait l'adoration des foules. Dominguin possède la beauté, la science, la grâce. Il ne rayonne pas. Sa main de tueur semble ne pas connaître son visage, vivre loin de lui, dans un autre monde. Son visage vit trop dans « le monde ». Sa main seule habite le monde des tueurs. J'espérais voir des courses mais les Espagnols disent qu'en été la corrida devient du football.

Devions aller à la campagne chez Dominguin lundi. Trop grande fatigue des routes. Du reste Neville (qui téléphone de Galice et rentre ce soir) déconseille de nous rendre à Tolède un dimanche. Nous irons sans doute à Tolède lundi.

Deux jours par semaine sans électricité à Madrid. On se rase dans le noir.

Dominguin couturé du haut en bas. Après une course où il a eu la cuisse traversée de part en part, on l'enfourne dans un taxi que cède une dame. Il porte son costume couvert de sang. La dame lui demande : « Êtes-vous torero ? »

Ils connaissent mes nouveaux poèmes — mes disques qu'on ne trouve plus. Don Luis me dit : « Je ne sais pas encore sous quelle forme, mais je pense que l'Espagne est le pays qui vous apportera

[1]. Calle Cuchilleros, 1.

beaucoup. » Il a raison. Si on n'est pas sensible au pittoresque, lequel cache les choses importantes, l'Espagne correspond au rythme brisé, au feu interne des poètes. Je trouve à Madrid la même liberté de dialogue qu'à Barcelone. Cette même intensité d'un feu qui couve et qui s'efforce de ne pas devenir un incendie.

Le duc de***, emprisonné par les Rouges. Il me raconte que les Rouges lui disaient : « Tu couches avec ta femme et avec ses femmes de chambre. » « La tenue, dit-il, me tenait lieu de courage. Je ne leur en veux que d'une seule chose. Ils ont demandé pour libérer ma femme le double de la somme qu'ils ont demandée pour moi. »

En général c'est la terreur de l'incendie (la vraie terreur du Rouge) qui fait accepter le régime. Dans les crises révolutionnaires ce qu'il y a de pire dans le peuple se soulève contre ce qu'il y a de pire dans la monarchie. Donc ce sont les gens bien qui payent de part et d'autre quand on les accable d'erreurs que ne commettent pas les êtres exceptionnels.

Dans la tauromachie ce qu'on redoute le plus c'est qu'un taureau sorte vivant de l'arène et raconte le truc aux autres. On me cite le cas d'un taureau élevé au biberon, adoré par toute l'Espagne — sauvé parce que toutes les femmes sanglotaient et demandaient sa grâce. Une petite fille descendit dans l'arène et vint le caresser, se faire lécher par lui. On redoute les gosses qui vont toréer en cachette dans les élevages car ils risquent d'apprendre aux taureaux le secret de la cape.

Le nain de Dominguin portait hier son bras en écharpe. Blessé par un taureau *(sic)*.

Le secret de Dominguin. Son pouvoir sur toutes les bêtes. Il leur parle et elles lui obéissent. Il est étrange que ce pouvoir n'agisse pas sur la bête public. Il charme le taureau. C'est une supériorité qui agace cette Espagne très jalouse. Trop de supériorités chez un matador correspondant aux avantages physiques qui cabrent notre public contre les acteurs. Certains publics disent de Dominguin (à Séville, par exemple) : « C'est une danseuse. » Son héroïsme n'entre plus en ligne de compte. On dit de Marais : « C'est un pin-up boy » — ce qu'on ne dira jamais de Gérard Philipe. Par contre, si

Marais marche contre son physique et joue, par exemple, un rôle de père, on lui en fait un grief.

En somme un torero ne doit jamais quitter son milieu. S'il quitte son milieu il est perdu pour la foule. Il lui appartient. S'il appartient à d'autres, sa popularité tombe.

Prado. Devant certaines toiles, surtout de Goya, qui sont comme des personnes célèbres qu'on voulait connaître et dont on ne connaissait que des photographies, ou dont on ne recevait que des lettres, les larmes viennent aux yeux et brouillent la vue. Il y a des toiles (par exemple les rebelles qu'on fusille [1]) qui surprennent par leur taille ou par les couleurs toujours mal reproduites. Le directeur du musée méprise Greco. Il en résulte que les Greco sont très mal éclairés dans une petite salle. Du reste tous les éclairages du Prado sont détestables.

Déjeuné avec madame Horcher. Abel Bonnard [2] habite Madrid. Elle nous en parle. Il y a toujours grande gêne dès qu'on parle de condamnés à mort par contumace. Après avoir livré Laval — Franco n'a plus osé livrer personne [3].

Vu à l'hôtel Sirerol [4] pour le film [5] — Llovet [6] — Luis Escobar. Dîner au Golf-Club, avec Escobar et Llovet. Neville devait nous rejoindre. Mais il arrive de Galice par la route et il a dû s'endormir. Nous déjeunons chez lui demain matin.

Télégramme de Port-de-Bouc. Le bateau ne pourra pas venir. Tempêtes. Il faut en faire notre deuil. Devons organiser la fin du voyage moitié avion-moitié voiture.

1. *Le 3 mai 1808*, peint par Goya en 1814.
2. Abel Bonnard (Poitiers 1883-Madrid 1968), écrivain et journaliste, ministre de l'Éducation nationale du gouvernement de Vichy, fut, après la Libération, d'abord condamné à mort par contumace, puis à dix ans de bannissement lorsqu'il comparut devant la Haute Cour de justice. En 1908-1909, alors que Jean Cocteau habitait l'hôtel Biron (aujourd'hui, musée Rodin), Abel Bonnard faisait partie des amis que le jeune poète y recevait. Voir dans Jean Cocteau, *Le Prince frivole*, Paris, Mercure de France, 1910, pp. 157-158, le sixième des « Sonnets de l'hôtel Biron », et *Portraits-Souvenir*, *op. cit.*, chap. XIII.
3. Jean Cocteau écrira dans « Hommage à Goya » (voir *infra*, p. 218) :
   La grande main de fer d'Espagne dégantée
   Sauvant les condamnés à mort par contumace.
4. Miguel Sirerol, agent cinématographique.
5. *Orphée.*
6. Enrique Llovet, journaliste.

Chaque ami ou admirateur de Lorca donne une version différente de sa mort. Hier le journaliste me dit qu'il a été emmené dans
un camp de travail et qu'il a été tué par un seul homme et non pas
par un groupe.

L'Espagnol vit dans la minute. La sensation le domine. Il est
toujours à l'extrême. Son intensité vient de là.

Corridas. Hier soir Llovet nous a expliqué que l'homme et le
taureau vivaient la course chacun dans une petite zone qui lui est
propre. Le jeu consiste à ce que jamais l'un ne se hasarde dans la
zone de l'autre[1].

Sirerol m'offre de me montrer *Orphée* doublé en espagnol. Il
affirme que le doublage est une merveille, qu'il a été confié à des
poètes, etc. J'en doute.

Je sais bien qu'il y a plusieurs Espagnes et plusieurs dialectes.
Mais il y a beaucoup plus une Espagne qu'une France. Nous ne
possédons rien de national qui corresponde aux corridas ni au
flamenco. L'Espagnol internationalisé se juge, se critique même. Je
ne m'engage pas à le suivre sur cette route.

20 juillet.
Le danseur de flamenco-le matador — une seule et même
personne. Ma grande découverte en Espagne : le flamenco n'est pas
un rythme, c'est une syntaxe. Une douleur, une plainte d'amour qui
s'exprime. Les Arabes gémissent leur plainte. Les Espagnols
l'articulent. Le flamenco et la traduction de certains poèmes
espagnols m'ont donné une syntaxe — celle de mes derniers
poèmes. C'est au point que les Espagnols ne peuvent croire, par
exemple, que l'adieu à Federico, traduit par Neville, n'a pas été
pensé, écrit en espagnol.

Hier soir, chez Neville, j'écoutais le pianiste jouer flamenco. Une
chose m'a frappé. Après le voyage à Majorque, le style de Chopin
change. Il semble avoir subi l'influence du flamenco.

1. Théorie des « terrains » (*terrenos*) du taureau et du torero, essentielle en
tauromachie.

Prado. Je crois qu'il n'existe aucune peinture plus belle que dans les salles des cartons de tapisseries de Goya. Il y a des peintres-peintres et des peintres-poètes. Goya est un peintre-peintre et un grand poète. Il est aussi un chroniqueur. Il dit tout, comme en se jouant. On dirait qu'il visite les siècles futurs sur le balai de ses sorcières, s'y promène, *s'influence de ce qu'il influencera.* On dirait qu'il vole ses voleurs, qu'il profite de ses profiteurs, qu'il se découvre chez ceux qui l'imiteront à l'époque de Manet et de Renoir. Son pinceau raconte et témoigne. Sur la route de Castille nous croiserons les groupes de ces charmants personnages. Mais ils ne portent plus les costumes fastueux de ses voyous et de ses filles. Il en reste quelque chose : la couleur d'une jupe, un mouchoir sur la tête, la brume d'argent qui les enveloppe. Nous sommes remontés voir la dernière toile qu'il a peinte : *La Laitière.* La source de tous les Renoir. On s'étonne que tant d'audace, que ses découvertes, fussent approuvées — de ses commandes. Sans doute la cour y mettait-elle quelque snobisme — comme une femme élégante qui commanderait son portrait à Picasso. Dans ses portraits de cour il n'y a pas volonté caricaturale. *La* caricature vient de l'exactitude incroyable de son œil. Sa malice s'exprime à son insu.

Les Bosch. Ici nous sommes à la source de Dali et des surréalistes. Il est vrai qu'à l'époque de Bosch, tout cela *racontait,* se lisait à livre ouvert. Maintenant ces symboles ne montrent que l'imagination qui les illustre. *Le Jardin des délices* émerveille par l'abondance des trouvailles cocasses, érotiques, sadiques, par une folie de détails d'un lyrisme et d'une précision qui ne se rencontrent nulle part ailleurs. *Autre* il est. *Autre* comme Goya, comme Nijinsky, comme Al Brown, comme Manolete [1] — comme tous les êtres marqués d'un signe. Puisque tous les peintres font leur propre portrait, le multiple portrait de Bosch nous met en contact avec un homme avec lequel on aurait aimé vivre. Son comportement dans la vie ne pouvait être qu'exceptionnel et extraordinaire.

Le trésor du Prado écrase. Il faut aller vite — ne pas s'éreinter devant des toiles mineures. Courir d'un miracle à l'autre. De *La Maja* aux *Ménines* et des *Infantes* de Velázquez à la petite salle du Greco. Et retourner toujours se baigner dans la piscine joyeuse des salles des cartons de Goya. S'y laver d'une foule de sujets religieux qui fatiguent.

---

1. « Hommage à Manolete » débute par :
   Autre il fut Autre était son titre de noblesse...

De place en place un sujet religieux est dépassé par le génie qui le traite et perd le style conventionnel.

La ressemblance effrayante d'Escobar avec les Bourbons d'Espagne. À l'Escorial on a l'impression qu'il se promène chez lui. On voit ses portraits partout.

L'Escorial. Après trois quarts d'heure de route dans un chaos de pierres, de plaines fauves, de montagnes bleues, on arrive en face de la vertu faite pierre. L'Escorial est une ville, une effrayante prison magnifique. On nous attendait et on nous en ouvre toutes les portes. Quantité de portes s'ouvrent mal, refusent les clefs. On nous prendrait pour des cambrioleurs. Llovet nous dit qu'ayant visité l'Escorial la nuit il craignait que les lampes électriques ne fissent croire du dehors que des cambrioleurs circulaient dans les bâtisses. Les prêtres qui nous accompagnent sont, comme tout le monde en Espagne, très libres dans leurs paroles. Ils nous ouvrent le panthéon, la nécropole des rois. Un escalier à pic conduit à cette petite cave illustre. À mi-chemin, la porte du pourrissoir. Dans la cave ronde des cellules de ruche contiennent les sarcophages de marbre noir et d'or. C'est bien une ruche funèbre. À gauche les rois, à droite les reines, mères des rois. Un sarcophage vide attend Alphonse XIII. Il a signé son nom sur la plaque avec la pointe de son épée. Au-dessus de la porte deux autres sarcophages attendent les rois futurs. Toute l'Espagne repose sur ce piédestal souterrain. Ceux qui reposent embaumés et ceux dont il ne reste qu'une poignée de poudre ont cru à cette pauvre terre et à la gloire qu'on y récolte. Ils y ont enfoncé orgueilleusement une griffe pareille à celles qui soutiennent leurs sarcophages. De ce monde qu'ils dominaient et organisaient à leur guise, il ne subsiste rien. Rien que les grandes bâtisses terribles où ils vécurent et entendirent les messes de leur chambre et de ce petit coin de chœur où Philippe II se glissait par une porte secrète pour ne pas déranger l'office.

Dans l'église, face à l'autel et par autorisation du pape, José Antonio repose sous une dalle. Fusillé par les Rouges à Alicante on l'a transporté à dos d'hommes jusqu'à l'Escorial. Tous les dix kilomètres le cortège s'arrêtait et posait une borne.

La Bibliothèque (dont la porte refusait de s'ouvrir) est un monde. Il y a là des milliers de volumes et au centre, dans des vitrines, les manuscrits de sainte Thérèse, les Bibles en hébreu, les Corans constellés d'or.

Tout l'Escorial sent l'odeur du buis des innombrables jardins austères des cloîtres et du bois de sapin des poutres. Bois où on a laissé la résine.

De quelque fenêtre qu'on regarde, une montagne dépasse les murailles et les longues bâtisses qui encadrent l'entrée de l'Escorial. À droite le palais est à pic sur une piscine qui alimente les potagers des moines, sur la Castille aussi rude que l'architecture dont le travail a duré vingt et un ans. L'âge de ce palais est donc vingt et un ans. Mais il ne porte pas son âge. C'est un dur vieillard debout sur le roc, qui ne sourit jamais, en armure et les mains jointes.

Si vous vous suicidez en Espagne, ne vous ratez pas. Se rater c'est la prison — vous êtes coupable d'avoir voulu *tuer quelqu'un*.

Les corridas dans les villages. On organise une arène, avec des charrettes à la renverse. Une barrière de jeunes gens à genoux, armés de piques, ferme l'ouverture. Lorsque le taureau s'approche trop du public, il lui tape dessus à coups de bâtons et tape aussi à coups de bâtons sur le torero s'il saute hors de la piste. À la fin la piste est aux femmes. On lâche un très jeune taureau avec de toutes petites cornes. Mais les femmes se bousculent et s'empêchent de toréer les unes les autres. À la fin elles portent le jeune taureau en triomphe.

Ici tout le monde est contre autre chose que ce contre quoi il a l'air d'être.

L'Espagne ne ressemble à rien de ce qu'on en raconte. Madrid — c'est le luxe à la portée de tous. Les parcs sont superbes. Les restaurants innombrables. Alors qu'en France les Français ne peuvent plus se payer le restaurant, les restaurants de Madrid regorgent d'Espagnols appartenant à toutes les classes. On est en train de construire cinq hôtels. Et sans un sou de l'Amérique. Actuellement les Espagnols sont tous des incendiaires qui se reposent.

C'est la famille de Lorca qui refuse qu'on donne ses pièces. Miguel Utrillo [1] dit : « Maintenant la famille règne sur sa gloire.

---

1. Demi-frère du peintre Maurice Utrillo (son père avait reconnu le fils de Suzanne Valadon).

Lorsqu'il vivait elle ignorait cette gloire et ne faisait rien pour l'aider. »

Vu José Luis Alonso. Il traduit *Les Monstres sacrés*[1]. Le titre sonne mal en espagnol. Je lui propose : *Le Théâtre chez soi* et de finir sur « Après notre mort, nous demanderons à Shakespeare de nous écrire une pièce et nous la jouerons ensemble ».
N.B. Après coup Escobar trouve *Les Monstres sacrés* meilleur.

On m'interroge sur Picasso. Impossible de répondre. Je dis : « Picasso est le premier roi communiste. » Et : « À Nîmes il ne manque jamais une corrida. »

Sept heures. Viens de voir *Orphée*. Doublage de premier ordre. Respect des moindres mots. Doudou s'est entendu parler espagnol avec une voix très jeune différente de la sienne comme l'étaient ses cheveux blonds.

Le secret de Belmonte. Il arrivait aux arènes faible, malade. On le plaignait. On disait : « Ah ! le pauvre ! » On lui criait « Olé » pour lui donner des forces. Il était génial et remportait un triomphe.

Les Espagnols disent de Luis Miguel : il est parfait. Il n'existe aucun meilleur matador. Il exécute la passe la plus difficile et la plus dangereuse. On l'acclame. Ensuite on cherche à se souvenir de cette minute et on ne se la rappelle pas. Cela vient de ce qu'il possède un talent considérable et qu'il manque de génie. À la mort de Manolete, il pensa : « Je n'ai plus de rival. C'est mon tour. » Mais deux jeunes prenaient déjà la place. Il est terrible d'être torero sous le règne d'un Manolete. Terrible d'être peintre sous le règne d'un Goya ou d'un Picasso.

Tout le monde, à Madrid, a mis en boîte l'ambassadrice d'Amérique auprès du Saint-Siège. « Êtes-vous catholique ? » demandait-elle à n'importe quel Espagnol. « Communiez-vous ? » Elle ignorait que l'Espagne est superstitieuse mais déteste l'Église. « Communiez-vous ? demandait-elle à Edgar Neville. — Non, répondit

---

1. Portrait d'une pièce en trois actes par Jean Cocteau, créée au théâtre Michel, le 17 février 1940, dans des décors de Christian Bérard et une mise en scène d'André Brulé. — Paris, Gallimard, 1940, édition illustrée de trois dessins de Christian Bérard.

Neville. Je suis trop gros. Cela m'engraisse. » La pauvre dame ne comprenait plus rien.

22 juillet.
En avion. Madrid-Málaga.
Tolède est une orgueilleuse fournaise juive et arabe baignée par le Tage. On y trempe des épées. C'est sans doute la plus vieille cité juive connue. Mais le sang jaune qui alimente ses entrailles tortueuses sort d'un cœur : la maison de l'étrange étranger[1] avec son jardin endormi dans le bras de la route. C'est là qu'il accrochait ses linges que les foudres du soleil statufiaient. Ils remplissent la ville où sèchent draps de fantômes et chemises de mandragores.

Nous sommes arrivés à Tolède par des campagnes torrides. Nous y vîmes un jeune garçon tombé de sa mule, comme mort sur la route au milieu d'un éclaboussement de vin rouge. Nous crûmes à du sang. Il avait cassé sa cruche[2].

Un ambassadeur de France écrivait jadis : « Un écureuil pourrait se rendre de Perpignan à Gibraltar d'arbre en arbre. » L'Espagne manque de charbon. Elle a coupé les arbres et les a brûlés comme elle brûle tout. La nudité de son sol est celle d'un martyr, d'un écorché vif, d'un Christ au sépulcre.

Le roc de Tolède est dominé par la ruine de l'Alcazar où sans nourriture et sans eau tinrent contre les Rouges des hommes dont le chef (Moscardo) sacrifia son fils pour ne pas se rendre. Cette ruine ajoute un nouvel orgueil homérique au vieil orgueil de la Castille.

Ma première visite a été pour le palais de la duchesse de Lerma et l'hospice. La duchesse y habite peu. Les chambres sont prêtes, vivantes et accueillantes. Le palais est d'une grande magnificence mais une magnificence mange toutes les autres : la dernière toile peinte par Greco. *Le Baptême du Christ.* Autour de la toile le peintre essuyait ses pinceaux ce qui lui fait le seul cadre digne d'un tel prodige. Greco a soixante-dix ans. Il n'a plus à recevoir d'ordres de personne. Ni de l'Église, ni de la famille Orgaz. Il est libre. Il plonge à pic dans la gloire sous-marine où ses eaux orageuses déforment les membres, où d'étranges coquilles d'huîtres exposent des perles

---

1. Voir « Hommage au Greco », dans *Clair-Obscur, op. cit.*, pp. 157-158.
2. Paragraphe à rapprocher de la cinquième strophe de l' « Hommage au Greco » :
   Nous y vîmes par un faux cadavre de jeune
   Page au centre d'une étoile de vin d'Espagne...

qui sont des anges avec le nez en trompette d'Apocalypse, où l'érotisme grec caresse longuement de fines jambes aux cuisses, aux mollets énormes, où le tribunal ecclésiastique ne fonctionne plus.

[En marge.] Ci-joint fleur du jardin du Greco.

Une porte sépare cette œuvre éblouissante du *Cardinal Tavera* dont je disais à Picasso que le cheval blanc de *Guerre et Paix* lui ressemble. Greco l'a peint d'après son moulage mortuaire. Les Rouges l'ont saccagé, coupé, mis en pièces. J'ai vu les photographies de ce massacre. On l'a réparé, marouflé. *L'Enterrement du comte d'Orgaz* partait pour Moscou. On l'a retrouvé dans une gare. Au Kremlin se trouve la robe de la Vierge noire. Quatre-vingt mille perles la décorent. (Ce manteau a été vu au Kremlin par un diplomate français.) Je n'aime pas l'Église. Seulement, aveugles pour aveugles, je préfère les aveugles qui thésaurisent aux aveugles qui saccagent. La visite à la cathédrale m'éreintera. On allait dans les églises pour prier, on n'y allait pas pour voir des chefs-d'œuvre. Les touristes me choquent et les chefs-d'œuvre qui ne servent pas au culte me donnent de la fatigue. Notre époque est celle où les touristes vont à la chapelle de Matisse pour voir Matisse. Les temples ne sont pas faits pour les touristes. Ils sont faits pour les fidèles. Pour qu'au lieu de la lire et de la commenter les fidèles s'agenouillent sur l'orgueilleuse dalle funèbre où un cardinal fit graver cette inscription latine : « *Ci-gît de la poussière, des cendres et rien d'autre.* »

La maison du Greco ne fatigue pas. Elle défatigue. Il s'y calfeutrait, n'ouvrait jamais les fenêtres, organisait à la bougie des éclairages livides. Les amis s'y retrouvaient, y bavardaient, y posaient (ils figurent tous dans le *Comte d'Orgaz*), y buvaient le vin rouge glacé à la pêche.

Dans les ruelles de Tolède on rencontre ses petits pages. Autour du palais Lerma le moindre poteau télégraphique prend une allure de calvaire. Tolède est brûlante, blême, tortueuse comme les corps qui s'enchevêtrent entre le sol et le ciel que Greco superpose, encombre d'étendards et d'une effrayante lessive. Il est probable que les Tolédans ne jugent pas leurs trésors et qu'ils en usent comme les fidèles du culte. Les femmes les respectent sans chercher à les comprendre et s'étonnent que les touristes les adorent à la place de Dieu.

Après la cathédrale dont la sacristie est déshonorée par le portrait du dernier évêque, lequel, au milieu des Goya et des Greco, dénonce le niveau de l'Église moderne. Nous n'en pouvions plus. Nous sommes allés nous étendre sur la colline, chez le docteur Marañón[1]. Le docteur Marañón est, avec Unamuno et Ortega, l'intelligence la plus vaste, la plus vénérée d'Espagne. Je l'ai vu à Barcelone le jour de son départ pour le Brésil. Il m'a félicité de ma traduction du sonnet de Góngora[2]. Il me dit la trouver admirable. Il a tout lu et tout appris. Riche de ce qu'il a lu et appris, il enseigne. Neville nous ouvre sa maison vide. La gardienne nous apporte les cruches de vin rouge à la pêche. Nous nous endormons et Neville d'un sommeil si lourd que sa chaise longue s'effondre.

Revenons à Madrid vers huit heures. Les cabinets de toilette sont éclairés au néon. Le dernier Greco qu'on voit n'est autre que sa propre gueule dans une glace.

Une heure quarante. Survolons la mer. Arrivée à Málaga. Je ferme.

Torremolinos. Au bord de la mer — l'auberge des fils de Neville. La grand-mère possède tous les terrains qui valaient peu de chose et valent encore très peu à côté des nôtres. Construire ne coûte pas cher. L'auberge est ravissante. On traverse la route et on déjeune, se baigne au club qu'ils ont sur la plage.

Doudou se baigne, mais ne sachant pas que nous sommes des amis de la famille, on le fait sortir de l'eau sous prétexte qu'il porte un slip et qu'il faut se baigner en culotte. Je vois d'autres slips. Seulement, ou le baigneur est plus jeune ou le slip a un centimètre de plus sur les fesses. Les piscines et les clubs craignent une descente du gouverneur. Voilà l'Église. Voilà l'indécence d'un clergé qui pourchasse la vie sous toutes ses formes et cherche le mal où il n'est pas. Je comprendrais que le clergé interdise le bain, ou qu'il ordonne de se baigner en armure — mais qu'il compte les centimètres des culottes me demeure une énigme et me révolte. Il est vrai que ce régime interdit le slip et que l'autre aurait brisé les piscines. C'est pourquoi les adversaires du régime le supportent. La défaite des Rouges vient de ce qu'au lieu d'occuper les hôtels ils les brûlaient. Ils se sont brûlés eux-mêmes.

---

1. Gregorio Marañón y Posadillo (1888-1960), écrivain et médecin, l'un des créateurs de l'endocrinologie. Voir l'annexe XVII.
2. Sonnet « al sepulcro de Domenico Greco, excelente pintor », dans Jean Cocteau, *Le Greco*, Paris, Au Divan, 1943, et dans *Clair-Obscur, op. cit.*, p. 156.

Les évangélistes du Greco. San Mateo et sa main gauche pas faite. L'ébauche gercée de cette main me rappelle quelque chose. Et brusquement elle me livre l'origine des grandes mains sans forme de Picasso et qui ressemblent à des feuilles. L'œil de Picasso qui avale et digère tout.

Jamais l'Église actuelle n'aurait commandé le portrait du dernier évêque à Picasso ou à Dali. C'est ce qu'il fallait faire pour que le portrait tienne son rang à la suite des autres.

On se demande comment l'Église espagnole moderne conserve l'image d'un dieu nu. De quel œil elle voit le Christ du Greco, terrible de sensualité grecque. On m'affirme qu'elle accepte mal ces nus. Sur certaines fresques romanes elle gratte et ajoute des linges. En Espagne, comme à Rome, il semble que le Christ ne soit pas mort pour l'humanité mais pour les artistes. Rien de plus étrange que les messes noires de Bosch à l'Escorial. Si la plupart des œuvres ne valaient pas une fortune, on les mettrait au feu. Et je le répète, en fin de compte, le régime adverse déchire le *Cardinal Tavera*. Entre deux maux l'Espagnol supporte le moindre. C'est le secret de la réussite de Franco que tout le monde désapprouve d'être aux ordres de l'Église, son ennemie.

Chaleur torride. On ne peut sortir que le soir. Vers six heures irons à Málaga. Nous avons prolongé le voyage pour visiter Gibraltar et Grenade. Si nous visitons Jerez, Alberto nous rejoindra. Il y règne sur les Gitans et rêve de nous organiser une fête.

Pendant la guerre Neville était allé chercher en voiture, aux environs de Madrid, un jeune homme malade pour le ramener à sa famille. Il revenait avec Conchita Mañes et le malade, on les arrête et on les condamne à mort. Neville gueule et oblige le maire à téléphoner au ministère de la Guerre qui conservait du prestige et où il connaissait un vague fonctionnaire. C'était pour gagner du temps et sans le moindre espoir de réussite. Au ministère de la Guerre le téléphone sonna dans une antichambre. Un décorateur de films, qui attendait une audience, décroche. On l'interroge. Il dit : « Relâchez Neville. » Et on le relâche. Avant d'aller à la mairie on voulait l'exécuter sur place et lui bander les yeux. Il dit aux Rouges : « Enfoncez d'abord votre mouchoir dans la bouche de la dame qui m'accompagne. Elle va crier et ce sera très désagréable. »

Il dut sa première chance à cette boutade. Il crevait de peur. S'il l'avait laissé voir, il était mort.

L'Espagne est une. Une aussi lorsqu'elle se divise et s'entre-tue. La nuit, dans les tranchées de Madrid, les haut-parleurs de propagande jouaient du flamenco. Rouges et phalangistes criaient ensemble : Olé !

Louis Aragon a tiré en personne le canon sur l'Alcazar de Tolède. C'est ce qu'aucun Espagnol n'oublie. Alors que tous espèrent le retour de Picasso.

On ouvre un journal : « Protestation du congrès des instituteurs d'Alsace-Lorraine contre l'enseignement de la langue allemande dans les écoles. » Je me demande si la France n'est pas devenue le pays le plus bête de tous.

Délicieuse fraîcheur à la tombée du jour. Air beaucoup plus léger que sur notre Côte.

La grâce. Ici la grâce anime toute chose grande ou petite. Les maisons, les gens, le langage ont de la grâce. La sierra Nevada protège cette gracieuse Afrique où n'importe quelle saison est clémente, où les architectures, les arbres, les chapeaux de paille des ouvriers, la démarche des femmes enchantent l'esprit le moins apte à comprendre l'élégance, le plus désabusé par la bassesse de l'époque. L'auberge des fils de Neville est elle-même pleine de grâce. On ne se sent ni à l'hôtel, ni chez des hôtes. On éprouve le sentiment d'être chez soi.

Nous y rentrons avec plaisir après une visite à l'Alcazar (château fort) de Málaga : labyrinthe arabe qui monte parmi les jardins suspendus où les paons se perchent sur les treilles et mangent les grappes vertes. Il est huit heures. L'horloge de l'hôtel des Postes marque quatre heures quinze. Ce simple détail résume l'indifférence de l'Andalousie à l'exactitude et aux contraintes du temps.

Neville n'est plus avec sa femme. Il demeure son camarade et il nous mène dîner dans une petite boîte qu'elle a ouverte. Les ouvriers y sont aussi bien reçus que les riches. Aucune gêne dans ce mélange. La grâce, la grâce partout. D'être nobles père, mère et fils ne tirent la moindre morgue. Neville ne porte pas son titre et sa femme ne cherche qu'à être prise pour une charmante patronne de bistro.

N'est-il pas étrange et incompréhensible que Manet-Renoir-Cézanne aient fait scandale alors que Goya et Greco avaient déjà réussi de longue date avec des audaces complètement neuves et dont vinrent les leurs ? Nos peintres impressionnistes ont en quelque sorte maléficié et bénéficié d'une longue période où Greco, par exemple, avait perdu toute créance, même en Espagne. Ils ont détroussé des artistes en exil, dépensé à leur compte une monnaie qui n'avait momentanément plus cours. Baudelaire faillit acheter à Paris *La Maja* pour mille francs ce qui était encore cher et Zuloaga [1], lorsque j'étais jeune, achetait pour rien des Greco magnifiques. Ce qui étonne, étant donné que Goya régnait toujours en Espagne, ne scandalisait pas à son époque, y peignant les portraits officiels avec une audace incroyable (la famille royale entre autres) et que Greco recevait les commandes de Philippe II, des familles Orgaz et Tavera. Sans doute faut-il mettre l'oubli des sources de nos peintres et l'aveuglement de la critique en face d'une fausse révolution française qui ne fut qu'une reprise de l'espagnole sur le compte de la frivolité du XVIIIe siècle et de la médiocrité du XIXe. Malgré le génie de Manet, de Cézanne, de Renoir — Manet *c'est « La Maja »*, Cézanne *la petite scène brodée sur la chasuble gauche d' « Orgaz »*, Renoir *La Laitière* de Goya. Sans ce qui foisonne au Prado, pas d'impressionnisme en France (et par impressionnisme j'entends ceux qui dominent cette école). L'honneur de nos peintres est d'avoir copié de vrais maîtres pendant la période où en triomphaient de faux.

Il est admirable que Dominique Theotocopuli ait habité sur une ancienne école de magie, ait vécu et peint à la surface des caves profondes où le juif millionnaire Samuel Ha-Lévy cachait ses trésors, où le marquis de Villena disait des messes noires. Voilà le vrai socle de ses peintures religieuses.

Ne vous y trompez pas. D'après les guides on voit clairement que le Greco se fait pardonner son génie par *Orgaz* où il exécute une commande officielle et, que dis-je, par le bas d'*Orgaz* puisqu'on parle du haut comme « très discuté » c'est-à-dire la zone de toile où Greco, ayant accepté de rendre son génie visible même pour le médiocre, signe sa toile, beaucoup plus que sur la pointe du

---

1. Le peintre espagnol Ignacio de Zuloaga (1870-1945), grand admirateur du Greco.

mouchoir du page, par cette zone de liberté couronnant son chef-d'œuvre et le légitimant à ses propres yeux. Greco est l'exemple parfait de la maxime d'Eugène Delacroix : « *On n'est jamais compris. On est admis.* »

Par le chemin de commandes et des *Évangélistes* (par le chemin du clergé) Greco a pu échapper aux flammes de la bêtise et obliger cette bêtise à tolérer des œuvres qui n'eussent sans cela récolté que de la colère. Il a évité le bûcher en se rangeant du côté des iconoclastes ce qui est l'attitude exacte de l'Espagne en 1953. La destruction de la toile de *Tavera* par les Rouges est la preuve humaine de ce que j'affirme. Si cette toile avait été celle d'une femme nue au lieu d'être le portrait d'un cardinal, l'Église lui aurait fait subir le même sort que les Rouges.

L'Espagne déteste l'Église, déteste Franco, déteste la droite et la gauche. L'Espagne n'aime que l'Espagne ce qui assure la continuité de sa grandeur. L'Église et Franco se détestent. Mais il doit obéir aux ordres de son ennemi : le clergé. On l'aimerait au lieu de l'admettre s'il désobéissait à l'Église.

Plus qu'à la salamandre qui habite dans le feu, l'Espagne ressemble au Phénix. Il lui faut se brûler continuellement pour renaître.

Dans toute l'Espagne on ne joue (et même les orgues de la rue) que les chansons françaises à la mode.

J'ai toujours comparé l'Espagne à la Chine. J'apprends qu'Ortega dit : « Nous sommes des Chinois. »

25 juillet.
La Sant Iago. Retour à Torremolinos.
La route Málaga-Grenade en lacets brusques au milieu d'un chaos rocheux, un vieux cataclysme — un désordre sous-marin de montagnes pâles et de montagnes au pelage de bête. Quelquefois sur les routes désertes on croise une femme avec un filet à provisions. D'où arrive-t-elle ? Où va-t-elle ? Il n'y a rien. Avant la guerre les routes étaient bonnes. Unamuno les soignait. Franco les laisse en mauvais état.
Peu de voitures, sauf des françaises. Neville dit : « On n'a jamais

vu autant de Français en Espagne, depuis Napoléon. » On lui demande : « Existe-t-il encore des bandits ? » Il répond : « Maintenant, ils dirigent les hôtels. »

Étonnante Espagne — pays de grands poètes sans public. Une poignée d'hommes édite des œuvres admirables. Ces hommes meurent inconnus. Les œuvres doivent attendre que l'étranger les découvre et les traduise.

Tout Espagnol supporte mal l'Église mais peut paraphraser à son compte le mot d'Henri IV. Il pense : « L'Espagne vaut bien une messe. »

Grenade. Nous y arrivons à la nuit. L'hôtel de l'Alhambra n'avait pas retenu les chambres. Nous en trouvons au Palace. Le vaste village blême aux façades semblables à du linge qui sèche sous des tuiles couleur de terre.

> *On entendait monter des faubourgs du ciel*
> *Étonnantes rumeurs, cris d'une autre Marseille[1].*

C'est à ces anciens vers de moi que je songe à la fenêtre qui donne à pic sur l'Albaicín et le Sacro Monte où vivent les Gitans. Ils habitent des caves creusées dans le roc. Fraîches l'été, chaudes l'hiver, certaines de ces caves ont des salles de bains et le téléphone.

Neville nous emmène à l'Alhambra, fermé la nuit. Il compte soudoyer le gardien ou téléphoner à la préfecture. Il est une heure du matin. On nous refuse l'entrée, mais Neville gagne avec un coup de fil. On nous ouvre les portes. Cette promenade nocturne donne à l'Alhambra vide une étrangeté qu'il ne possède plus le jour. Des tremblements de terre menacent de ruine ses fragiles architectures. Les colonnes penchent. La nuit les charmes décoratifs disparaissent et les parfums de fleurs en construisent d'autres. Une fois admise la merveille d'un tel raffinement au XIIᵉ siècle on se fatigue d'une carcasse de luxes disparus. Avant que l'État ne le

---

1. Jean Cocteau cite de mémoire deux vers du premier poème, « Par lui-même », de son recueil *Opéra*, Paris, Stock, 1927, p. 10 :
> *J'ai entendu descendre des faubourgs du ciel,*
> *Étonnantes rumeurs, cris d'une autre Marseille.*

prenne en charge l'Alhambra était peuplé par les Gitans. Ils y campaient. Washington[1] leur loua une chambre. Aujourd'hui les touristes envahissent le harem et choquent comme dans les églises.

Le Generalife pourrait être une riche villa de la Côte d'Azur si le mauvais goût n'avait pas contaminé le monde moderne. Il y a une seule trouvaille de génie : les rampes d'eau. L'eau des montagnes coule dans des tuiles renversées garnissant les rampes creuses à droite et à gauche des marches. On les monte en croisant deux petites cascades glaciales qui descendent et rafraîchissent les mains.

Ce qui me frappe dans Grenade mieux que ses orgueilleuses et gracieuses forteresses, c'est la ville vaguement éclairée par des lanternes, sa rumeur produite par on ne sait quel mélange de cloches, de claquements de mains, de chiens qui aboient, d'ânes qui braient. Grenade est « flamenca ». *Être flamenco, être flamenca*, ne veut pas forcément dire qu'on danse. Le flamenco, c'est une certaine allure. Le terme vient des Flandres, du pays flamand dont les soldats de la guerre de Succession revinrent avec un style d'une insolence royale. On disait d'eux : « C'est un flamenco. » Charles Quint préférait ses sujets flamands à ses sujets espagnols. Par exemple, les Espagnols reprochent à Franco de n'être pas flamenco. S'il l'était, on l'aimerait. Il est un Galicien intègre. Il n'est pas flamenco.

Un poète, un matador, un voyou, une putain, une duchesse peuvent être flamenco ou ne pas l'être. C'est une nuance indispensable à saisir pour comprendre les Espagnols.

Visite aux cousines de Carmen Amaya[2]. La tribu Amaya loge dans plusieurs caves qui s'enfoncent dans la montagne. On danse dans la première cave. La porte en est ouverte sur une ruelle où les enfants se promènent tout nus, où les femmes et les hommes demandent l'aumône par habitude, professionnellement. Ils ne vous engueulent pas si on les repousse.

Chez les Amaya, les Gitanes (jeunes et vieilles) se tiennent assises autour de la petite cave. Coiffées à la chinoise, une fleur piquée au sommet du crâne, elles attendent les mains sur les genoux que le guitariste s'accorde. Dès qu'il commence et frappe sa guitare orageuse, les mains claquent les unes contre les autres et si fort qu'on les entend de la colline du Generalife. Une des Gitanes se

---

1. Washington Irving (1783-1859), auteur des *Contes de l'Alhambra*, 1831.
2. Carmen Amaya (Barcelone 1913-Bagur 1963), célèbre danseuse gitane.

lève, trépigne, jette autour d'elle les flammes de sa robe à pois, désarticule ses poignets, s'agenouille, lance ses cheveux en avant et en arrière. La fleur qui les orne saute. Ses compagnes la ramassent et la lui rendent lorsqu'elle retourne s'asseoir et cède la place à une jeune parente ou à la vieille mère, car ce sont les vieilles qui dansent le mieux. Elles conservent un style grave, sec, farouche, que les touristes désapprouvent, ce qui consterne la tribu, mais l'entraîne peu à peu vers un style moins pur. Pastora Imperio[1] fut la première, il y a quarante ans, à user des bras et des mains hautes. Cela autorise une grâce dont les Gitanes modernes abusent. Mais toutes conservent la syntaxe irréprochable de cette langue que la moindre faute d'orthographe rendrait inintelligible pour l'oreille et pour l'œil.

Parfois un jeune Gitan se glisse on ne sait d'où, se campe derrière la Gitane et se livre avec elle à des voltes d'une précision mathématique. Il porte une large chemise molle aux pans noués sur un pantalon collant noir qui monte jusqu'à la poitrine.

Le long des ruelles du Sacro Monte toutes les caves retentissent d'une mitraillade de castagnettes, de claquements de doigts et de mains, de trépignements et de l'éternel « Olé » qui les accompagnent. Devant les caves la jeunesse racole — on dirait une des anciennes rues du vieux quartier de Marseille. Seulement ici on racole pour la danse et l'Église ne saurait intervenir dans cette prostitution par le rythme. (L'archevêque à Séville condamne la danse. Il ne peut condamner le flamenco.)

Visite à la chapelle royale. Quatre cercueils de plomb posés là comme des bagages en consigne. Ce sont deux rois et les deux reines (Isabelle et Jeanne la Follc) qui les occupent. Au-dessus de ce trou (un orgueil suprême exigea cette simplicité comme Hugo le corbillard des pauvres) s'érigent les quatre tombes de marbre. Ils y reposent, la tête sur un double coussin. Sous les têtes des maris le coussin reste roide. La tête d'Isabelle s'y enfonce. Celle de Jeanne la Folle le creuse un peu. L'intention du sculpteur est fort visible. Ces dames avaient plus de tête que leur époux.

Le citron déroulé dans le sang frais des cruches...

1. Pastora Imperio (vers 1890-1961), célèbre danseuse et chanteuse gitane, créatrice, en 1915, de *L'Amour sorcier* de Manuel de Falla.

P.-S. Je me demandais pourquoi ce vers m'était venu à Grenade et je viens de m'apercevoir qu'il trouve sa place dans l' « Hommage au Greco ».

La cathédrale m'éreinte, comme d'habitude. Les orgues d'or ont l'air de meubles achetés par J. M. Sert. Je n'ai besoin que de cette vue à pic sur la ville blême et ses lanternes. Ce ne sont pas trésors de passé qui m'émeuvent à Grenade — mais qu'elle soit la ville de Lorca, de Falla, d'âmes exquises que les parfums du Generalife encensent et que mille mains gitanes applaudissent nuit et jour.

Le luxe insolent des cathédrales. Cette insulte aux doctrines du Christ. Qui croit en Dieu ne le trouve pas sous ces voûtes orgueilleuses. Voilà la raison de la fatigue qui nous accable, qui nous pompe la moelle des os.

> *Avez-vous vu, dans Barcelone,*
> *Une Andalouse au sein bruni* [1] *?*

C'est peu probable. Cela revient à dire : « N'avez-vous pas vu, dans Marseille, une Bretonne au blanc bonnet ? » L'Andalousie est aux antipodes de la Catalogne. Elles parlent une autre langue et seuls le flamenco et les corridas y nouent le nœud espagnol.

Lorsque Diaghilev amena le *Cuadro flamenco* [2] à Paris avec la chanteuse Maria Dalbaicin — nous crûmes à une troupe de danse et à une chanteuse célèbre d'Espagne. Or c'était la famille quelconque d'une cave de Grenade. Cela revenait à dire : « La troupe X. avec Marie de Montmartre. »

La famille Amaya parlant de la vieille mère dit : « La maîtresse » — *la maîtresse de flamenco. Celle qui nous enseigne et travaille mieux que nous.*
Jamais une Gitane ne frappe mollement dans ses mains, n'est distraite dans son travail, ne marque de désapprobation ni de moquerie envers une autre Gitane ou envers les personnes étrangères qui les regardent. C'est toute la différence avec les bordels où

---

1. Début de « L'Andalouse », chanson d'Alfred de Musset, dans *Contes d'Espagne et d'Italie*, 1829, mise en musique par Hippolyte Monpou.
2. Suite de danses andalouses, créées au théâtre de la Gaîté-Lyrique, le 17 mai 1921, dans un décor et des costumes de Picasso.

l'insulte règne, où les femmes les plus grosses, les plus vieilles, les plus laides, se drapent dans « l'éternel féminin », pour insulter ceux qui les refusent. Il y a un rapport entre la Gitane et la geisha japonaise. Une noblesse, une réserve, une tenue incomparables. Les Gitans sont à l'inverse de la vulgarité. Cupides, voleurs, menteurs — mais superbes. Chez les Gitans un homme qui trompe une femme cela n'existe pas. Si la chose arrive, on réunit un tribunal. On juge. On condamne comme pour un crime.

« L'Espagne méprise ce qu'elle ignore. » Un de ses grands poètes l'a dit.

Au retour de Grenade, après une route atroce (on croyait à chaque secousse que la voiture se brisait) nous avons déjeuné à Málaga au bord de la mer. On a fait le gazpacho devant nous parce que Francine voulait la recette. L'exquise soupe froide est prête en cinq minutes avec le mixeur électrique. Les femmes du peuple y travaillent à la main, toute la journée. « *On mange mal en Espagne. Méfiez-vous de l'huile, etc.* » Légende. On mange à merveille. Mais il ne faut pas manger n'importe où. L'Espagnol préfère la cuisine à l'huile. Si vous demandez la cuisine au beurre, il vous la fait.

Seule crainte de l'Espagne en 1953 : l'offre américaine de dollars. Neville : « Si nous voulions nous débarrasser de Franco, nous nous en chargerions nous-mêmes. Nous n'admettrions pas que d'autres s'en chargent. »

L'autre nuit, dans ma chambre à Grenade, j'entendis, dominant loin l'étrange rumeur, la voix d'Édith Piaf. Elle s'y incorporait sans peine. Piaf devrait venir en Espagne. Elle y remporterait un succès fou. Elle chante des tripes. Cela est flamenco.

Être ou n'être pas flamenco. Pendant l'Occupation Trenet me disant : « *Le maréchal Pétain n'est pas zazou.* » Cette blague me revint à la mémoire lorsque Neville me dit : « *Franco n'est pas flamenco.* » Profonde signification de certaines blagues, tellement plus importante que la stupide gravité de nos penseurs.

Francine achète des bijoux anciens à Grenade. J'achète deux miroirs pour Milly.

Pendant la guerre civile, dans une province andalouse, on pousse l'évêque tout nu dans les arènes. On lui plante les banderilles. On le charge jusqu'à ce qu'il tombe à quatre pattes. On lui enfonce l'espada de mise à mort. Les chevaux traînent son cadavre hué par la foule.

Le drame Lorca résulte d'une vengeance personnelle d'un ennemi politique de son beau-frère. Cet homme s'était arrangé pour agir vite, pour emprisonner et exécuter Lorca avant qu'on ne le découvre. Lorsqu'on sut, le soir, où il était, le gouverneur dormait crevé de fatigue. On dit : « Il se lève à sept heures et donnera l'ordre qu'on relâche Federico. » A sept heures le crime avait eu lieu.

Les Anglais se sont installés à Gibraltar pour aider les Espagnols à la défendre. Ensuite ils n'ont jamais voulu en partir. Il n'existe pas le moindre traité qui légitime leur présence.

Il est normal que les Espagnols n'aiment ni l'Angleterre ni la France — leurs politiques ayant toujours été d'affaiblir et de déposséder l'Espagne. Les Espagnols me disent : « Il nous était simple de vous attaquer par-derrière après 40. On nous y poussait. Nous ne faisons pas de choses pareilles en Espagne. »

Le Vatican s'est vengé de Hitler qui n'avait pas tenu ses promesses en soufflant à Franco de lui refuser le libre passage vers Gibraltar. Ce refus a décidé sa perte.

L'extrême gentillesse des Espagnols avec moi vient de ce qu'ils me trouvent flamenco. Cela l'emporte sur tous les griefs qui rendent les Français suspects en Espagne.

Flamenco je l'étais bien avant de connaître ce terme et ce qu'il représente. Peut-être Picasso m'a-t-il servi d'exemple. C'est ce qui dresse contre moi la monstrueuse vulgarité française. Hélas, rien n'est moins flamenco que Paris.

La France est un pays riche qui est pauvre. L'Espagne est un pays pauvre qui est riche.

Maintenant que je devine un peu l'âme espagnole, je regrette presque de n'avoir pas accepté d'être ambassadeur lorsque les Espagnols m'en firent l'offre par l'entremise de Sert. À cette époque Franco m'apparaissait comme un criminel. Je n'aurais sans doute pas fait long feu à ce poste. Mais j'aurais laissé un grand souvenir.

Les communistes ont menacé la femme de Neville qui, le jour de la Fête-Dieu, organise une procession de la Madone. Le jour de la Fête-Dieu tous ceux qui l'avaient menacée tombaient à genoux.

Ce matin à Torremolinos scène étonnante du jeune électricien qui a fabriqué une auréole lumineuse pour la madone. Il se dispute avec le curé auquel il doit quelques sous. Il remporte son auréole en criant : « Elle peut se fouiller la Madone ! » Rafael[1] me montre l'auréole que l'électricien avait jetée devant sa maison.

Belmonte a changé le style de la corrida. Il en a fait une science exacte. Avant lui on toréait de loin. Il a inventé de toréer immobile et comme enveloppé par la mort. Ensuite vint Manolete. Il lui arrivait de toréer debout sur son mouchoir[2].

Note pour les quelques personnes qui s'intéresseront peut-être à moi un jour : L' « Hommage au Greco » et l' « Hommage à Goya »[3] ont été écrits dans l'avion Madrid-Málaga — le mercredi 22 juillet.

Il est très agréable d'écrire un journal posthume — ainsi pourrai-je encore bavarder tranquillement avec les amis que mon œuvre risque de me faire. Au fond, j'aime mieux écrire le journal et des poèmes que de m'occuper de théâtre et de films.

Le formidable libéralisme espagnol. Les gens vous disent tout haut : « Comment Franco fait-il pour aller écrire son nom sur les murs des villages perdus en montagne. Personne ne l'écrirait s'il ne l'écrivait pas lui-même. » Et mille autres farces qui vous feraient envoyer aux mines de sel si un Russe les osait en Russie. Je le répète, *les Espagnols sont contre tout sauf contre l'Espagne.* Contre le régime qu'ils défendent — contre le régime qu'ils acceptent, contre la monarchie, la démocratie, les aristocrates qu'ils traitent d'imbé-

---

1. L'un des fils d'Edgar Neville.
2. Dans « Hommage à Manolete » (*La Corrida du premier mai, op. cit.*, p. 119), Jean Cocteau écrit :
    Immobile fleuri debout piquet sa pose
    Jamais plus libre que l'espace d'un mouchoir.
3. Dans *Clair-Obscur, op. cit.*, respectivement pp. 157-158 et 161.

ciles et contre le peuple qu'ils traitent de crétin. Contre les toreros qu'ils acclament. Contre Pastora Imperio véritable reine d'Espagne dont ils disent : « Elle a toujours mal dansé. » Ils ajoutent : « Seulement elle est sublime. Elle n'a qu'à bouger la main. » On est contre la madone si elle n'est pas celle de sa paroisse. Même Manolete se plaignait du public. Comme il était Dieu, on exigeait qu'il fasse des miracles. On ne lui demandait plus d'être mieux que les autres. On lui demandait d'être mieux que lui-même. Et s'il n'était pas mieux que lui-même, on le sifflait.

L'Espagne est la seule nation où je puisse dire sans ridicule : « Je viens d'écrire un poème. » En France, je m'excuse presque de ce que j'écris. La superbe espagnole permet cela.

La modestie est aussi peu de mise en Espagne que la vanité en France. Les journalistes vous demandent : « *Avez-vous du génie ?* » On peut répondre : « *Un poète sans génie est inconcevable — c'est comme si vous demandiez à un Gitan s'il sait danser.* » Dali dans une conférence à Madrid déclare : « *Picasso a du génie et j'ai du génie.* » Personne ne songe à le mal prendre.

Le génie est naturel chez l'Espagnol comme l'héroïsme est naturel chez le torero. Le gendre de Pastora Imperio est matador, mais il a peur. La peur l'empêche de toréer. Nul ne songe à lui en faire le reproche. Son génie consiste à avoir peur et à le dire.

Phrase exacte de Dali : « Picasso a du génie. Moi aussi. Picasso est communiste. Moi non plus. »

J'ai vu dans un journal, sous le titre « *Où est la vérité ?* », qu'on citait de moi deux textes contradictoires. Il s'agissait de ma découverte de la maison du marchand en Touraine pour *La Belle et la Bête*.

Il est facile de résoudre le problème. Dans le journal de *La Belle et la Bête* les choses se passent le jour même afin de rendre l'histoire plus frappante. Plusieurs années après et avec ma manie d'exactitude, interrogé par Fraigneau (*Entretiens autour du cinématographe*), j'ai raconté cette histoire curieuse comme elle s'est produite, c'est-à-dire, pas le jour même, mais la veille.

Ce qui n'empêche pas qu'on puisse être soi-même victime d'un faux témoignage de la mémoire[1]. Mais dans le cas cité par le journal, ce n'était pas une erreur. C'était une volonté de mise au point.

26 juillet.

Cette nuit crise d'àquoibonisme — chute à pic dans cette mélasse où je ne vois que la mort comme issue. Tout se fane en moi. Rien de précis ne m'annonce ce genre de crises.

Devions partir tout à l'heure pour une halte avant Gibraltar. Décidons de ne partir que demain matin. Indispensable d'être demain à Gibraltar. C'est le lundi que les magasins de toutes les races restent ouverts.

Je me demande si cette crise terrible n'a pas une origine disproportionnée avec sa force. Rafael nous avait emmenés dîner chez une dame de Torremolinos. Ce contact avec des gens qui ne présentent aucun intérêt savonne toujours ma pente vers le vide — le pessimisme — le sentiment d'être en dehors du jeu. Les médiocres nous minimisent. Les idiots nous rendent idiots.

Les Espagnols parlent du cardinal Segura[2] de Séville comme d'un fou. Incroyable manque de psychologie avec lequel le clergé prépare les drames dont il sera toujours victime en Espagne. En 1931 (12 et 13 mai) on brûle quarante-trois églises et couvents à Málaga sous prétexte que les vieilles idées déplaisent. La vérité c'est que l'Église étouffe l'Espagne jusqu'à ce qu'elle éclate. Aucune leçon ne lui sert. Une fois de plus l'appui obligatoire de Franco la rend aveugle.

Le peuple gitan est tout cérébral sans l'ombre d'intellectualisme. Le Gitan intellectuel danse du Rimski-Korsakov, tombe dans la

---

1. C'est ici le cas. La vérité est à l'inverse de ce que Jean Cocteau rapporte. En effet, dans *La Belle et la Bête, journal d'un film*, Paris, J. B. Janin, 1946, p. 17, il écrit : « D'un coup d'œil je *reconnus*, dans les moindres détails, le décor que j'avais craint d'avoir à construire. L'homme qui l'habite ressemble au marchand du conte et son fils me dit : " Si vous étiez passé hier vous auriez entendu votre propre voix. Je faisais entendre vos disques de poèmes à mon père. " » Et, dans *Entretiens autour du cinématographe, op. cit.*, p. 81, il déclare à André Fraigneau : « Et comme je descendais une pente d'où je n'apercevais ni maison, ni jardin, nous entendîmes ma propre voix. *Le fils du propriétaire jouait mes disques à son père.* »
2. Ce prélat venait de se signaler par des prises de position d'un traditionalisme qui étonnait même dans l'Espagne d'alors.

pantomime artiste et cesse de parler son idiome pur, amer et sec comme le métal jaune du Jerez. L'idiome flamenco ne souffre pas la moindre faute de grammaire. C'est pourquoi un Gitan, une Gitane peuvent danser avec plus ou moins de génie, mais ne peuvent être médiocres.

Pareille à l'enfance, Espagne, toute à la minute présente et belle et cruelle. « *Drapée en ses haillons — méprisant ce qu'elle ignore.* » Elle repousse les offres de l'Amérique, mais ne résistera pas à la tentation des autostrades. Défendue par ses mauvais chemins, elle s'ouvrira naïvement à sa perte. Déjà le cardinal Segura dépouille peu à peu l'Andalousie de son charme. L'Amérique fera le reste. Il est vrai que l'Espagne, comme la France, dévore ceux qui l'envahissent.

Franco poussé par le Vatican doit s'incliner devant les gaffes de l'Église. Mais il n'en mesure pas le danger réel parce qu'il est galicien — une manière de Breton espagnol. « Ah! S'il était flamenco! » Voilà le soupir des Espagnols.

Les Arabes ont oublié leur élégance en Andalousie.
C'est là, comme à Venise, qu'on devine ce qu'ils furent et ce qu'ils ont cessé d'être.

Ces manches de veste que je retrousse et qui firent scandale — je les rencontre en Andalousie. C'est au point que j'ai l'air de suivre une mode andalouse. On me demandait : « Pourquoi retroussez-vous vos manches? » Je ne savais que répondre — ou bien je répondais : « *C'est une vieille habitude de famille* » comme le marquis de Aracena me disait hier : « Mon grand-père retroussait ses manches et je retrousse les miennes. » Instinct du style flamenco. Une certaine négligence, le correct corrigé par un détail incorrect, inattendu.

Le style flamenco est toujours impair. C'est le triomphe des nombres 1-3-7. Cela va jusqu'au point que les Gitanes portent une seule manche et que les Gitans retroussent jusqu'au genou une seule jambe de leur pantalon. Ce que j'appelle *boiterie poétique* est flamenco.

Ce que j'ai appris en Espagne n'est pas à la décrire mais à emprunter sa syntaxe laquelle demeure lettre morte aux touristes, amoureux du pittoresque.

Pékin — Venise — Séville — Jerez sont les derniers bastions de l'élégance profonde. La vulgarité du siècle se déchausse sur le seuil.

30 juillet.

Gibraltar est une vieille dent morte de l'Atlantide disparue. Les Anglais ont plombé et aurifié cette dent. Ils ont bourré de canons et de mitrailleuses ce terrible plum-pudding. Leur inaptitude à s'adapter a fait de cette pointe une ville anglaise où les soldats britanniques parlent espagnol avec le pur accent andalou. On prétend trouver à Gibraltar des marchandises qu'on ne trouve nulle part ailleurs. C'est inexact. On trouve les mêmes marchandises à Algeciras et à Séville. Ce que je rapporte en fraude, c'est une bronchite prise dans le courant d'air anglais qui s'ajoute au courant d'air espagnol, dans ce vent du large qui glace la sueur des chemises.

Nous achetons des étoffes de l'Inde et Neville une radio que la douane découvre sous la banquette. L'affaire aurait pu tourner mal (Neville étant diplomate) si par miracle le consul d'Espagne n'était passé en voiture, n'avait reconnu Neville et n'avait arrangé les choses.

Couchons à l'hôtel d'Algeciras et partons pour Jerez.

Jerez qu'on écrivait jadis Xérès, que les Espagnols prononcent Hérès et les Français Kérès, est une ville d'un luxe et d'une grâce qu'on n'imagine guère possibles dans une époque où la déperson-nalisation fait se ressembler toutes les villes. Pas une demeure semblable. Pas une fenêtre indifférente. Pas un balcon, pas un patio sans fleurs, sans plantes vertes. L'ignoble néon ne transforme pas encore l'Andalousie en danse macabre. Comme à Grenade et comme nous le verrons à Séville, les vieilles lanternes éclairent doucement les portes mystérieuses et armoriées. Promenade en fiacre à cheval. Ces fiacres qui ressemblent à des instruments de musique [1] ont juste la largeur des rues. Séville nous enchantera de

---

1. Dans le poème « Iles » de *Poésies 1917-1920*, Paris, Éditions de la Sirène, 1920, p. 119, Jean Cocteau écrivait déjà :

> *À Palma de Majorque...*
> *Des fiacres plus jolis*
> *Que des violoncelles...*

même par son air de village royal, de bourg splendide, par ses petites places avec un plafond de vignes et de jasmins, par un labyrinthe de ruelles qu'une ordonnance de police oblige de repeindre sans cesse à la chaux ce qui provoque cette pâleur surprenante de Grenade et de la moindre ferme andalouse. Le soir nous sommes allés boire un verre chez un de ces marchands de vin flamencos où règnent les reliques de Manolete, ses portraits, ses affiches et le dernier programme rose de Linares. Des ouvriers, des conducteurs de camions boivent debout devant le comptoir. Brusquement sur ce comptoir une main bat l'inimitable rythme impair du flamenco. Toutes les mains s'y mettent et battent le contre-rythme. Ni guitare, ni castagnettes. Les mains battent jusqu'à ce qu'un des ouvriers s'accroche à une épaule comme s'il sentait venir le haut mal, comme s'il souffrait d'une crise d'entrailles, et chante sa douleur. Elle sort de lui par saccades cette longue plainte compliquée que ses camarades encouragent comme celle d'une femme qui accouche. Ils l'aident à sortir par les *Olé* qui s'échappent des bouches avec l'indolence d'une fumée de cigare. (Pendant que j'écris ces lignes en avion, nous passons sur Tolède. Le Tage étincelle comme l'acier de ses lames.)

Un des ouvriers m'a reconnu. Tous nous offrent à boire et refusent qu'on leur rende la pareille. À tour de rôle, ils se transmettent cette grimace d'apôtres penchés sur le Christ mort et sanglotent. Ils sanglotent, ils *se* racontent, ils semblent nous prendre à témoins d'une blessure d'amour qui les tue. Une fois dite la plainte, leur démon les délivre et ils redeviennent de braves types qui ne s'en font pas. Ils s'amusent à se mettre dans cet état, à s'envoûter, à charmer les autres par les ciselures de leur désespoir.

Le lendemain visite à la formidable halle aux vins de Jerez. (Celle de don Fernando Gonzalez Gordon.) Les tonneaux noirs s'entassent et bâtissent des avenues. Cave royale. Les tonneaux aux armes des rois et des infantes. Je signe sur un tonneau entre les matadors et les poètes d'Espagne. On signe à la craie. Ensuite un spécialiste exécute le travail de Valentine Hugo sur le piano des Anchorena [1]. La signature ne quittera pas plus cette cave que les cartouches des sarcophages de l'Escorial. De certains crus il ne reste qu'un tonneau. Un vieux spécialiste y puise à l'aide d'une sorte d'étei-

---

1. Voir, dans *Album Cocteau, op. cit.*, p. 150, ce piano dont le décor exécuté à la craie par Jean Cocteau pour les Anchorena fut fixé par Valentine Hugo (Paris, coll. Carole Weisweiller).

gnoir et remplit les verres. Le Jerez ou Xérès qui voyage change de
goût. À la source c'est un sang ferrugineux qui monte à la tête. Le
trésor de ces trésors est un petit tonneau de sherry. Celui que
buvait Falstaff. Encore du sang presque noir. C'est pourquoi je
mets au-dessus de ma signature : « Ici j'ai bu le sang des rois [1]. » On
dirait que ces grands seigneurs du vin conservent religieusement le
sang bleu, la « sangre torera » et tout le sang dramatique de la
Castille.

Séville. Nous la parcourons la nuit avec le marquis de Aracena
venu de sa campagne à deux cents kilomètres sur un coup de
téléphone de Neville lui annonçant notre arrivée. Il est normal
qu'un Andalou soit fier de présenter cette accumulation de magni-
ficences tellement humaines et intimes que les rues étroites comme
celles de Venise ne permettent pas d'admirer l'ensemble des
façades. Nous terminons la nuit dans un manège de la zone
(quartiers neufs) où les Gitans dansent et chantent. Ils portent le
haut pantalon collant noir, la veste courte et la chemise blanche
frisée. Certains d'entre eux paraissent avoir quatorze ans et disent
qu'ils en ont dix-huit parce que le cardinal et le préfet s'opposent à
ce que des danseurs au-dessous de dix-huit ans s'exhibent. Une
jeune Gitane en robe blanche à queue. Elle ressemble à une
madone furieuse, à une reine en colère, à un pur-sang arabe de
corrida qui brave le taureau. Elle surprend Aracena et Neville. Ils
disent : « On croit toujours que c'est fini, qu'il n'y aura plus de
grandes danseuses. On se trompe. Il en repousse de nouvelles. » Le
mot « sublime » est le seul qui convienne pour qualifier la danse de
cette jeune fille. Elle l'emporte sur les hommes qui d'habitude
l'emportent sur les femmes parce que les jupes cachent le jeu des
jambes et que chez les hommes tout le détail du mécanisme
inventif se voit. Jamais rien de trouble dans le flamenco. La vraie
danse flamenco est aussi chaste, aussi précise, aussi grave et aussi
solitaire que les passes d'un matador. Cérébrale sans intellectualisme. Le Gitan, avec tout son corps, *parle une langue.* S'il cherche
un style neuf et à orner cette langue, il est perdu. Il est bon pour
New York. C'est, du reste, très rare. Lorsqu'un vieil homme du

1. Voir *Album Cocteau, op, cit.,* p. 218. Le poème « Escorial », dans *Clair-Obscur,
op. cit.,* p. 193, commence par :

Liquide amer métal rois feus vos sangs d'orgueil
Captifs de Jerez loin de vos noirs sarcophages
Sous nos signes de craie...

peuple saute sur la piste, toute la troupe s'efface, claque des mains et l'accompagne en criant « Olé » avec le plus grand respect.

Ce matin Joaquin Romero Murube nous montre l'Alcazar. La ville a nommé un poète au poste de conservateur. Nous parcourons trop vite les salles arabes (intactes) et les jardins où, par des trous invisibles, l'eau jaillit d'entre les dalles. Autre trouvaille exquise analogue à celle des rampes de l'Alhambra de Grenade. Tout embaume. Dès qu'on froisse une feuille un parfum s'exhale.

Romero nous accompagne jusqu'à la cathédrale, mais elle est fermée. Nous allons rater l'avion. Neville introuvable. Il était à Iberia et faisait changer nos billets contre des places dans l'avion de quatre heures. On décharge les valises et on déjeune à l'hôtel. (L'hôtel Alphonse XIII est somptueux. Il fait penser à un vaste Mena House [1].) J'ai pris ces notes entre Séville et Madrid.

Madrid. Dans le désordre des souvenirs j'avais oublié une halte chez don Álvaro Domecq (maire de Jerez) et premier torero à cheval d'Espagne. Il a abandonné les arènes après le drame de Linares. Manolete était son meilleur ami. Il nous ouvre les écuries et nous raconte les particularités de chaque cheval. Le dressage dure deux ans et ne sert à rien si le cheval a peur.

Dans sa maison une haute vitrine prise dans le mur contient la cape blanche brodée de roses rouges que Manolete portait le jour de sa mort. Sous la cape une banderille et ses lunettes contre le soleil.

C'est après cette halte où nous avons bu le gazpacho que nous prenons la route de Jerez-Séville qui traverse les vastes propriétés de Belmonte.

Il m'est très difficile de raconter ce voyage parce que nous courions d'un endroit à l'autre, que je ne notais rien et qu'il faudrait continuellement employer des superlatifs, les mots admirable — merveilleux — magnifique — superbe — les seuls qui viennent sous la plume dès qu'on se rappelle les moindres détails de cette Andalousie où rien ne choque, où tout enchante. On m'avait dit : « Vous crèverez de chaleur. » Or nous eûmes presque froid le soir et la chaleur n'est jamais pénible. Ce sont les ventilateurs et les courants d'air qui me déplaisent. On m'avait

---

1. Hôtel égyptien, près des Pyramides, où Jean Cocteau était descendu, en 1936, au cours de son tour du monde en quatre-vingts jours.

dit : « Prenez garde à l'huile rance. » Je n'ai jamais senti d'huile rance. On m'avait dit : « Vous mangerez mal. » Or la cuisine est excellente. On m'avait dit : « Les hôtels sont sales. » Les hôtels sont impeccables. Tout ce qu'on m'avait raconté de l'Espagne ne tient pas debout. Pour être juste il paraît que la température de cet été de 1953 est exceptionnelle.

Retrouvons Alberto à Madrid. Dîner chez Edgar où je rencontre Belmonte [1]. Après dîner, Alberto alerte les Gitans. Il en arrive une douzaine (dont le beau-fils de Pastora Imperio). Jusqu'à quatre heures du matin, ils chantent et dansent. Cette fois, c'est le flamenco gai. Ils s'amusent. Leur figure, souvent très ingrate, s'illumine dès qu'ils se lèvent et improvisent chacun leur tour.

La comtesse de Yebes me désigne un Gitan qui porte une chemise brune avec comme cravate un cordonnet jaune. Cette chemise est, me dit-elle, le résultat d'un vœu. Il faudrait vivre longtemps dans l'intimité du monde gitan pour le comprendre, car il ne se comprend pas lui-même. Il se laisse vivre. Je songe à Genet qui vivait à Barcelone [2] et pense pour ceux qui ne pensent pas — prête à l'animal humain une parole de fabuliste. Il est impossible que des hommes qui s'extériorisent par des gestes et par des rythmes d'une telle grâce et d'une telle intelligence ne possèdent pas une psychologie sans le moindre rapport avec celle d'une classe équivalente à la leur. Tout le monde a l'air lourd, maladroit, vulgaire à côté d'eux, quoi qu'ils fassent.

Mon rhume s'est amplifié dans l'avion. Francine dit qu'on y gelait. J'écrivais et je ne m'en étais pas aperçu. Nous partirons demain matin à neuf heures pour Nice. Je n'ai rien fait suivre. J'ai peur d'avance de ce que je trouverai à la villa.

Le journal le plus répandu en Espagne est l'*A.B.C.* Nouvel article de Llovet sur moi. Il semble refléter un peu confusément les choses très précises que j'ai dites sur le Prado, la tauromachie et la danse. Après un article dans l'*A.B.C.*, tout le monde ici vous salue jusqu'à terre.

Cette semaine un funiculaire qui conduisait des pèlerins à un pèlerinage de la Vierge a rompu son câble. Tout le monde a été tué

---

1. Dans le film d'Edgar Neville, *Flamenco* (voir *supra*, p. 21 note 4), Juan Belmonte fait une démonstration de son toreo.
2. Voir le début du *Journal du voleur, op. cit.*

ou blessé. Un prêtre publie un article atroce : « *Un miracle de la Vierge* ». Toutes les victimes, par cette méthode, ont été droit au ciel. Les familles des blessés doivent être fort satisfaites de cet article.

Résumé de ce voyage : Pas vu tous les artistes que je désirais voir. Beaucoup sont au bord de la mer. Vu les lieux que je voulais voir (sauf Cadix et Cordoue). Et vu vite, ce qui, contrairement à ce qu'on pense, est la bonne manière de voir. L'Espagnol n'aime pas Franco. Il l'admet. C'est le maître d'école qui freine un chahut dangereux. L'Espagnol se craint lui-même et redoute sa violence d'où il tire la ruine des autres et sa propre ruine. L'Espagnol est superstitieux. L'Église en profite. Elle règne. La grande liberté de paroles s'arrête à l'écrit. L'orgueil espagnol est un patriotisme qui permet d'être contre tout ce qui est espagnol. Il est difficile de comprendre contre quoi est un Espagnol. Il est contre tout, sauf contre le noyau qui forme l'ensemble. Le public est terrible, « méprisant ce qu'il ignore », estimant que le torero est payé pour que le taureau le tue. Dans une course le public est l'élément le plus féroce de la triade. La bête et l'homme se défendent. Le public paye cher pour assister à leur mort. La gloire de Manolete, outre son génie, vient de ce que la bête et l'homme sont morts ensemble.

À Linares un glorieux matador a tué la bête. Une glorieuse bête a tué le matador. Voilà de quoi donner libre cours aux pleureuses, aux plaintes du flamenco, à ce vaste sanglot qui secoue l'Espagne entre deux incendies. Les Espagnols rêvent de massacrer les prêtres, mais ils savent, s'ils les massacrent, que la seconde manche est à l'Église, forte de ses martyrs. Tout cela calme momentanément nos incendiaires. La seule crainte espagnole est l'aide américaine. Ils la refusent. Mais ils ne résisteront pas à l'offre de routes neuves. Ils ignorent que le *flamencocacola* les menace.

Le monde change et je n'y peux rien. Mais il y reste des flaques et j'irai toujours barboter dans les dernières flaques boueuses. La boue propre me dégoûte, comme cet ignoble air conditionné, ce froid inhumain, ridicule, inconfortable, snobisme des pays chauds qui se glacent comme les nègres décrêpent leurs cheveux et comme les Blancs se font noircir au soleil. Séville, Pékin, Venise sont propres. Ceux qui les trouvent sales sont intoxiqués par la propreté stérile des Ritz, par une époque navrante qui dérange les climats, s'efforce de les contredire, de remplacer le style local, que le sol impose, par un style universel et privé d'âme.

Ma fenêtre donne sur la grande place du bassin de Neptune[1]. Neptune sur un char muni de roues à eau! À droite le Prado, à gauche le Ritz. Le premier riche en chefs-d'œuvre, le second riche en perles et en diamants. Le premier plein de dames peintes et mortes. Le second plein de dames peintes et vivantes.

Formule qui résume les impressions que j'emporte des Espagnols : *L'Espagne critique tout de l'Espagne sauf l'Espagne.*

Être français consiste à se mettre plus haut que tout et à mettre la France plus bas que terre.

1ᵉʳ août.
Sept heures du matin.

> *De beaux cailloux*
> *C'est la Castille*
> *De belles filles*
> *C'est andalou.*

Alfred de Musset[2]

Avion entre Madrid et Nice. À peine les voyageurs sont-ils assis dans un avion que le tripotage des bouches d'air commence. Les stupides mains à bracelets-montres cherchent avec une incroyable sottise cet air froid qui ne peut se produire qu'en marche. Ils ressemblent aux chiens qui croient que l'eau arrive dans le bidet toute seule. En marche, le tripotage recommence afin de ne rien perdre de l'infect jet glacial.

Il existe en Amérique une machine à mesurer le confort. Lorsque le froid artificiel rend une chambre inhabitable, des aiguilles se stabilisent et prouvent que le confort est obtenu. Ce qui me navre c'est que l'Espagne tombe dans ces travers malgré une tradition d'architecture où la fraîcheur s'obtient naturellement par le patio,

---

1. La plaza de Cánovas, ornée d'une fontaine de Neptune, par Juan Pascual de Mena, xviiiᵉ siècle.
2. Par jeu, Jean Cocteau attribue à Alfred de Musset ce quatrain dont il est l'auteur, comme en témoigne l'esquisse biffée sur le manuscrit : *Des cailloux / C'est Castille / Et des filles / Andalou.*

la ruelle, les somptueux stores de paille. Les fausses températures du Brésil et de New York font beaucoup de victimes. Seules y résistent une majorité de personnes que le vide immunise en leur évitant d'être sensibles, physiquement et moralement, à quoi que ce soit. L'éventail espagnol cède la place à des ventilateurs et à des souffles glacés, qui obligent les personnes raisonnables à déjeuner et à dîner dans une tempête du Grand Nord. Les temps doivent être proches où l'homme se réfugiera sous la croûte terrestre, vivra dans des souterrains, dans des climats sur commande, recherchera et contredira le feu central. Il est possible que la sinistre lune soit souterrainement habitée, que la vie s'acharne encore sur cette boule morte. Et surtout ne vous avisez pas de critiquer le froid artificiel, de vous en plaindre. Ce serait une insulte au progrès, à une époque dont les hommes s'enorgueillissent parce que c'est la leur et qu'ils en prennent la déchéance pour des privilèges.

« *Mon mari est conditionné* » pourrait dire une dame d'un mari frigide. (Ou vice versa.) La grande merveille de l'Andalousie vient de ce que le progrès et sa prétentieuse méconnaissance des lois de la nature n'en ont pas faussé l'équilibre. Il est probable que la machine américaine à mesurer le confort ne saurait quoi répondre à Séville et à Jerez. Le froid artificiel et le néon sont à l'opposé du flamenco, mais ils triomphent.

Hier soir Edgar est monté dans ma chambre pour prendre des notes. Il prépare deux articles sur notre voyage et comme les paroles mal comprises et mal traduites risquent d'attirer mille ennuis, je lui ai dicté des phrases précises et les lui ai fait traduire devant moi.

J'ai eu hier au Palace la visite du petit K. qui tourne un film en Estramadure. De tous ceux qui me proposent de faire un film sur moi, il est le seul auquel je n'oppose pas un refus catégorique. Ses idées me plaisent. Il sait à merveille reconnaître mon propre travail dans les films où j'ai travaillé avec des metteurs en scène. Je lui dis qu'il est possible que je ne me mêle plus de cinématographe. Il m'objecte que si je renonce à certains projets de films, d'autres les exploiteront, les rateront et que ce sera dommage. Mais si je faisais un film je le ferais de telle sorte qu'il serait inexploitable, n'aurait que la ressource des cinémathèques et ne rembourserait pas les avances. *Le Sang d'un poète* et *L'Âge d'or* furent possibles parce que Charles de Noailles [1] n'en attendait aucun bénéfice ni le remboursement. Qui risquerait à l'heure actuelle des sommes considérables pour l'expression d'une poésie invisible qui deviendra visible beaucoup plus tard ? Le cinématographe se meurt à cause de la réussite immédiate exigée par l'argent qu'il coûte. J'avais décidé ces préparatifs de *La Belle au bois dormant* pour Korda. J'y renonce. Le technicolor m'opposerait trop d'obstacles et, en outre, ce ne serait qu'un beau film, un équilibre entre l'individualisme et les exigences de l'industrie. Cet équilibre ne correspond plus à ceux de ma syntaxe.

Nous avons passé Barcelone. Nous arriverons à Nice dans une demi-heure. Lucien, après nous avoir conduits à l'aéroport, retournait à Madrid prendre une lettre des Affaires étrangères pour qu'on ne l'embête pas à la douane. (Il rapporte mes miroirs de Grenade et les étoffes de Gibraltar.)

Rapidité du voyage. Je pensais à ce sinistre voyage à Majorque de Chopin et de la femme Sand. Il serait curieux de publier une étude vraie sur ce voyage et sur celui de Venise. L'arrivée Musset-Sand. Ce couple étrange d'une femme à barbe et d'un homme en jupes et les suites qui découlent de ce malentendu, suites n'ayant rien à voir avec le romantisme amoureux dont l'ignorance des problèmes sexuels l'affabule. Pagello tombant au milieu de ces dames touristes. La dame pédérastiquement éprise de ce Pagello après ses déceptions lesbiennes avec une fausse femme à barbe blonde. Et ce trio ne comprenant rien à ce qui lui arrive [2].

Même jeu avec Chopin. Il est fréquent que ces femmes brunes, qui s'imaginent être normales parce qu'elles recherchent les hommes mais ne les recherchent que comme les hommes se recherchent entre eux, choisissent, étant masculines, des hommes féminins qui répondent à leurs instincts mâles et leur font croire qu'elles sont de vraies femmes aimant de vrais hommes, alors que ces hommes-femmes sont attirés par une femme-homme et que

1. Voir t. I, p. 291, n. 1.
2. Voir George Sand, Alfred de Musset, *Correspondance. Journal intime de George Sand, 1834-1835*, Monaco, Éd. du Rocher, 1956, texte établi et annoté par Louis Évrard.

cette femme-homme étant homosexuelle ne trouve aucune satisfaction auprès d'eux. Même Freud n'a jamais effleuré cette étude[1].

3 août 1953.
   Mon retour. Il dépasse en horreur ce que j'imaginais. Un tel
dégoût que je me suiciderais sans la crainte de désespérer Francine
et Doudou. Il est probable que je mettrai mes affaires en ordre avec
Orengo et que je renoncerai au moindre contact avec mes contemporains. Je ne parle pas leur langue. Ils n'entendent pas la mienne.
Mieux vaut le silence. Je ne demandais aucune gloire ni palpable ni
posthume. Je demandais un peu de respect pour mon travail. Ne
l'ayant pas obtenu, je me retire de ce monde.

   Voilà quarante ans que je m'endors le soir pour oublier ce monde
et que je m'oblige, au réveil, à jouer une comédie de la bonne
humeur. Je n'en ai plus la force. Je n'ai jamais insulté personne. Je
trouve la plupart des œuvres qu'on loue médiocres et ridicules. J'ai
commis l'erreur de croire à une sorte de justice qui se formerait à
l'insu de celle des hommes. Je me trompais. S'il m'arrive encore
d'écrire ce sera par hygiène et sans en attendre aucune réponse.
Adieu.

   Il n'y a pas en 1953 une seule revue qui, soit par des silences, soit
par une moquerie, soit par une injure, ne m'élimine de l'échelle des
valeurs construite par son groupe. Ma solitude est d'autant plus
effrayante que ces différents groupes affectent, si je les rencontre,
la plus grande affection à mon adresse.

   On ne sera jamais assez fier d'être abandonné par ce que la
France est devenue.

   (Ci-joint.) Lettre d'Auriol. Je lui réponds que sans aucune aide
américaine l'Espagne roule sur l'or — le vrai.

———

1. Jean Cocteau développe ici l'une de ses assertions du *Livre Blanc*, Paris [Éditions
des Quatre Chemins], 1928, pp. 12-13 : « ... il existe des femmes pédérastes, femmes à
l'aspect de lesbiennes, mais recherchant les hommes de la manière spéciale dont les
hommes les recherchent... »

VINCENT AURIOL À JEAN COCTEAU

LE
PRÉSIDENT
DE LA
RÉPUBLIQUE

Cher Jean Cocteau,

Je ne suis en retard envers vous que d'un mois ! C'est peu de chose à côté de « ma crise ministérielle », suivie de mon étude sur le règne d'Henri IV, et de tant d'autres faits et occupations. Donc, je me dis pardonné par vous. Et je vous dis merci...

Merci aussi pour votre lettre. Je suis heureux d'être d'accord avec vous... Cela me console de n'être pas d'accord avec d'autres... Je ne dis pas qui !

Et tout le monde, en ma maison, a été très sensible à votre manifestation de sympathie et me charge de toutes amitiés fidèles.

Bien à vous

V. Auriol

Ce 10.7.53

————————

La France est avare. L'Espagne jette l'argent par ses fenêtres ornées d'une jungle de plantes et de fleurs. Quand on revient ici, on a honte.

Ma douleur voudrait bien mourir, mais pour mourir il faut qu'elle me tue.

5 août 1953.

Sur les routes d'Espagne, tout le monde est vêtu. Sur les nôtres tout le monde va tout nu. Rien n'est plus étrange que cette différence lorsqu'on vole vite d'un pays à l'autre en avion.

Vu James Lord. Visite de Genet, hier au soir.

Il est probable que ma gloire vient de mes erreurs et que ce qui devrait être ma gloire demeure invisible. Il faut donc, si je m'obstine à écrire, commettre de moins en moins d'erreurs, devenir de plus en plus invisible.

Vérité sur l'*Orphée II*. Elle est sinistre. Les marins ont menti et préparé leur mensonge. Ils ont volé le bateau pour ribouldinguer de port en port. Ils ont en outre volé des moteurs et des voiles. Le bateau est dans un état lamentable. Francine reçoit des notes de partout. Paul [1] fabriquait des reçus et ne payait pas. Et il payait de mine. Un trafic de cigarettes s'ajoute à ce scandale. C'est une grande chance que les douanes n'aient pas confisqué le bateau et rendu Francine responsable, comme capitaine.

6 août 1953.

Visite de Green et de Robert qui viennent de Saint-Tropez. Green écrit une nouvelle pièce [2] qui se passe à la fin du XVIIIe siècle en France. Il me demande conseil pour le décor et les costumes. Que répondre ? Avec Bérard nous avons momentanément tout perdu. Escoffier [3] reste (costumes) mais il est le seul et inégal.

Pasquini, le soir, m'apporte l'affiche de l'exposition Cézanne. James nous fait honte avec les tractations sordides après qu'il a obtenu les cinq millions d'Amérique pour racheter l'atelier de Cézanne. En outre personne ne s'occupe des démarches indispensables de l'office des changes.

Pasquini me raconte qu'il était parmi les sept jeunes gens tirés au sort pour exécuter Darlan [4]. (Alger.) Le sort est tombé sur La Chapelle à qui on promettait la vie sauve. Jusqu'à ce qu'on le mette contre le mur, il y a cru.

Le grave est que nous finissons par croire ceux qui nous minimisent. Beethoven n'a plus écrit pour le théâtre après *Fidelio*, à cause des critiques.

Si on ne travaille pas pour on ne sait quoi — il faut se résoudre à travailler pour on ne sait qui.

1. Voir t. I, p. 218, n. 1.
2. *L'Ennemi.*
3. Marcel Escoffier, né à Monte-Carlo en 1910, d'abord assistant de Christian Bérard, puis costumier.
4. Jean Cocteau était apparenté à l'amiral François Darlan (1881-1942).

7 août.

[...]

La bronchite ne s'arrange pas. Les oreilles vont mieux. Mais le moindre courant d'air m'inonde de sueurs. J'ai eu hier six cent mille unités de Bipénicilline. On recommence ce matin. Je ne crois pas que je pourrai me rendre à l'exposition Cézanne. Je me suis excusé auprès du maire de Menton qui m'invitait au Festival.

Ce matin Doudou est à Monte-Carlo pour les démarches de son immatriculation monégasque.

Écrit le poème « Fleuve du Tage[1] » où je mêle à Tolède la duchesse de Langeais. Cette écriture secrète doit être en fonction de mon extrême dégoût actuel des contacts. Je travaille sans aucun désir qu'on me lise.

L'Espagne a perdu sa fourrure d'arbres, son système pileux. On l'a épilée. Rien ne cache son corps maigre, tout en os et en muscles. La France, tout en ventre et en nerfs. Elle est incapable de réagir. L'électricité, le gaz, les postes, les trains se paralysent. Il y eut hier des voyageurs immobilisés, la nuit, en pleine campagne. Les lettres ne partent ni n'arrivent. Les Anglais qui passaient leurs vacances à Paris ne peuvent rejoindre l'Angleterre et restent sans le sou.

Le jeune R. vient me voir avec sa femme et me dit : « Voici ce que je vous propose. Quand vous mourrez on assassinera votre cadavre. Nommez-moi votre défenseur et en échange aidez-moi à lancer mes livres. » (Jeunesse de 1953.) La jeune femme semble trouver cela tout naturel.

C'est ce garçon qui soi-disant a vendu cent mille exemplaires de son premier livre par le système du colportage de la main à la main. Il est l'exemple de ces anarchistes en paroles que leurs actes contredisent. Je lui dis : « Vos camarades ajouteront vite au colportage des livres que vous écrivez et éditez, le colportage des brosses à dents et des soutiens-gorge. — C'est déjà fait, me répond-il. Nous campons tous près de Juan-les-Pins et je suis fatigué de surprendre et d'empêcher les combines. » Ce garçon ne manque pas de talent. Il s'étonne de mon « complexe d'infériorité » prenant pour complexe d'infériorité mes doutes sur mon travail et la

---

1. Dans *Clair-Obscur, op. cit.,* pp. 187-188.

réserve que j'oppose à ma légende tapageuse. « Si j'étais vous... »,
me dit-il, ne comprenant pas que je ne serais pas devenu ce que je
suis avec ses méthodes.

9 août 1953. Dimanche.
Les postes et télégraphes continuent à ne pas fonctionner. Suis
toujours malade. Rêves innombrables caricaturant mes angoisses
et mes malaises.

Pendant ce drame de la France, on voit sur les magazines
Christian Dior mesurer une jupe de femme avec un centimètre. On
parle de la « guerre des jupes » avec le plus grand sérieux.

Peut-être aurait-il fallu adopter cette attitude de Picasso disant à
James hier : « Ah ! tu t'occupes de l'atelier de Cézanne. Je le savais.
On s'en fout de l'atelier de Cézanne », sachant très bien d'avance
que ses ateliers à lui seront achetés, classés, visités et porteront des
plaques. Il ne déplace jamais la lumière qu'il a mise sur sa
personne. Sans doute ai-je trop aimé les autres, aidé les autres. J'y
ai perdu des forces que je devais garder pour moi.

Art poétique. La poésie est une langue à part que les poètes
peuvent parler sans crainte puisque les foules ont coutume de
prendre pour cette langue une certaine manière d'employer la
leur [1]. La poésie oblige à nouer le fil du verbe de telle sorte que la
pelote jamais ne se dévide jusque dans la rue.

Il est exact que je me suis toute ma vie déprécié par l'usage d'une
politesse qui n'est plus de mise.

La force de Genet est de n'être pas victime de sa légende. Il est
arrivé ici dans une superbe voiture et me disait fièrement : « À
Barcelone, maintenant, j'habite le Ritz. »

Cézanne trouve en nous tous les chemins sauf le chemin du cœur.
Mais il ne trouve aucun chemin dans ceux qui visitaient hier son
exposition de Nice. Ce sont les mêmes personnes qui le croyaient
ridicule. Le temps les a matés, sans autre progrès. Ils n'osent plus
dire ce qu'ils pensent, voilà tout. Picasso profite de cette crainte qui
les paralyse.

---

1. Cette phrase, à peine modifiée, paraîtra en « préface » à *Clair-Obscur, op. cit.*, p. 7.

J'avais supprimé la phrase suivante dans mon *J'accuse* (à Mauriac) estimant qu'elle était gênante sur du papier journal.

Je t'accuse du crime d'orgueil. *Dieu n'est pas ton compère —* comme disait Montaigne. Qui t'a mandaté pour t'asseoir à la droite de Dieu et juger en sa place ?

Jadis à La Roche, chez les Daudet, j'ai vu Mauriac prendre le départ (envisager le départ) de cette course aux honneurs et au déshonneur. Il me dit (on l'appelait Poulain, à cause de son œil et de sa dégaine) : « Je lancerai mon premier livre comme le chocolat Poulain. » C'était la faute de mon ridicule orgueil d'adolescence. Cet exemple d'orgueil le poussa sur les routes dont je devais sortir par la suite. Il venait de publier un recueil de poèmes, *Les Mains jointes*[1], et avait récolté un article de Barrès, habile à louer ce qu'il n'estimait pas avoir de suites. La position du Barrès de sa jeunesse le hante. Il oublie que Barrès a noyé sa gloire dans ce que *Le Figaro* exploite.

On me raconte que Jean Prouvost, véritable propriétaire du *Figaro* avec madame Cotrianu (le groupe Brisson-Mauriac-Lacretelle n'étant que locataire), a prié Brisson d'interrompre les articles sur le Maroc. Ridicule croisade don-quichottesque contre des moulins qui rapportent.

Il est probable que je dois être tout de même un bon Français — car je suis aussi malade que la France.

Dans un article de magazine je lis que Sacha a tout inventé, même *La Voix humaine*[2]. La couverture en couleurs de ce magazine montre Sacha en Louis XIV[3]. Un Louis XIV *qui pense.* Car Chamfort raconte un jeu de Versailles qui consistait à se demander si Louis XIV était l'homme le plus bête du royaume. Au conseil du roi, Louis XIV venant de dire une bêtise énorme, le duc de B. s'oublia et s'écria : « Vous voyez bien ! » — car il avait parié pour Louis XIV.

S'il fallait faire la liste de tout ce que j'ai inventé et que la presse a oublié de dire, on n'en verrait pas la fin.

1. 1909. Voir t. I, p. 293.
2. Voir page suivante.
3. Dans *Si Versailles m'était conté,* film de Sacha Guitry en cours de tournage.

Il y a sept murs. J'en ai traversé six. Le septième je n'arrive pas à le traverser.

Tous ces jeunes qui impriment des choses poétiques et se croient poètes. À Séville, après les Gitans, les couples envahissent la piste et dansent ensemble. *Ils croient danser.* Ils bredouillent une langue que les Gitans parlent. Ce qui m'a frappé de l'Espagne c'est qu'elle n'est pas poétique. Elle est poète.

Lundi [*10 août 1953*].

Mieux. Il semble que la pénicilline ait joué le rôle de quelque bombe atomique ou de quelque peste. Il semble que mes microbes aient eu leurs siècles de civilisation et leurs guerres qui doivent correspondre dans notre règne à un mois ou deux.

Le docteur me demande : « Comment allez-vous ? — Docteur, les P.T.T. n'ont pas encore repris leur service, mais quelques trains partent. »

Grève d'avertissement. On imagine ce qui menace la carence gouvernementale, faute d'un homme. Toute la France peut être paralysée en un jour[1] (et en hiver).

Je demandais jadis à Eisenstein : « Quand as-tu senti que la révolution était là ? — Le jour où les robinets et les w. c. ne marchaient plus. »

Sacha Guitry en Louis XIV. Sa perruque en nylon. Les vermicelles autour de son costume.

Il est possible (je ne connaissais pas *Faisons un rêve*[2]) qu'il ait employé le téléphone avant moi pendant tout un acte[3]. Mais l'invention ne compte en art que dans la mesure où on la sculpte. Racine, Molière copiaient les Grecs, les Italiens et les Espagnols. C'est par où la copie se détache de l'original que le génie se prouve. Même si j'avais connu *Faisons un rêve*, j'eusse écrit ma pièce. Je ne

1. En août 1953 va se produire une grève, l'une des plus importantes de l'après-guerre. La France entière sera sans transports, sans courrier, sans téléphone interurbain, etc.
2. Comédie en quatre actes de Sacha Guitry (1885-1957), écrite en septembre 1914, créée au théâtre des Bouffes-Parisiens, le 3 octobre 1916, par l'auteur, Charlotte Lysès et Raimu.
3. Pendant une partie du deuxième acte de *Faisons un rêve*, un séducteur use du téléphone pour séduire la femme qu'il convoite.

me serais jamais dit : « C'est déjà fait. » Tout est déjà fait. Et les Chinois sont des sages qui ne possèdent que trois ou quatre thèmes stables sur lesquels ils écrivent leur théâtre.

[...]

Mardi [11 août 1953].
La pénicilline me met dans un état proche de l'évanouissement. Ce matin le docteur Ricoux m'a fait la troisième piqûre.

À Saint-Jean, le drame de ***. La duchesse a voulu tuer le duc qui dormait avec un chandelier d'argent. Le duc réveillé en sursaut s'est jeté en bas du lit et c'est son oreiller qui a reçu le coup. La duchesse s'est évanouie. Ces familles ont encore le vocabulaire de 1900. La duchesse reproche au duc « d'avoir une cocotte ». C'est la troisième fois qu'elle tente de se suicider au Véronal. Le jeune prince de B. couche devant sa porte sur une carpette. Le duc dit : « C'est un domestique. Je le paye. » Il le paye, je suppose, non pour surveiller la duchesse et empêcher qu'elle ne se suicide, mais pour qu'elle puisse se procurer du Véronal qui le débarrasserait d'elle.

La duchesse va d'abord se confesser à Agay et elle laisse des lettres spécifiant, si on la trouve morte, que ce n'est pas un suicide, mais à cause du Véronal qu'elle doit prendre pour dormir. Elle trompe Dieu. (Je pensais à Max Jacob me disant : « J'arrive très bien à tromper Dieu. ») En réalité ce n'est que la crainte de ne pas être enterrée comme il se doit.

Hier la dose de Véronal était trop forte. On l'a trouvée à onze heures déjà noire. On l'a transportée à l'hôpital américain [1], où Ricoux la soigne. Il ne croit pas qu'on puisse la sauver. Le duc, la larme à l'œil, espère qu'on ne la sauvera pas.

Jeudi [13 août 1953].
La duchesse encore dans le coma. Quatre médecins sous prétexte d'expériences s'acharnent à ramener à la vie une malheureuse qui veut mourir et qui se trouve dans l'antichambre de la mort. Aucun de ces médecins ne prendrait sur lui de ne pas faire exactement ce qu'il faut tout en disant qu'il a tenté l'impossible.

Je suis toujours très mal. Faiblesse incroyable. Je ne quitte presque plus la chambre. Francine veut faire venir Durupt. Malgré

---

1. Il n'existait pas d'hôpital américain sur la Côte. Il doit s'agir de l'hôpital anglais, sur la Basse Corniche, entre Nice et Villefranche-sur-Mer.

les grèves on téléphone à Paris de chez Ricoux lorsque la communication est de docteur à docteur et d'ordre médical. Si elle n'est pas strictement d'ordre médical, on coupe. (Air France en grève.)

J'apprends au réveil par le docteur qui vient de me faire la prise de sang que la grève est générale dans toute la France (grands magasins).

Il est étrange que j'aie pris au hasard et lu les contes de Gobineau sur les îles grecques et le séisme de Santorin [1] au moment même où se produisait l'horrible catastrophe de Céphalonie, de Zante, des îles d'Ithaque. Nous aurions pu décider notre voyage cette année au lieu de l'année dernière. Nous rendre l'année dernière en Espagne et cette année aux îles de Grèce.

Tout va mal et je me porte aussi mal que tout.

Pendant ces grèves et ces catastrophes cette duchesse de *** traversée de tuyaux et d'aiguilles, les spasmes de son sommeil brisant ses dents sur le tube de métal qui l'empêche d'avaler sa langue, ni vivante ni morte. Les yeux vitreux et grands ouverts, et le yacht et les malles-armoires et les robes qui arrivent. La villa pleine de princes et de reines en exil craignant, comme le duc, qu'elle ne ressuscite.

14 août 1953.

J'écris couché sur le dos, immobilisé par une douleur aiguë près de la hanche gauche. Cette nuit, je voulais me lever et il m'a été impossible de remonter seul sur mon lit. J'ai appelé. Édouard a entendu de sa chambre. Il est venu et m'a porté. Ce matin le moindre mouvement, la moindre toux, m'arrachent cette douleur atroce.

Jamais personne ne me croit malade. Hier Sadoul [2] et une bande insistaient pour me voir. On avait beau leur dire que j'étais malade, ils répondaient à Thérèse : « Prévenez-le. Il nous verra tout de même. » Une dame disant : « Ce doit être un petit rhume. »

Comme le docteur m'avait raconté son achat du nouvel appareil qui arrête les douleurs nerveuses par ultrasons, je lui ai fait téléphoner qu'il l'apporte, mais le pauvre docteur ne dort jamais à

---

1. *Akrivie Phrangopoulo* (Naxie), 1867, et *Le Mouchoir rouge* (Céphalonie), 1868.
2. Robert Sadoul, de la Radiodiffusion française, secrétaire de l'association « Les Amis de Vence ».

cause de la duchesse et je me demande quand il pourra venir.
L'analyse de sang est, en gros, négative. Je souffre sans doute d'une
crise de sciatique. Il arrive que les hautes doses de pénicilline les
déclenchent.

Cette année est celle des poèmes. Ils s'organisent dans ma tête
sans que je le veuille. Malgré cette crise j'ai presque terminé la
suite[1] de l'hommage à Manolete. (« Portrait d'un torero » et « À
Linares ».)

Montaigne dit que nous souffrons davantage par la représentation de la douleur que par la douleur proprement dite et que nous
devons être maîtres de cette douleur.

La duchesse est morte. On l'a ramenée à la surface pour qu'elle se
sente couler à pic. Le duc qui avait apporté de quoi l'ensevelir la
veille de sa mort ne pense qu'à une chose : « Si on en parle dans
Saint-Jean, notre famille est déshonorée. »

Une autre duchesse que soigne le docteur se lamente de ce qu'on
ait découvert sa petite femme de chambre couchée avec le fils du
jardinier. « Ces choses arrivent, dit le docteur, et ce n'est pas votre
fille. — Je ne comprends pas, dit la duchesse. Une femme de
chambre ! Que peut-elle ressentir ? »

Chamfort raconte : Le dauphin de France disait à sa gouvernante : « Comment, vous avez cinq doigts, comme moi ? »

Francine apporte le journal. La catastrophe des îles grecques
dépasse tout ce qu'on imagine. Les îles tombent en morceaux dans
la mer. Agostolion, Lixourion, Zante sont détruites. Les montagnes
s'enfoncent. La terre éclate.

Les grèves s'étendent et la France donne au monde le triste
spectacle d'une île qui fabrique elle-même sa catastrophe.

Cela met mal à l'aise de savoir que rien n'existe de ce que nos
sens très limités fabriquent et que d'autres univers cohabitent avec
le nôtre sans même qu'il s'en doute.

---

1. Les deuxième et troisième poèmes d' « Hommage à Manolete » paraîtront dans
La Corrida du premier mai, op. cit., pp. 119-122. Voir *supra*, p. 192, n. 1.

Ce matin le docteur Ricoux est venu m'appliquer les ultrasons. On soigne grâce à la violence d'un cri que les oreilles humaines ne peuvent percevoir. Ce cri silencieux arrive à supprimer une sciatique d'épaule en une séance. Pour le lumbago il en faudrait trois de cinq minutes chacune. Je fais déjà quelques mouvements que je ne pouvais pas faire ce matin.

On parle de l'attitude « très ferme » de M. Laniel. À quoi bon ? Il faudrait changer tout. Commencer par ce fisc imbécile qui nous dévore, se dévore et paralyse l'activité française. J'interrogeai des Espagnols sur leurs impôts. « Personne ici ne les paye, me répondirent-ils en riant. Nos avocats nous défendent. » Et l'Espagne marche. C'est que la France est avare et que l'Espagne ignore l'avarice. Elle dépense ce qu'elle gagne. Elle donne tout ce qu'elle a, sauf pour le fisc. Le sang circule.

Je suis parvenu à me lever et je peux m'asseoir dans le lit.

Le drame des îles grecques ne fera réfléchir personne à ceci que la terre est une boule inhabitable où il vaudrait mieux s'arranger chacun sur son épave continentale que d'essayer de s'entre-détruire. Cette vieille croûte malade dont nous sommes la fière vermine est prise par notre orgueil pour un paradis créé à notre intention, perdu par nos instincts les plus simples appelés faute originelle. Toute cette prétentieuse sottise empêche un esprit sérieux de croire à ses entreprises et le pousse à ne les continuer que par machine. C'est mon cas lorsque je m'acharne nuit et jour à écrire et récrire des poèmes qui ne s'adressent à personne et dont j'évite le ridicule d'en attendre aucune gloire dans un monde appelé à disparaître.

Connerie monstrueuse des enfants « modernes » interrogés par la radio et par la télévision. « La poésie, on se demande à quoi ça sert » disent-ils. Ces enfants font regretter l'époque où l'on empêchait les enfants de parler à table. Rien ne sert à rien, pauvres cons — sauf momentanément de parler une langue que vous ne pouvez pas comprendre.

Règne humain. Sartre cite de moi une phrase où je disais qu'enfant je ne croyais pas que les étrangers parlassent une langue.

Je croyais qu'ils faisaient semblant d'en parler une. C'est, touchant la poésie, l'opinion courante.

J'ai toujours noué le verbe. Peut-être encore davantage dans *Clair-Obscur*. Bien que *L'Ange Heurtebise* [1] reste l'exemple type de cette méthode protectrice contre une certaine vulgarité qui menace très vite la langue française.

Il semble que la poésie s'épanouisse mieux dans le secret, protégée par ceux qui la dédaignent. Ce phénomène vient de ce que le poète noué donne lieu à des exégèses. Góngora, poète noué, demeure le premier d'Espagne. Pouchkine est intraduisible, ce qui ne gêne pas son prestige. (À recopier en note — en fin de livre, après la Préface de *Clair-Obscur*.)

C'est aujourd'hui 14 que devraient arriver à Cap Estel [2] Luis Miguel Dominguin et ses amis pour lesquels j'ai retenu des chambres. Mais il est probable que les grèves les empêcheront de venir.

L'Italie profite de notre crise. Elle regorge de monde. La France se vide, sauf de touristes qui ne trouvent pas les moyens de partir et n'ont plus le sou. En Espagne, les étrangers bloqués couchent dans les parcs.

Après ce joli travail notre ruine sera définitive et on nous saignera de nouveaux impôts qui tomberont dans un trou. J'avais raison d'écrire en Espagne que la France était devenue le pays le plus bête du monde.

La race des ouvriers est très belle dans les Alpes-Maritimes. Il y a toute une jeunesse magnifique circulant et travaillant sur les routes. La race ignoble c'est celle qui nous encombre au mois d'août. Race de petits boutiquiers, de petits bourgeois, d'une laideur et d'une vulgarité répugnantes.

Malgré cette horreur des îles grecques mes hideux coreligionnaires trouvent le moyen de dire qu'un miracle a épargné l'église

---

1. Poème de Jean Cocteau, achevé en mars 1925, publié dans *Les Feuilles libres*, n° 40, mai-juin 1925, pp. 243-249, puis en édition originale, « avec une photographie de l'ange par Man Ray », Paris, Stock, 1925, avant d'être repris dans *Opéra*, Paris, Stock, 1927, pp. 35-43. Voir « De la naissance d'un poème », dans *Journal d'un inconnu, op. cit.*, pp. 45-56.
2. Hôtel situé sur un petit cap entre Èze et Cap-d'Ail.

de Saint-Denis. Dans la circonstance saint Denis n'a pas perdu la tête. Il n'a pris soin que de se protéger lui-même.

Du reste, le scandale des miracles continue. Trains de pèlerinage qui déraillent, funiculaires de pèlerinage qui s'écrasent. Autant de miracles à fort bon compte.

Courez, courez, messieurs. Vous courez si vite que bientôt on ne vous verra plus.

Écrire dans un style qui ne se démodera pas se paye très cher parce que les gens ne sont sensibles qu'aux modes.

Je vois déjà, si ces notes paraissent, quelque niais de l'époque disant : « Il parle sans cesse de la vanité des choses humaines et s'y intéresse étrangement. » Bien sûr que j'habite une petite zone de ce temps vertigineux. Bien sûr que cette petite zone, je m'y intéresse comme un villageois à son village. Mais sans oublier que cette petite zone est une illusion.

Durant ce sombre jeu qu'on mène de l'écriture, éclairer un chapitre par quelque phrase lumineuse que nous donne un livre me semble délicieux.
Toujours on aimerait éclairer ses écrits avec la lanterne de ceux de Montaigne, dont chaque phrase est une compagne de solitude.

L'analyse de mon sang, ce matin. Surprise du docteur. Toutes les mesures en sont impeccables comme celles de miss Europe. C'est sans doute à cet équilibre du sang que je dois une force qui étonne.

Les îles Ioniennes continuent de s'écrouler dans la mer et les navires anglais ne peuvent approcher à cause des vagues. Les rescapés meurent de faim et de soif. On parachute les secours. Mais les malheureux attendent de nouvelles secousses.

Et pendant que ces îles meurent et pendant que les touristes prennent d'assaut n'importe quel véhicule et pendant que la France se ruine, les nuits vénitiennes, les féeries blanches, les galas de la Côte tiennent bon.

On s'étonne toujours que je mette une grande prudence à répondre aux lettres qui demandent conseil. Je vois dans le journal

244 Le Passé défini

qu'une jeune fille s'est suicidée parce qu'un chef d'orchestre lui avait conseillé de ne pas poursuivre ses études de chanteuse.

Ce matin le cri inaudible qui semble avoir effrayé mon mal c'était un de ceux dont m'avait parlé Gide, un de ceux que les poissons poussent au fond de la mer, un de ceux qu'ils poussent quand on les pêche et que cela nous arrange de ne pas entendre. Jésus-Christ croyait que Dieu avait créé les poissons pour être mangés par les hommes et les Romains croyaient que Jupiter avait fait les chrétiens pour être mangés par les lions.

La civilisation consiste en ceci : c'est moralement que les hommes sont anthropophages.

Demain, le 15 août, c'est le pire jour sur la Côte. Une invasion de larves. La lie de l'humanité.

Malraux, Montherlant, Sartre, Camus, Anouilh, etc., on les *envisage*. Moi, on me *dévisage*.

15 août.
Il a plu ce matin. Il n'est pas rare qu'il pleuve le 15 août sur les fêtes. Je souffre moins que le premier jour mais je tousse et chaque crise de toux me poignarde. J'attends le docteur avec son appareil à ultrasons qui m'avait soulagé hier.
Le drame des îles Ioniennes continue. Les nôtres aussi. Comment ose-t-on ruiner la France pour l'âge de la retraite des fonctionnaires. Tout cela n'a de sens que si le problème de l'irresponsabilité se pose. Il est possible que ces désordres obéissent à des raisons plus profondes que celles qui paraissent les motiver.

On se demande même si la France n'a pas avantage secret à se tenir en marge du vertige et des conflits internationaux.

Les amis espagnols. Nous les attendions entre le 15 et le 18. Mais comme les journalistes étrangers doivent grossir les événements, il est possible que les Espagnols remettent leurs voyages. Je serais du reste navré qu'ils arrivassent pendant que je suis malade.

Deuxième séance des ultrasons. L'appareil est fabriqué à Vence. C'est sans doute la première fois qu'une découverte allemande est mise au point chez nous. La cure (Autriche — allemande) eut lieu d'abord en secret. Les malades étaient traités dans une chambre noire. Les appareils étaient volumineux. La mise au point française réside surtout dans ce qu'on appelle la sonde (ce qui coûte le plus cher) c'est-à-dire la capsule scellée qui joue le rôle de haut-parleur et dirige le son. Avec cet appareil Ricoux guérit une foulure du pied en cinq minutes. Ce qui n'empêche qu'on inventera d'autres appareils, que Ricoux les achètera et qu'il ne parviendra jamais à amortir les sommes mises (à terme) dans les appareils que le progrès dépasse.

Découverte de Guy Boncourt (grâce à l'aide suisse). Cette découverte annule tout l'appareillage actuel de la télévision. Elle supprime les relais comme l'automobile a supprimé les relais de poste. Elle capte ensemble les images et la radio, ce que les spécialistes déclaraient impossible. Elle débarbouille l'image et l'égalise.

Avant peu cette découverte passera pour américaine ou russe. La France ayant le privilège d'être inventive sans en récolter rien. Le monde nous accuse d'être à la débandade. Il oublie notre individualisme et qu'un modeste ingénieur français de trente-neuf ans, vient, en pleine grève et carence gouvernementale, de ridiculiser les vastes entreprises dont ce monde est si fier. Pour que la France l'emporte et se prouve il suffit d'un seul homme qui rende la science des grandes nations industrielles caduque. Qui le dira en France ? Personne. Qui en profitera en France ? Personne. La France avait une magnifique occasion de s'enrichir et de remonter sa cote. Mais elle aime mieux se disputer en famille pendant qu'on lui enlève ses meubles.

On imagine ce que les Russes auraient tiré d'une découverte aussi considérable. Malenkov l'aurait annoncée avec la bombe H. En vérité c'est une bombe plus forte que la bombe H, puisqu'elle vient de détruire en une minute tous les postes de télévision du monde. Voilà une bombe française qui vaut la bombe atomique.

J'aimerais commencer le livre *Clair-Obscur* en clair et l'achever en clair pour montrer bien que ma syntaxe se noue et se dénoue selon la nécessité que j'en éprouve. Et pour qu'on dise comme pour Picasso : « Vous voyez bien qu'il est clair s'il le veut. » Alors qu'il faudrait dire : « Vous voyez bien qu'il cesse d'être clair, s'il le veut. » *Clair-Obscur* doit être, dans mon œuvre, une insulte anarchique et aristocratique à une époque, laquelle s'imagine capable de tout comprendre et traite d'absurde ce qu'elle ne comprend pas. Montaigne est difficile à lire de près. Mais quelle joie on éprouve et comme on le goûte après avoir épluché la noix tortueuse et fraîche de son écriture.

Si, dans les poèmes de *Clair-Obscur*, je change la place naturelle des mots, c'est pour que l'esprit n'y glisse pas mais s'y arrête, réfléchisse et les remette en place. Pendant ce travail l'esprit se familiarise avec la signification et, fier d'avoir collaboré au travail, il s'y intéresse davantage et devient sensible au pourquoi de ses reliefs. Je ne parle évidemment que des rares personnes qui savent lire.

La syntaxe des poèmes de *Clair-Obscur,* comme celle de *L'Ange Heurtebise* et de « Malédiction au laurier[1] » est le contraire de la syntaxe mallarméenne.

> *Surgi de la croupe* (descriptif) *et du bond*[2] (trop joli)
> *D'une verrerie éphémère* (pourrait être de Théophile Gautier)
> *Pour*[3] *fleurir la veillée amère* (cheville)
> *Le col ignoré s'interrompt* (précieux et japonais).

Etc. C'est *La Guirlande de Julie* et le sonnet d'Oronte.
La syntaxe de *Clair-Obscur* est uniquement destinée à durcir et accidenter une langue propre à couler trop vite et à ne vaincre le charme que par l'emphase. Valéry a mesuré le danger de la langue qui coule et de l'emphase, mais, n'étant pas poète, il se livre à un travail d'alchimiste, trompe le monde et fait de l'or avec de l'or. Il a du reste très bien compris qu'un penseur — si j'ose employer ce terme — trouve une grande force dans l'emploi du vers et des rimes. [...]
Valéry. *Exemple :*

> *De sa grâce redoutable*
> *Voilant à peine l'éclat,*

---

1. Poème de *Discours du grand sommeil,* dans Jean Cocteau, *Poésie 1916-1923,* I, Paris, Gallimard, 1925, pp. 181-182.
2. Sonnet de Stéphane Mallarmé, 1887.
3. Jean Cocteau cite de mémoire. Mallarmé a écrit : *Sans fleurir...*

> *Un ange met sur ma table*
> *Le pain tendre, le lait plat* [1]...

Il n'y a là que des idées et des images, sans rien de précieux. La strophe a le sens exact des chiffres. Il ne lui manque rien, sauf ce tout que possédait Apollinaire. *Exemple :*

> *Dans vos viviers, dans vos étangs,*
> *Carpes, que vous vivez longtemps !*
> *Est-ce que la mort vous oublie,*
> *Poissons de la mélancolie* [2].

Ces quatre vers ne sont pas seulement un objet sans défaut. Ils sont autre chose qui ne s'explique pas : un poème, avec le vide autour. Alfred, gardien du Potomak, dirait : « *Ils échappent à l'analyse.* »

James dit : « À Vallauris Picasso est en résidence surveillée. »

Dimanche 16 août.
Louis Mountbatten déclare qu'il faudra l'aide du monde entier pour soulager les îles Ioniennes. Trois toutes petites îles sur la carte. Le monde entier se donne moins de mal pour détruire de vastes territoires et pour les soulager ensuite.

Malgré ce désastre grec, malgré le drame du Maroc qui change de chef religieux, malgré les grèves qui continuent, Nice, hier soir, a donné sa fête du « Paradis terrestre ». Le ridicule de cette fête était aggravé par une sottise « ayant pris forme », par une preuve visible du manque d'imagination, de goût, de la moindre lueur d'intelligence. Je parle d'après les documents photographiques de cette monstrueuse connerie. La seule chose drôle était deux idiotes ayant mal lu le journal, ayant cru qu'il s'agissait de la redoute du carnaval de l'année prochaine dont les immondes couleurs seront le violet et le jaune. (Violettes et mimosas.) Ces idiotes se prélassent dans le vieux fiacre en robes de « style » sous le nom de « Violetta ».

Je songe aux fêtes des fleurs de jadis — déjà si comiques. On

---

1. Début de « Palme », 1919, dans *Charmes*, 1922.
2. « La carpe », dans *Le Bestiaire ou Cortège d'Orphée*, 1911.

lisait : « *Très remarqué, en son tonneau, le comte Gautier-Vignal*[1], *président du Cercle d'escrime et du Tir aux pigeons. Roues en iris. Fouet en giroflée.* » J'habitais Villefranche. Paul Morand m'avait découpé et envoyé ce chef-d'œuvre.

Francine me raconte qu'à l'exposition Cézanne Chagall disait à Pasquini que ces fêtes de Nice étaient une honte, qu'il fallait en finir avec cette imbécillité ruineuse et scandaleuse.

Quand on pense que tout sentiment des mesures est perdu dans le domaine de l'art et chez les architectes et que quelques centimètres de moins aux jupes des femmes révolutionnent le monde en 1953. Nul ne songe à sourire. On parle de la bombe Dior avec le sérieux qu'on met à parler de la bombe atomique.

D'un lit de malade, en lisant un journal, on se demande si le monde a jamais été aussi grotesque. Ce qui n'empêche pas, par contre, les journalistes de faire preuve d'une certaine clairvoyance et d'une grande liberté de plume. Je veux dire que les journalistes sont moins bêtes et les événements davantage. Un monde qui ne rêve que de pouvoir anéantir une île d'un seul coup verse des larmes sur l'anéantissement des îles de Grèce. Les malheureuses victimes de ces îles détruites mettent le sauvetage de soixante pèlerins sur le compte d'une intervention miraculeuse de saint Denis (dont l'église reste debout). [...] Le gouvernement « très ferme » prolonge une grève qui n'a pour base que l'âge de retraite des fonctionnaires. L'Italie et la Belgique s'enrichissent des touristes que cette grève met en fuite. On parle en quelques lignes de l'extraordinaire découverte de Guy Boncourt qui relèverait le prestige de la France et on accumule les articles sur Christian Dior qui écourte les jupes de quatre centimètres. On donne à cette « bombe Dior » la même importance qu'à la bombe H que les Russes déclarent posséder (ce qui est probable) et à laquelle on ne croit pas comme on ne croyait pas aux forces de Hitler. Au milieu de ce triste spectacle (le maire de Nice désavouant les décrets-lois par frousse de perdre ses électeurs) les élections de miss Cannes, de

---

1. Voir lettre de Jean Cocteau à sa mère, datée de Villefranche-sur-Mer, mai 1929, dans *Cahiers Jean Cocteau*, 1, Paris, Gallimard, 1969, p. 55. — Le comte Gautier-Vignal, personnalité mondaine des Alpes-Maritimes, habitait à Beaulieu-sur-Mer la villa La Berlugane. Son fils Louis révéla, au début des années dix, l'œuvre de Nietzsche à Jean Cocteau.

miss Europe, de miss Univers continuent et les concours de seins et autres hontes. D'ignobles familles se vautrent sur nos plages où les couples se pelotent devant tout le monde. L'Église inhume en grande pompe la duchesse de *** après son suicide et le duc répète à qui veut l'entendre : « Elle aimait tant la vie. » Frac, fric et fric fracs, voilà les Alpes-Maritimes. Monte-Carlo qui avait chassé Lady et Sir Bernard Docker ouvre grandes ses portes à ce ménage d'ivrognes, à son yacht, à sa voiture aux pare-chocs en or.

Ne pas quitter sa chambre. Écrire des poèmes obscurs. Sagesse.

La fête du « Paradis terrestre » (en costume de l'époque) aurait rapporté sept millions à la municipalité niçoise ce qui semble peu croyable puisque les hôtels se vident et qu'on improvise des centres d'accueil et des soupes populaires pour les touristes bloqués à Nice sans le sou. Maintenant il est possible qu'une quantité d'imbéciles soient venus de Cannes et d'Antibes pour voir des « femmes nues », oubliant qu'ils en voient toute la journée. Il est probable que la phrase : *en costume de l'époque* était une trouvaille.

Après la troisième séance des ultrasons, la douleur vive a cédé la place à une sorte de courbature très supportable. Je peux me lever et monter des marches ce qui m'était impossible avant-hier.

17 août 1953.

L'état « courbatures » stationnaire. Mes oreilles ne sont pas encore complètement libres. Fatigue générale moins grande.

Genet vient déjeuner. Fernand a été le chercher à Cannes.

Grèves. Avantage d'être coupé de tout ce que Paris s'imagine être d'une importance extrême et dont je me passe fort bien. Presque terminé le poème : « Suis-je clair[1] ? » qui devrait terminer le livre *Clair-Obscur* où se trouvent surtout les poèmes espagnols.

James m'a apporté de la part de madame Guynet le carton de dessins qu'elle gardait au musée Masséna. Je compte employer les dessins faits de taches et les rehausser de couleurs pour le tirage de luxe qui précédera l'édition proprement dite. (Choix de poèmes de *Clair-Obscur.*) Orengo viendra demain pour décider l'ordre des œuvres complètes que je ne voudrais pas intituler *Œuvres complètes* mais peut-être *Œuvres de J. C. (de telle date à telle date).* Orengo

1. Ce poème n'a pas été recueilli dans *Clair-Obscur*, qui se termine par « Hommages et poèmes espagnols ».

estime qu'il faudra quatre volumes papier bible et commencer par les romans et le théâtre.

Grasset a signé avec le jeune Dubourg[1]. (Son livre sur mon théâtre et mes films.)

Les recherches maniaques de Léonard de Vinci le conduisaient à des échecs dans la fabrication de ses couleurs. Il voyait, de son vivant, ses œuvres se craqueler, se couvrir de lèpre, tomber en poussière. En outre on n'a jamais attaché la moindre importance à ses découvertes. On n'exécuta aucune de ses machines. Pendant qu'il peignait sa très ennuyeuse *Cène* la duchesse[2] le faisait sans cesse chercher pour réparer ses tuyauteries, le considérait beaucoup plus comme un bricoleur que comme un peintre. Il dut vivre mieux à la cour de François Ier. Cependant on lui demandait pas mal de bricoles. Il est dommage que rien ne reste des automates et bijoux mobiles qu'il exécuta pour des fêtes et qui devaient être des merveilles. Je les eusse préférées à cette *Joconde* dont la gloire me demeure inexplicable. Il est vrai que cette *Joconde* est si sale, si noire (peut-être par la faute de ses couleurs d'origine) qu'il est difficile de se rendre compte de ses charmes. Le tableau m'intéresse en tant que tabou, que chance mystérieuse d'un objet qui engendre des fables et devient objet de culte. C'est le type de l'œuvre qui a traversé le mur qui s'oppose à toutes les œuvres. Il n'est plus question de juger *La Joconde*. Elle est là. Le Louvre s'il la nettoyait et l'abîmait pourrait en exposer une copie propre sans que personne s'en aperçoive. Ce n'est plus le tableau, c'est l'idée qu'on se forme du tableau qui compte. Il est probable que cette *Mona Lisa* puise sa force dans les innombrables œuvres détruites de Léonard. Si Vinci ressuscitait, sans doute serait-il très étonné de son aventure. Peut-être dirait-il : « Qui est cette Mona Lisa ? Cette Joconde ? Je ne l'ai jamais peinte. » Léonard a vu de ses propres yeux à Florence sa *Léda* jetée aux *flammes purificatrices* par les boy-scouts de Savonarole. On y voyait Castor et Pollux sortir d'un œuf.
Je suppose que la plupart des œuvres singulières de toutes les époques ont disparu, soit par la faute des moines, soit par l'empêchement où se trouvaient les jeunes artistes d'employer des matières durables. De la Grèce il ne doit survivre que des bribes de

1. Voir t. I, p. 164, n. 1.
2. Béatrice d'Este, épouse de Ludovic Sforza, dit « Le More », duc de Milan.

l'art officiel. Très rares sont les œuvres qui témoignent d'une désobéissance aux règles. Et il est probable que les mutilations et déchirures de certaines statues leur ajoutent cet air d'audace qui me frappait à Munich devant les bronzes de Rodin déchiquetés par les bombes. Les mêmes bronzes intacts me devinrent presque fades lorsque je les retrouvai à Paris. Il est vrai que les ruines d'une œuvre ne la singularisent que si l'œuvre était belle au départ. S'il lui manquait de l'étrangeté, sa ruine la lui donne, comme il arrive pour la statue en métal du Louvre (jeune homme) dont on dirait qu'elle est l'œuvre capricieuse de la foudre. (Centre de la rotonde, au-dessus ou au-dessous de celle de la Vénus de Milo.)

Si vous lisez ce journal après ma mort vous vous demanderez sans doute pourquoi les paragraphes passent inexplicablement d'un sujet à un autre. C'est que j'y bavarde avec moi-même et qu'entre deux paragraphes il m'arrive de recevoir une visite qui me change les idées et les oriente dans une direction inattendue. Au reste, je conseille à ceux qui classeront ce journal d'en supprimer ce que je note pour prendre des points de repère et les répétitions qui viennent de ce que je ne me rappelle pas si j'ai déjà raconté les choses que je raconte.

18 août.
Jean Genet est venu déjeuner. Il a une belle mine et ressemble de plus en plus à Lucien [1]. Il travaille et se donne des ordres, des règles strictes pour la composition de son livre. Chaque chapitre ou strophe, dit-il, doit être ramassé dans la minute, réunir ce qui précède. Le livre doit se dessiner au fur et à mesure. Le livre s'appellera : *La Mort*. Il dit : « Nous écrivons pour nous rassembler — sinon nous serions épars. » Il parle de Picasso : « Je l'admire mais je ne l'aime pas. Il est encore plus truqueur que moi. Devant les Rembrandt de Londres il est facile de comprendre qu'il savait ne pouvoir être un dieu de la peinture. C'est parce qu'il le savait qu'il a décidé d'en être le diable. Il s'acharne à détruire l'échelle des valeurs pour qu'on ne s'aperçoive pas qu'il est incapable de la monter jusqu'en haut. »
Il parle de Sartre. Comme je lui dis : « Sartre sera content de ta nouvelle méthode de travail. Il croira que tu l'as écouté. Il parlera

1. Lucien Sénémaud. Voir Jean Genet, *Journal du voleur, op. cit.*, pp. 153-162, puis *passim*, et « Le Pêcheur du Suquet », dans *Œuvres complètes****, Paris, Gallimard, 1953, pp. 163-169.

du suicide mallarméen » — il me répond : « C'est moi qui lui ai expliqué tout cela. Son livre sur moi est d'une grande intelligence, mais il ne fait que répéter ce que je dis. Il ne m'apporte rien de neuf. »

Il me raconte Lourdes où il a passé quelques jours. Les commerçants qui vous méprisent parce qu'on a l'air de venir demander l'aumône à la Vierge. Ils vous traitent comme des mendiants. Il voulait acheter quelques bidons ornés du portrait de la sainte Vierge pour les envoyer à Lucien. « Avec ou sans auréole ? lui demanda la marchande. Avec auréole c'est trente francs de plus. » Un soir qu'il se promenait et sifflotait, il croise une vieille dame qui lui dit : « *Vous êtes bien gai !* »

Il dit : « Le pédéraste est sans continuité. Il se rassemble dans la minute. On pourrait mettre chacun de mes pas sous globe[1]. »

Tout ce que dit Genet serait admirable si on ne le sentait dicté par un orgueil fou. Cet orgueil, cet égocentrisme le poussent à exprimer les mêmes choses qu'une âme parvenue à la sainteté. Tout est vain en ce monde *(sauf lui)*. Tout n'est que vanité *(sauf la sienne)*.

J'ai reçu hier trois dépêches qui datent de quinze jours.

La lenteur d'esprit croit beaucoup à la « vitesse ». Sur les routes les imbéciles veulent dépasser les autres. À notre époque on dit d'un écrivain qu'il est « dépassé ».

Hier soir Jean Marais a pu m'appeler de Paris au téléphone, par autorisation spéciale, pour prendre des nouvelles d'un malade.

Le docteur Ricoux vient de me faire une quatrième séance d'ultrasons.

Voici comment il résume l'affaire ***. La duchesse (incapable de s'intéresser à quoi que ce soit, sauf à elle-même) avait décidé que le duc devait mourir d'abord, elle ensuite. Mais le duc ne marchait pas et refusait de prendre le Véronal. C'est pourquoi la duchesse essaya de le tuer à coups de candélabre. Échouant, elle décida de se

---

1. Voir t. I, p. 283, n. 1.

venger en se suicidant et en provoquant un scandale qui déshono-
rerait le duc.

Elle s'empoisonna. Le duc lui fit des funérailles très simples et
très nobles. Petite messe à la chapelle de Beaulieu avec reines en
exil (sauf la reine d'Espagne qui s'était décommandée par télégramme à cause des grèves). Le duc obtint de la faculté des
certificats assez vagues, du pape le droit d'enterrer religieusement
sa femme. En fin de compte la duchesse repose dans le suaire de sa
sottise et de son égoïsme. Reste le yacht tout neuf, sur lequel le duc
ira pousser son « ouf! » en pleine mer, accompagné de sa
« cocotte ».

Le gouvernement s'entête. Les grévistes aussi. Laniel doit fonder
son seul espoir sur le pourrissement de la grève. Mais on ne laisse
pas pourrir une grève. On l'ampute.

Le sultan du Maroc refuse de renoncer à ses pouvoirs spirituels.
Il considère l'acte du Glaoui [1] comme un schisme. La France reste,
selon ses habitudes, assise entre deux chaises, c'est-à-dire entre
deux trônes prêts à se combattre et à massacrer les Français.

Encore un miracle : par suite des grèves, le grand pèlerinage de
Lourdes n'aura pas lieu.

Trésor, tel est le nom donné au chien perdu que Monsieur et
Madame avaient recueilli à Montrouge. Trésor n'aboyait pas.
C'était un vrai chien de race. Un jour que Monsieur promenait
Trésor, il rencontre le vétérinaire qui lui dit : « Vous feriez bien de
tenir votre chacal en laisse. » Monsieur devint blême et appela
Police Secours. Trésor s'était évadé d'un cirque. Il dut réintégrer sa
cage. (Journal de ce matin.)

20 août.

C'est la date que donne la Grande Pyramide : « *Grands change-
ments dans les affaires du monde.* » Ce qui se passe partout semble
ne pas contredire la prédiction. Encore faudrait-il savoir comment

---

1. El Hâdjdj Thami El-Glaoui, pacha de Marrakech depuis 1912, s'opposait au
sultan Mohammed V, qui appuyait le parti nationaliste et indépendantiste Istiqlal ; il
provoqua son abdication et son remplacement par Mohammed Ben Arafat en 1953.
Mais Mohammed V retrouva son trône en 1955 et le Glaoui dut se soumettre. Le Maroc
est indépendant depuis 1956.

les dates de la pyramide correspondent à notre calendrier. Ce qui est drôle ce sont les égyptologues qui s'installent aujourd'hui dans la Grande Pyramide pour attendre...

Un sucre au sultan, un sucre au Glaoui, voilà ce que la France a trouvé pour perdre le Maroc et faire massacrer les Français. Que peuvent décider de décisif des hommes qui reçoivent de toutes les bourses ? [...]

Un malade s'embête et lit le journal. Rien n'est plus néfaste que cette lecture qui trompe sur l'actualité véritable et paralyse les forces pensives qu'on y consacre par l'illusion que donne la fausse actualité d'être exclu d'un monde actif.

Les Noirs de Harlem attaquent la Maison-Blanche. Le président Eisenhower sauvagement assassiné. L'armée rouge met le feu au Kremlin. Soixante mille soucoupes volantes survolent Paris et font tomber une pluie d'or. [...] Les troupes berbères portent le général Guillaume [1] en triomphe. Nice annonce la grande nuit des facteurs nus. À Cannes, élections de miss Fin du monde, de miss Catastrophe et de miss Terre.

Incroyables trônes où le sort hisse toujours Picasso. On m'apporte le catalogue de l'exposition de Lyon sous la haute présidence de *tous les ministres et de tous les ambassadeurs (y compris l'ambassadeur d'Amérique).*

Les tabous de la Côte. La chapelle de Matisse. Une telle absence de génie exigeait le talent. Matisse n'a compté que sur le génie.

Ne plus écrire que ce qui intéresse mon univers à moi. C'est le seul qui risque d'intéresser un jour quelques personnes.

Je viens de voir qu'il faudrait peindre la cour intérieure de l'entrée. (Commencer par le mur à la niche en mosaïque. J'ai fait l'esquisse d'un centaure, mais il faudrait pour l'exécuter que je retrouve mes forces.)

Ai colorié à la gouache les dessins tachés qui étaient au musée Masséna. (Pour le livre de luxe des poèmes.)

1. Résident général de France au Maroc de 1951 à 1954.

Hier j'ai fait venir Orengo et je lui ai dit qu'il fallait considérer l'œuvre d'un écrivain comme une œuvre posthume et la classer sans qu'il s'en mêle. En outre je saurai que les choses sont en ordre pour si je venais à disparaître — ce qui me laissera l'esprit libre d'entreprendre un nouveau travail — s'il se présente. Orengo a trouvé tout de suite la personne capable de classer et nettoyer la matière des quatre volumes.

Ce qui m'enrage d'être malade et dans un tel état de faiblesse c'est la certitude que j'ai qu'il importe de profiter de cette halte des grèves pour préparer la reprise. La France crève d'une foule d'organismes qui se mangent les uns les autres. Cet encombrement résulte du marché noir et de l'après-guerre. Il est possible que ce drame de la France oblige les affaires branlantes à disparaître ce qui permettrait aux affaires solides de s'épanouir. Le malheur c'est que les affaires branlantes sont aux mains d'escrocs qui s'accrochent et les affaires solides aux mains d'hommes propres et accessibles à l'àquoibonisme. Il ne faut à aucun prix céder la place.

Dans mon œuvre le poème : *L'Ange Heurtebise* a l'importance des *Demoiselles d'Avignon* [1] dans l'œuvre de Picasso. Malheureusement aucun œil n'a su le voir, aucune oreille n'a su l'entendre — mais cela est. Éluard est un poète impressionniste. Il obligeait à cligner de l'oreille, comme les impressionnistes obligèrent à cligner des yeux. Rien de plus étrange ni de moins compréhensible que son attelage avec Picasso. Il est vrai que les œuvres réussissent dans la mesure où on les croit imitables. Or Éluard ouvrait une porte au n'importe quoi qu'il maniait avec un charme inouï. *L'Ange Heurtebise* est à ce point inimitable qu'il me serait impossible de l'imiter moi-même. Je suis souvent tenté de le faire et j'y renonce toujours. C'est un objet de solitude, séparé par une vitre de la poésie telle qu'on la pratique.

La poésie n'est pas une manière d'employer la langue écrite. C'est une langue, un idiome à part. Elle ne sert à rien sinon à faire le vide autour d'elle. Depuis que je suis malade j'ai retrouvé, sans m'y attendre le moins du monde, la veine de *Plain-Chant* [2] avec le

1. Tableau à l'origine du cubisme, peint en 1907.
2. Poèmes de Jean Cocteau, de veine classique, composés à la villa Croix-Fleurie, à Pramousquier (Var), auprès de Raymond Radiguet, en octobre 1922. — Paris, Stock, 1923.

thème de la mort substitué au thème du sommeil. Cette veine ne m'était jamais revenue. L'étrange est qu'elle revienne après le style gongorique des poèmes espagnols. Comme si ma fatigue de malade desserrait les mailles, m'empêchait de nouer et renouer le fil.

Il faut se méfier d'une veine. Très peu de chose la sépare d'une pente à l'imitation de cette veine. Dès qu'on s'imite il est indispensable de s'arrêter, de ne plus écrire, d'essayer d'autres méthodes. On passe vite de la veine à l'automatisme.

Rien de plus triste que cette constatation qui nous prive d'un travail et nous replonge dans le vide.

Une grande leçon du journal de Kafka. Il l'écrit pendant la guerre de 14. Jamais il n'en parle. Jamais une seule ligne ne s'y rapporte.

21 août.

La Pyramide avait raison. Hier a donné de grands spectacles.

Terminé le poème : *L'autre Paul*[1] — où je décris Éluard sur son lit de mort.

Poèmes sur la mort. En ce sens mon inactualité touche à l'actualité. Il n'est question que d'elle dans la presse.

Peut-être MM. E. F. et M. ont-ils joué une comédie. Toujours est-il que le Glaoui a eu gain de cause. On nous le communique sous cette forme incroyable : le gouvernement français *a dû s'incliner*. L'ex-sultan (?) est à Ajaccio.

On nous promet mille fois mieux que la bombe H. Les projectiles supersoniques. En attendant la modeste arme supersonique de Ricoux m'a guéri du lombago.

Paix est devenu synonyme de guerre. C'est le paradoxe de 1953.

Entre autres choses curieuses on a vu hier un ministre des Finances opter pour la ruine définitive de son pays et refuser de signer un décret qui l'en sauve.

---

1. « Quel est cet étranger... (Portrait de Paul Éluard sur son lit de mort) », dans *Clair-Obscur, op. cit.*, pp. 78-79.

22 août.

Me mettre totalement en veilleuse. Mater cet ignoble besoin du « faire part ». Santé meilleure depuis hier.

Le facteur est venu prendre les lettres ce matin (écrites il y a quinze jours).

Mon cri doit être maintenant au-dessus du son audible. Ce que les grandes gueules appellent « être dépassé ».

Ne se résoudre au *stop* sous aucun prétexte. Continuer sur mes jambes. Me faire éclabousser sans découragement, sans me laisser prendre au mensonge de la vitesse et du progrès.

Dans notre métier il n'y a de progrès qu'individuel.

Genet raconte que Sartre, rencontrant D. à Rome pour la première fois, ôta sa pipe de sa bouche et l'empocha par un automatisme de respect devant la beauté. (Ce qui n'empêche pas Sartre de juger D. sévèrement — il m'en a parlé.) — (Je rapproche cette histoire de Stravinski disant à Théodore [1] sur la route de Nice : « Comment oses-tu insulter un être si beau ? ») L'idée de beauté plus haute que l'idée de sexe.

Gaxotte [2] parle très drôlement du désespoir de Saint-Germain-des-Prés. Les apéritifs désespérés. Les chandails désespérés. Les barbes désespérées. Les automobiles désespérées.

Sans doute Genet a-t-il raison de dire que Picasso est un grand poète désespéré (un vrai, qui ne le montre pas) et est-ce la base de l'immense faveur dont il jouit auprès de toute cette vague de désespoir. Seul un désespéré lutte à ce point contre le désespoir. Seul un désespéré pousse aussi loin le nihilisme actif. Seul un désespéré n'attache — comme l'a prouvé la mort d'Éluard en ce qui concerne Picasso — aucune importance à la vie et à la mort. Seul un désespéré possède *cette mauvaise humeur de bonne humeur*. Seul un désespéré s'acharne à ce point contre la figure humaine. Il est vrai que chez Picasso une écrasante réussite le porte et rend son désespoir glorieux et confortable.

---

1. L'un des fils du compositeur.
2. Pierre Gaxotte (1895-1982), historien et journaliste.

23 août.

La duchesse disait au docteur qui a mis vingt-cinq mille francs de côté : « J'ai loué mon yacht quarante millions. J'ai eu de la chance. Ce n'est pas cher. N'est-ce pas docteur ? »

Depuis la mort de la duchesse le duc rôde autour de l'hôpital. Il entre dans la cour et ne s'arrête pas, sa voiture au ralenti. Hier il s'est arrêté. Il a demandé à revoir la chambre où sa femme est morte. On lui a répondu que c'était impossible, qu'une autre malade occupait la chambre. Il a supplié qu'on lui entrouvre la porte. Ensuite, il a prétexté qu'on avait oublié une couronne pour se faire ouvrir la chapelle. On lui a expliqué qu'il ne restait aucune couronne, d'autres corps y ayant séjourné depuis. Devant son insistance, on a ouvert la chapelle et il est tombé à genoux. Il haïssait sa femme qui le haïssait. Sans doute a-t-il tellement souhaité sa mort qu'il craint qu'elle ne se venge. Le docteur dit : « Il retourne sur les lieux du crime. »

Je n'ai pas pu dormir. Je n'arrivais pas à résoudre le problème de l'avant-dernière strophe du poème « Quel est cet étranger ». Je me suis endormi un peu vers le matin. Au réveil j'ai trouvé ce qui paralysait la strophe.

Soir. L'encre et l'esprit barbouillent. Si j'écrivais, je m'imiterais. Halte.

24 août.

Il y a les hommes que les honneurs officiels compromettent et les hommes qui compromettent les honneurs officiels. C'est le cas de Picasso et ce serait le mien si j'entrais à l'Académie.

Promenade sur l'*Orphée II*. Avons déjeuné à bord dans le golfe de la Garoupe[1].

25 août.

Picasso, c'est Voltaire et c'est le Barbier de Séville. *Picasso ci-Picasso là*. Le nœud anormal et unique formé par Picasso entre l'inactualité et l'actualité. Il est impossible d'ouvrir un journal

---

1. Baie de la côte est du cap d'Antibes.

sans trouver son nom ou son portrait. Je n'ai pas encore pu lui porter les nouvelles de Barcelone. James doit téléphoner à Vallauris pour que j'y monte la semaine prochaine.

Chaplin vient d'avoir un fils à Lausanne. Ai télégraphié.

Les grèves continuent, surtout à Paris.

La veine *Plain-Chant* semble épuisée. Comme j'en profitais, je n'ai pas relevé la plupart des poèmes presque illisibles. Si le mieux de santé se confirme, je me mettrai à ce travail.

Très peu de lettres parviennent. Très peu de communications téléphoniques possibles. Il est plus facile d'obtenir l'Angleterre que la France et d'en recevoir du courrier.

Toutes les découvertes de la science, toutes les techniques du progrès ne servent à rien si elles ne sont pas mises au service d'une idéologie. Si leur idéologie se borne à elles-mêmes elles ne peuvent que se dévorer sur place. (Ce qui arrive.)

Relire *Monsieur Teste*[1]. Il me semble que Valéry y parle d'une morale indispensable équivalente aux progrès techniques.

J'avais raison en ce qui concerne la considérable découverte de Guy Boncourt en Suisse. Aucun journal n'en parle plus et beaucoup de personnes n'en ont même pas connaissance.

Visite de madame Guynet et de Georges Salles. Salles avait dîné avec Claudel, Mauriac et Pons[2]. Mauriac faisait devant le jeune Pons la danse des sept voiles. Il lui demande : « Après Saint-Germain-des-Prés où cela se passera-t-il ? » — Et Pons répond : « Où j'irai. »

À Paris le pain manque. (Les trains déraillent. Sabotage contre ceux qui travaillent malgré la grève.)

Tous ces imbéciles qui ne savent rien voir sur la terre et veulent aller dans la lune. Par bonheur, s'ils l'osent — ce dont je doute — ils n'en reviendront pas.

1. 1896.
2. L'écrivain Maurice Pons, né à Strasbourg en 1927.

Envoyé l'article-préface pour le numéro de *Plaisir de France*. « Coup d'œil à vol d'oiseau sur le spectacle[1]. »

On oublie que la France a toujours été dans le marasme, sauf pendant les premières années euphoriques du règne de Louis XIV. Famines, fausse monnaie — etc. Ce n'est pas neuf. À la radio un horoscopiste déclare que Sacha Guitry est Louis XIV. Paris qui manquait de pain hier (sans doute à cause des trains et des arrivées de farine) aurait dû se rendre à Versailles et demander du pain à Sacha Guitry. (Il tourne son film dans le château.)

M. Laniel dit aux facteurs : « Je ne peux tout de même pas vous payer avec de la fausse monnaie. » Les facteurs répondent : « Puisque vous payez les autres avec, nous ne la refusons pas. Payez toujours. »

James me demande : « Picasso a-t-il du cœur ? » Je lui réponds : « Picasso a le cœur *sur la main*. »

Un journaliste vient voir au Louvre Braque en train de peindre son plafond[2]. Ce plafond représente un ciel et deux immenses oiseaux noirs. « Ah, dit le journaliste, vous aussi vous peignez des colombes. » Braque l'a mis à la porte.

Une jeune photographe, chargée de photographier ce plafond, le regarde (il est d'un bleu intense) et dit : « Quel dommage ! Je croyais qu'il était en couleurs. »

Prévert. On a cru aussi que Béranger était un poète.

28 août.
1953. L'année terrible.

Il faudra désormais, et de plus en plus, me considérer comme un simple particulier n'ayant jamais pris part aux mécanismes des lettres et placer mon œuvre sous le signe d'un dépôt en banque ne participant pas aux baisses et hausses d'une bourse. Il faudra

---

1. Voir l'annexe XVIII.
2. En 1952-1953.

envisager et le silence et les fables qui m'enveloppent comme une protection de ce dépôt. Il ne faudra laisser entrer en moi par aucune fissure un regret d'être à l'écart d'une certaine actualité de l'esprit. Qui me vient me doit venir s'il possède assez de clairvoyance pour comprendre quel vide sépare la personne que je suis de celle qu'on a faite de moi. Ne jamais m'endormir ni me réveiller sans me le répéter et sans y puiser des forces au lieu d'y prendre de la faiblesse.

Si j'étais capable d'orgueil je n'aurais droit qu'à celui d'être une aventure littéraire sans exemple. La victime type de la nouvelle conspiration du bruit équivalente à la vieille conspiration du silence.

(Correspond à cette note le poème : « Que notre époque n'envisage[1]... » écrit ce matin.) Poème qui se termine par :

> *Tisser l'envers de ton tissu*
> *Les muses en décident seules*
> *Car ce que les muses lui veulent*
> *Un poète n'a jamais su.*

29 [août 1953].
Picasso fait téléphoner par le fils Ramié qu'il part pour Vichy et doit ensuite se rendre à Perpignan. De corrida en corrida. Picasso l'Espagnol.

Me suis baigné hier et ce matin. Il faisait le temps que nous aurions dû avoir en avril.

Frank m'écrit que le remake des *Parents terribles*, *Intimate Relations*, remporte à Londres un succès formidable. Il en est à sa huitième semaine alors que Frank ne montre ses films que trois semaines. La salle est toujours comble. J'étais convaincu que ce film ne marcherait pas. Tout y est dénoué, trop ouvert. C'est sans doute cela qui le rend plus lisible que le mien au public de Londres.

Le directeur du musée de Grenoble me raconte avoir réveillé Picasso à la Galloise avant-hier, une minute avant que les toreros n'arrivassent. Ils devaient partir seuls pour les courses de Vichy. Picasso les faisait conduire dans sa voiture par son fils. D'après le

---

1. « Puisque nul regard n'envisage... », dans *Clair-Obscur, op. cit.*, p. 18.

téléphone du fils Ramié, il les accompagne à Vichy et ensuite à Perpignan. Picasso a toujours été voir toutes les corridas de France, mais jamais il ne m'a semblé victime d'une tornade qui l'empêche de peindre. Un journal annonce qu'il veut acheter le terrain de football de Vallauris et construire des arènes pour Dominguin.

Avant mon voyage d'Espagne, tout était calme.
Lorsqu'il s'arrêtait de peindre, il donnait la vie aux colombes en les faisant cuire et en leur tordant le cou.

J'ai promis une toile au directeur du musée de Grenoble. Il a retrouvé le carton que j'avais jadis offert au musée à la demande de l'ancien directeur. C'était à l'époque d'*Opéra* (Villefranche). *Cavaliers attaqués par des mains de plâtre* — tel était le titre du carton. J'aimerais qu'on me le rende en échange de la toile[1]. Il a échappé par miracle aux vols de Maurice Sachs[2].

Lorenzi m'a fait le cadre à peindre pour entourer la tapisserie *Naissance de Pégase*[3]. Je n'ai pas encore la force de m'y mettre.

Francine a engagé un nouvel équipage pour l'*Orphée II*.

1ᵉʳ septembre.
Vallauris ou la valse des toréadors[4]. Françoise me téléphone. Elle est seule. J'irai déjeuner avec elle demain.

Les poèmes. Il faut les tailler comme un diamant *pour qu'ils ne scintillent pas*.

Je n'ai pu dormir une minute cette nuit. Je cherchais la place de trois mots. Il ne s'agissait pas de les mettre où je le veux, mais où ils le veulent.

---

1. Ce pastel sur carton (H. 76 cm. L. 106 cm), l'une des compositions les plus singulières de Jean Cocteau, fut présenté à son exposition parisienne *Poésie plastique*, aux Quatre Chemins, 18, rue Godot-de-Mauroy, du 10 au 28 décembre 1926, sous le titre *Mains et pieds de plâtre attaquant les hommes au bord de la mer*, n° 36 du catalogue. Jean Cocteau fit don au musée de Grenoble, le 8 avril 1929, de ce pastel et d'une autre pièce de l'exposition : *Tête aux punaises*, reproduite au catalogue, n° 8, et dans *Jean Cocteau poète graphique, op. cit.*, p. 73. Il s'agit d'un objet réalisé en papier découpé, rehaussé d'encres rouge et noire, et en laiton de débourre-pipe, fixé par des punaises dans un coffret de bois vitré (H. 57,5 cm. L. 49 cm. P. 7 cm). L'échange envisagé n'ayant pas eu lieu, ces deux œuvres sont conservées au musée de Grenoble.
2. Voir t. I, p. 61, n. 4.
3. Ce cadre peint deviendra la bordure de la tapisserie (H. 200 cm. L. 195 cm. Coll. Édouard Dermit) tissée d'après le tableau *Naissance de Pégase*.
4. Allusion au titre de la pièce de Jean Anouilh, *La Valse des toréadors*, 1952.

Refait hier l' « Hommage à Kafka [1] ».

2 septembre.
Bombes supersoniques. Bombe H. Dieu a mis les armes du crime à la disposition des hommes pour savoir s'ils osent s'en servir.

Déjeuner à la Galloise. Je devais déjeuner seul avec Françoise, mais Picasso était rentré de Vichy à trois heures du matin. Françoise n'a pas l'air de goûter cette valse des toréadors. (Elle n'aime pas les courses.) Il y avait une ombre sur sa figure toujours très fermée. Elle me dit (seule) : « Picasso est le plus espagnol des Espagnols parce qu'il n'habite pas l'Espagne. C'est la goutte d'eau dans l'air ou la goutte d'air dans l'eau. Il lui fallait, pour aimer l'Espagne, quitter l'Espagne pour toujours. » À table, je ne parle pas trop du voyage (sauf de Barcelone et de la famille — qui avait écrit à Vallauris : « Cocteau est un vrai Gitan »). Je remarque même que Picasso est un peu jaloux, comme si je parlais d'une femme qu'il ne fréquente plus.
Toute cette valse des toréadors est organisée par Alberto. C'est une manœuvre pour ramener Picasso en Espagne. Manœuvre dont Picasso ne se doute pas, tout en me disant que ses toreros ne parlent que de Puig.

Françoise me raconte qu'elle a connu des gens qui avaient logé dans une petite maison de leur propriété des personnes à qui arrivaient tous les malheurs — comme paratonnerre. Elle raconte aussi que Picasso l'avait fait descendre avant leur station d'une rame de métro parce qu'il y avait là un jeune ménage et un enfant si beaux qu'il dit : « Ces gens-là sont trop heureux. Il va arriver un accident. » (Type de l'histoire espagnole.)

Picasso parlant de Luis Miguel Dominguin : « Sa vraie plaza c'est la place Vendôme. »

Et il ajoute : « On ne le croit pas comme les autres, mais il est exactement pareil. »

Cette nuit Picasso s'arrête sur la route à un poste d'essence. Le type du poste d'essence aidé par un jeune colosse lui dit : « Vous

---

1. Dans *Clair-Obscur, op. cit.*, p. 172.

ressemblez à Picasso. — C'est moi. — Alors vous connaissiez Misia. — Oui, bien sûr. — Eh bien, c'est moi qui ai tué Mimi[1]. » C'était le type avec lequel Mimi a eu son accident mortel.

« Je venais, dit Picasso, de vivre dans l'irréalité complète de ce voyage. Je pensais que ce poste d'essence était un contact avec la réalité même. Et voilà. On n'en a jamais fini. On ne peut pas en sortir. »

Il me raconte une famille et une propriété magnifique où il a été reçu avec ses toreros. Il y avait là beaucoup de jeunesse. « Cette jeunesse, dit-il, parlera de nous comme tu as parlé de Catulle Mendès[2]. Nous ne serons plus nous, mais ce qu'ils décident que nous devons être. »

Françoise : « Il faut éviter d'avoir des amis qui nous ressemblent. Ils deviennent des complices. »

5 septembre.
L'avion Paris-Nice (Nice-Saigon) s'écrase contre une montagne des Alpes. Cinquante morts. Jacques Thibaud[3] sur la liste.

Le bal Cuevas[4]. Cuevas a réussi à Biarritz le coup manqué par Beistegui[5] à Venise. Travail accablant des oisifs. « *Vous dont si bien la terre épouse les semelles*[6]. »

Nouveau cambriolage chez Warner à Antibes. Vingt-cinq millions.

Alec arrive avec Carole.

« Congrès de poésie. » On se demande ce que cela veut dire. Rochefort annonce : « Faut-il tuer les vieux poètes ? La poésie et l'accordéon... » Dégoûtant mélange d'une atmosphère poétique à la

---

1. Marie (Mimi) Godebska, ex-épouse d'Aimery Blacque-Belair, tuée dans un accident d'automobile en 1949, était la nièce de Misia Sert.
2. Avant de lui rendre hommage dans *Portraits-Souvenir, op. cit.*, chap. xii, Jean Cocteau avait tracé un portrait caricatural de Catulle Mendès (1841-1909), sous le nom de Pygamon le Parnassien, dans la « Lettre à Persicaire » du *Potomak, op. cit.*, pp. 218-236.
3. Le violoniste Jacques Thibaud, né en 1880.
4. Bal costumé donné par le marquis George de Cuevas (1885-1961) à Anglet, près de Biarritz, le 1er septembre 1953.
5. Voir t. I, p. 32, n. 1.
6. Premier vers d'un poème de *Clair-Obscur, op. cit.*, p. 104.

Prévert et de la poésie, langue à part. Vivante et morte, n'ayant aucun rapport avec ce que les gens prennent pour elle.

Sept. 1953.

Alberto téléphone d'Espagne pour que je demande à Picasso si cela l'amuse (nos amis) qu'il nous apporte ses Gitans la semaine prochaine.

Edgar Neville me télégraphie, demandant qu'on lui envoie la voiture à Vintimille à une heure et demie. Retour de Venise.

Les vols continuent. Cette fois ce sont deux princesses (dont une née Guinness). Admirable si les gens du monde imitent leurs voleurs.

Sauvagerie d'Édouard. Il dit : « J'ai toujours peur d'avoir à rougir de l'être humain. »

En France depuis l'Encyclopédisme, chacun se mêle de tout. Chacun se croit capable de faire mieux que ce qu'il écoute, lit, regarde. Il n'y a plus que des collègues. Il n'y a pas de public.
Les grands pays (Chine, Espagne) sont restés comme notre XVIIᵉ siècle. Une poignée d'hommes pensent pour les autres.
En Allemagne, le public inculte respecte la primauté de quelques-uns.

Les princesses voleuses : « *Nous sommes aussi fortes que nos voleurs.* »

Travaillé beaucoup aux poèmes. Mathématiques du verbe. Simplicité pas simple. Invisibilité de la recherche. Dire simplement et clairement (en apparence) les choses les plus difficiles et pour lesquelles il faudrait un chapitre de livre. Les dire en quatre vers. Emploi de la rime d'un sou qui arrache les trésors de l'ombre.

Dans *L'Espoir* Mario Brun raconte que j'ai été voir Michèle Morgan et Henri Vidal. Je lui avais dit : « Picasso ne travaille pas pour le moment, il voyage de corrida en corrida. » C'est devenu : « Picasso se livre à un travail de titan sur la tauromachie. » Les meilleurs journalistes n'écoutent ni ne retiennent. Haine instinctive de l'exactitude.

Hier, visite de Carleton Smith, directeur de la National Arts Foundation de New York. Il prospecte pour savoir à qui on devrait donner l'espèce de prix Nobel que l'Amérique se propose de mettre en marche. Je réponds : « À un homme qui sache réellement lire et écrire. »

Il ne dit pas un mot de français et moi je parle très mal sa langue. Il me fait cette remarque : « Vous devez être intraduisible — car vous avez, en anglais, un tel sens de la formule directe et précise que ce ne peut être qu'une conséquence de votre style. Vos formules anglaises seraient déjà difficiles à transporter dans une autre langue. »

Il n'a jamais été ni au cinématographe ni au théâtre. Il n'a vu que Greta Garbo, jadis, une fois dans je ne sais quel film.

Je lui dis : « L'Amérique ignore le secret. Un tel prix ne sera donné, comme les oscars, qu'à une personne à laquelle cela n'ajoutera rien. Et, du reste, si on donnait le prix à Van Gogh de son vivant on le donnerait à tout ce que méprise l'Amérique, à la pauvreté, au désordre. Le difficile chez vous n'est pas de trouver des millions, mais une somme raisonnable. Elle n'inspirerait pas confiance. Or, on ne donne jamais des millions à un inconnu, à un jeune. »

Hier, dans *Paris-Presse-L'Intransigeant*, paru mes notes sur l'Espagne — ci-joint[1].

Regrettable psychose. Le néo-réalisme — considéré sous l'angle communiste. En réalité ces films sont ceux de conteurs arabes. Dans *Les Mille et Une Nuits* le calife se déguise pour parcourir sa ville. Un Vittorio De Sica se déguise en caméra pour visiter sa ville, monter dans les maisons et en surprendre les intrigues. C'est aussi (les acteurs qui ne sont pas des acteurs) la tradition du théâtre de la rue, celle de Goldoni. Bref, les Italiens détestent ces films dont ils croient qu'ils font une mauvaise propagande.

Au dernier festival de Cannes, je m'étais rendu aux films de deux amis. Buñuel et De Sica. On m'interroge à la radio.

— Vous n'êtes venu que deux fois à Cannes ?

— C'est exact.

---

1. Ces « Notes sur un premier voyage en Espagne » sont reprises dans *La Corrida du premier mai, op. cit.*, pp. 123-152.

— Pour le film de Buñuel et celui de De Sica ?

— Exact.

— Ce sont des films communistes.

— Question de phraséologie. Jadis on disait films humanitaires. Et j'ajoute films chrétiens : Aimons-nous les uns les autres... Laissez venir à moi... Les derniers seront les premiers...

— M. Cocteau, vous connaissez la cathédrale de Milan.

— Je la connais.

— Avez-vous remarqué son orientation ?

— Ma foi non — je ne possède aucun sens de l'orientation.

— À la fin du film tous les pauvres s'envolent sur des balais vers un monde meilleur. N'avez-vous pas vu de quel côté ils s'envolent ?

— ...

— Ils s'envolent vers l'Est.

Psychose détestable qui atteint l'aigu en Amérique. (Smith me l'a confirmé hier.)

Ce n'est du reste pas une idéologie qui s'oppose à une autre. C'est « on menace ma poche ».

Journal de ce matin. Je songeais au *Sang d'un poète*[1] — vol et vol. « Le capitaine *X*, à Londres, ayant effectué deux cents vols héroïques pendant la guerre et *amputé des deux jambes*, vient d'être victime d'un vol. »

Mardi [8 septembre 1953].

Plus j'y pense plus je considère l'aventure de Miss Moberly et de Miss Jourdain comme la plus importante de toutes les époques[2]. C'est, je crois, l'opinion de John W. Dunne, auteur du livre *Le Temps et le Rêve*[3].

Ce qui importe dans cette aventure des Anglaises c'est que les personnages du 5 octobre 1789 leur adressent la parole le 10 août

1. Allusion à la séquence de la « Leçon de vol » dans le film de Jean Cocteau *Le Sang d'un poète*, où l'on voit une vieille gouvernante (« style du Dickens d'*Olivier Twist* ») enseigner à une petite fille harnachée de grelots, non pas à dérober mais à voler au plafond d'une chambre.

2. Sur la vision qu'eurent ces deux Anglaises, dans les jardins du Petit Trianon, de personnages du XVIIIᵉ siècle, voir leur ouvrage : Moberly, Annie (Elizabeth Morison, pseud.) et Eleanor Jourdain (Frances Lamont, pseud.), *Les Fantômes de Trianon*, introduction de Robert Amadou, préface de Jean Cocteau, Monaco, Éditions du Rocher, 1959.

3. Paris, Éditions du Seuil, 1948.

1901. Il faut donc admettre, soit que le temps n'existant pas et n'étant qu'un phénomène de perspective, les personnages de la scène de 1789 aient vu les deux Anglaises — soit que l'actualité de la scène inactuelle ait permis aux personnages soi-disant anciens de la vivre différente, c'est-à-dire avec la présence des deux promeneuses. Naturellement le monde n'y accorde pas l'attention qu'il accorde à la bombe ultrasonique, mais l'ultrasonisme n'est qu'une vague ébauche de ce qu'on devine d'un monde ultra-visuel.

Edgar Neville, notre hôte depuis deux jours. Il retourne demain à Madrid par Barcelone.

Les Italiens sont venus hier me remettre des revues siciliennes et un livre sur l'Italie dont les reproductions en couleurs égalent les procédés suisses.

Le mur du son. Il ne peut exister un mur du son. Le vacarme du meeting d'avant-hier a fait trembler la villa. Ce doit être lorsque la résistance par excès de vitesse oppose à l'aviateur « comme un mur » à la rencontre de deux sons — moteur et son-silence. Mais ce mur n'existe pas. Il n'est produit que par la rencontre des sons. C'est dire que nous sommes « séparés de l'invisible par un mur » ce qui serait absurde, puisque le mur, c'est nous.

Une cliente dit au docteur : « Nous avons été voir les salins d'Aigues-Mortes. C'est très intéressant. Mon mari m'a expliqué ce qui se passe et qu'on apporte le sel pour saler la mer — sans quoi les poissons ne peuvent pas vivre. »
Le docteur croyait à une farce. Mais s'il y avait farce elle venait du mari à sa femme. Elle y croyait dur comme fer.

Hier un autre client de Beaulieu a éclaté de rire lorsque le docteur lui dit que la Voie lactée n'était pas un nuage éclairé par la lune mais un amoncellement de mondes. Il n'avait jamais entendu le nom : Voie lactée. Comme le docteur lui expliquait la vitesse de la lumière, il dit au docteur : « Docteur, vous vous moquez de moi ! »
Il est probable que très peu de personnes pensent à quelque chose. Et le docteur ajoute : « Cet homme est un industriel très remarquable et pas bête. »

Mercredi 9.

En Californie un hydravion est « devenu fou » sans que son pilote puisse s'opposer à des excentricités qui terrifiaient l'équipage. L'équipage a sauté en parachute.

Extrême difficulté de durcir le vers de mirliton, jusqu'à ce que le mirliton devienne colonne.

André Dubois [1] déjeune. Il me raconte avoir reçu à Metz la visite du fils de Mimi Blacque-Belair — Patrice. Patrice est entré dans l'ordre du Père de Foucauld. Il ne porte pas la soutane mais l'insigne : la croix plantée dans un cœur. (L'insigne du père Charles [2].) À Paris, ne sachant où se rendre, il alla trouver Pierre Brisson qui vivait avec sa mère. Brisson l'envoya chez Mauriac. Et c'est lui qui, anticolonialiste, entraîna Mauriac dans la défense de l'Istiqlal.

Neville parti ce matin — Nice-Barcelone.

11 sept.

Doudou rapporte de Nice les livres dont je lui parle et qui ont enchanté ma jeunesse — mais que rapporte-t-il ? De minces volumes dont je ne reconnais que les titres. Il valait mieux que ces livres disparussent. Il est atroce de les voir paraître coupés, mutilés, infirmes, n'ayant pas assez de substance pour vivre, n'étant que les fantômes de ce que nous avions lu. Ces livres interminables, compagnons des maladies, je les retrouve réduits à quelques pages et souvent illustrés d'images ridicules. Entre autres *Les Mystères de Paris* [3] sous forme de plaquette ou presque. Livre à lire debout, comme ils disent.

Déjeuné chez Marie Cuttoli. Le conservateur du musée d'Antibes (communiste) me dit : « C'est moi qui ai de lutte en lutte obtenu

---

1. Préfet de la Moselle, puis, en 1954, préfet de police de la Seine. André Dubois, né en 1903, avait épousé la journaliste Carmen Tessier (1911-1980).
2. Le Père Charles Henrion, ermite en Tunisie, auteur d'un *Abrégé de toute la doctrine mystique de saint Jean de la Croix*. Jean Cocteau le rencontra à Meudon, de passage chez Jacques Maritain, en juin 1925. La confession du poète au Père Charles, le 18 juin, marqua son retour, pour un temps, aux pratiques du catholicisme. Voir *Lettre à Jacques Maritain, op. cit.*, pp. 34-40, 48, 57, 64-65.
3. Roman d'Eugène Sue (1804-1857), en dix tomes, publié d'abord en feuilleton dans le *Journal des Débats*, en 1842-1843.

que le musée Picasso se fasse. Le maire le déteste et me déteste. J'ai conseillé à Picasso de n'offrir rien à la ville. Il suffirait d'un maire plus hardi et que je meure pour qu'on décroche tout. »

Je vais exposer un ou deux mois la tapisserie de *Judith*[1] à ce musée.

Les communistes disent au conservateur : « Que trouvez-vous de social dans cette peinture ? »

Mon cadre jaune est sec. Demain je peindrai les virgules noires. Ensuite j'enverrai tableau et cadre à Aubusson, afin que Bouret les exécute. Plus l'époque est moche plus il importe de la contredire avec des œuvres de luxe.

Délice des poèmes. On travaille à toute heure. On écrit en voiture et dans les jardins de l'hôtel Masséna, sur ses genoux. On s'oppose secrètement à un monde qui se croit en marche vers une époque de machines propre à ridiculiser la nôtre et qui sera ridicule à son tour.

L'homme qui se perfectionne extérieurement et qui ne songe jamais au moindre perfectionnement intérieur — aucune science de l'âme.

Les ingénieurs de Los Alamos après les expériences atroces où la carcasse humaine ne tient pas le coup disent : « L'homme sera-t-il toujours un frein au progrès ? » — et : « Considéré sous l'angle de la technique aéronautique future, l'homme actuel est un ratage. » Ils pourraient ajouter : « Ce n'est qu'en considérant l'art que " l'homme n'est pas un ratage ". » Dans la mécanique l'homme ne peut être que *remplacé*. Et il arrivera ce qui est arrivé hier à cet hydravion devenu fou. Il n'acceptait plus le contrôle de l'homme.

Chez Marie Cuttoli il y avait hier à table une dame à cheveux gris. Cette dame, née Polak, n'était autre que la petite fille que j'avais embrassée sur la bouche en Suisse. J'avais onze ans, elle en avait douze. Il existe de nous une photo sur une balançoire. Ce souvenir était si vif, chez l'un et chez l'autre, qu'elle n'osait pas me

1. Voir t. I, p. 21, notes 1 et 2.

revoir. Je me rappelle être rentré si rouge dans la salle à manger de l'hôtel que ma mère m'avait demandé : « Qu'est-ce que tu as ? »

Hier soir, je me rappelais la parole du charmant vieux curé de Grenelle. Nous avions dîné ensemble chez les Maritain. Il me dit : « J'ai vu trois fois la sainte Vierge. La première fois c'était dans mon petit jardin. Je bêchais. J'étais mort de fatigue. *Je le pensais.* Tout à coup la Vierge était devant moi dans l'allée. Avant de disparaître elle me fit une espèce de révérence moqueuse : " Et moi, dit-elle, je suis toujours sur la brèche. "

« La seconde fois c'était dans ma sacristie. Elle paraissait sortir du mur, avec une escorte. Elle riait. Elle disait à quelqu'un de l'escorte : " Il n'a pas l'air très à l'aise. " Et c'était la vérité. Je devais être très ridicule. J'avais laissé tomber mon bréviaire.

« La troisième fois, je disais ma messe. L'enfant de chœur l'a vue, mais cet imbécile a pris peur. Il s'est sauvé à toutes jambes. Cela faisait d'abord comme un remous de paillettes de la hauteur d'une maison. Ce remous s'est calmé comme de la poussière qui retombe et j'ai très bien vu les pieds de la Vierge sur la nappe de l'autel. *J'ai remarqué comme de la craie dans ses ongles.* Elle se tenait entre les jambes du diable. Des jambes robustes et noires. Elle lui tapotait le genou et me disait : " Il est moins mauvais qu'il n'en a l'air. " »

Le récit de ses visions était simple et adorable. Cela n'avait rien des grottes, des paroles et des gestes ridicules que les gosses prêtent à la Vierge. « Elle était haute comme une bouteille. » — « Elle joignait les mains. » — « Elle disait : " On ne prie pas assez. " » — et autres sottises à la taille des visionnaires.

Je n'arrive pas à comprendre comment l'Église, si prudente, accrédite le scandale de Lourdes, son ignoble commerce. Le docteur me disait que pour un miracle la médecine observe une quantité de maladies affreuses que les pèlerins rapportent de cette eau froide, de cette soupe de microbes.

Il doit être trop tard pour intervenir. Il serait grave d'apprendre que Bernadette avait surpris la femme du pharmacien qui cachait ses fredaines dans la grotte. Elle avait joué le rôle de la Vierge sous une écharpe de mousseline et avait récidivé sans son partenaire (un capitaine de réserve) pour accréditer la fable et détourner les soupçons. La vérité fut ensuite avouée par le capitaine. Le pharmacien était mort et le couple amoureux avait changé de résidence.

À mon estime, il n'y aurait aucun scandale à dire la vérité. L'Église y perdrait de l'argent mais y gagnerait de la noblesse. En outre il est plus beau que cet élan de foi parte d'une farce et que le ciel en profite. Ces apparitions réduisent à peu de chose la toute-puissance divine. Ce n'est pas à des enfants de répandre au village *les doléances* de la Vierge. Elle est assez grande pour faire directement ses miracles et ne saurait se plaindre sans compromettre son prestige et son invisibilité. On devrait punir les gosses qui se permettent de *jouer un rôle* plus grave que celui qu'ils jouent dans les affaires de maisons hantées. L'hystérie a des excuses. Ces sales gosses n'en ont pas. Dans le cas de Bernadette, c'est autre chose. Elle fut victime d'un couple vulgaire et sacrilège qui ne pouvait se douter des suites de son acte.

Au reste personne ne devait croire le capitaine en retraite, pas plus qu'on ne croyait Esterhazy avouant à qui voulait l'entendre (il l'avoua même à Oscar Wilde) qu'il était coupable. Il fallait que Dreyfus le fût. L'état-major savait à quoi s'en tenir et devait dire à Esterhazy comme le docteur Verne à la tante de Thomas : « Vous êtes innocent. Je le veux[1]. » Même après la réhabilitation (peu éclatante) de Dreyfus, Esterhazy, malgré les preuves que donnait l'Allemagne, n'eut jamais le moindre blâme. On lui volait sa vedette. Cet imbécile n'avouait pas par remords mais par vantardise. Il déclarait à Wilde : « Dreyfus était une culotte de peau. Eussé-je avoué qu'il m'aurait accusé de mensonge par respect pour ses chefs. »

Dreyfus disait à Morand qui lui rendait visite lorsqu'il avait repris du service : « Vous savez, ce n'était pas moi. C'était ce pauvre Esterhazy. »

Et Paul Iribe, qui avait dîné avec Dreyfus à cette époque, disait : « Il aurait bien avoué au dessert pour se rendre intéressant. *Mais personne ne l'aurait cru.* »

---

1. Dans *Thomas l'imposteur, op. cit.*, le jeune Guillaume Thomas, né à Fontenoy, se prétend le neveu du général de Fontenoy. Pp. 86-87, le docteur Verne persuade la tante de Guillaume de tenir secrète cette imposture :
« Peu s'en fallait qu'il ne s'écriât, en travestissant la phrase des magnétiseurs :
— Vous êtes Fontenoy, je le veux. »
Cette injonction se retrouve à la dernière ligne du *Bal du Comte d'Orgel*, roman de Raymond Radiguet contemporain de *Thomas l'imposteur*, dont on sait que Jean Cocteau (lettre à sa mère du 20 octobre 1922) a « donné le mot de la fin » :
« Il (Anne d'Orgel) employa, sans se rendre compte, avec un signe de tête royal, la phrase des hypnotiseurs :
— Et maintenant, Mahaut, dormez ! Je le veux. »

Jamais on n'a vu une victime moins digne de son drame. Madame Straus[1] en pleine crise disait : « Nous devrions changer d'innocent. » Raconté par Proust.

Pour la culture d'un jeune homme, c'est simple. Il suffit de lire : *La Princesse de Clèves, Le Rouge et le Noir, Splendeurs et misères, L'Idiot.*

Je ne peux oublier Marcel Khill[2], jeune animal assez inculte mais âme noble, lisant à Fourques *Splendeurs et misères* et ne pouvant continuer parce qu'il ne supportait pas la scène où Rubempré dénonce Collin chez Camusot. Cela donne la mesure d'un être.

Plus étrange est Charles de Noailles incapable de lire un livre qui finit mal, se renseignant d'abord. Le comble des livres qui finissent mal était pour lui *Le Bal*[3] d'Irène Némirovsky — ce que je ne comprenais pas avant de m'être rendu compte qu'un bal qui rate est terrible pour un homme du monde même s'il a l'élégance d'âme de Charles.

14 septembre 1953.

Cette nuit j'ai pu mettre au point le poème : « Amour si soucieux...[4] »

Lorsque viennent les journalistes (comme hier) je ne sais quoi

1. Geneviève Halévy (1849-1926), fille du compositeur Fromental Halévy, épouse du compositeur Georges Bizet (1869), puis de l'avocat Émile Straus (1886). Voir tome I, p. 273.
2. Mustapha Marcel Khelilou Belkacem ben Abdelkader, dit Marcel Khill, était né le 6 mars 1912, de mère normande et de père kabyle. Jean Cocteau le rencontra, en 1932, dans l'entourage de Tranchant de Lunel, ancien collaborateur du maréchal Lyautey, à Toulon, et des Édouard Bourdet, à Tamaris. En 1934, dans *La Machine infernale*, il créa le rôle du messager de Corinthe. En 1935, il accompagna Jean Cocteau, à bord d'un bateau de pêche, de Villefranche-sur-Mer à Toulon. La relation de cette petite croisière, publiée en feuilleton dans *Paris-Soir*, en août 1935, sous le titre *Retrouvons notre enfance*, est recueillie dans *Poésie de journalisme, op. cit.*, pp. 11-63. En 1936, il fut le Passepartout de Jean Cocteau dans son *Tour du monde en 80 jours*. Marcel Khill dessinait, composait des acrostiches (voir la préface de Jean Cocteau pour une édition éventuelle de ces acrostiches, dans *Poésie de journalisme, op. cit.*, p. 38). Il est le dédicataire de *Portraits-Souvenir*. En 1938, sa liaison avec la dessinatrice Denyse de Bravura l'éloigna quelque peu de Cocteau. Engagé dans un corps franc qui continuait de combattre en ignorant que l'armistice était signé, il fut tué en Alsace le 18 juin 1940.
Voir Serge Dieudonné, « Cocteau-Khill, Antinoüs et Pygmalion », dans *Jean Cocteau*, album *Masques*, Paris, 1983, pp. 33-40, et *Album Cocteau, op. cit.*, pp. 102, 111, 114-115 et 122.
3. Paris, Grasset, 1930.
4. Dans *Clair-Obscur, op. cit.*, p. 114.

répondre. La poésie s'arme d'une pudeur terrible et cette pudeur s'augmente du ridicule qu'on attache à son nom. Des pièces, des films, cela va. Mais « j'écris des poèmes » ne peut se dire sans malaise. C'est pourquoi mon travail actuel est un refuge contre la vague des maléfices que l'homme invente contre lui-même, de ses propres assassins qu'il se forge, du cerveau électronique (véritable oracle puisque les Américains lui demandent s'ils doivent ou non entreprendre la guerre), d'une vague inculte qui submerge le monde et d'une science qui en arrive à déclarer que, par rapport à ses progrès, l'homme est un ratage. Certes, l'homme est un ratage. Nous le savions. Mais il ne peut l'être dans le domaine de l'art où il transcende ses limites sans les détruire, où il s'augmente au lieu de se diminuer. Le cerveau électronique de l'état-major américain fait en vingt minutes des calculs de probabilités qu'il faudrait à un homme vingt ans pour résoudre. Mais il ne fera jamais *Don Quichotte*, ni *Le Rouge et le Noir*. Plus cette conception stupide de l'intelligence prévaudra, plus il se produira d'artistes pour la mettre en échec. C'est du moins le seul espoir qui nous reste.

Beaucoup de monde passe à Santo Sospir, mais vite et comme se rendant compte d'une atmosphère de calme et de travail que les visites dérangent.

Les vols de bijoux ont maintenant lieu à Paris. Les voleurs sont rentrés de vacances.

Sur la plage de Beaulieu le docteur voit une baigneuse avec un chapeau de paille pointu. « Cela ne te rappelle rien ? » demande-t-il à sa femme. « Si : *La Belle et la Bête*. » La baigneuse se retourne. C'était Mila Parély[1]. Je déjeune avec elle ce matin.

Ce matin j'ai eu la chance d'écrire. Je ne l'ai pas toujours et je me force. Il en résulte que je ne communique pas la vie, mais une ombre chinoise de la vie. Même pour mes yeux la différence est très difficile à voir. Elle se voit avec beaucoup de recul.

J'ai terminé hier le cadre de la tapisserie *Naissance de Pégase*. Gaxotte dit très justement sous sa signature de Pangloss que la

1. Dans *La Belle et la Bête*, Mila Parély, coiffée d'un chapeau tronconique, joue le rôle de Félicie, l'une des deux sœurs de Belle.

jeunesse reste bouche bée devant les toiles et les statues d'inspiration mythologique ou même biblique parce qu'elle en ignore la source et ne sait plus rien. Comme je suis heureux d'être d'une époque où on lisait, où on apprenait. Sinon je serais pareil à ces gens qui habitent une rue et ignorent ce qui fit la gloire du nom qu'elle porte. Je doute fort que le cerveau électronique renseigne la jeunesse sur un monde que son ignorance dépeuple de toute signification.

17 septembre.
Dépêche des Puig. Alberto propose de venir le 24 avec Pastora Imperio et sa petite troupe.

Hier m'arrivent deux gros Suisses avec de considérables appareils d'enregistrement dans leur voiture (les chasseurs de son). Le tout installé dans l'atelier ils s'aperçoivent que nous sommes à vingt-cinq périodes. On remballe et je les emmène à Beaulieu. Vingt-cinq périodes. Je les emmène à Nice au Masséna. Madame Guynet me dit que le Masséna attend encore ces cinquante périodes, mais que certains quartiers de la ville les possèdent. Elle téléphone au musée Chéret. Il est à cinquante périodes. Partons pour le musée Chéret.
Le musée Chéret ressemble à quelque lieu fou de rêve. C'est immense et en marbre. Les toiles et les affiches de Chéret[1] s'y accumulent. On nous prête une pièce où le Carnaval de Nice expose ses maquettes et ses trombones de carton. J'enregistre. Et mes Suisses retournent à Genève, très surpris par cette chasse à l'électricité.

Parinaud me téléphone que *Le Figaro* consacre une note venimeuse à mon voyage en Espagne et à certaines choses que j'aurais dites sur Mauriac à des journalistes espagnols. Il me demande si je veux répondre. Je lui dis que d'où je me trouve *Le Figaro* me semble être un phantasme de l'imagination. D'une imagination maladive.

Irai cet après-midi à Nice choisir les dessins pour Bruckmann et les confier au photographe. Marie Cuttoli me téléphone qu'elle ira prendre elle-même la tapisserie de *Judith* pour la mettre au musée d'Antibes.

---

1. Jules Chéret, né à Paris en 1836, affichiste fameux et fécond de l'époque 1900, mort à Nice en 1932.

Mary Hoeck m'écrit qu'une des dames d'Oxford[1] avait parlé de son « aventure » à une de ses parentes il y a quarante ans. Mais alors cette aventure ne paraissait pas « convenable » en Angleterre.

18 sept.

Visite de Hervé et Gérard Mille. Hervé me dit qu'il existe des poèmes écrits par le cerveau électronique dont le hasard de certains vers est assez remarquable. (Style 1924.) Hervé voulait donner trente représentations de *La Machine infernale* à L'Athénée avant le départ de Jeannot, mais les dates ne s'arrangent pas. Il parle d'arrêter la pièce qui se joucrait à son retour et de donner les trente représentations avant que Jeannot ne poursuive aux Bouffes.

Toujours trop vite. J'aurais dû garder *Bacchus* dans un tiroir jusqu'à maintenant et le créer aux Bouffes.

Picasso me fait dire par Marie Cuttoli qu'on retarde l'arrivée des Espagnols, à cause du film d'Emmer. Comme je n'arrête pas de décommander les Puig je leur propose de venir sans Pastora Imperio et sans la petite troupe des Gitans. Les Rosen arrivés hier à l'hôtel du Cap. Ils déjeunent ce matin.

Porté hier les dessins du Masséna chez le photographe. J'irai lundi à Antibes déjeuner chez Marie Cuttoli et voir comment la tapisserie est accrochée.

Picasso. Je ne connais pas d'homme plus étranger à la résolution des problèmes qu'on lui prête. C'est l'histoire du *Nombre d'or* dont on croit qu'il détermine le travail de certains artistes alors qu'il ne peut que vérifier leur équilibre instinctif.

Heinz Rosen raconte ce dialogue entre un sportif américain et un sportif allemand. Le sportif américain : « Vous n'avez gagné qu'une médaille de bronze aux Olympiades. C'est dommage. » Le sportif allemand : « Oui mais en 1960 nous gagnerons la médaille d'or, parce que nos nègres seront devenus grands. »

---

1. Voir *supra*, pp. 267-268.

Avons dîné à Villefranche[1]. Il faut rompre avec les souvenirs. J'y ai dîné comme si j'y venais pour la troisième ou quatrième fois. Les jeunes pêcheurs sont devenus vieux. Les petits-fils se promènent sur le quai avec l'allure des grands-pères.

Plus je connais la langue et plus je la travaille, plus mon vocabulaire se limite à quelques mots que je déplace comme les lettres de l'alphabet, comme les bouts de verre du kaléidoscope. Le drame c'est que personne en France ne sachant plus ni lire, ni écrire, on se trouve sur une île déserte, sans le moindre contact avec qui que ce soit.

20 sept.

Raimu[2] ayant demandé à Pagnol combien il y avait d'étoiles, Pagnol lui donne n'importe quel chiffre. « Il est bon d'avoir été professeur, lui dit Raimu. Il en reste toujours quelque chose. »

Les mondes étrangers ont dû diriger leurs civilisations dans un sens fort différent de la nôtre. Je crois sans réserve à ce qu'on a baptisé « soucoupes volantes ». Mais il est probable que nous ne les reverrons plus, notre forme de civilisation n'offrant aucun intérêt pour la leur.

Ce matin j'étais descendu à la piscine de l'hôtel pour voir les Rosen qui veulent que je fasse un film avec le travail de *La Dame à la licorne* — film qui pourrait être mieux que *La Belle au bois dormant* et correspondrait au désir de ballet des producteurs de Londres. Là-dessus on me téléphone que le jeune Anglais qui monte *Bacchus* à Cambridge est arrivé à la villa. Je l'ai fait venir à la piscine et je l'ai ramené à la villa où il avait apporté sa valise. Je l'ai rembarqué sur Nice après lui avoir dessiné des doubles de certains costumes de *Bacchus*. Rien n'est plus difficile que de garder son dimanche tranquille et sans personne.

1. C'est Marcelle Garros, la veuve de l'aviateur, qui fit découvrir à Jean Cocteau, en 1924, le petit port de Villefranche-sur-Mer. Jusqu'en 1929, le poète, entouré d'amis, y fit de nombreux et longs séjours, y produisant, de 1925 à 1927, *Le Mystère de Jean l'oiseleur, Lettre à Jacques Maritain, Orphée,* les dessins et objets de l'exposition *Poésie plastique, Œdipus Rex, Opéra.* En 1956-1957, il y décora la chapelle Saint-Pierre. Voir *Portraits-Souvenir, op. cit.,* chap. x, *Retrouvons notre enfance,* dans *Poésie de journalisme, op. cit.,* pp. 13-18, *La Difficulté d'être, op. cit.,* pp. 116-119.
2. Jules Muraire, dit Raimu (1883-1946). Voir l'article de Jean Cocteau, « M. Raimu dans *Le Bourgeois gentilhomme* », dans *Le Foyer des artistes,* Paris, Plon, 1947, pp. 181-183.

Ce jeune homme me dit que la traduction des *Chevaliers* par Auden [1] est de l'Auden, aussi loin de ma pièce que celle de Duncan [2] pour *L'Aigle*.

Un poète est posthume — mort — bien mort. Il ne peut quoi que ce soit sur la manière dont ses œuvres se répandent dans le monde.

Il vaudrait mieux être inconnu que trahi. Inconnu et trahi, voilà le sort du poète.

Ces poèmes que je travaille m'ont fait retrouver mon équilibre et mon bonheur. Sans doute étais-je dans cet état que je n'arrive jamais à reconnaître, ce mal de cœur des grossesses que je prends toujours pour une impuissance à écrire. La seule chose que je redoute c'est de sentir ce travail se détacher de moi (se désintéresser de mon aide). Et je redoute aussi de prolonger la naissance par artifice, de m'imiter pour me donner le change.

Il y a deux semaines je croyais déjà que le travail me quittait et que je trichais. Mais c'était une halte. La veine n'était pas épuisée.

23 sept. 1953.

Launay chez Marie Cuttoli m'a donné un volume contenant tous les poèmes de Hugo. Il l'avait imprimé pour le Canada. Ce fut un fiasco. À relire c'est terrible. Hugo coule, torrentiel, habile, sans aucun sens du rare. Même *Olympio* ne tient plus le coup. Il y a des vers qui s'imposent et qui survolent le reste. Mais l'ensemble est affreux.

Jeannot est à Nice où il tourne *Monte-Cristo*. Il a téléphoné ce matin.

Manque total de jugement en face de mes poèmes actuels. Il m'arrive de relire avec l'œil de ceux qui dénigrent toutes mes entreprises. Je n'arrive pas à retrouver mon œil.

25 sept.

Il pleut. J'ai dû renvoyer le cinéma en couleurs du Tourisme. Visite interview de Charles Mac Arthur Hardy pour la presse

---

1. Le poète et dramaturge Wystan Hugh Auden (1907-1973).
2. Voir tome I, p. 42.

australienne. Il me confirme l'énorme succès du remake des *Parents terribles*.

Fait pour le ministre de l'Information dessin et phrase qui doivent figurer à la porte de l'exposition de télévision.

Fait le salut aux artistes prestidigitateurs pour Jean Weber qui me le demande.

Répondu aux lettres. Recopié poèmes. Téléphone d'Orengo qui m'annonce que le groupe *Réalités* compte reprendre le journal *Arts* et ne donnera mon texte « Que préparez-vous ? » que si cette reprise est définitive.

Hier soir dîner avec Jeannot à Villefranche chez Germaine. Il a tourné les premières prises de vues de *Monte-Cristo* au cloître de Cimiez et dans le vieux Nice.

27 sept. 1953.

Dépêche des Puig qui proposent de venir nous voir soit seuls soit avec Pastora Imperio et les Gitans.

(Lettre de Marie-Laure[1].) Au moment où par la faute de Marie-Laure (à Grasse) le bruit courut de mon mariage avec elle et comme madame de Chevigné[2] semblait nous en tenir rigueur (me prendre du jour au lendemain pour un coureur de dot. Je ne savais rien de ce que Marie-Laure racontait à ses petites camarades), ma mère eut cette parole admirable : « Je t'avais bien dit qu'il ne fallait pas fréquenter un monde qui ne paye pas ses dettes. »

La bourgeoisie triomphante avait alors une terrible méfiance de la noblesse déchue. Lorsque Chanel invita les duchesses à un bal (et qu'elles s'y rendirent) mon frère Paul empêcha sa femme de s'y rendre, sous prétexte qu'on ne devait pas « fréquenter ses fournisseurs[3] ».

Radio. Beethoven avait une âme haute et une grande vulgarité de moyens. Nietzsche l'oppose à Goethe : l'aristocrate et le paysan.

Les moyens de Bach et de Mozart sont d'une élégance à la mesure de leur génie inventif. Il y a, chez Beethoven, une sorte de militarisme musical que je déteste.

1. La vicomtesse Marie-Laure de Noailles. Voir tome I, p. 291, note 1.
2. La comtesse Adhéaume de Chevigné, née Laure de Sade (1859-1936), modèle de la duchesse de Guermantes dans *À la recherche du temps perdu* de Marcel Proust. Elle était la grand-mère maternelle de Marie-Laure, et habitait à Paris le même immeuble que Jean Cocteau et sa mère, 10, rue d'Anjou.
3. Voir tome I, pp. 290-291.

Misia Sert disait de Ravel : « Il met la ponctuation mais il oublie d'écrire dessous. »

La parfaite élégance de Satie le rend invisible. (Phrase de Brummel.) « Si vous m'avez trouvé élégant c'est que je ne l'étais pas. C'est que vous m'avez *vu*. »

Le Greco ne s'est maintenu contre l'incompréhension de Tolède que par sa puissante personnalité d'homme. Tout de suite après sa mort la décadence l'a relégué au bric-à-brac où notre époque l'a découvert et dont elle l'a sorti. Dans ma jeunesse Zuloaga achetait des Greco pour rien.

Arriver à écrire « *en vers* », « *avec des rimes* », donner le relief à une certaine platitude, rendre à la langue ses titres de noblesse (mais sans la préciosité de Valéry). Rejoindre Malherbe et Charles d'Orléans.

Le Malherbe de « Et parmi lesquels je me range — Savent donner une louange — Qui dure éternellement[1] » — et de « Et la garde qui veille aux barrières du Louvre...[2] ». Il est rare que Malherbe tienne le coup après ces perfections.

28 septembre.

James m'écrit qu'il a déjeuné avec Dora Maar[3]. Elle dit de Picasso : « Il aurait voulu être Jean Marais et il y arrive d'une certaine manière. »

Reçu l'exemplaire des *Enfants terribles* en allemand (Desch) — *Kinder der Nacht*. Pourquoi ce retard incroyable de *Bacchus*? Censure d'Église? Je le demande à Desch.

1. Jean Cocteau cite de mémoire et prête à Malherbe sa manière de mêler octosyllabes et vers de sept syllabes. Malherbe termine ainsi son ode « À la reine sur les heureux succès de sa régence », 1610 :

> *Au nombre desquels on me range,*
> *Peuvent donner une louange*
> *Qui demeure éternellement.*

2. Vers 79 de « Consolation à Monsieur du Périer, gentilhomme d'Aix-en-Provence sur la mort de sa fille », 1598.
3. Photographe d'origine yougoslave, née en 1909, compagne de Picasso de 1936 à 1946.

Pierre P. arrive ce soir. J'ai téléphoné à Orengo qu'il vienne le rejoindre.

Article sur moi assez niais dans *L'Espoir*. Veut être très aimable. Me fait dire que je suis « ravi » du titre *Clair-Obscur*. Comme cela me ressemble !

29 sept. 1953.
Deux petits garçons, cinq et sept ans, ont noyé une petite fille de trois ans, après avoir préparé leur coup. Ils se vantent de leur crime. Ils racontèrent même l'avoir déshabillée avant, alors qu'on a repêché le corps habillé de la petite fille.

Temps douteux et déplorable pour le tournage en couleurs de *Monte-Cristo*. D'après ce que Jeannot en raconte il me semble, malgré mon admiration pour Georges Neveux[1], qu'il a cherché à rendre plausible une histoire dont le charme est de ne l'être pas.

Livre très intéressant de Philippe Erlanger sur *Monsieur, frère de Louis XIV*[2]. On se rend compte, d'après les textes qu'il cite, que l'Histoire escamote tout ce qui la rendrait vivante.

On pourrait appliquer à Picasso ce qu'on disait d'Henriette d'Angleterre : « Elle estimait que le devoir était une inconvenance ridicule. »

Premier classement des poèmes de *Clair-Obscur*.

(La jeunesse.) J.-P. Rosnay[3] me demande hier : « Je voudrais savoir comment vous avez fait pour devenir célèbre ? » Je lui ai répondu : « C'est en travaillant chaque minute sans jamais penser que cela pourrait me rendre célèbre. »

1. Sur l'admiration de Jean Cocteau pour le dramaturge Georges Neveux (1900-1982) et plus particulièrement pour sa pièce *Juliette ou la Clé des songes*, 1930, voir l'annexe XIX. En 1941, Jean Cocteau avait écrit, pour Marcel Carné, les dialogues, restés inédits, d'une adaptation cinématographique de la pièce. Il existe des projets de décors et de costumes de Christian Bérard pour cette adaptation. Marcel Carné réalisa le film, en 1950, avec des dialogues de l'auteur et des décors d'Alexandre Trauner.
2. Paris, Hachette, 1953.
3. Jean-Pierre Rosnay, né en 1926, poète, fondateur du « Club des poètes », producteur de l'émission radiophonique du même nom, avait interrogé divers créateurs pour savoir en quoi la volonté de puissance intervenait dans leur œuvre, et pour rédiger son enquête : *Introduction à un nouveau système de pensée*, Paris, Jeunes Auteurs Réunis, 1954.

Je ne sais si j'avais déjà noté la livraison du portrait de moi par J.-É. Blanche. C'est une esquisse[1] datée de 1913 (Offranville) avec une dédicace à Marcelle Meyer[2]. Le vrai portrait[3] se trouve au musée de Cluny. Avec le recul, cette esquisse vaut un Vuillard. Leymarie, directeur du musée de Grenoble, m'avait dit quelque chose de ce genre en parlant de Blanche.

J'ai dit hier à J.-P. R. à propos de son manuscrit qu'en se voulant anarchiste et révolutionnaire il sacrifiait à la mode et qu'il deviendrait invisible à cause de sa rage de visibilité. Très difficile à faire comprendre aux jeunes, en quête d'immédiat.

Impossibilité de juger ce qu'on écrit par manque de comparaison. Dès qu'on s'approuve il y a danger que cela ne ressemble à autre chose qu'on approuve. Dès qu'il y a neuf, on est dans le vide.

Les gens prennent toujours une définition exacte pour un trait d'esprit.

Une certaine perfection de la forme efface le relief. C'est l'imperfection d'Apollinaire qui le sauve, qui lui donne le relief. Malherbe nous étonne par un ou deux joyaux de perfection dans une grisaille. Ma difficulté consiste actuellement à obtenir une certaine perfection qui boite. *(Clair-Obscur.)*

Couverture des *Enfants terribles* en allemand. Toile noire avec ma signature en frappe d'or. Ce serait ce qu'il y a de mieux pour les *Œuvres*. Grande élégance. Le titre sur le dos.

1. Voir une reproduction de cette esquisse sur toile (Paris, coll. Francine Weisweiller) dans *Album Cocteau, op. cit.*, p. 21.
2. La pianiste Marcelle Meyer (1897-1958), interprète favorite du groupe des Six, figure au centre du portrait du groupe par Jacques-Émile Blanche. Voir *Album Cocteau, op. cit.*, p. 48. Elle avait épousé, en 1917, le comédien Pierre Bertin (1891-1984). Voir t. I, p. 81, n. 1.
3. Il existe plusieurs versions de ce portrait en pied de Jean Cocteau dans le jardin du peintre à Offranville : à Paris, au musée Carnavalet (et non au musée de Cluny, comme Cocteau l'indique par erreur), à Rouen, au musée des Beaux-Arts, au musée de Grenoble. Voir une reproduction de l'exemplaire de Rouen dans *Jean Cocteau, l'homme et les miroirs, op. cit.*, ill. 6. D'après les lettres inédites de Jean Cocteau à sa mère, les séances de pose eurent lieu en octobre 1913.
Jacques-Émile Blanche (Paris 1861-Offranville 1942) a peint d'autres portraits de Jean Cocteau : voir le catalogue d'exposition *Jacques-Émile Blanche, Portraits, un demi-siècle de vie parisienne et de pensée française*, préface de Jean-Jacques Gautier, musée des Beaux-Arts de Rouen, 1951, n° X, pl. 3, et *Album Cocteau, op. cit.*, p. 16.

Rien sans rien. Mlle Caussignac [1] me téléphone hier que le préfet a donné des ordres pour la surveillance de la villa voisine et les explosifs. Mais elle ajoute que Soum [2] serait très heureux de posséder un dessin de moi.

Époque médiévale. Trop d'apparitions de la Vierge. L'Église semble les craindre et que le scandale d'exploitation ne se limite plus à Lourdes.

On tourmente les enfants devant lesquels ces apparitions se produisent. Leurs réponses aux enquêtes sont presque toujours admirables. « Pourquoi la Vierge vous est-elle apparue, à vous ? » Réponse d'une petite fille : « Parce qu'elle n'a rien trouvé de plus bas que nous. »

On a montré à Carole le film *La Villa Santo Sospir* [3]. Je me suis souvenu du mot du projectionniste des Champs-Élysées : « On devrait conserver ce film dans une pyramide. » Ce film manqué (film d'amateur) a déjà pris de la force dans l'ombre. L'y conserver le plus longtemps possible. Un jour il sera un objet extrêmement curieux. Aujourd'hui il ne peut être qu'une indiscrétion.

Orengo téléphone. Il viendra vendredi matin.

30 sept.
Soleil. Cinéastes du Tourisme venus ce matin. J'ai tourné avec le carton de la tapisserie *Naissance de Pégase*.

Premier classement des poèmes de *Clair-Obscur* par groupes.

Naturellement, dans le courrier, aucune réponse aux services rendus.

Dimanche 4 octobre.
Madame Cuttoli passe me voir. Françoise [4] a momentanément quitté Vallauris à cause du tohu-bohu qui entoure Picasso. Elle ne veut pas, dit-elle, que Claude soit élevé comme Paulo.

---

1. Secrétaire générale de la Préfecture des Alpes-Maritimes.
2. Henry Soum, préfet des Alpes-Maritimes, plus tard ministre d'État de la Principauté de Monaco, peintre amateur.
3. Voir tome I, p. 23, notes 1 et 2, *passim*.
4. Sur la rupture de Françoise Gilot avec Pablo Picasso, voir Françoise Gilot, Carlton Lake, *Vivre avec Picasso*, Paris, Calmann-Lévy, 1973, pp. 331 *sq*.

Dépêche des Puig. Ils arrivent avec Pastora Imperio et les Gitans dimanche soir.

Vu Orengo avec Pierre Peyraud. Jeté les bases de la société monégasque. [...]

Carole partie hier soir par le Train bleu pour la rentrée des classes. Elle pleurait. Elle a eu de bonnes vacances.

Hier temps superbe. Ce matin temps couvert. Rien n'a plus de *suites*.

Ce matin Claude Roy m'avait téléphoné. Il voulait venir me voir. Picasso avait brusquement quitté Vallauris pour se rendre à Paris. Claude Roy partait demain et comme j'attendais mes Espagnols je ne pouvais l'attendre au Cap. Sans doute voulait-il me parler du drame de Vallauris dont le visage de Françoise lors de ma dernière visite et la phrase de madame Cuttoli avant-hier m'avaient donné le vague soupçon. Or, c'est Alberto qui me le raconte. Toute la bande est arrivée à neuf heures parce que Pastora Imperio avait été prise de vomissements sur la route.
Alberto avait dîné avec Picasso à la frontière il y a une semaine. Picasso lui a dit qu'il quittait Françoise, qu'elle avait obtenu de garder Claude et Paloma. [...]
J'aime Françoise et les amis de Picasso ne l'aiment pas. Ils la trouvent « distante » et bourgeoise. Cette crainte d'un calme « bourgeois » pousse toujours Picasso à détruire ses ménages. Après huit ans il laisse tomber une femme jeune, belle, charmante parce qu'elle se refuse à suivre la tornade des pique-assiette et des pique-gloire et à ce que Claude soit élevé comme Paulo. Picasso outre qu'il n'aime et ne respecte personne croit être fidèle à un style de destruction en brisant le bonheur de ses familles successives. [...] Paloma me semble être son premier amour. (Note après coup. Tout cela inexact. Je le laisse tel quel.)

Alberto et Margarita sont venus avec Pastora Imperio, Luis Escobar, le gendre de Pastora et deux jeunes Gitans, la petite Dolores et un nouveau qui est paraît-il un danseur remarquable. [...]

Touchard, dans *Réalités*, publie ses souvenirs d'administrateur rue de Richelieu. Il ne se gêne pas. Cela m'étonne que ces messieurs et dames ne lui intentent pas un procès comme les Affaires étrangères à Peyrefitte.

Peyrefitte triomphe. La sottise de madame Bidault a fait vendre quarante mille exemplaires du livre [1] en une semaine et coûté la présidence de la République à son époux.

Cuevas intente un procès à monseigneur Gerlier, primat des Gaules, pour provocation au meurtre, monseigneur Gerlier ayant déclaré qu'il trouverait juste que les gens du peuple de Biarritz le lapidassent à coups de pierres. Étranges paroles d'un prêtre. Jamais l'Église romaine n'a empêché les mascarades, bien au contraire. Comme le dit le cardinal dans *Bacchus*, « les mascarades empêchent le peuple de penser ». Quel est le crime de Cuevas ? Il s'amuse et amuse une foule de personnes. Il dépense et fait vivre des fournisseurs. Sa frivolité n'est pas celle d'un oisif puisqu'il promène de grands spectacles à travers le monde. La France ne vit que par les étrangers et les insulte dès qu'ils dépensent leur fortune chez elle.

François de Vallombreuse, frère de Jean-Pierre Lacloche, était chargé de l'organisation matérielle du bal. Il a tout mis dans sa poche, me raconte Jean-Pierre, ce qui fait que le buffet de cette fête somptueuse n'offrait que de la bière et des saucisses.

Lundi [*5 octobre 1953*].
Déjeuner avec nos amis espagnols.

Picasso mésestime l'intelligence parce qu'il n'a que du génie, et il en use (en dehors de son art) à tort et à travers.

Du reste, le but de l'art n'étant pas moral, il peut se féliciter d'être une maladie contagieuse.

Francine prépare le flamenco sur la terrasse. Pastora et la petite ont envoyé leurs robes de Gitanes pour qu'on les repasse. Jean Marais vient et le docteur avec son appareil et ses lumières pour la couleur. Fête plutôt insolite à Santo Sospir.

---

1. *La Fin des ambassades*, Paris, Flammarion, 1953. Dans ce récit à clés, Mlle Crapote est Suzanne Borel, future épouse de Georges Bidault.

Samedi Pierre, Orengo, Doudou et moi sommes allés voir maître Aureglia pour mettre sur pied la société. Il est probable que la société louera avec Orengo l'appartement qui prolongerait l'immeuble des Éditions du Rocher [...].

Quelle serait la force de Picasso s'il se calmait soudain et se mettait à précéder une sorte de réalisme propre à le détruire.

Mardi 6 octobre.
Hier soir la fête espagnole a été réussie. Sauf que le nombre des Gitans ne permettait pas que les choses en vinssent à ce qui les transfigure. Mais Pastora Imperio a promené son charme de tragédienne, donné ses coups de pied inimitables dans la queue de crocodile de sa robe rouge, charmé des bras comme une vieille charmeuse de serpents.
À deux heures du matin, la petite troupe, peu habituée aux vrais alcools, était ivre morte. Seule Pastora trônait, digne, comme une reine.

Alberto me raconte ce matin à déjeuner que la fête a continué hier dans Nice après découverte d'un petit bar de poules. Toute la troupe, sauf les femmes, s'est couchée à sept heures.

Expédié la préface Chine pour Claude Roy qui me la demande (Guilde du livre suisse) et la lettre au Centre d'études de psychopédagogie (Belgique-Hollande).

Allons tout à l'heure avec les Espagnols au musée d'Antibes.

Retour d'Antibes et de Vallauris. Temps admirable. Montré la tapisserie de *Judith* à Antibes. À Vallauris chez madame Ramié qui donne des plats de Picasso aux Puig et à Francine. Je donne le mien aux Puig. Je m'étais complètement trompé sur le drame de Vallauris. Ce n'est pas Picasso qui quitte Françoise, c'est Françoise qui part. Elle ne devait plus supporter cette tornade ininterrompue de visiteurs et cette course d'une arène à l'autre. Peut-être même y a-t-il des raisons plus profondes et plus précises. (Un homme jeune.) Picasso est très malheureux. Françoise ne lui enlève pas les enfants. Elle les garde pour les élever et restera, si Picasso le veut, sa meilleure amie. Triste. Françoise exerçait la meilleure influence.

Pour la première fois Picasso avait une femme parfaite. Il a toujours quitté ses femmes. Que Françoise le quitte blesse son cœur et son orgueil. C'est sans doute pour cela qu'il a parlé à Alberto de cette rupture comme d'une monstruosité de Françoise qui lui enlevait ses enfants. Il rentre demain à Vallauris (du moins madame Ramié le suppose) où il a rendez-vous avec Emmer et les cinéastes italiens.

7 octobre.

Hier soirée des Espagnols. Je leur ai montré le film de *Santo Sospir* et *Les Enfants terribles*. Ce matin avons été leur faire nos adieux avec Francine.

Ce soir Haddad et Colinet sont venus m'apporter leur travail. Au premier coup d'œil, il me paraissait bon. À la relecture il est médiocre.

J'ai dit à Haddad que même si le film se faisait il ne jouerait pas le rôle.

Le film n'existe que si Thomas en est un ensorceleur très pur. [...]

Toujours aucun remerciement de la Télévision. C'est à se demander si Rothschild n'a pas téléphoné de la part du ministre, de son propre chef.

8 octobre.

Le démon de comprendre. C'est sans doute le péché originel du paradis de l'art — surtout depuis que l'art est devenu sa propre fin ce qu'il n'était pas jadis.

Nouvelle offensive d'assez basses manœuvres pour troubler la paix de ma retraite. L'idée que je me trouve au calme et qu'aucune brouille ne séparera des amis doit être insupportable à beaucoup de personnes. J'ai écrit à Orengo de tâcher de savoir d'où viennent ces manœuvres.

Soleil. Aucune nouvelle de Madrid. Ne savons pas encore à quelle date il faudra nous y rendre.

J'ai eu cette nuit des rêves de « traductions » sans aucun rapport avec mes textes. D'Annunzio était mêlé à cette suite d'histoires désagréables et confuses.

10 octobre.

D'après le dernier numéro de *La Table ronde*[1] où se trouve mon improvisation de Rome sur Picasso, il semble, d'après le *Bloc-notes* de Mauriac, qu'il commence à se prendre pour Goethe.

Réponses de la Télévision et de Mermaud que j'avais pris pour Mermod[2]. (Texte Claude Roy.)

Scandaleuse publicité autour de la Vierge de Syracuse. C'est réduire à rien un pouvoir surnaturel. La science découvrira, peut-être bientôt, que l'obsession des larmes peut se communiquer à la matière (qui est vivante). Pourquoi la Vierge pleurerait-elle puisqu'elle peut arrêter les larmes de ceux qui pleurent ? Et pourquoi ses larmes seraient-elles des larmes humaines comme le laboratoire le prouve ? Il y a là un sacrilège au seul point de vue catholique.

Dans le même magazine le reportage sur le renard-robot. Il y avait à New York la tortue-robot. On n'y pense déjà plus. Le renard-robot « pense ». Mais il ne pense pas qu'il pense. Tout est là.

11 octobre.

Le *Christophe Colomb* de Claudel[3]. Énorme niaiserie. Triomphe — gala d'*Irène*[4].

Giraudoux. Claudel. Les deux triomphateurs désastreux de notre époque.

D'après le téléphone de Jean-Pierre Laclotte, Picasso serait à Fontainebleau. Si c'est vrai il laisse Emmer en panne à Vallauris avec son équipe de cinéastes.

Puisque ce journal ne sera publié qu'après ma mort, je peux me payer le luxe de dire la vérité. Ma tapisserie du Musée d'Antibes tue

---

1. N° 70, octobre 1953, pp. 9-22. Voir *supra*, p. 126, n. 1.
2. Henry-Louis Mermod, éditeur de Lausanne, qui, dès 1929, avait publié Jean Cocteau *(Vingt-cinq dessins d'un dormeur).*
3. *Le Livre de Christophe Colomb* de Paul Claudel, 1927, créé au festival de Bordeaux, le 21 mai 1953 ; repris au théâtre Marigny, le 3 octobre 1953, par la Compagnie Madeleine Renaud-Jean-Louis Barrault.
4. Le 30 mars 1778, à la Comédie-Française, Voltaire, âgé de quatre-vingt-quatre ans et qui devait mourir deux mois plus tard, assista à la sixième représentation d'*Irène*, sa dernière tragédie, et au couronnement triomphal de son buste.

toutes les œuvres de Picasso qui s'y trouvent. Elle éclate au deuxième étage comme une bombe.

Refait cinq dessins-taches pour Orengo. Expédierai demain.

Tout pour n'être pas changé en statue. Il est probable que c'est mon instinct défensif qui m'a fait commettre ce que je prenais pour des fautes.

14 octobre.

Pluie et vent. Il n'a fait beau que dimanche où *Monte-Cristo* ne tournait pas. Francine avait été présider l'inauguration du terrain de football.

J'ai vu dans *Les Lettres françaises* la reproduction du poème-objet *Dentelle d'éternité*. La photographie de mon découpage est très bien venue.

Hier, visite d'un de ces jeunes poètes qui n'ont rien en poche et ne savent pas où aller, où loger. Il pleuvait. Il venait de Cannes sur un vélomoteur de location qu'il devait rendre le soir. On l'a séché, chaussé. J'avais honte de le remettre sur la route. Mais que faire ? La Côte aura vite dévoré le peu d'argent que je lui ai glissé dans la poche. J'ai remarqué que la plupart de ces jeunes ont un père ou une mère remariés, une famille qui se débarrasse d'eux sans chercher à savoir ce qu'ils deviennent.

Arrêt des poèmes. *Je m'imitais.* J'ai brûlé tout ce qui ne me semblait pas authentique. Il me reste à ponctuer et à mettre en ordre.

Naissance de Pégase. Panneau et cadres expédiés à Aubusson. Reçu la nouvelle épreuve de *Judith*. Elle me paraît être aussi belle que l'autre.

Il faudra bien que je me décide à dicter tout le passage de ce journal relatif au voyage en Grèce et à la relecture de Proust[1]. L'ennui de dicter me donne une grande paresse pour ce travail.

J'ai donné à Jeannot les coupures de *La Machine infernale*.

1. Voir *supra*, p. 129, n. 1.

Lettre d'Angleterre. Encore un coup dur pour Miss Hoeck. Sa traduction des *Enfants terribles* ayant été jugée mauvaise, on a confié le travail à Rosamond Lehmann[1].

Il est probable que Miss Hoeck, sans même s'en rendre compte, introduit dans ses traductions de mon œuvre une sorte de mollesse qui lui est propre et un manque de style qui leur ôte l'aigu. C'est ce qui ressort de ce qu'on m'en rapporte. Il est dommage qu'elle se donne tout ce mal en pure perte. Cambridge a dû retaper sa traduction de *Bacchus*.

Le secrétaire du ministre de l'Intérieur, ami de Roger Stéphane[2], a pu parer un coup bas qu'on essayait de donner à notre calme. On ne se doute pas du nombre de personnes qui jalousent le calme et s'acharnent à le détruire.

Jeannot venu dîner hier soir. On ne tourne pas. Ce matin la pluie continue.

Halte du travail, de la pensée, de tout. Malaise qui correspond sans doute au malaise du temps. J'ai passé ma journée d'hier à répondre aux lettres. Téléphone de Lourau qui approuve mon projet de film avec *La Dame à la licorne*.

J'en arrive à envier ceux qui décident leur travail et n'attendent pas que le travail s'impose. À propos du *Christophe Colomb* de Claudel je pense à l'immense réussite de cet aventurier hâbleur et qui se trompait sur toute chose, à cette gloire d'un homme qui ne savait rien de la navigation, croyait la terre piriforme et découvrir des îles des Indes. Il est probable que son nom superbe a été plus fort que lui et ramassé la gloire des autres comme un aimant la limaille de fer. C'est l'exemple type d'une imposture assise sur le trône. On sait que les lettres dont il se réclame sont des faux, on sait que ce n'est pas lui qui dirigeait le voyage, on sait qu'il ne payait pas les sommes promises et qu'il en escroquait d'autres, on le sait mais on accepte le mensonge comme une vérité historique.

1. Romancière, née à Londres en 1903.
2. Roger Stéphane, né à Paris, en 1919, journaliste, chroniqueur, critique, ami de Jean Cocteau. Voir Roger Stéphane, *Toutes choses ont leur saison*, Paris, Fayard, 1979, pp. 91-98, 117-118, 188, 213-214.

L'Église a tout mis en œuvre pour l'installation solide de cette imposture et Claudel y ajoute son paraphe de vieux gamin gâteux.

Match parle du « triomphe de Paul Claudel ». Or on peut aimer ou n'aimer pas Claudel, mais on ne saurait parler de triomphe de Claudel lorsqu'une mise en scène sauve un texte d'opéra écrit à la va-vite et récité sans aucune retouche.

La France devait s'appuyer sur l'Allemagne, la réarmer, en taire sa vraie ligne défensive. Au lieu de cela elle en reste à un nationalisme barrésien d'Alsace-Lorraine et de casques à pointe. Son vrai grief n'est pas Hitler, c'est Bismarck.

Jeannot nous raconte avoir vu le film *Madame de*[1] qu'il trouve plein de grâce. Je suppose que son insuccès auprès des critiques vient d'une élégance morale qu'on déteste et qu'on met sur le compte sucre-crème. Il est, à l'heure actuelle, presque impossible de réussir dans les nuances et sans grossièreté. C'est en quoi mes derniers poèmes s'opposent à l'époque et risquent de demeurer invisibles.

Jeannot estime, en outre, que le film est admirablement bien fait — ce que les critiques ne peuvent voir prenant le mal fait pour de la force.

Le journal du matin. Si ses colonnes en étaient de véritables, on s'apercevrait que l'édifice ne peut pas tenir debout.

15 octobre.
Hier soir dîner avec Jeannot et Lulu Watier. Son avion arrivé sur Nice avait rebroussé chemin jusqu'à Rome. Ne comprenant pas l'anglais ni les explications de l'hôtesse elle croyait descendre à Nice. À Rome elle trouve Gérard Philipe qui attendait toujours sa femme. (Ils se rendent à Tokyo.)
Lulu me montre une fiche trouvée sur la table de sa chambre à l'hôtel de Rome : « *Pour les audiences du Pape, s'adresser au concierge de l'hôtel* » !
Jeannot sombre, retiré, noué, inexplicable. Je me demande toujours ce qu'il imagine, ce qu'il enregistre, comme sa mère, dans sa malheureuse mémoire.

1. Film de Max Ophüls, 1953, d'après le roman de Louise de Vilmorin.

Film des Gitans arrivé ce matin. Nous le verrons ce soir. Pastora Imperio, phénomène de l'hypnose collective. Elle bouge à peine. Elle soulève l'âme de l'Espagne. À la procession à Séville, on baise le bas de sa robe, elle est escortée de convulsionnaires.

Nouveau poème. Je tâcherai de trouver une ligne, un ordre. Travail de ce jour.

Lorenzi[1] m'a apporté le chiffon où j'essuyais mes pinceaux, tendu en toile. Je voudrais y inscrire un hommage aux impressionnistes. Des femmes dans un jardin[2].

Dans le sommeil et dans la lecture Doudou s'enfonce, s'enlise comme dans une glu.

Premier classement approximatif des poèmes de *Clair-Obscur*.

Vu le film de 16 — Pastora — grande noblesse de ses gestes dans le silence.

17 octobre.

Dîner Jeannot, Corbeau[3] — consternés par le film qu'ils tournent. Plus le metteur en scène de ce genre de film se prouve incapable, plus il se montre jaloux de ses prérogatives. Toutes les images faites en mer pourraient être prises à Paris et on se demande par quel manque d'imagination une équipe doit se rendre dans une île pour tourner le rivage d'une île. On loue fort cher un vieux navire qu'on ne voit jamais sauf de loin et à contre-jour. On maquille les acteurs pour les plans lointains où nul ne peut les voir. On emmène toute la troupe à Antibes pour tourner une scène devant un mur. Et tout cela coûte des millions. Et les producteurs suivent, sans se plaindre. [...] Et on se demande pourquoi le cinéma, tel que ces gens l'entendent, me dégoûte.

---

1. Voir t. 1, p. 211, n. 1.
2. *Mère et fille au jardin*, tapisserie tissée par l'atelier de Marie Cuttoli. H. 123 cm. L. 117 cm. Paris, coll. Francine Weisweiller. Voir reproductions dans *Album Cocteau, op. cit.*, p. 219, et dans *Jean Cocteau poète graphique, op. cit.*, p. 179.
3. Le photographe de films Roger Corbeau, né à Haguenau en 1908, photographiait *Le Comte de Monte- Cristo*. Il avait photographié les films de Jean Cocteau : *Les Parents terribles*, 1948, et *Orphée*, 1949. Voir *Roger Corbeau, portraits de cinéma*, Paris, Éditions du Regard, 1982.

Écrit le texte pour le gala des Six.

Hier Francine trouve un jeune ouvrier électricien qui répare les lignes en train de regarder les fresques. Elle l'interroge. Il connaissait tous mes livres, toutes mes pièces, tous mes films. Le matin il était resté longuement devant ma dernière toile *Mère et fille dans un jardin*. Il en a parlé comme n'en parlerait personne.

Ce matin, soleil. Il me semble reconnaître le *Pharaon* en mer. Une barque sur la gauche doit contenir les appareils. On a dû maquiller et costumer Jeannot pour ces prises lointaines.

Ivernel[1] dit à Corbeau : « Jean Marais est si simple ! Cela me gêne. C'est la vedette. Cela m'empêche d'être insupportable. »

La pièce de Philippe Hériat, *Noces de deuil*. Remise et remise à cause des disputes intestines de la rue de Richelieu.
Générale, paraît-il, houleuse. Le lendemain était le gala. La radio annonce une grève des machinistes qui oblige à le remettre. Ce matin le journal nous apprend que le ministre ferme les théâtres nationaux. Ne plus donner rien à cette maison. Et en outre lui retirer *Renaud et Armide*[2]. Il est probable que, plus tard, je retirerai aussi *La Voix humaine*.

Jusqu'à nouvel ordre *Clair-Obscur* se compose comme suit : Préface — Strophes (cent vingt et une variations sur des thèmes connus) — Divers — Hommages et poèmes espagnols.

J'aime tellement mon tableau *Mère et fille dans un jardin* (sic) que je voudrais oublier que je l'ai fait et être assez riche pour l'acheter.

Francine dit : « Je ne poursuivrai pas Paul (le marin) parce que je me refuse à faire mettre un homme en prison. » [...]

Lorenzi nous raconte que tout Beaulieu raconte sur nous les choses les plus incroyables. « Que peuvent-ils faire puisqu'ils ne

---

1. Le comédien Daniel Ivernel, l'un des interprètes du *Comte de Monte-Cristo*.
2. Tragédie en trois actes, en vers, de Jean Cocteau, créée à la Comédie-Française le 13 avril 1943, dans un décor et des costumes de Christian Bérard et une mise en scène de l'auteur. — Paris, Gallimard, 1943, avec quatre dessins de l'auteur.

jouent pas aux cartes ? » *(sic)*. Impossibilité pour les oisifs de comprendre qu'on travaille et que Francine travaille à nous rendre le travail agréable. Cela dépasse l'imagination de ces crétins. En outre on jalouse Lorenzi et le docteur Ricoux parce qu'ils viennent souvent nous rendre visite.

On accroche Lorenzi au passage : « Puisque vous voyez Jean Cocteau ne pourriez-vous lui demander qu'il me signe un livre ? » (ou tout autre service). Lorenzi répond : « Je suis un fournisseur et, comme les hôtes de la villa me traitent en ami, j'aurais honte de leur demander un service. »

Il est triste que la noblesse d'âme, la réserve, le goût du calme et du travail soient lettre morte pour la plupart des gens.

Répondre à une vingtaine de lettres par jour. (Les lire. Elles sont longues et demandent toujours quelque chose.) Travailler mes poèmes, corriger des épreuves, prendre ces notes, peindre, préparer une tapisserie, lire les livres et les manuscrits innombrables qu'on m'envoie, et la journée passe sans que je m'en aperçoive.

Francine passe sa matinée à payer des factures et à signer des chèques pour ceux qu'elle aide en secret. Elle se baigne s'il y a du soleil. Elle mange peu. Elle se repose. Ensuite elle lit ou elle peint des fleurs. Mais son crime est de ne pas savoir jouer au bridge. Alec la croit même un peu folle.

Doudou, lui, ne cesse de lire des livres de science, de se former, de peindre des toiles qui exigent une incroyable patience. En huit jours j'ai vu le portrait de Carole devenir une merveille, un diamant. Sa halte est de jouer aux boules avec Fernand, le chauffeur.

Amusez-vous, joueurs de cartes, réunissez-vous, déblatérez sur ceux qui ne suivent pas votre rythme. Notre bonheur est une énigme pour votre détresse élégante. Et je vous emmerde.

Il est probable que ce qu'on raconte de la villa doit être assez grave, puisque j'ai su que le docteur voulait s'en plaindre auprès du maire.

Une dame parlant de Francine : « Il paraît qu'elle loge et nourrit ses domestiques sur le même pied qu'elle. Ce doit être pour leur fermer la bouche » (sic).

Exquise politesse de Francine. Elle rit beaucoup de ces racontars.

Exemple de travail dans la matinée : ce matin. J'ai dû, outre les réponses à douze lettres, écrire un article sur Barrès[1], un article pour aider le livre de Maurice Raphaël[2], un article sur la danse et le Ballet russe[3] des notes supplémentaires pour la biographie de Bruckmann, etc., etc. À quel moment pourrais-je jouer aux cartes ? (Un jeu de cartes moderne me représente en Lucifer[4].)

18 octobre. Dimanche.
Journal. Le monde malade, *partout*. Et la haine. Les Anglais haïssent l'Amérique. L'Amérique hait la Russie qui la hait. Israël hait les Arabes. Les Arabes haïssent Israël. La Chine hait le Japon qui hait la Chine. L'Égypte hait l'Europe. La France hait l'Allemagne. Tout le monde hait la France.

On demandait à Lyautey le secret de sa réussite au Maroc. « Il est simple, répondait-il, je traite les Marocains comme des Français, *des Français que j'aimerais.* »
Pour la France imbécile les Marocains sont des bicots.

Churchill prix Nobel. Mauriac m'amuse quand il parle de la « postérité ». Lit-on Mistral et Sully Prudhomme[5] ?

Le Vieil Homme et la Mer[6]. On parle de chef-d'œuvre. C'est une charmante petite nouvelle.

Le courrier du cœur dans *Elle*... M. Bidault... M. Laniel — les trois grands — les quatre grands, les cinq grands, les offres de paix à la Russie qui ne parle que de Paix et répond merde. Les chansons de Prévert, les Frères Jacques, la radio... Faudra-t-il toujours vivre dans cette morne imbécillité ?

1. Voir l'annexe XX.
2. *Feu et flamme*, Paris, Denoël, 1953. Voir l'annexe XXI.
3. « Serge de Diaghilev 1872-1929 », article et dessin de Jean Cocteau, dans *La Vie universitaire et intellectuelle*, janvier 1954.
4. Jeu de tarots dessiné par Mara Rucki. Voir une reproduction du tarot XV, Lucifer (Jean Cocteau), dans *Plaisir de France*, n° 186, décembre 1953.
5. Le prix Nobel de littérature fut attribué, en 1953, à Winston Churchill ; en 1952, à François Mauriac ; en 1904, à Frédéric Mistral ; en 1901, à Sully Prudhomme.
6. Roman d'Ernest Hemingway, 1952.

Les personnes qui méprisent la mode obéissent à une mode. À tout prix ne suivre ni l'une ni l'autre.

Sur une île déserte il y a les reptiles et les insectes. Autour de notre île heureuse du Cap, il y a les gens qui dans l'ombre pensent à nous qui ne pensons à personne, sauf à nos amis. À cinq heures, nous jouions aux boules avec Fernand et François (le chauffeur et l'électricien) lorsqu'une femme ivre morte et son mari, boulanger de Saint-Jean, firent irruption dans le jardin en brandissant une des innombrables dettes de Paul. Comme Francine demandait à se renseigner sur le détail de cette facture fort vague et fort ancienne, ils se mirent, surtout la femme ivrogne, à l'insulter, à crier, à faire scandale. Fernand et François les mirent à la porte et nous les entendîmes encore crier des insultes sur la route.

Donc, il n'y a pas que les « joueurs de cartes » qui nous bâtissent des légendes, mais encore des fournisseurs d'une bourgade où Francine dépense une fortune et permet au cercle sportif de vivre.

J'ai conseillé à Francine de voir le maire. Il a fait téléphoner qu'il passerait à la villa demain matin. Et tout cela parce que Francine se refuse à poursuivre Paul en justice. Ses fausses signatures le mèneraient en prison. « On vous connaît ! hurlait cette mégère, on vous a vu agir à la Fiorentina[1] où j'étais femme de chambre ! J'en sais long sur votre compte ! »

Francine était pâle et stupéfaite. Jamais elle n'a mis les pieds à la Fiorentina qui est le type de la villa élégante que nous évitons comme la peste. On imagine ce que peut être le style d'une villa où cette ivrogne était femme de chambre.

Je suppose quelles seront les entreprises de la terrible dame anglaise qui construit sous l'atelier et à qui le maire et le préfet interdisent l'emploi de la dynamite qui ébranlait Santo Sospir. Elle doit être folle de rage. Ce genre de dames ne se contentent pas de rager. Elles agissent.

C'est la première fois, depuis trois ans, que la méchanceté secrète montre le bout de l'oreille. Nous ne nous doutions naïvement de rien.

---

1. Villa du cap Ferrat.

Ai dû écrire au bourgmestre d'Oldenburg que je n'irais pas assister à la première des *Chevaliers de la Table ronde*[1] à cause des dates promises du concert des Six et d'*Orphée* à Madrid.

Je n'ai que deux bras, deux jambes et une tête. On a tendance à m'en croire environné comme un dieu des temples hindous.

L'arrogance, la morgue sont, hélas, beaucoup plus respectées que la gentillesse. Je l'éprouve chaque jour et cela me consterne.

L'esprit de vengeance me demeure incompréhensible, comme à Francine. Jeannot nous ressemble. Il tourne le rôle de Monte-Cristo et désapprouve les actes du personnage qu'il interprète.

Plus j'y pense, plus mes yeux s'ouvrent. Marie-Blanche de Polignac et Antoinette d'Harcourt avaient téléphoné pour venir me voir. N'étant pas libre le jour même (j'allais à Biot) je les priai de retéléphoner et de venir déjeuner ou dîner n'importe quel jour de la semaine. Or, elles n'ont pas refait signe, convaincues d'après les racontars — du moins je le suppose — que Francine trouverait des excuses et ne les recevrait pas. Je me souviens de la phrase de Marie-Laure qui, elle, depuis, est venue au Cap : « Alors, vous séquestrez Jean. »

C'est cette phrase qui m'avait donné l'idée d'une pièce où un jeune ménage décide de vivre à la campagne loin du monde. On arrive à convaincre la jeune femme que son mari qu'elle adore *la séquestre*.

J'avais bien expliqué, dans le *Journal d'un inconnu*, ce monde qui veut une corrida avec mise à mort et prend le bonheur d'une maison pour un spectacle de vaches landaises. Je comptais un peu sur la déception de ce monde lorsqu'on ne lui offre aucun drame en pâture, aucune brouille. Mais je me trompais. Faute de corrida, il en invente.

Heureusement que notre découverte n'a pas eu lieu pendant le travail des poèmes. Cela m'aurait enlevé de l'enthousiasme et de la fraîcheur. Le 1er novembre j'irai à Milly où d'autres racontars

---

1. Pièce en trois actes de Jean Cocteau, créée au théâtre de l'Œuvre, le 14 octobre 1937 dans des costumes de Gabrielle Chanel, des décors et une mise en scène de l'auteur. — Paris, Gallimard, 1937, avec deux dessins de l'auteur.

doivent m'attendre. Seule la bonne Madeleine, rue de Montpensier, a le cœur solide comme un roc. Nul n'oserait toucher à un de mes cheveux ou à un des cheveux de Francine devant elle.

20 octobre 1953.

Je n'ai pas entendu *La Machine infernale* à la radio, mais j'en reçois beaucoup d'éloges. Mieux vaut ne pas entendre soi-même car les autres ne souffrent pas de mille détails qui nous feraient souffrir.

Jeannot m'a demandé hier soir d'ajouter quelques répliques au dernier acte de *La Machine* car il n'a jamais le temps matériel de se mettre dans l'état d'esprit d'un aveugle et de terminer son maquillage en coulisse avant la fin du dialogue Créon-Tirésias. J'ai ajouté les répliques ce matin.

Quatre nouveaux poèmes pour *Clair-Obscur.*

Jeannot quitte Nice ce soir. Irai le conduire à l'aérodrome et lui porter le texte de *La Machine.*

Nos rêves d'enfance. « De quoi, demandai-je à Jean Marais, avait l'air Haydée lorsqu'elle s'embarqua avec toi sur le yacht ? — D'un tonneau. — Avait-elle des bijoux d'or ? — Non. » Je me demande si les cinéastes lisent les livres qu'ils tournent. Ils doivent les parcourir.

Déjeuné chez notre voisin de la villa Boutac. Entre nous et Villefranche. Le jardin est d'une grande beauté. Les Anglais et les Américains autour de la table ne semblaient pas beaucoup plus satisfaits de leur gouvernement que nous du nôtre. Ils me demandaient le secret du charme qui les pousse à vivre en France. C'est, leur ai-je répondu, que la décadence française est l'extrême pointe d'une grande civilisation. Lord *** aurait pu trouver asile en France. Il y aurait pu coucher avec mille boy-scouts sans qu'on le condamne au *hard labour.*

Les mœurs de la cour de Louis XIV ont mis plusieurs siècles à se répandre dans le public. Ce qui se passait à Versailles n'était pas plus beau que ce qui se trouve chaque matin dans le journal.

21 octobre.
Langlois[1] téléphone pour affiche festival de Rome.

Emmer téléphone qu'il a fini avec Picasso et qu'il passera au Cap entre cinq et six.

Été ce matin prendre un verre à la darse de Villefranche avec la troupe de *Trafic des blondes*[2]. Michel Auclair vient par un des avions d'Alec entre deux spectacles de *La Corde*[3].
Vu Bertrou stupéfait quand je lui raconte les escroqueries dont j'ai été victime après *La Belle et la Bête*.

Terminé l'hommage à Rilke[4].

Fait le cadre de *Mère et fille dans un jardin*. Lorenzi m'avait tendu les vieux chiffons sales sur du bois. Passionnante lutte avec le hasard.

Luciano Emmer est venu avec ses collaborateurs, en route pour Milan. Il a fait ce qu'il avait à faire à Antibes et Vallauris. « Picasso, me dit-il, est un grand acteur. Pas besoin de répéter avec lui. Il se place toujours sous le bon angle. »

22 octobre.
Lorsqu'un mensonge a force de vérité, lorsque la grande farce est bien assise, tout cri de révolte, tout cri de justice deviennent sottise. Il faut se taire et mourir le plus vite possible. J'ai auprès de moi deux âmes inadmissibles, car elles se pourraient montrer nues et elles insulteraient le monde. Le seul recours sera de cacher la perfection comme on cache un vice.
Je n'ai pas dormi. J'ai pensé à tout cela. J'ai la certitude qu'il vaut mieux laisser croire que nous sommes pareils aux autres. Car si, par malheur, le monde découvrait notre innocence, c'en serait fait de nous.

1. Henri Langlois (1914-1977), fondateur de la Cinémathèque française et de la Fédération internationale des Archives du film.
2. Film de Paul Cadéac, exploité sous le titre *Quai des blondes*, avec Michel Auclair.
3. Michel Auclair, né en 1922, interprète du rôle de Ludovic dans *La Belle et la Bête*, jouait, au théâtre de la Renaissance, dans *La Corde* de Patrick Hamilton.
4. Dans *Clair-Obscur*, *op. cit.*, p. 177.

Stendhal disait : « Je ne suis pas mouton, donc je ne suis rien. » Maintenant on pourrait dire : « Je ne suis pas escroc, donc je ne suis rien. »

Reçu : *Venise* vue par Ferruccio Leiss [1] avec ma préface : « Venise la gaie [2]. »

Sur la couverture en couleurs un très bel angle des chevaux de Saint-Marc. Je découvre que cet angle, sur la couverture à l'envers, montre une sorte de jeune démon qui salue Venise [3]. Je l'ai relevé et envoyé à Daria Guarnati qui édite le livre.

Les églises *dépassées*. La première de chez Lanvin nous raconte que, visitant l'autre jour la chapelle de Matisse à Vence, elle vit une femme du peuple, assez surprise, s'approcher d'une sœur âgée et lui demander pourquoi il n'y avait pas de fleurs sur l'autel. La sœur haussa les épaules et d'une voix méprisante : « *Des fleurs ?* dit-elle, *ça ne se fait plus !* » La brave dame trottait derrière la sœur : « Mais, ma sœur, il y en a chez nous, à l'église. » Et la sœur : « C'est possible, mais ça ne se fait plus. »

Dicté ce matin l'*Hommage à la Méditerranée* pour radio Monte-Carlo, et la *présentation des Six*.

Cette grande fatigue qui ne vient pas du dedans, mais du dehors.

Livre de Peyrefitte. Je viens de le lire. Il ajoute à mon malaise. Rien ne change. Mais ce n'est pas un livre de ragots. C'est un livre d'histoire. Il représente un grand courage. Depuis que madame Bidault a eu la maladresse de s'y reconnaître, la vente n'arrête pas de grossir.

J'ai fait et envoyé le dessin d'Alexandre Dumas pour Calmann-Lévy, avec cette phrase : *Le maître du plus vrai que le vrai* [4].

1. Ferruccio Leiss, *Immagini di Venezia*, Jean Cocteau, « L'autre face de Venise ou Venise la gaie », Filippo de Pisis, « Venezia, o la consolazione della pietra », Milan, Edizioni Daria Guarnati, 1953.
2. Voir l'annexe XXII.
3. Jean Cocteau signale cette découverte dans l'édition française de cet album de photographies, Paris, Bordas, 1953.
4. Robert Gaillard, *Alexandre Dumas*, avec un frontispice de Jean Cocteau, Paris, Calmann-Lévy, 1953. Voir l'annexe XXIII.

Dimanche [*25 octobre 1953*].

Pluie. J'en profiterai pour faire l'affiche des cinquante ans du film français à Rome.

Hier, téléphone incompréhensible. Une voix étrangère me disait : « Nous viendrons avec le camion pour prendre les documents de la villa. » On téléphonait de Paris. On ne m'entendait pas. Impossible de me souvenir à quoi correspond ce téléphone et cette visite.

Téléphone de madame Maeterlinck. Style de madame Maeterlinck : « Bonjour cher magicien. » Déjeunerai mardi à Orlamonde. Me demande à quelle heure viendra le camion mystérieux.

Hier soir avons entendu par hasard le gala de Mogador où Isa Miranda disait *Anna la bonne.* Elle y remporta un grand succès — mais soit la place du micro, soit son accent m'empêchent de la comprendre. Sauf la fin où elle coupe le dernier vers (on se demande pourquoi) et pousse des éclats de rire hystériques après le vers : « Elle devait partir sur son yacht pour Java. » Marianne Oswald [1] a plus de style. C'est le style qui manque à toutes les actrices qui abordent *Anna* ou *La Voix humaine*, sans, du reste, jamais me prévenir ni me demander conseil.

Télégramme de Seghers qui m'annonce l'envoi de *Dentelle d'éternité.*

Beaucoup retravaillé *Mère et fille dans un jardin.*

La vision ou l'impression d'un tableau ou d'un poème que j'ai faits dépend entièrement de la personne à qui je les montre. Elle change, se fane ou s'exalte selon ce que cette personne éprouve.

Remis ce matin à Meunier le dessin de ma main qui doit accompagner son article.

1. Marianne Oswald (Sarreguemines 1903-Limeil-Brévannes 1985), créa, en 1934, deux chansons parlées écrites pour elle par Jean Cocteau, *Anna la bonne* et *La Dame de Monte-Carlo*, recueillies dans *Théâtre de poche, op. cit.*, pp. 97-108. Marianne Oswald a enregistré sur disques 78 tours (25 cm) *Anna la bonne* (Columbia DF 1463) et *La Dame de Monte-Carlo* (Columbia DF 1882), et sur disque 33 tours *Anna la bonne*, dans l'album *Hommage à Jean Cocteau* (Pathé 2 C 161-11311 à 11313).
Voir Jean Cocteau, *Le Foyer des artistes, op. cit.*, pp. 54-56 ; *Album Cocteau, op. cit.*, p. 106, et Marianne Oswald, *Je n'ai pas appris à vivre*, introduction par Jacques Prévert, portrait de l'auteur par Jean Cocteau en couverture, Paris, Éditions Domat, 1948.

En lisant les terribles paragraphes sur Montherlant dans le livre de Peyrefitte je pense aux nombreuses visites qu'ils me firent ensemble, rue de Montpensier, à la Libération. Montherlant était malade d'inquiétude pour sa gloire. Ils étaient alors amis intimes. Chaque fois qu'un collège passait sous les arcades, ils se précipitaient à la fenêtre où je ne voyais plus que leurs derrières.

Au congrès des savants à Nice, devant une salle comble et très grave, Corniglion-Molinier[1], ministre d'État, termine son petit discours de bienvenue par une anecdote d'*Almanach Vermot* sur la pénicilline et les pompes funèbres. On venait, en outre, d'annoncer que le professeur Fleming, malade à Londres, envoyait sa femme pour lire son mémoire. Cette anecdote, que Corniglion devait trouver plaisante, ne pouvait jeter qu'un froid. Une pareille chose est incroyable et ne saurait se produire que chez nous.

Le livre de Peyrefitte se base sur le rôle international de la diplomatie. Ce qu'il appelle : *la fin des ambassades* vient de ce que le patriotisme et le nationalisme pervertissent un métier dont Talleyrand ne cache jamais le côté cynique. « Je me mets, disait-il, au service des événements. » Et il ajoutait sa phrase célèbre : « La trahison est une affaire de dates. » Mademoiselle Crapote amuse, et madame Bidault encore davantage, mais ce n'est pas le livre, qui me semble être le seul document véritable sur l'occupation allemande.

Nouvelle imbécillité du ministère des Finances qui compte décider de l'impôt d'après les signes extérieurs de la richesse. Or les riches feignent souvent d'être pauvres et suppriment ces signes. Des pauvres comme moi dépensent tout ce qu'ils gagnent et leur campagne ou leur voiture est tout ce qu'ils possèdent. Encore un ingénieux moyen de ruiner la France et d'empêcher la circulation du sang. De la réduire à la sclérose.

Rimes. Un mot rimant avec geste me manquait[2]. Il s'agissait d'exprimer que tout est effacé sur le parchemin pour y récrire.

---

1. Edward Corniglion-Molinier, né à Nice en 1898, général de division aérienne, député des Alpes-Maritimes de 1951 à 1958, ministre d'État chargé du Plan, en 1953-1954.
2. Au premier vers du poème « Adieu faux paradis... », dans *Clair-Obscur, op. cit.*, p. 92 :

Adieu faux paradis éternel palimpseste...

Aucun autre mot que celui que je ne trouvais pas ne pouvait prendre place. En ouvrant le dictionnaire, je tombe sur palimpseste. J'en avais oublié le sens.

Reçu d'autres documents sur le visage d'Alexandre Dumas. La caricature de Nadar est si curieuse, si puissante, si révélatrice, que l'emploi en serait impossible. Du reste, le dessin que j'ai expédié à Sigaux a dû se croiser avec ce nouvel envoi de chez Nadar.

La jeune femme qui allait hériter de deux cents millions n'hérite plus. Les journaux étaient pleins d'elle. On se détourne avec indifférence. La mère arrivée à Nice annonce qu'elle n'est pas la fille du légataire mais d'un musicien.

Pendant que l'Italie et Tito s'entêtent sur Trieste et l'un contre l'autre, les pluies ravagent l'Italie du Sud. Cela vient, comme à Menton, de ce que le *progrès* a méprisé les canalisations faites par les anciens et qui évitaient le désastre.

Il faut être attaqué mais il ne faut pas être attaquable. (Phrase de Doudou.)

Dîner Pasquini. Sa naïveté. Il est stupéfait parce que Francine lui raconte notre dîner chez les C. le jour où, après la mort de Pétain, *Match* avait publié sur sa couverture le képi du maréchal. Je venais de dire : « On se demande pourquoi *Match* publie sur sa couverture et en couleurs le képi de cette vieille andouille ? » Cette parole jeta un froid (et il y avait là Suzanne Blum [1] et quelques piliers de la Résistance). Je me rendis compte que je venais de faire une gaffe épouvantable. Chez un général, *je touchais au képi*. Le respect du képi dominait toutes les opinions politiques.

Pasquini, auquel je tâche de faire comprendre que toutes les affaires qu'il m'offre sur la Côte ne m'intéressent pas, tombe de haut lorsque je lui dis que j'ai refusé sept millions du Brésil pour trois conférences, parce que j'aimais mieux me promener en mer. Que Doudou a eu honte parce que Simone B. lui offrait en cachette, il y a trois ans, cinq cent mille francs, s'il me décidait à écrire une pièce pour son théâtre. Etc., etc. Pas plus que les autres, Pasquini,

1. Maître Suzanne Blum fut l'avocat de Jean Cocteau.

qui est un homme très propre, n'arrive à comprendre ce qu'est une morale particulière et ce qu'elle nous impose. Il croit que je suis une poire et que je m'épuise à rendre des services, à travailler à l'œil.

Enregistré le texte du gala de la Méditerranée à Monte-Carlo. (Encore un service.) J'étais très étonné qu'on me remette vingt mille francs « pour le déplacement ».

Si j'acceptais toutes les « affaires » qu'on me propose, il me faudrait les trois jambes des armes de Sicile et je courrais à ma ruine morale pour des sommes que le fisc empoche. J'aime mieux rendre service et faire ce qui me plaît.

Au moment où Pasquini remontait en voiture et comme je le voyais un peu désarçonné, je lui ai tenu, à peu près, ce discours : « Mon cher maître, il y a une chose que vous ne savez pas et qu'il faut que je vous apprenne. Notre métier a aussi ses héros et j'en veux être un, jusqu'à ma mort. Notre héroïsme consiste à accepter qu'on nous prenne pour des pitres, à servir notre pays sans en attendre la moindre compréhension ni la moindre reconnaissance, à refuser les offres avantageuses, à mal conduire notre barque mais à marcher de telle sorte que, selon le mot de Genet, on puisse mettre chacun de nos pas sous globe.

« Vous aimez en moi un homme doué d'intelligence, capable d'un grand nombre de travaux et vous craignez mon pessimisme. Or je ne suis pas pessimiste, mais ayant compris la farce dans laquelle je me trouve, je refuse d'en être victime. Ne croyez pas que je me mette la tête sous l'aile. Je travaille dans une zone invisible et je m'y perfectionne de mon mieux. L'insulte ne saurait m'atteindre parce que j'estime que personne au monde n'est en mesure de me récompenser selon mes mérites. »

Pasquini monta, rêveur, dans sa voiture. Et par la portière, il me dit : « Je crois que je commence à vous comprendre. » Une fois la voiture sur la route, je pensai aux mille et mille Pasquini qui ne peuvent rien comprendre à mon attitude et qui sont fort loin d'avoir sa fraîcheur d'âme.

26 octobre.

Reçu *Dentelle d'éternité*. Le papier derrière le découpage me semble trop clair, il le fallait sombre. Mais l'ensemble est magnifique.

Ci-joint la litho [1] du livre de Lescoët.

J'ai refait toute la grande salle de la villa. Une paresse m'empêchait de finir et de peindre les bleus qui doivent soutenir les dessins
pâles. J'ai passé la journée sur des échelles, couvert de peinture.
Manque encore le rouge des trois bonnets phrygiens. Lorenzi ne
m'avait pas préparé la couleur.

Déjeuné hier chez madame Maeterlinck avec le docteur Debat et
sa femme. Je n'avais pas revu Debat depuis sa visite rue Vignon, il
y a quinze ans [2]. Il s'en rappelle le moindre détail. Sa femme a les
cheveux rouge brique et lui bleu de ciel. Il me parle beaucoup de
ses fleurs et de la pénicilline grâce à laquelle il aurait sauvé son fils.
« Mon travail, dit-il, consiste à sauver les autres en souvenir de ce
malheur. »

Madame Maeterlinck me raconte le déjeuner Einstein-Maeter-
linck en Amérique. En prenant congé de Maeterlinck, Einstein lui
dit : « Vous ne m'avez pas parlé de l'atome. Je ne vous ai pas parlé
des abeilles. Nous sommes quittes. »

Terrible bavardage des congrès. J'ai entendu à la radio les
déclarations du congrès de Rome. (L'esprit européen.) Ces messieurs ne se rendent pas compte que l'esprit européen ne s'organise
pas, qu'il est fait d'un cortège d'isolés que la masse ignore et que
leurs pays considèrent, de leur vivant, comme indésirables. Décla-
ration particulièrement absurde : « Un livre, qui ne peut se
traduire et se répandre partout, possède un vice de forme » (sic).

Un Italien cite l'exposition Picasso-Rome-Milan comme un
exemple du progrès de l'esprit européen. On dirait que c'est la
première exposition d'un peintre dans un pays étranger. Le plus
drôle c'est que, sans les communistes, cette exposition Picasso
n'aurait jamais été faite.

Chez F. Nina de Polignac me dit : « Je possède *tous vos livres*.
Mais quel dommage que vous n'écriviez plus depuis *Thomas
l'imposteur* [3]. »

1. Voir l'annexe XXIV. — Henri de Lescoët (né en 1906), poète, peintre, traducteur,
habitant Nice, avait fondé le prix Guillaume Apollinaire en 1941.
2. En réalité, c'est de 1930 à 1934 que Jean Cocteau habita 9, rue Vignon.
3. C'est-à-dire depuis 1922 !

Un éditeur anglais a commandé une biographie de moi à la dame qui a publié celle de Colette. Marie Hoeck connaît cette dame et affirme qu'elle est totalement inculte. Cette dame est en vacances à Antibes et doit passer me voir à cinq heures.

27 octobre 1953.

Les grotesques voix « poétiques » de la radio. Les descriptions du Poitou — genre *dictée*. Cauchemar de notre enfance.

Ai porté l'affiche à Langlois (pour Rome). Temps superbe après la pluie diluvienne de cette nuit.

Situation bizarre. Paris me boude et me charge de toutes ses besognes. Pas une préface, pas un dessin de programme, pas une conférence que je ne doive faire.

Somme toute, Matisse est un assez mauvais dessinateur. Picasso grand dessinateur, s'évite avec génie. Les abstraits faibles. Les écrivains ne savent plus la langue. Anouilh passe pour un génie. Prévert pour un poète.

La plupart des œuvres que je vois et qu'on admire, je mourrais de honte si je les avais faites. Et je la boucle. J'aurais l'air prétentieux.

29 octobre.

Déluge de lettres et de télégrammes. Il faudrait que je renonce à gagner ma vie et à mon travail pour me consacrer à celui des autres.

Elio Zorzi m'écrit de la Biennale : « Votre admirable poème sur Picasso a paru dans le n° 15 de la *Biennale de Venise*. » Mais on l'a envoyé par erreur à Milly au lieu de l'envoyer au Cap.

Ce matin j'ai terminé les fresques. Les trois bonnets phrygiens sanguine. La peinture était mauvaise. Une fois sèche j'ai frotté à l'émeri — ce qui donne exactement ce que je cherche.

Il y a une vieille farce entre Hindemith et moi. Échange de nos grands travaux militaires. (Hindemith signe ses lettres « le général Paul ».) Je lui ai écrit ce matin que je parvenais à décomposer le sel de l'eau de mer et à le rendre explosif au moindre contact. On pourra faire ainsi sauter tous les navires, sans exception et d'une manière assez économique.

L'ignoble vulgarité de la radio. Lorsqu'elle coule, je me sauve. Il est possible que cette vulgarité constante attaque l'âme sans qu'on s'en doute et démoralise. Certaines atmosphères (admirables) — Triebschen par exemple — n'eussent pas été possibles avec la radio dans la maison.

La critique. Il n'y a plus qu'œuvres nulles ou chefs-d'œuvre. Fours ou triomphes. Triomphe de Claudel. Chef-d'œuvre d'Anouilh. Je n'ai pas vu *L'Alouette,* mais je suis sûr que ce n'est pas un chef-d'œuvre. Sans doute une œuvre intelligente et charmante. De même Philippe Hériat ne doit pas mériter la boue méprisante dont on le recouvre. « *Malheur à moi, je suis nuance* » disait Nietzsche.

30 octobre.
J'enlève des chambres une montagne de lettres, de prospectus, de plaquettes, de manuscrits. Après ce rangement massif, le désordre des chambres ne semble pas soulagé. Il reste, on dirait, le même.

Je viens de voir Doudou terminer le tableau du jardin qu'il a mis tout l'été à faire. [...] Il a tout. La poésie, la précision, la force, le grave et l'aigu.

La radio. Le soir, entre sept et huit, un considérable public acclame des niaiseries et des niais. C'est ce qu'on doit appeler le rôle éducatif de la radio. Ignoble et triste. Du reste tout le monde y remporte le même succès.

Le Glaoui a fait venir notre antiquaire de Beaulieu pour meubler la garçonnière d'une poule. (Commande acajou.) Le pauvre antiquaire arrive avant-hier à Paris avec son camion et les meubles. Le secrétaire du Glaoui était là. « Nous partons demain, dit-il, mais, hélas, j'avais oublié de vous dire que cette jeune femme a les cheveux teints acajou. L'acajou est impossible. »
L'antiquaire a dû vendre son camion pour prendre le train.

La France cache tellement d'or qu'il est possible qu'elle devienne un jour le pays le plus riche. La rue Laffitte avait commandité le

monde. Tous les pays qui méprisent notre ruine avaient été
enrichis par nous.

Baisse. Le Français refuse d'acheter moins cher. Il croit que la
marchandise est moins bonne et il ne veut pas avoir l'air pauvre.

Samedi [*31 octobre 1953*].
Thèse de Miss Walter Lippmann [1] — New York. Comme toutes
les thèses que je lis sur moi. Ils ne connaissent pas assez ni de ma
vie, ni de mon œuvre.

J'ai eu il y a quatre jours la visite de la dame qui doit écrire en
Angleterre le même livre sur moi que sur Colette. Son mari est
français. Je l'ai prévenue du travail insoluble dans lequel on
s'embarque en voulant écrire un livre sur moi. Elle a l'air pleine de
courage — mais ce courage ne lui servira de rien. Il est probable
que même en vivant une année auprès de moi et en m'interrogeant
chaque jour, elle manquerait le livre.

Télégramme de Madrid. C'est bien le 9 qu'aura lieu la première
d'*Orphée*. Arriverons la veille, un dimanche.

Monaco. Appartement voisin de l'immeuble Orengo, libre.
Affaire conclue.

J'ai encore parlé à madame Maeterlinck de mon projet assez
vague du film de *Pelléas*. Elle me demande si Marais consentirait à
interpréter Golaud. Bien sûr. Mais, à l'écran, la pièce retrouverait
toute sa force subversive et le public rirait de certaines phrases
naïves de Mélisande comme il riait au début.
Le mariage Maeterlinck-Debussy ressemble à celui des mantes
religieuses. Un génie terriblement féminin (Debussy) dévore un
génie terriblement masculin (Maeterlinck). En outre la maison
d'Arkel n'est pas construite dans les nuages et la musique aide à le
croire. Ce qui est triste c'est que la musique commence à rendre
très longue et très ennuyeuse une pièce qui n'est ni l'une ni l'autre.
(Problème de la musique du film.)

---

1. Erreur sur le nom : il s'agit de *Jean Cocteau : graphic poet*, dissertation pour le
grade de Master of Arts, Columbia, 1953, par Elga L. Lippmann.

Le gardien qui fait visiter l'absurde « château de l'Anglais » à Montboron dit : « C'est dans ce château que Jean Cocteau a tourné *La Belle et la Bête*. » Je me demande ce qui a pu donner corps à cette fable.

Aux grands mots les grands remèdes.

3 novembre.
Sommes revenus dimanche par la route. Arrêtés à Feurs. (Très bonne halte au Chapeau Rouge.) Milly — sommeil — soleil. Ce matin Paris. Véfour. Été embrasser Colette.

5 nov.
Hier soir le concert des Six [1] a été une grande réussite ainsi que le souper chez Maxim's. Honegger trop malade en Suisse n'était pas là. Il sortait de ces orchestres un esprit de famille et une similitude curieuse dans l'usage des bois et des cuivres.

Déluge de téléphones, de visites et de lettres.

Germaine Tailleferre m'a étonné. Son orchestre est riche, plein, vif. Sa syntaxe claire et sans l'ombre de sottise. Rien de plus étrange que ce Durey qui « s'opposait » à l'impressionnisme par le comble de l'orchestration impressionniste. J'ai *entendu* pour la première fois ce *Phèdre* [2] d'Auric. À l'Opéra mon décor et mes costumes mangeaient l'orchestre car l'œil prime l'oreille au théâtre. En outre la fosse d'orchestre de l'Opéra était lourde et confuse. L'œuvre sortait hier soir avec un vrai brio grave. Arthur et Darius (surtout Darius), orchestre de premier ordre, mais leur syntaxe m'échappe. Le tendre Darius semble composer par l'entremise de quelque cerveau électronique. Poulenc, triomphe avec l'orchestre et les chœurs. Musicien dans l'âme.

1. Au programme de ce concert donné au théâtre des Champs-Élysées par l'orchestre de la Société des Concerts du Conservatoire, sous la direction de Georges Tzipine : *Ouverture*, 1932, de Germaine Tailleferre ; *Le Printemps au fond de la mer* (poème de Jean Cocteau extrait de *Poésies 1917-1920*), 1920, de Louis Durey, chanté par Denise Duval ; *Suite d'orchestre de « Phèdre »*, 1950, de Georges Auric ; *Sécheresses*, 1937, de Francis Poulenc, par la chorale Elizabeth Brasseur ; *Prélude, fugue et postlude*, 1948, d'Arthur Honegger ; et *Deuxième symphonie*, 1944, de Darius Milhaud. Allocution de Jean Cocteau après l'entracte.
2. Voir *supra*, p. 20, note 1.

J'ai constaté hier soir que la musique orchestrale est soumise au chef d'orchestre. Le triomphe de notre *Œdipus Rex* à Vienne [1] venait du chef d'orchestre. Hier soir rien ne pesait, rien ne s'embrouillait. Chez Maxim's j'ai demandé à nos amis de donner un concert avec les premières œuvres : *Les Fâcheux* [2], *Les Biches* [3], *Le Bœuf* [4], etc. et *Parade* [5]. On serait étonné de tant de fraîcheur.

Radios. Me suis reposé une heure chez Colette. Elle est quelquefois dans le vague et très lointaine. Aujourd'hui elle était vive et présente.

Au déjeuner de demain le président de la République doit commencer son discours au téléphone en s'adressant à elle. On a déjà photographié et tourné Colette au téléphone. Ce déjeuner va être une corvée terrible. Mais je ne veux pas qu'on puisse croire que je boude Paris. C'est pour la même raison que j'irai ce soir à *Lucrèce* [6], la pièce de Giraudoux. Colette dit : « La pièce ne peut être bonne. C'est une chose que je sens là » et elle se tape sur le plexus solaire.

6 novembre.

Pour Lucrèce de Giraudoux. Comme toutes les œuvres de théâtre de Giraudoux, *Pour Lucrèce* est une œuvre de ventriloque. Cela me frappait encore davantage hier soir à cause de son absence. C'est toujours le même homme qui parle et passe par des mannequins. Ce qui sauve un peu Giraudoux de ce détestable langage « poétique » dont notre public se délecte, c'est qu'il a le verbe actif. Son privilège est d'avoir le verbe actif. Mais il n'a d'actif que le verbe. Sa maladresse dans le domaine de l'action est incroyable. Jouvet la lui réparait un peu (très peu). Hier la salle était à la messe (ce qu'on

1. Voir tome I, pp. 198-203.
2. Ballet en un acte de Boris Kochno, d'après Molière, musique de Georges Auric, chorégraphie de Bronislava Nijinska, rideau, décor et costumes de Georges Braque, création à l'Opéra de Monte-Carlo, par les Ballets russes de Serge de Diaghilev, le 19 janvier 1924. Voir *Le Rappel à l'ordre, op. cit.*, pp. 70-74.
3. Ballet en un acte, avec chant, musique de Francis Poulenc, chorégraphie de Bronislava Nijinska, rideau, décor et costumes de Marie Laurencin, création à l'Opéra de Monte-Carlo, par les Ballets russes de Serge de Diaghilev, le 6 janvier 1924. Voir *Le Rappel à l'ordre, op. cit.*, pp. 63-69.
4. Voir *supra*, p. 35, n. 1.
5. Voir *supra*, p. 56, n. 1.
6. Le 5 janvier 1953, répétition générale au théâtre Marigny, par la Compagnie Madeleine Renaud-Jean-Louis Barrault, de *Pour Lucrèce*, pièce inédite en trois actes de Jean Giraudoux, 1942, mise en scène par Jean-Louis Barrault dans un décor de A. M. Cassandre et des costumes de Christian Dior et A. M. Cassandre.

appelait à la paroisse de la Madeleine « la messe des paresseux »).
Il s'y ajoutait cet amour du décès, des défunts, de la pompe funèbre
que Paris, qui n'ose regarder la mort en face, préfère à tout.
Borniol, les chrysanthèmes, les défilés à la sacristie, les discours
sur les tombes. Le *régal* d'un dialogue de Giraudoux par quoi ce
petit monde se hausse, se combinait délicieusement avec la
poignée de main à Suzanne[1], le regard ému vers ses tics et ses
lunettes noires. Je me suis bien contrôlé afin de ne jamais montrer
à nos juges que mes perspectives ne sont pas les leurs.

À l'entracte, Steve Passeur[2] s'approche, son carnet de peste à la
main. « Qu'est-ce que tu en penses ? — Magnifique. — C'est tout ? »
(sic).

Le seul miracle de la soirée demeurera sans doute lettre morte
pour nos géraldistes. Ce fut Yvonne de Bray. En vieille maquerelle
de Goya[3], elle accompagnait Edwige[4] en silence. On se demandait
pourquoi cette figurante était notre plus grande comédienne. Je
connais mon Yvonne. La performance des deux dames (Madeleine
et Edwige) lui faisait peur. Son œil de lionne somnolente observait
les deux catcheuses en train de s'affronter sur le ring et s'étonnait
de cet exercice. À la fin du dernier acte, Madeleine meurt, Edwige
sort. Le ring est enfin libre. Yvonne se trouve seule avec une morte
et cinq lignes de texte. Ce qui se passa me reste inoubliable.
Pareille à ces vieilles joueuses de Monte-Carlo qui s'appliquent
lentement et sournoisement à rafler une pile de jetons, elle ramassa
tout d'un seul geste. Hervé Mille devait me téléphoner le lendemain qu'il ne croyait pas que ce tour de force fût possible. Et le plus
drôle, c'est qu'Yvonne ne s'intéresse pas à son texte, le trouve
conventionnel et théâtral. Peu importe. Après le départ des lut-
teuses triomphantes et sans se donner la moindre peine, c'est elle
qui triomphe et qui les écrase.

Chef-d'œuvre de Claudel. Chef-d'œuvre d'Anouilh. Chef-d'œuvre
de Giraudoux. Chef-d'œuvre sur chef-d'œuvre. Le théâtre sauvé.
Admirable thème pour nos critiques. Le génie à leur niveau. Les
voilà sublimes. La niaiserie de *Christophe Colomb*. La vulgarité de

---

1. Veuve de Jean Giraudoux, né à Bellac en 1882, mort à Paris en 1944.
2. Auteur dramatique (1899-1966).
3. Le rôle de Barbette fut le dernier d'Yvonne de Bray (1889-1954). Voir t. I, p. 44,
n. 1.
4. Edwige Feuillère et Madeleine Renaud incarnaient les deux héroïnes, Paola et
Lucile.

L'Alouette. Le petit point de Giraudoux. Ils peuvent donc prétendre à l'*altitude*. C'est sur eux-mêmes qu'ils s'exaltent, sur leur intelligence, leur finesse, leur grandeur d'âme. Les pauvres. S'ils pouvaient juger avec le recul, ils se rendraient compte que personne, bientôt, ne supportera plus ce visible, alors que l'*invisible* sortira de l'ombre. Ce qui n'empêche pas Claudel d'être Claudel, Giraudoux d'être Giraudoux, mais un chef-d'œuvre ne peut être visible à la critique. Il ne peut que la déranger et choquer ses habitudes, réveiller désagréablement en sursaut sa torpeur. Il faut donc craindre sa louange qui condamne et supporter ce que tous les chefs-d'œuvre ont toujours subi : sa haine.

Hier le banquet de l'Académie du Disque avec les Auriol, à l'hôtel Rohan, rue Vieille-du-Temple. Curnonsky[1] avait fait le menu, remarquable. On m'embrasse, on me cajole, on me donne la bonne place à table (entre le préfet de Police et le président du Conseil municipal) [...].

Il y avait une chose charmante. La voix de Colette, malade — et la réponse d'Auriol, par téléphone.

Auric était furieux parce que notre absence au vote et l'acharnement de Maurice Yvain[2] lui ont fait manquer le prix pour sa valse[3]. Yvain se vengeait de l'acharnement d'Auric contre *Blanche-Neige* à l'Opéra, qu'il appelait « La neige est sale »[4].

Rien de plus étrange que de venir du Cap et que de plonger soudain dans cette mare aux grenouilles dont les Parisiens s'intoxiquent et dont ils n'aperçoivent plus le vide. L'œil de Sauguet. Rien de tout cela ne lui échappe.

Une journée « parisienne ». Onze heures du matin : parler d'Orson Welles *en anglais* à la B.B.C. Midi et demi : banquet de l'académie du Disque. Quatre heures : Favre Le Bret vient me supplier de reprendre ma présidence au Festival de Cannes. Six heures : Radio suisse. (Raconter ma vie. C'est commode !) Sept heures et demie : Pathé-Marconi. Enregistrement du texte-préface

---

1. « Prince des gastronomes » depuis 1927.
2. Compositeur (1891-1965) principalement d'opérettes et de chansons, auteur de la musique du ballet *Blanche-Neige*, 1951.
3. *Moulin-Rouge*, dans le film du même titre de John Huston, 1953.
4. Par allusion au titre d'un roman de Georges Simenon, *La neige était sale*, 1948, adapté pour la scène par Frédéric Dard.

au disque long play des Six[1]. Huit heures : Ouf! — Non. Trois Allemands de Hambourg m'attendent à la porte du studio de la rue Magellan et me demandent un article sur Paris. Je me sauve jusqu'à Milly où je dors.

7 nov.

(Dans l'avion de Madrid.) Nous sommes envolés d'Orly à une heure vingt-cinq. Sommes sur Biarritz. Arriverons vers cinq heures.

Vous vous étonnez peut-être de ma franchise. C'est qu'un mort vous parle. Lorsque ces lignes paraîtront — si elles paraissent — je ne serai plus cible.

Vu à la B.B.C., dans un journal qui cite les cent hommes du siècle, ma photo sous la note suivante : « *Résulte d'un snobisme qui n'a encore rien perdu de son pouvoir.* »

> *Muses dans vos sombres usines*
> *Savais-je que vous me feriez*
> *Une couronne de lauriers*
> *Plus féroces que des épines*[2].

Tâcher de conserver jusqu'au bout cet équilibre en porte-à-faux — cette patience envers une injustice inévitable qui est le seul vrai sacre.

Qu'est-ce que cela peut faire que je dise ici ce que je pense ? J'ai toujours été le meilleur des camarades. Ensuite, soit j'aurai tort et je ne nuirai à personne qu'à moi-même, soit j'aurai raison et je ferai fortune morale. Amen. Et puis je prends ces notes en l'air au milieu de messieurs et dames qui cherchent les marques de la gloire dans une liasse de magazines.

Magazines. Paris-Match. Les croûtes d'Utrillo. Style casse-croûte. La peinture à l'accordéon. La peinture musette. Ces admirables

---

1. Enregistrement du concert du groupe des Six du 4 novembre 1953 : album Columbia (FCX 264 et 265). La présentation de Jean Cocteau est jointe aussi à l'album Pathé *Hommage à Jean Cocteau* (2 C 161-11311 à 11313 et 7 PM 118). Voir l'Annexe XXV.
2. Seconde strophe du poème « De tous les partis... », dans *Clair-Obscur, op. cit.*, p. 12.

chefs-d'œuvre (déclare le journaliste) ont été copiés sur des cartes postales.

Titre : « Utrillo, le peintre le plus cher avec Picasso. » Il y a de quoi faire frémir les ombres de Vermeer, du Greco, de Van Gogh, de Renoir, de Cézanne.

J'ai vu Peyrefitte à l'exposition de Nora[1]. (J'avais oublié dans mon programme d'hier cette galerie, 69, rue de l'Élysée, où les gens se rendaient visite et ne regardaient pas les toiles, parfois exquises.)
Je lui ai dit (à Peyrefitte) : « Votre livre est dékrapotable. Si on le dékrapote, il reste un livre d'histoire de premier ordre et qui ne fait pas rire. Vos cent mille lecteurs n'y cherchent que potins. »

8 nov. 1953.
Arrivée à Madrid. Comme je devais arriver demain, il n'y a que Luis et Edgar à l'aérodrome. Hôtel Ritz, que Miguel Perez Ferrera, les critiques de l'*A.B.C.*, Sirerol et Utrillo. Le film passe mardi soir. Lundi soir il y avait une grande fête de charité qui pompait le public. Alberto téléphone. La date de Barcelone n'est pas encore certaine. Il fait un temps superbe. Dîné chez Horcher avec Neville qui doit me « présenter » mardi soir.

Avons déjeuné chez Neville avec madame Membrives[2] et Conchita. Conchita a un vrai petit visage d'actrice et une autorité qui fait fondre le ventre d'Edgar — ventre qui le précède partout et renverse tout comme les éléphants d'Hannibal. Il est dommage que la censure oppose de tels obstacles au spectacle. À force d'être crainte ces femmes n'osent plus lui tenir tête et elles y parviendraient, car la censure actuelle n'est plus arrogante en Espagne. Elle s'excuse. Elle a un peu honte. Lola Membrives est, paraît-il, étonnante dans *Les Parents terribles* (en Argentine). Elle rêve de jouer le rôle à Madrid, mais je lui déconseille l'unique représentation des théâtres de chambre. *Les Parents terribles* ont une trop grande efficace auprès des publics, pour être présentés sous une forme exceptionnelle. Je racontais le tour de force d'Yvonne dans

---

1. Nora Auric, née Nora Vilter, exposait des portraits d'enfants noirs et gitans et des toiles inspirées par la pêche sous-marine.
2. Lola Membrives, comédienne célèbre en Argentine, interprète des pièces de Federico García Lorca à Buenos Aires et à Madrid (1933-1935).

Lucrèce. Conchita raconte celui de madame Membrives qui, l'autre soir, vint dire une dizaine de vers à la fin d'un spectacle de flamenco, et ramassa tout en effaçant les danses avec sa grosse gomme vocale, et d'un seul geste.

Les Américains en Espagne. Les Espagnols les absorberont et les brûleront après.

Après tout ce que j'ai dit et écrit de l'Espagne, O. dit à Luis : « Le bruit court que Cocteau aime l'Espagne. »

J'ai lu le *Saint-Simon par lui-même*[1]. Perché sur le fumier d'or de Versailles, le duc dardait son œil de coq. Mais si on ne lui demande aucune profondeur, on l'aimerait plus cruel et plus vif. Il est vrai que Versailles devait être un vrai labyrinthe de tripes, un tel marécage, que le duc n'aurait jamais osé en tenir une gazette exacte. En outre le vice baignait dans l'ennui (cet ennui mortel déchaînait les intrigues). Il est inévitable qu'on le sente dans ce que le duc nous raconte. La page sur les *quêteurs* et l'affaire des préséances entre princesses et duchesses en est l'exemple type. On s'emmerdait en pleine merde. Je ne cessais de penser au poème de Stanislas dans *L'Aigle à deux têtes* (poème[2] d'*Opéra*) qui tombait à pic pour la situation de ma pièce. Je n'aurais pu l'écrire exprès avec une opportunité plus parfaite. Il le fallait *déjà écrit et publié*, comme par Stanislas.

Philippe Erlanger est le premier historien qui dans *Monsieur, frère du roi* montre cette cour-basse-cour, ce fumier et ces volailles.

Avant-hier, pendant son discours, le président de la République, en parlant des poètes qui servent l'histoire, s'est penché vers moi dans une manière de salut amical. « Pourquoi se penche-t-il vers vous ? » me demanda le préfet de Police. Je répondis qu'il devrait le savoir comme préfet de Police. Il me semble que c'est à cause de mon texte des fêtes de Versailles (?).

Tous les murs des immeubles de Madrid restent propres. Ceux de Paris sont sales. L'air de Madrid (huit cents mètres d'altitude) doit

1. François-Régis Bastide, *Saint-Simon par lui-même*, Paris, Éditions du Seuil (coll. Écrivains de toujours), 1953.
2. « Fin de la royauté », dans *Opéra, op. cit.*, p. 90. La reine de *L'Aigle à deux têtes* fait allusion à ce poème à l'acte I, scène VI ; Stanislas le lui lit à l'acte II, scène V.

être très sec et très pur. Je n'y ai pas le malaise que j'éprouve dans nos villes.

Soleil d'été sur des arbres d'automne. Madrid est la ville des arbres. Dans l'Espagne déboisée les arbres trouvent refuge dans les villes. C'est le contraire de Singapour taillée dans la jungle.

Yvonne. Membrives. Pastora Imperio. L'autorité du geste et de la parole. Les jeunes et leur peur d' « exagérer ». Lorsque je tournai la silhouette du baron dans *Le Baron fantôme*[1], on me reprocha ma grimace, ma démarche, on m'affirma qu'il faudrait, si je m'entêtais, recommencer la scène. À la projection tout le monde s'excusa et trouva le personnage extraordinaire. Mais il n'aurait jamais été extraordinaire si je leur avais obéi. Et le médiocre aurait été porté à mon compte. C'est pourquoi je reproche aux metteurs en scène cette crainte du relief, de l'exagération, bref, de la personnalité, qui les pousse à éteindre n'importe quelle trouvaille ou audace d'un jeune. Audace et trouvailles qu'ils s'imaginent être des fautes de métier. Lorsque je tournai *Les Parents terribles* je recommandai bien à Yvonne de ne tenir aucun compte des marques à la craie et des lumières. Si sa main volait devant l'appareil, cela m'était égal. Il en résulte (Jeannot me le rapporte) que les spécialistes de la télévision disaient l'autre jour : « Voilà ce qu'il faut faire — et nous ne l'osons pas. »

9 nov.
Hier dîner chez Escobar. C'est-à-dire que de son petit appartement et par des portes et des escaliers d'Escorial, on passe mystérieusement dans un palais où le dîner a lieu.

Conchita stupéfaite (comme moi) d'apprendre qu'on organise une représentation du *Bel Indifférent* (très vite) dont il n'existe même pas de texte espagnol. Il me semble comprendre que tout tourne autour d'une séance de photographes avec Unamuno. Unamuno, pour des raisons politiques, se trouve écarté de la presse. Ce serait le moyen de l'y réintroduire. Or, non seulement l'acte de Piaf est trop mince pour me représenter en Espagne, mais encore, on voudrait bâcler la chose afin de rendre service à une manœuvre de presse. Histoire très embêtante et comme il m'en arrive toujours.

---

1. Film de Serge de Poligny (Paris 1903-Paris 1983), dialogues de Jean Cocteau, 1942 — Paris, *L'Avant-Scène cinéma*, n° 138-139, juillet-septembre 1973, pp. 60-94.

Ce matin, téléphone de Dali, arrivé à Madrid hier soir. « Allô — ici Ritz donc Palace. » Il habite le Palace et vient déjeuner avec nous.

5 h.

Déjeuner Dali, lequel arrive pendant que le journaliste d'information m'interroge — ce qui permet un duo assez étrange sur notre dégoût mutuel de la fantaisie, sur les monstres de Picasso devenus charme, sur le martyrologe des charmeurs qui contrediront les monstres, etc.

Les moustaches de Dali et sa canne de cristal. Ses moustaches sont des antennes. De plus en plus longues comme les moustaches des modèles de Velázquez. Dali parle de Velázquez. « Une main peinte par Velázquez, dit-il, on ne la reconnaîtrait pas si elle ne tenait pas la place exacte que doit tenir une main. Mise par terre, on la prendrait pour un pigeon, pour n'importe quel objet mystérieux et énigmatique. » Pendant tout ce déjeuner il développe son thème du « Ris donc Paillasse » à travers les œuvres et dont il veut faire un film. Et Picasso. Ramener Picasso en Espagne. Qu'il assiste à sa fameuse corrida avec sous-marin et hélicoptère. Le ramener et le kidnapper au besoin s'il se risque jusqu'à Perpignan. Comme je disais au journaliste que je ne voudrais pas rencontrer l'homme que m'a fait la légende, Dali cite Voltaire : « Le saluer, mais ne pas lui serrer la main. » « Moi, dit-il, je cultive de loin l'homme de ma légende. Je l'arrose. Il est possible qu'un jour tu veuilles rencontrer l'homme de ta légende. » J'ajoute : « Peut-être lui demander l'aumône. » Et Dali : « Envoie-lui un télégramme, de temps en temps. »

Après le départ du journaliste Dali se montre satisfait. « Nous avons bien embrouillé les choses. L'exactitude est dangereuse. Nous voilà protégés par l'embrouille. » Après le déjeuner il a dit les choses les plus justes sur les peintres impressionnistes et cubistes qui, sans rien y comprendre, ont précédé les découvertes sur la dissociation de la matière, sur la multitude grouillante du compact, sur la pauvre apparence des solides.

Les heures d'Espagne. On se réveille à midi. On dîne à dix heures. Nous allons aller voir la pièce de Neville à sept heures. Demain *Orfeo* se donne à onze.

On m'apporte la brochure de Carlos Fernandez Cuenca sur
« *Orphée* » *y el cine de Jean Cocteau*. Je ne la connaissais pas.
Plus les moyens de correspondre se perfectionnent, plus les pays
sont loin les uns des autres. C'est une passoire. Rien ne reste.

Conchita, *charmante* dans la *charmante* pièce de Neville.

Le soir à dix heures Dali nous offre un dîner espagnol fastueux.
Salle ornée de guirlandes. Table éclairée par des candélabres à
bougies vertes qui coulent comme ses montres. Cette grande table
est chargée de fruits et de fruits de la mer. Utrillo embrasse et
insulte tout le monde. Dominguin et sa sœur. Poètes. Peintres. On
se connaît mal. On se flaire. Il y a quelque chose de vrai dans ces
contacts par ondes, étant donné que les personnes qui croient nous
connaître et connaître notre œuvre n'en savent pas davantage. Il
arrive d'être mieux deviné que connu, à travers le mur des langues.

Sirerol. Il s'est donné tant de mal pour l'*Orfeo*. L'Espagne refuse
les films européens. Il a loué la salle. Il s'est battu. Ce soir la séance
tombe en même temps que des banquets officiels qui l'empêchent
d'avoir les actualités. Il veut organiser vendredi une séance de la
version française avec les actualités et l'ambassade. Mais vendredi
soir Antonio danse. La date de Barcelone reste vague. Tout cela (et
les places) se déroule dans le vrai désordre méditerranéen. Alberto
et Margarita Puig arrivent par l'avion de neuf heures.

Dali parle beaucoup de la phénixologie (marcottage humain).
« Grâce à un peu de notre peau, à une rognure d'ongle, on pourra,
dit-il, nous faire renaître exactement les mêmes, après notre
mort. »

Il est probable que nous rentrerons à Paris avant la séance de
Barcelone. Je chargerai Alberto d'arranger les choses. Rien n'est
plus difficile pour moi que cette amitié des pays en dehors du
mécanisme officiel auquel j'échappe. L'ambassade semble toujours
ignorer qu'on m'y reçoit mieux qu'elle et qu'il se forme autour de
moi plus de chaleur qu'autour des visites de propagande.

10 nov. 1953.
Séance d'*Orphée* dans une salle gigantesque et comble. Cette
mystérieuse histoire est restée lettre morte pour un public picares-

que et qui tousse. Il me semble que nos amis ont souffert autant que moi, car les lenteurs d'un film naissent de l'incompréhension du public. En outre, le doublage qui m'avait étonné et même plu dans la petite salle dévitaminait l'œuvre dans la grande. J'ai retrouvé le malaise mortel de *La Belle et la Bête* à Cannes, d'*Orphée* au gala de Paris. Le grand public allemand est un public de ciné-club. C'est ce qui trompe. Le triomphe en Allemagne venait de là. Le public de Madrid, gavé de films américains, se montre incapable de suivre une intrigue profonde. Je le regrette surtout pour Sirerol qui s'est donné du mal et a déboursé de grosses sommes.

On a beau me dire que je me fais une idée fausse, que le public de Madrid est *comme cela* — qu'on a suivi l'œuvre *avec le plus grand respect*, je reste convaincu d'un échec irréparable. À Paris, *La Belle et la Bête*, *Orphée* ont remonté le courant et gagné à la longue. En Espagne ce n'est pas pareil. Et l'insoluble, c'est que d'une part le gros public espagnol est trop inculte pour un tel film et de l'autre que la censure empêche de donner, par exemple, *Les Parents terribles* qui réussiraient à le convaincre.

Ci-joint les photographies [1] du *Cardinal Tavera*, le Greco de Tolède saccagé par les Rouges en 1936 et retrouvé en morceaux chez un boulanger par Julio Pascual (restauré par l'ex-directeur de l'Académie espagnole à Rome).

Après le film avons été boire avec les Puig, Dali, Luis Miguel Dominguin, Neville, Conchita, Pastora Imperio, Escobar, toute la bande amicale dont la chaleur me gomme cette angoisse ridicule dont je n'arrive pas à me déprendre lorsque je sens qu'une œuvre n'accroche pas une salle. Cette même salle m'avait fait un très grand succès au début de la séance où je prononçais quelques mots après la présentation d'Edgar Neville.

J'en arrive à partager l'opinion défavorable de mes collègues sur le doublage. Entre la personne et la voix étrangère qu'elle emprunte, il se forme un vide, une mort. La moitié de l'efficace coule à pic. Je crois que j'aurais mieux accroché la salle avec un dialogue en français mal compris que par un dialogue espagnol où le terme passe à gauche et à droite de la cible. En Allemagne et en

---

1. Photographies non retrouvées. Voir un extrait de la note manuscrite anonyme qui les accompagnait en annexe XXVI.

allemand, en Suède et en suédois, en Amérique et en Angleterre en anglais, *Orphée* n'aurait pas eu sa chance.

Ne plus jamais se mêler à ces phénomènes qui me rendent malade. À la sortie Doudou disait à Francine : « Je le voyais vieillir à vue d'œil. »

Midi. Après une heure de gymnastique morale je me retrouve et je jette par-dessus bord des tristesses dégoûtantes. Il faut savoir une fois pour toutes que les contacts me deviendront de plus en plus difficiles. Je ne suis habité que par des choses auxquelles les gens ne pensent jamais. Et je ne pense jamais aux choses qui les habitent. On me dira : « Pourquoi essayer de correspondre ? » Pour quelques âmes.

Analyser ma faiblesse. Un poète est un athlète et un enfant. C'est l'enfant qui se trouve déçu alors que l'athlète encaisse. Il y a aussi qu'*Orphée* est une œuvre posthume, ayant accroché ses ancres. Il est insupportable de revivre les minutes qui ont précédé cette assise. Accoucher encore d'une progéniture qui a pris le large.

Jeudi [*12 novembre 1953*].
Toutes les critiques excellentes et sans aucun rapport avec ce que me faisait craindre le spectacle. C'est toujours cette poignée d'hommes qui pensent en Espagne pour les autres. J'ai rencontré à huit heures et demie chez Dionisio ce que Madrid comporte de plus remarquable. Prêtres et philosophes. Malheureusement je n'ai pu rester comme je le voulais. On m'a entraîné à une radio stupide, en présence du public. Lorsque je suis revenu chez nos amis j'ai dû repartir pour un dîner que le comte de V. donnait pour nous. L'après-midi j'avais assisté à la répétition du *Bel Indifférent* que le Cámara Théâtre donnera avec la pièce d'Unamuno.
Je m'aperçois de plus en plus qu'il n'y a pas le moindre échec du film (dans le domaine qui m'importe). Il n'y a que l'éternel divorce entre ce qui pense en Espagne et ce qui ne pense pas.
Presque tous les invités d'hier connaissaient le film dans la version française. (On le donne vendredi soir.)

Dali et le dontancrédisme. Don Tancrède est le nom de ce personnage blanc qui se place sur une table au centre de l'arène et que le taurcau ne touche pas parce qu'il reste immobile. Franco est un don Tancrède. Il ne bouge pas. Il n'a aucune opinion. Il reste debout et immobile. Le taureau le flaire et se détourne. Il étripe Hitler et Mussolini.

Je parle à Dali du dontancrédisme chez le Commandeur de *Don Juan*. C'est le don Tancrède qui *bouge*. « Vos politiciens en France, dit Dali, sont des don Tancrède qui remuent. Il y a le dontancrédisme qui bouge et le dontancrédisme qui ne bouge pas. Il y a encore le don Tancrède qui se recroqueville. C'est l'attitude des Indes en face des Anglais. »

Il sera, pour Dali, très dur de vieillir. Il déteste la vieillesse et la mort. Il se veut d'un noir d'encre, cheveux et moustaches et droit comme sa canne transparente. Il se crispe pour le rire, par crainte des rides.

Ce matin au Prado. Les chefs-d'œuvre ont cet air de personnes de connaissance qui prennent le café à des tables. On passe. On les salue. Les Madrilènes se croisent et palabrent. On dirait les galeries milanaises, le mail d'Aix.

Visite à l'ambassadeur. C'est toujours le même refrain. Il se lamente sur la totale incompréhension de la France vis-à-vis du problème espagnol et en arrive à dire que les seuls ambassadeurs sont les artistes. Il me demande de parler au président de la République, le parti socialiste étant le premier obstacle à une bonne entente. On ne recherche pas la source du poste clandestin de Bayonne, on laisse les réfugiés faire la propagande contre le régime. « Or, dit-il, le droit d'asile ne comporte pas celui de la politique ouverte. » Je déjeunerai demain à l'ambassade. Et ce soir j'irai au cocktail que les Rose[1] organisent en mon honneur.

En sortant de l'ambassade, je croise le cortège de Franco (pour l'ambassadeur du Chili). Ce cortège est d'une magnificence incroyable. Les carrosses légers d'écarlate et d'or, les valets à perruques blanches, les chevaux empanachés de jaune et de rouge. La garde marocaine en burnous. Tout cela d'un ordre, d'une élégance, d'un faste moins anachronique dans Madrid que la pompe anglaise à Londres. Le cortège (que je retrouverai ensuite au Ritz) s'incorpore à merveille. Rien en Espagne ne relève du « souvenir ». Les choses *continuent*. C'est le privilège d'un peuple

1. François de Rose, diplomate à Madrid, et son épouse Yvonne.

destructeur de tout, sauf de la grande ligne nationale. C'est autour
d'elle qu'on se massacre et qu'on incendie.

L'ambassadeur me raconte la visite d'un père dominicain qui
faisait des conférences à Saragosse. « L'Église, disait-il, en
Espagne, se penche sur des problèmes résolus partout ailleurs
depuis vingt ans. »

Dionisio Ridruejo et Cesar Gonzalez. Ruano m'a apporté leurs
livres.

13 nov. 1953.
Cocktail des Rose. Coutume inhumaine et barbare. Tout le
monde debout. La maîtresse de maison morte de fatigue. Une
personne vous arrache à celle à qui l'on parle, etc. Le directeur de
l'Institut français me dit : « Vous avez réussi ce miracle d'être
devenu en quelques jours un hôte d'honneur de l'Espagne. »

Dîner chez Horcher avec Luis Miguel, Margarita, Escobar.

Comme le journaliste de *L'Information* me fait dire des choses
que je n'ai pas dites et d'autres que je l'ai prié de ne pas dire, j'ai
écrit au directeur et signalé la chose à l'ambassade.

Je demande à Luis Miguel s'il aime manger de son taureau. Il me
répond : « J'aimerais mieux manger du torero qui partage ma
course. »

À propos du fils de Neville qui est victime d'une histoire de
mœurs à Torremolinos, Luis Miguel dit : « Si on chasse Rafael
d'Espagne, je l'épouse et je l'y fais revenir avec les honneurs. »

Ce matin, déjeuner à l'ambassade. Hier matin promenade rapide
dans le Prado. Une fois encore je constate la simplicité déroutante
du génie chez les peintres. Velázquez et Goya semblent peindre à
toute vitesse avec une chance de touche incroyable. On a beau
s'approcher, se calmer, analyser, on n'arrive pas à comprendre
comment ce qui est fait est fait. Et l'audace. Le boléro de *La Maja*.
Le pinceau pose une pâte jaune à la diable et il y reste des traînées
d'autres couleurs. Velázquez, les dentelles de l'infante. Comme s'il
avait laissé couler la peinture de son tube avec les caprices du miel

qui coule sur le miel. Dali parlait des regards qui salissent les tableaux et de certains musées qui les rendent malades. Il cite un musée de Suisse où les tableaux espagnols avaient « mauvaise mine ». Il y a du reste une pudeur que j'éprouve à ne pas regarder trop longtemps un chef-d'œuvre. Rien ne me gêne comme ces jeunes ménages, la main dans la main, échoués sur des banquettes, l'œil fixe, en face d'un chef-d'œuvre. Je passe vite comme si des voyeurs s'excitaient au spectacle de l'art tout nu. Un grand peintre s'exhibe tellement par l'entremise d'une toile et d'un modèle qu'on n'ose pas se planter devant. Il y aurait indiscrétion à le faire.

J'en arrive à me demander si ce n'est pas ce mystérieux sentiment d'exhibitionnisme qui m'a gêné, torturé, trompé sur l'accueil du public pendant la séance d'*Orphée*. Je devais prendre ma gêne pour celle du public.

Si, en France, les Français se plaignent de ce que je dise parfois des choses déplaisantes sur leur compte à l'étranger, c'est leur faute. Ils n'ont qu'à me traiter comme on me traite à l'étranger et je n'aurai plus à m'en plaindre.

HOMMAGE À VELÁZQUEZ

(Pour les hommages de *Clair-Obscur*.)

Si le pigeon ailleurs qu'au bout du bras se pose
1 *Est-ce une main ? Or nu s'exhibe Velázquez*
Au point que le regard se gêne et jeter n'ose
À la morte les clous arrachés de sa caisse.

Se creuse d'un miroir la double chambre inverse
2 *Et véritable où perdre un coup d'œil indiscret*
Vers la moustache dont les antennes traversent
D'une fourche la paille molle des secrets.

Rose est le deuil du nœud des armures d'infante
3 *Lourde l'odeur des chairs et du fard sur les chairs.*
Si jamais le soleil profite d'une fente
La dentelle aussitôt le charge de ses fers [1].

Prado. Vendredi 13 novembre 1953.

---

1. Voir la version définitive de ce poème dans *Clair-Obscur, op. cit.*, p. 159.

Le déjeuner à l'ambassade était une réussite. Il n'y avait que la colonie française et c'est une des premières fois qu'une de nos ambassades ne boude pas un succès personnel que je remporte à l'étranger. L'ambassadeur, l'ambassadrice et leurs hôtes ne savaient comment m'exprimer leur gratitude et n'avaient aucune réserve pour reconnaître ce qu'ils appellent un fait unique : l'amitié et l'approbation espagnoles obtenues en quelques jours.

Piétri[1] avait acheté pour rien cette propriété presque de campagne que l'on doit agrandir et qui deviendra l'ambassade de France.

Mais quelle fatigue ! À notre époque, on parle debout. Personne ne songe à s'asseoir. Les sièges sont rangés contre les murs et vides. Je me rappelais ces épuisantes réceptions d'Égypte où je disais aux sœurs du roi : « Asseyez-vous pour que je puisse m'asseoir » et qui me répondaient : « C'est impossible. Nous avons peur d'abîmer nos robes. » Et jadis, ces vastes robes, ces basques, ces épées... et l'on formait le cercle — on s'asseyait.

14 nov.

Hier soir. Parlé au public de la version française. Ensuite j'ai rejoint Conchita au spectacle d'Antonio. [...] Dans le flamenco (seul) [...] Antonio est un virtuose. Il doit préférer le « ballet » — qui rappelle les plus mauvais moments du Ballet suédois. L'Espagne de *Carmen*, hélas sans génie. Décors bêtes et lumières atroces de toutes les couleurs. La première danseuse est une grimace. Elle ne possède que le mécanisme. À cause de ma parlote au film j'ai manqué la première danse (celle du film de Neville devant l'Escorial). Il y a remporté, paraît-il, un triomphe. Mais le reste est très, très faible. Ce n'est pas la seule faute de l'Espagne. Cette faiblesse règne, hélas, partout dans le monde. [...]

Antonio. Ses pieds pensent. [...] Incomparable dans la syntaxe du flamenco. Mais il semble assoiffé « d'art » et de fausse danse classique. Le moindre petit Gitan me plaît davantage.

Sirerol me dit : « En Espagne, les ciné-clubs sont la mort des grands films. Lorsqu'un grand film nous arrive, il a été déjà projeté partout et très mal en 16 mm. »

---

1. François Piétri, ambassadeur en Espagne de 1940 à 1944.

Pour moi, *Orphée* est un succès. Pour Sirerol je crains le four. Le grand public est ici trop inculte pour suivre l'opinion de la presse.

Si j'avais de l'orgueil je serais comblé par ce voyage. Mais je n'en ai pas et je n'éprouve que la tristesse du malentendu qui existe entre les peuples et de constater que le seul lien commun qui les rapproche est le médiocre sur le compte duquel ils s'entendent tous. Comme, en Espagne, le divorce entre ce qui pense et ce qui ne pense pas est total, ce qui pense est tenu pour vivre à se mettre au niveau du reste. Même s'il résiste et se condamne à la solitude, la fatigue pousse ce qui pense à ne pas condamner le médiocre. Des poètes comme Dionisio me téléphonent pour m'amener le peintre déplorable qui a fait le décor d'Antonio et, dans l'appartement des Ridruejo, les murs sont couverts de tableaux qui ne répondent pas au style de l'hôte. Même jeu chez les Puig à Barcelone. Que ferait Picasso en Espagne ? Et Dali même y semble être un « étrange étranger ». Ici, c'est le peuple qui est poète dans son allure et dans sa violence couverte, mais il ne faudrait pas confondre le poème actif de l'Espagne avec un goût pour les poètes espagnols. Seuls sont les poètes espagnols et seul le peuple qui fait ses chefs-d'œuvre par des actes, de l'élégance, de la révolte et des incendies. Il manque un roi qui aimerait le génie et qui l'imposerait à la foule. La foule est actuellement une pauvre reine de *Ruy Blas,* éteinte par l'Église. Les artistes, c'est Ruy Blas. Il ne leur reste que le mensonge ou le suicide si le pouvoir découvre la noblesse de leur imposture.

Je me demande pourquoi les jeunes journalistes qui viennent m'interroger se donnent tant de mal en prenant leurs notes puisqu'ils inventent des choses que je n'ai pas dites et celles que j'ai dites ils les changent. Depuis que je suis arrivé à Madrid il paraît chaque jour de ces articles qui me prêtent les paroles les plus médiocres et les plus absurdes, alors que je me suis donné la peine de dire des choses qu'on n'a pas l'habitude de dire sur l'Espagne et de les dire très clairement et très précisément. J'ai toujours eu auprès de moi une personne capable de traduire avec exactitude. L'inexactitude doit être une règle du journalisme. Ce qui est incompréhensible, puisque je fournis à ces types l'occasion de faire un article qui sorte de l'ordinaire. Désormais j'écrirai moi-même ce que je veux qu'on dise et je le ferai traduire par un ami exigeant qu'on ne change pas une ligne.

Dimanche 15 nov. 1953.

Dîner hier soir avec Pastora Imperio dans le restaurant de Rafael qui doit toréer demain à Séville. Pastora parle mal le français mais elle sent et devine. Elle me raconte qu'on discute partout sur *Orphée*. Elle souligne cela par un de ces admirables gestes de doigts des Gitanes qui a l'air de froisser du papier ou de frotter du bois pour faire jaillir le feu.

Pastora emmène demain à *Orphée* un de ses amis « voyant ». Le père de Pastora était un grand « voyant ». Cette femme si glorieuse et si riche et maintenant sans rien et ne vivant que de l'aide des Puig dont elle parle avec les larmes aux yeux. Je pense toujours à Yvonne de Bray — gitane dans son genre — et sur beaucoup de points ressemblant à la Pastora. (Les yeux.)

Dimanche.

Je profite d'une minute *moins terrible* pour prendre cette note :

Je déjeunais dans un bistrot avec Escobar et une de ses amies intimes. Brusquement, au dessert, une souffrance monstrueuse m'a tenaillé le ventre et les reins. J'étais devenu si pâle que Francine et Doudou eurent peur. On m'a ramené en vitesse au Ritz, plié en deux. Les médecins sont arrivés presque avec nous. On m'a fait piqûre calmante sur piqûre calmante et prise de sang. Ensuite on m'a emmené dare-dare à la clinique de Madrid où l'on m'a radiographié. Le diagnostic était exact. C'est une pierre qui chemine vers la vessie. J'ai refusé d'habiter la clinique où la souffrance devient un meuble, un état normal. Revenu au Ritz je ne pouvais que crier et chercher une position introuvable. Il est minuit. Depuis dix minutes la souffrance se supporte. Entre deux heures et onze, elle était à son extrême. Il me semblait impossible de souffrir davantage. Naturellement Escobar a décommandé tout le monde du dîner. Je regrette cette malchance qui me prive de Gerardo Diego. Ce matin était venu Carlos Fernandez Cuenca me rendre visite et le Hollandais qui voudrait que je fisse le film sur *Les Malheurs de la guerre* de Goya.

Cuenca est l'auteur du livre « *Orphée* » *y el cine de Jean Cocteau*. Quant à Ruano on trouve son interview remarquable. En ce qui me concerne je fais de grandes réserves même sur cet esprit supérieur du journalisme. C'est mieux que les autres, mais sans plus.

J'ai confié à Cuenca les notes rectificatives que j'ai prises après les articles. Il est le seul capable d'une mise au point.

De trois heures à quatre j'ai cru que je mourais. Ce ne serait rien s'il n'y avait pas ceux qu'on laisse.

Douleur lancinante mais plus égale. (On m'a injecté des doses énormes de morphine et de Pantopon qui m'écœurent.)

On me raconte *L'Alouette*[1] d'Anouilh. Devant le bûcher une femme demande à son mari : « Souffre-t-elle déjà ? » et le mari répond : « Ce n'est qu'un mauvais moment à passer. » Qu'aurais-je reçu comme injures si j'avais signé cela.

La lettre d'Anouilh[2] où il m'écrivait : « Je n'aurais jamais eu l'idée du *Bal des voleurs* sans *Les Mariés de la tour Eiffel*, jamais d'*Antigone* sans la tienne, jamais d'*Eurydice* sans ton *Orphée* » — etc. Après l'interrogatoire de *Bacchus*, l'interrogatoire de *Jeanne d'Arc*. La pureté hérétique. Mais Anouilh ne le déclarerait jamais tout haut.

Photographies du radiologue. Il me dit : « Votre scoliose est forte mais votre colonne vertébrale est d'un Hercule. » De là doit venir ma résistance.

16 nov.

D'après la radio de sept heures la pierre serait partie. Je rentre plus calme à l'hôtel et je parle avec Don Luis et Alberto. Je mange un peu. Et voilà que recommence une crise effrayante. Je prends cette note après une piqûre d'atropine.

17 nov.

Mot de Ravaillac : « La journée sera rude. » « La journée a été rude. » Les crises reprenaient après de courtes haltes. A six heures on m'a porté chez le docteur, lequel, avec une cruauté de robot qui caractérise les blouses blanches, m'a fait, sans me prévenir du choc, deux piqûres de calcium et de sérum de sel. C'était le cataplasme d'orties sur les victimes de Torquemada. On m'a ramené à l'hôtel criant à tue-tête. Le docteur avait sans doute raison puisqu'il est dix heures et que je me calme. Il a cru qu'il ne fallait pas me prévenir. Or je déteste les surprises.

---

1. Pièce dont l'héroïne est Jeanne d'Arc.
2. Voir Jean Anouilh, « Cadeau de Jean Cocteau », dans *La Voix des poètes*, avril-mai-juin 1960, pp. 45-47, et t. I, p. 398.

Alberto dîne avec nous dans la chambre. Il me raconte avoir reçu à la *Revista* et sans signature, d'un village perdu d'Espagne, une admirable traduction de mon « Hommage à Góngora ». Il a entrepris des recherches, car, peut-être, a-t-il mis la main sur le traducteur idéal des poèmes espagnols de *Clair-Obscur*.

J'ai écrit au docteur La Peña pour qu'il me pardonne d'avoir agi comme un public bête, d'avoir « sifflé son chef-d'œuvre ». S'il m'avait prévenu du choc, peut-être n'aurais-je pas eu le courage d'en courir le risque. Après les deux injections, je l'injuriais, je le traitais de salaud et de monstre. Il a pris la fuite.

18 nov.
Ce matin, je suis comme broyé, roué de coups, mais le mal a disparu. Paris est dans le brouillard. Les avions atterrissent à Bordeaux. Le docteur de La Peña nous demande de ne partir que samedi. Jeannot et Alec ont téléphoné à Francine qu'il serait ridicule de risquer un tel voyage.

Hier, avant de partir chez le docteur, Pastora Imperio dans ma chambre, exactement comme jadis, à Alger, la belle Fatma[1]. (Encore très belle.) Assise près du lit, elle se concentre, noue un foulard et l'imprègne de son fluide. Ensuite elle glisse le foulard sous ma tête[2].

Tout le monde est ici d'une gentillesse, d'une discrétion, d'une serviabilité incroyables. Luis entre et sort comme à travers les portes malgré sa mère malade. Sa mère était la véritable reine d'Espagne et ses enfants pareils aux tableaux de l'Escorial. Elle ne se montre plus. Elle s'enferme chez elle parce qu'elle a terminé son règne.

Luis Escobar dit que le docteur avait eu raison de ne pas me prévenir du choc. Il risquait un refus, une dérobade et il savait que c'était le seul moyen de me sauver. (Il l'a téléphoné ce matin.)

1. Sur le voyage de Jean Cocteau et Lucien Daudet à Alger, en mars-avril 1912, et sur leur visite à Madame Fatma, voir Pierre Chanel, présentation des *Vocalises de Bachir-Selim* de Jean Cocteau, dans *La Revue des Lettres modernes*, n° 298-303, 1972, pp. 9-24.
2. La conjuration de la douleur par la célèbre danseuse gitane est le thème de l' « Hommage à Pastora Imperio », dans *Clair-Obscur, op. cit.*, pp. 168-169.

Hier, pendant un quart d'heure j'ai cru que je devenais fou. Ce doit être ce quart d'heure interminable qui me vaut cette fatigue pareille à celle de la convalescence d'une longue maladie.

Pastora Imperio était aussi une reine de l'Espagne. Mais la voilà pauvre et vieille. Elle ne danse plus devant la procession de Séville. La foule s'agenouille et touche sa robe pour lui demander encore quelques gestes. Ces quelques gestes provoquent un délire. Olivier et Jean-Pierre ont assisté à ce phénomène à l'avant-dernière feria. Ce devait être un étrange spectacle que ma sortie du Ritz, courbé en deux, en robe de chambre, pâle comme un mort et appuyé sur elle, au milieu du respect terrifié des concierges et des grooms.

Hier la sœur d'Alberto me touchait la poitrine et se nouait ensuite les mains pour chasser le mal. Après, elle a lavé ses bras jusqu'aux épaules.

19 nov.
Ma fatigue est si profonde qu'il m'est impossible d'écrire. Toute la guitare est désaccordée. Toutes les cordes pendent. Même m'étendre me fatigue. La fatigue me fatigue. Je n'imaginais pas un contre-choc aussi fort, surtout que le docteur La Peña s'oppose à ce qu'on me remonte. Je dois d'abord éliminer les drogues qu'il m'a injectées dans les veines.

La pauvre Francine est devenue téléphoniste. J'ai pu parler ce matin (ce qu'on appelle matin à Madrid — deux heures) avec Jeannot. Sinon je suis incapable de parler au téléphone.

Je suis comme traversé d'ondes qui brisent les nerfs sans aller jusqu'à la douleur — comme si l'on raconte une opération à des personnes nerveuses. (À moi.) On dirait que tout l'organisme est en révolte contre quelque chose qui le déroute et qu'il ne comprend pas.

Luis Escobar avait apporté le *Concerto pour guitare et orchestre*[1] de Joaquin Rodrigo et un gramophone pour me le faire entendre. Cela m'a aidé, défatigué.

1. *Concierto de Aranjuez*, 1939.

(Orengo a un fils.) Je suis heureux de publier des poèmes à son Rocher de Monaco, loin des éditeurs parisiens, de m'écarter des *événements* du théâtre ou du film, de ce qui alimente la presse. J'aime mieux être dans une peau modeste que dans la peau de Mauriac. Son hideux effort vers la gloire. Les fleurs et les couronnes du long cortège macabre qu'est sa vie.

Par n'importe quel véhicule, avion ou train, il nous faut partir. Je ne peux plus supporter ces articles où l'on me fait dire ce que je n'ai pas dit, ces photographies affreuses. J'ai beau regarder les journaux qu'on m'apporte d'un coup d'œil rapide, ce coup d'œil ramasse toujours l'erreur ou la grimace. Cette noblesse dont on rêverait d'être entouré à mon âge s'accorde mal avec l'actualité, la politique, les crimes. On se trouve mêlé à cette sauce épaisse. Seul Picasso surnage, aérien, en couleurs, avec une chance persistante et inimaginable. Protégé par on ne sait quel tabou. Le reste effraye. Il semble qu'une sorte de haine plastique s'acharne contre moi. Bien portant j'arrive à vivre en marge de la sauce. Malade, je m'enfonce et je m'enlise dans cette pénombre grimaçante et que je déteste, qui marche à l'encontre de mon amour de l'exactitude et de la clarté.

20 nov.
D'un côté le sort ne me donne que l'incompréhension et l'injustice — de l'autre deux anges qui me permettent de les supporter. Doudou et Francine. Je n'ai donc pas à me plaindre.

Pastora Imperio dit : « Tout le monde peut se mettre une fleur sur la tête et un poing sur la hanche, mais ce n'est pas de cela dont il s'agit. Maintenant, ces choses suffisent, même chez nous. »

Alberto s'est rendu compte du manque de sérieux des journalistes et de l'article de La *Revista*. Je m'étais gardé d'en ouvrir la bouche pour ne pas lui faire de peine.

JEAN COCTEAU À LA *REVISTA* DE BARCELONE

Madrid   19 novembre 1953

Mes chers amis,

Je ne sais malheureusement pas assez l'espagnol pour répondre dans votre langue aux questions qu'on me pose, mais je sais assez lire l'espagnol pour comprendre que tout ce qu'on met dans ma bouche est inexact. Or je ne respecte et n'aime que l'exactitude. Je déteste ce lyrisme vague et fantaisiste qu'on me prête et qui ne peut que choquer les personnes sérieuses et respectables de votre pays.

Je suis un Français type et s'il m'arrive de critiquer la France c'est avec la plus extrême réserve et par un réflexe d'amoureux.

Je pourrais corriger ligne par ligne, mot par mot, l'article paru en première page dans *Revista*. Mais je viens d'être trop malade à Madrid pour en avoir la force. Je préfère vous prier amicalement de rectifier le total et d'avouer que le mur des langues est le plus terrible et le plus dangereux obstacle aux échanges du cœur dont on rêve.

Jean Cocteau

———

Pendant que je dormais comme une masse Francine arrangeait les choses. Avion demain matin à dix heures. Nous serons à Nice à midi. Rentrerons à Paris après une halte à Santo Sospir.

Je ne connais pas d'hôtel plus aimable, plus attentif, mieux tenu que le Ritz de Madrid.

Doudou qui parle peu m'a parlé hier soir. Quelle sagesse, quel calme, quel mépris de ce monde que la jeunesse s'acharne à conquérir. « Quoi que tu fasses, dit-il, ce monde ne le comprendra jamais. Tu dois subir d'une manière voyante, bruyante ce que les autres ont dû subir d'une manière invisible et silencieuse. On t'offense au lieu de se taire. Mais c'est pareil. Ne te décourage pas. Le drame serait d'avoir honte et tu n'as jamais rien fait qui puisse te donner de la honte. »

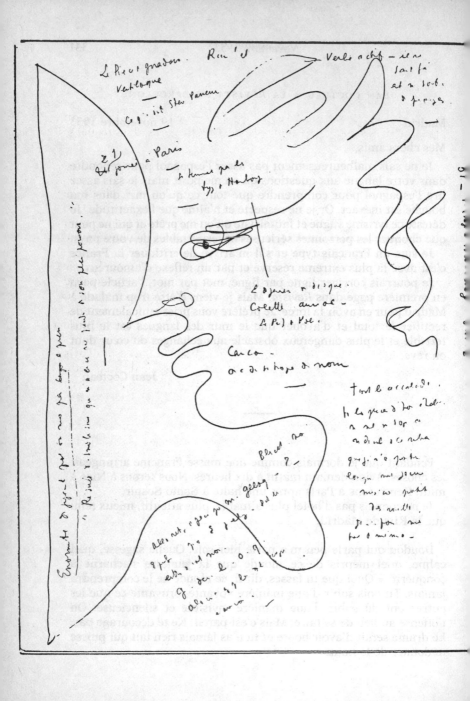

Adieu, Madrid.

« Comment te sens-tu ce soir ? me demande Luis. — Comme un poisson dans l'eau. » (Ne saurais même décrire l'état dans lequel je me trouve.)

21 novembre.
Dans l'avion Madrid-Nice. Que me reste-t-il de plus vif de ce voyage ? Une grande crise de douleurs et des pointes d'amitié. Une enveloppe de gentillesse, comme tout à l'heure, à l'aérodrome, où chacun se mettait en quatre pour m'éviter la fatigue. La tête me tournait du reste et cela devait se voir.

L'*Orfeo* n'a pénétré que dans quelques âmes rares. Celle, par exemple, de Luis Escobar, dont l'amitié n'est pas que de rencontre ou celle de la vieille Pastora qui me « devine ». Tout le reste est un bourdonnement de journalistes qui répètent ce qu'ils veulent ou croient entendre et m'accommodent à la même sauce que celle de Paris. Ils s'imaginent corriger l'image que Paris se forme de moi et fournir la bonne alors qu'ils fournissent la même en accusant Paris de me contraindre et en louant l'Espagne de me libérer de cette contrainte, ce qui est faux de part et d'autre et me met souvent en posture désagréable vis-à-vis de la France dont ils ne détestent pas me donner l'air de dire du mal.

En résumé ce que j'emporte est ce souvenir d'avoir tant souffert, le dîner de Dali, ce charmant docteur Peña qui refuse qu'on le paye, l'infante de Velázquez, l'œil de bouledogue d'Utrillo, les visages d'Escobar et de Puig, les sourires du personnel de ce Ritz dont certaines grandes dames espagnoles ne sortent *jamais* comme si elles en avaient pris le voile. Et la tristesse de Pastora qui régnait et qui a tout perdu.

Nous approchons de Nice bien que dans ces gros avions rapides on éprouve comme un frémissement immobile et que ne voyant pas défiler le paysage on ne se rende plus compte qu'on avance. Depuis près d'une heure le voisin de Doudou lui donne une leçon de flamenco, chantant et claquant des mains en sourdine. Nous ne nous doutions pas en quittant Santo Sospir que les circonstances nous y feraient rentrer aussi vite. Descente.

Dimanche 22.

Je me réveille à Santo Sospir comme si je n'avais pas été à Madrid, vidé de toute ma substance par un cauchemar où les amitiés, *Orfeo*, les terribles douleurs se mêlent. Il me semble que je n'écrirai plus jamais rien, que je ne penserai plus jamais à rien, que je connaîtrai l'ennui — ce monstre que je mettais en fuite. Hier soir Orengo a téléphoné qu'il viendrait samedi prochain et m'apporterait la dactylo de *Clair-Obscur*. Mon dernier sursaut de travail a été l' « Hommage à Velázquez » et l' « Hommage à Pastora Imperio ». Mais je songe avec angoisse à mes promesses de théâtre, de films... Je sais bien qu'on remonte les pentes et que l'âme et le corps ont des ressources mystérieuses. Mais on dirait que cette crise de Madrid m'a fait passer un mur sur lequel je m'acharnais à témoigner de ma présence, que je ne lutterai plus.

Le docteur Ricoux est passé me voir et je me suis laissé faire une intraveineuse remontante. Je me laisse faire à cause de Francine et de Doudou que j'entraînerais dans ma chute.

Le docteur arrive de Florence. La jeunesse des écoles y faisait des émeutes et criait : « Nice à l'Italie, la Corse à l'Italie ou la mort. » « Les étrangers à la porte ! » — on accrochait ces pancartes sur les statues, dans une ville que l'étranger fait vivre.

Si un voile se déchirait. Si le voile se déchirait. Mais quel voile ?

Être soi est atroce. Ne plus être soi est atroce. On se demande...

Refait plusieurs fois les hommages à Velázquez et à Pastora. Mon seul travail possible. Les referai encore, de telle sorte que même traduites les constructions en demeurent signifiantes.

Rougeurs soudaines sur les pauvres visages de Francine et de Doudou. *Ils se sont fait du mauvais sang.* Expression populaire dont j'ai toujours constaté l'exactitude.

L'histoire qui circule dans les rues de Madrid. Franco invite un amiral américain à la corrida. L'amiral excité par le spectacle saute dans l'arène. Il y triomphe. Il coupe les oreilles du taureau. Franco excité par ce triomphe veut toréer à son tour. Il lutte, il tue, il coupe les oreilles, la queue, l'eau et l'électricité.

Nous rapporterons aux Parisiens une mauvaise mine qui leur sera plaisante car rien ne leur déplaît comme une bonne mine prise à la campagne et c'est avec une sorte de stupeur à hauts sourcils et de reproche qu'ils ne peuvent s'empêcher de dire : « Quelle mine vous avez ! » comme si on leur en faisait offense. Qu'ils se consolent. Il faut plusieurs mois pour la prendre cette bonne mine et quatre jours de mauvais sang pour la perdre. Le soir du concert des Six et de *Lucrèce* nous parûmes avec une bonne mine qui ne correspondait pas aux débauches que présuppose pour le monde parisien une vie recluse et campagnarde. Cette fois ils ne se demanderont plus entre eux : « Qu'a-t-il fait ou qu'a-t-elle fait ? » n'attribuant jamais un avantage physique à une cause morale mais à quelque recette d'institut de beauté. Ils pourront user à l'aise de sous-entendus attribuant délicieusement la petite figure à quelque vice ou à quelque désastre du cœur.

« Francine a l'air d'une morte ! d'une morte ! Doudou se décolle. Ce pauvre Jean est méconnaissable. » — Paroles délicieuses qui réconfortent la tribu, très fière d'être coriace et sous les armes.

23 nov.
Télégraphié à Aubusson pour la mise en route de la *Naissance de Pégase*.

Il fait un temps d'avril — sans un nuage et mer plate. Les fleurs poussent. Mais l'âme est en novembre.

Hier, dimanche, ai passé la journée étendu dans l'atelier. Ce n'est pas que je me tourmente d'idées noires, c'est que je n'ai plus la force de les mettre en fuite par la lecture ou par le travail. J'ai, tout ce dimanche, été victime de ces monstres mous qui s'épousent et qui en engendrent d'autres.

Une jeune femme de Norvège étrangle ses deux enfants avec une cravate de son mari. « *L'idée m'en est venue, dit-elle, en lisant un journal.* »

Avec cet exemple de sagesse auprès de moi — et à cet âge ! De sagesse vraie, sans jamais l'ombre de l'ombre d'un « ils sont trop verts ». Prendre exemple chaque minute. Jamais Doudou ne se demande, jamais *rien en lui ne se demande* si ses tableaux seront *vus*.

Sa phrase exquise en Espagne : « Heureusement que je suis blond dans le film. Comme cela on ne me reconnaît pas. » Modeste. Fort. Entouré d'une gloire à mes yeux. Jamais d'amertume. Jamais le cœur gros depuis l'ignoble presse parisienne des *Enfants terribles*. C'était trop pour qu'un enfant le supporte. Il m'est impossible de pardonner à Paris, non pour le mal qu'il m'a fait et ne cesse de me faire, mais la peine qu'il a faite à Doudou. C'est après cette immonde injustice que j'ai décidé de vivre loin.

Ma société. Je suppose que Pierre P. voyait cela en grand et à millions. Il se disait : « Des films, des pièces... » Mon rythme de travail le déroute et ne l'intéresse pas. Il n'y peut rien comprendre et pencherait à dire que Francine m'empêche de prendre le large. (Thème favori de sa femme.)

Par contre il semble que Charles Orengo comprend ma démarche, parce qu'il est éditeur et que nos intérêts se conjuguent. La société gagnera donc beaucoup à prendre racine au *Rocher* de Monaco — ce qui soulagerait la rue Drouot où madame Bourgeois [1] m'aide de la main gauche et serait sous mon regard et sous la surveillance de Doudou. (Avec les avantages exceptionnels de la principauté.)

Ce qui m'intéresse à l'heure actuelle ne relève ni des magazines ni des grosses entreprises. C'est une mise en ordre de mes œuvres et j'attache plus de prix à la parution de *Clair-Obscur*, même si le livre rencontre l'indifférence, qu'au tam-tam d'un film en technicolor.

Je ne dis pas que si une pièce me vient je ne m'y donne, mais je ne forcerai pas la serrure. Il y a trop à recoudre et à remettre au jour, à commencer par ce *Bacchus*, assassiné par Marigny et dont les succès en Allemagne me prouvent ce qu'il a dans le ventre.

24 nov.
Réveil avec mal au rein gauche. Peur. Ricoux passe et croit que ce n'est pas une menace.

Voir Douglas pour cette scoliose. Ce que dit Saint-Simon de celle du dauphin. À l'époque de ma jeunesse on ne nous soignait pas davantage. Le corps mal soutenu. Les fatigues.

Refait encore une fois les strophes 1, 2 et 4 de l' « Hommage à Pastora Imperio ».

---

1. Gisèle Bourgeois, secrétaire de Jean Cocteau à Paris.

François, le petit frère de Doudou, arrivé hier soir. Il habitera deux jours avec nous pour qu'on lui fasse des radios et prises de sang après l'otite. Robert[1] l'a conduit à Nice chez le radiologue.

Savoir ou ne pas savoir. Depuis les dernières épreuves du radiologue où j'ai *vu* ma colonne vertébrale en forme d'*S*, je ne cesse d'y penser et de craindre une déchéance physique. Je me demande par quel bizarre phénomène d'équilibre j'arrive à me tenir debout.

25.
Le temps a changé. Brume.
François est adorable. Il est si timide qu'il n'ose répondre que par oui ou non. Mais ses yeux expriment le reste. Hier, Francine l'avait emmené à Monte-Carlo pour lui acheter costume, chemise, chaussettes chaudes. Il attendrissait toute la boutique par son expression émerveillée en se voyant dans la glace avec un costume neuf.

Mario Brun a passé la journée à la villa, avec son photographe. Il vient d'être aussi malade que moi. Ce matin il publie l'article qui raconte cette visite. Il est dommage qu'il me mette tant de fautes de français dans la bouche. À sa demande : « Est-il exact que vous posez votre candidature à l'Académie ? », j'ai répondu que c'était inexact et que c'est la presse qui m'avait annoncé cette nouvelle à Madrid.

Je suppose que Mario s'est hâté de venir malgré son médecin par crainte qu'un de ses collègues ne le « grille ».

J'ai toujours derrière moi ce paquet de notes sur le voyage en Grèce et sur Proust. La paresse de reprendre des vieilles notes, de les dicter. Il y a pourtant des choses sur l'œuvre de Proust qu'on n'a jamais dites[2].

On m'envoie de partout des remèdes, recettes, tisanes.

1. Voir *supra*, p. 80, note 1.
2. Voir *supra*, p. 129, note 1.

Visite de Raymond et de son photographe (même jeu que Mario). J'avais préparé des notes pour son article. Photographié en couleurs *La Mère et la Fille*.

Répondu à une cinquantaine de lettres.

26 nov.

Et me voilà stupide, passant la matinée à faire apprendre la géographie, à trouver des méthodes pour empêcher François d'ânonner — et ensuite lui nouant sa cravate et l'habillant avec son costume neuf. Tout cela mêlé à un poème qui m'est venu. Celui qui se termine par : *Simulant une vie aux bras des soldats morts*[1]. Avec un gosse comme François je deviendrais gâteux. Et je lui passerais tout. Pendant que j'écris cette note, je l'entends répéter : « *soit par des régions de plaines favorables à l'élevage... Boulogne port de pêche au Nord...* » ne pensant qu'à retenir les mots et pas une seconde à les comprendre. De cette méthode des écoles — apprendre par cœur — il ne nous reste rien.

La leçon d'hygiène : « Se laver les mains avant les repas. » On pourrait ajouter « Hygiène morale : Ne pas noyer de petites filles. Ne pas pendre vos petits camarades, etc. ». Voir le journal.

Journal d'hier matin : « Après avoir violé un petit garçon de neuf ans un jeune garçon de quatorze ans l'étrangle. » (Allemagne.)

Pasquini dîne avec nous. Il me raconte les détails du procès dont l'incroyable verdict condamne ses deux clients aux travaux forcés à perpétuité.

Un vieux clochard puant et riche, sans cesse volé et malmené, que même les prisons refusent à cause de son odeur et des fortunes qu'il transporte sur sa personne, reçoit un coup de matraque sur la tête. Le matraqueur ramasse sept ans de prison. Le vieux mourra du matraquage, comme il arrive à certains boxeurs, quelques jours après. Pendant l'intervalle deux types l'enlèvent en voiture, le volent et l'abandonnent au bord d'une route. On retrouvera le corps cinq jours plus tard. On accuse les deux types du meurtre bien que tout prouve qu'ils ne portaient aucune arme et n'avaient aucune raison de tuer. Le jury, froidement, les envoie au bagne. Ces types ne sont pas intéressants mais la chose est atroce. Des jurés

[1]. « Irai-je en vous caché... », dans *Clair-Obscur, op. cit.*, p. 105.

bourgeois leur infligent cette condamnation effroyable beaucoup plus pour l'irrégularité sociale qu'ils représentent que pour un crime douteux. Pasquini est certain de leur innocence. Il y a une marge étrange entre les parents qui torturent leurs enfants et qui s'en tirent avec quelques mois de tôle et ces deux petits voleurs auxquels on donne un châtiment pire que la peine de mort.

J'ai confié à Pasquini l'affiche du carnaval de Nice 1954. Je l'avais faite hier à la demande du directeur de *Nice-Matin* et de *L'Espoir*. J'estime qu'elle vaut mieux qu'une première page de journal. Pasquini voudrait qu'on l'adopte comme seconde affiche.

Doudou achève un très beau portrait du petit François en costume italien du XVIᵉ siècle. La seule chose qui lui manque encore, *la seule* : vaincre sa crainte d'abîmer tout. Les larges touches qui donnent cette audace et ce charme d'esquisse aux toiles les plus précises de Goya et de Velázquez. Sinon, à notre époque, je ne connais personne qui peigne comme lui, personne qui oserait créer des monstres de grâce s'opposant aux monstres où les peintres actuels croient prouver leur force.

En 1953 la laideur inspire une sorte de respect. La beauté semble fade. Le dilettante se méfie des œuvres qui le séduisent. La laideur le rassure. Il pense qu'elle deviendra belle demain et vaudra une fortune.

Picasso a imposé les monstres. Mais toute œuvre belle est un monstre. C'est ce que le dilettante est incapable de comprendre.
Chez Doudou il y a monstruosité dans le fait qu'il ne savait pas peindre hier et qu'il peint avec une science infuse égale à celle des plus grands peintres.

Je me sens beaucoup mieux depuis que j'ai supprimé l'alcool. Les gens vous guérissent aussi vite qu'ils vous enterrent. On me téléphone, on me dit : « Je ne savais pas que vous étiez " souffrant ", mais je vois que ce n'est plus rien. » C'est généralement pour me demander quelque besogne.

Reçu les photographies des *Chevaliers* à Oldenburg qui ont remporté un grand succès. Quels drôles de costumes ! L'Allemagne n'arrive pas à se dépêtrer de l'expressionnisme. Mais les allures, les visages, ont quelque chose d'aigu, d'éclairé par l'intérieur. Avec une certaine sexualité sournoise.

François rentré à Biot. Émilienne[1] est venue déjeuner et le raccompagne. Francine les fait venir à Paris pour Noël.

Terminé l'esquisse de l'article sur Paris que m'a commandé Hambourg.

Les journalistes s'étonnent toujours de voir un dictionnaire Larousse sur le lit où traînent mes paperasses. Ils ne feraient pas mal de s'en servir.

Le temps s'est remis au beau.

Article de Sacha Guitry sur son film. Il s'étonne de ce qu'il n'existe aucune pièce, aucun livre sur Louis XIV. Parce qu'il ressemble (dit-il) à Louis XIV, il le croit un génie. Or Louis XIV était un monument de sottise. Saint-Simon et Chamfort en témoignent. On pariait à Versailles : « *Y a-t-il un homme au monde plus bête que le Roi ?* »

A neuf heures Mario Brun me téléphone. Un journal parisien a publié un mot de Françoise : « J'en avais assez de vivre avec un monument historique. » Or elle ne l'a certainement pas dit, ou dit autrement que le journaliste ne le rapporte. Il m'annonce que les agences télégraphient de partout et que les photographes se ruent à Vallauris — où Picasso ne se trouve pas, du reste. Je lui ai répondu que je ne me mêlais jamais des affaires de cœur de mes amis, que je trouvais les articles sur la princesse Margaret une honte et que ce serait une autre honte que de harceler Françoise et Picasso.

On publie au *Figaro* le dossier secret des *soucoupes volantes*. Un Américain en parle à la radio. Leur provenance d'un autre monde ne fait plus aucun doute. Il fallait entendre le ton ridicule et sceptique avec lequel le speaker de la radio interrogeait cet homme de science qui s'exprimait avec une précision parfaite et sans le moindre accent.

Moins que la crainte c'est l'orgueil humain qui empêche de

---

1. Sœur d'Édouard Dermit.

croire aux *soucoupes*. Les progrès qu'elles impliquent ridiculisent les nôtres. C'est assez pour qu'on refuse le témoignage des yeux.

On vient d'en voir de nouvelles. Gigantesques, mais si lointaines qu'on les croyait d'abord proches et petites.

Le docteur, à Florence, a vu une démonstration des images par disque. Il faudra cinquante ans pour qu'on leur permette de voir le jour.

Téléphone de madame Béhaine[1]. Je lui dis : « Nos éditeurs, l'actualité, voudraient que nous fussions tous miss Europe ou Martine Carol. Ils croient que la malédiction poétique est une chose périmée, " dépassée ", qu'une certaine obscurité où l'on travaille est une faiblesse, etc. Bref c'est la même chose qui recommence toujours sous une autre forme. »

N.B. Ceux qui liront peut-être ces lignes ne sauront plus qui était Martine Carol[2]. Elle est plus qu'une mauvaise actrice. Elle est un signe d'époque. De cocktail en cocktail la voilà notre plus grande vedette. Elle représente la France à la cour d'Angleterre, comme jadis Rachel ou Sarah Bernhardt.

Histoire moliéresque de l'affiche. Tout le monde se brouille à cause de cette affiche — question de préséances. L'un devait me la demander et pas l'autre. En fin de compte le journal la déclare intirable à cause du fond. Histoire de fantôme. Le vrai c'est mon fol enthousiasme à faire un travail avant qu'on me le réclame officiellement.

Le docteur. Sa femme, la doctoresse, voit arriver hier une dame avec son fils de quatorze ans, garçon en très belle forme. On fait sortir le garçon. « Madame, dit la mère, je m'adresse à vous parce que sans doute une doctoresse est plus apte à me comprendre que les cinq docteurs qui ne veulent pas me croire. *Mon fils est un monstre.* — Un monstre ? — *Il a du poil au ventre et son cou s'allonge. Je le vois qui s'allonge.* — Mais, madame, c'est la croissance. *Il devient un homme. — Un homme ? Êtes-vous folle ! Il est devenu un monstre ! Un monstre avec des poils.* »

1. Mme Béhaine et son mari, l'écrivain René Béhaine (1880-1966), auteur du cycle romanesque *Histoire d'une société*, habitaient à Villefranche-sur-Mer.
2. Star des années cinquante, Martine Carol (1922-1967), vedette de films souvent médiocres, fut aussi l'interprète de René Clair (*Belles de nuit*, 1952), Max Ophüls (*Lola Montès*, 1955), Roberto Rossellini (*Vanina Vanini*, 1961).

Bernstein est mort[1]. On me le téléphone de Radio Monte-Carlo et j'enregistre quelques mots par fil.

Henry Bernstein était un fort méchant homme très drôle s'il contait des histoires et d'un orgueil incroyable. Il ne supportait pas les autres. Une époque, où le théâtre se partageait entre lui et Bataille, lui laissait des souvenirs de triomphes dont il se révoltait que ses pièces ne les remportassent plus. Guitry, Simone, Réjane[2] firent une gloire de ses faits divers dramatiques. À la longue il pensa penser. Son écriture confuse ne le lui permettait pas. Il n'obtint une apparence de force que par des actes qu'il croyait « humains » et qui n'étaient que le développement d'une situation. Ses dernières pièces étaient détestables et tenaient l'affiche à cause des acteurs qu'il envoûtait encore par une manière de prestige. Et le théâtre des Ambassadeurs qu'il m'avait pris en 1938, ne supportant pas le succès des *Parents terribles*. Il ameuta le Conseil municipal, accusa ma pièce d'être « une excitation des majeurs à la débauche » *(sic)*, le terme se trouva dans l'officiel, et de manœuvre en manœuvre nous contraignit à quitter la place et à continuer aux Bouffes[3]. Il était fort grand et secoué d'un tremblement du chef qui se communiquait à sa voix et le rendait insupportable dans la colère et de premier ordre dans l'anecdote. Il accablait ses artistes et ses amis de coups de téléphone nocturnes et s'y déversait en griefs interminables. Sa mort m'a saisi. On ne le voyait pas mort. C'est par une intensité à vivre qu'il tenait un rôle. La tendance « littéraire » du théâtre contemporain l'a rongé et tué.

Dimanche 29.

Incroyable salade provinciale faite par Mario Brun parce que son rédacteur en chef ne lui a pas confié la mission de me demander

1. Henry Bernstein, né à Paris en 1876, y était mort le 27 novembre 1953.
2. Le comédien Lucien Guitry (1860-1925), père de Sacha ; les comédiennes Réjane (1856-1920) et Simone (née en 1877).
3. « L'Affaire du théâtre des Ambassadeurs » défraya la chronique parisienne à la fin de décembre 1938. Ce théâtre, alors propriété de la Ville de Paris, où *Les Parents terribles* se jouaient depuis le 14 novembre, était dirigé par Roger Capgras, dont Henry Bernstein briguait la succession. Le Conseil municipal, estimant la pièce immorale, s'indignant qu'auteur et directeur aient pu envisager d'offrir des places gratuites à la jeunesse des écoles, retira à Roger Capgras la concession du théâtre. Jean Cocteau, attaqué dans le *Bulletin municipal officiel*, répliqua en termes fort vifs dans une lettre communiquée à la presse (« Je ne me laisserai pas rouler par des collectionneurs de cartes postales obscènes... Je demande qu'on livre ces pornographes au dégoût populaire »). En janvier 1939, *Les Parents terribles* durent émigrer au théâtre des Bouffes-Parisiens.
Voir Jean Cocteau, *L'Impromptu des Bouffes-Parisiens*, dans *Cahiers Jean Cocteau*, 9, Paris, Gallimard, 1981, pp. 117-131.

cette affiche. Cette affiche si simple provoque à *Nice-Matin* des querelles intestines qui me valent lettres, visites et téléphones incompréhensibles.

Hier soir Orengo m'a apporté l'exemplaire d'*Appogiatures*. La présentation serait parfaite si on n'avait imprimé « Federico » au lieu de « Federigo »[1], en tête du poème à Lorca, malgré cinq épreuves.

La copie dactylographiée de *Clair-Obscur* est pleine de fautes absurdes. Et je me suis appliqué dans mon manuscrit à former soigneusement chaque lettre. Cela me laisse craindre que ce journal soit illisible après ma mort et que personne ne le déchiffre. Car j'écris à la diable et comme cela me vient. La pensée court plus vite que le porte-plume. (Ai remis à Orengo les derniers poèmes : deux « Hommages à Velázquez » — « Hommage à Pastora Imperio » — « Que je me glisse... »)

Soleil. J'ai répondu à toutes mes lettres. J'ai recopié les derniers poèmes. C'est dimanche. On ferme le porche. Je me repose.

Exemple de l'inexactitude des journalistes. J'avais dit à Mario Brun et à Hécot : « J'ai fait un dessin d'Alexandre Dumas pour le livre de Robert Gaillard et j'ai envoyé à Sartre une gravure qui m'avait servi à le faire en le félicitant de son triomphe[2] au théâtre Sarah-Bernhardt. » Ils impriment que j'ai fait ce dessin pour la publicité de la pièce. (Sans doute parce qu'ils détestent Robert Gaillard.)

Envoyé hier à *Vogue* le texte sur les *monstres sacrés*[3], pour la page des photographies de Mounet-Sully, Sarah Bernhardt chez eux.

Je déteste l'inexactitude et je m'applique toujours à être exact. Pagnol a voyagé hier avec Orengo. Il lui a raconté, à la marseillaise, l'histoire de Simenon qui allait mourir et auquel le docteur a dit qu'il se portait comme un charme. À travers Marcel cette histoire est devenue un drame en cinq actes, se terminant par une broncho-

---

1. Voir *infra*, p. 346.
2. *Kean*, d'après Alexandre Dumas.
3. Voir l'annexe XXVII.

pneumonie que j'aurais prise à cause d'une nuit de veille auprès de Simenon qui se croyait à la mort.

La vérité c'est que nous avons tous ri de cette fin heureuse et que Simenon nous a offert un dîner au Quirinal.

On n'a pas l'air de mener grand tapage autour de la mort de Bernstein. Craignant le téléphone classique de *France-Soir*, j'avais à tout hasard préparé ce texte :

« Insupportable et charmant Bernstein, le voilà chassé de cette vie à laquelle il s'accrochait de toute sa poigne.

« Il excellait dans l'anecdote, et il voulait que les situations où il plaçait ses personnages fussent de graves problèmes psychologiques. Il se vantait d'écrire comme on parle, mais, hélas, on parle mal. Au lieu de faire cuire son anecdote il la servait toute crue. Dans ma jeunesse régnait le théâtre dit " théâtre de boulevard ". La gauche ne s'était point encore mise à droite. Les monstres sacrés des planches : Réjane, Simone, Lucien Guitry, élevaient très haut le match Bernstein-Bataille qui se disputaient la gloire des grandes premières. Bernstein était le dernier témoignage d'une époque où il suffisait que les personnages d'une pièce se trouvassent emportés dans une rafale. C'est, du reste, le titre [1] significatif d'une de ses œuvres où le héros, de dettes en dettes, courait jusqu'à la mort derrière une porte contre laquelle cognait et s'effondrait Madame Simone.

« *Samson* [2] écrase le temple de la Bourse sur l'homme qui le trompe. *Le Voleur* [3] est accusé pour une jeune femme qui vole afin d'acheter des robes et de plaire à son mari. Dans *Le Secret* [4], une femme méchante désorganise des ménages.

« Bref le style de l'acte l'emporte sur le style. Mais, je le répète, Bernstein, vaincu par la littérature, possédait un grand secret de théâtre : *l'agir*. »

Mort de O'Neill [5]. Ai télégraphié à sa fille (femme de Charlie Chaplin). Il avait soixante-cinq ans. Il est mort à Boston.

---

1. *La Rafale*, 1905.
2. 1907.
3. 1906.
4. 1913.
5. Le dramaturge Eugène O'Neill, né à New York en 1888, était mort le 27 novembre 1953.

La poésie est la plus haute expression permise à l'homme. Il est normal qu'elle ne trouve plus aucune créance dans un monde qui ne s'intéresse qu'aux racontars.

Comme je ne m'intéresse pas aux racontars, c'est à la poésie que je me consacre.

Picasso. Secrets criés à tue-tête. Jamais pareil vacarme ne s'est fait autour d'un *silence*. Les journalistes veulent s'emparer du drame Françoise. Ignoble habitude qui consiste à forcer nos coulisses. Picasso a dû prendre la fuite. Il n'a dit à personne où il est. C'est Françoise qui supportera les attaques. Je me félicite chaque jour de vivre en marge de l'actualité. Les petites choses inexactes qu'on imprime sur moi me demeurent indifférentes.

Le père de Francine me dit que, dans sa jeunesse, il assistait à la réception de Sarah Bernhardt au Brésil. Les étudiants avaient dételé et traîné sa voiture du théâtre jusqu'à l'hôtel. À l'hôtel ils firent la haie sur l'escalier, le couvrirent de leurs vestes en disant : « *Pizez là-dessus* », ce qui veut dire au Brésil : « *Posez vos pieds là-dessus.* » Mais Sarah Bernhardt avait compris : « *Pissez là-dessus* », stupéfaite par cette forme inattendue de l'enthousiasme. Cette histoire amuse encore les jeunes devenus vieux et les jeunes à qui les vieux la racontent.

Je n'avais pas lu dans *La Table ronde* une remarquable étude sur la *guerre froide* par Guido Piovene. « *Qui provoquera la guerre chaude la perdra ; la perdra devant la guerre froide tribunal du monde.* » C'est ce que je voulais dire en déclarant que la guerre n'était pas *impossible,* mais *démodée*.

Un bon, long et court dimanche avec le dîner à l'espagnole à dix heures. J'ai refait quatre affiches d'un autre style plus carnavalesque dont deux me semblent très bonnes, moins belles que le premier profil rieur, mais plus conforme au style niçois. Je les porterai moi-même demain matin au journal, pour éviter les histoires.

Écrit la lettre ouverte au préfet de police qu'il me demande pour sa gazette. Dicté à Doudou l'article sur Paris pour Hambourg. Mon écriture était un grimoire de signes illisibles. Retouché, terminé *Mère et fille dans un jardin* qui doit être expédié à Marie Cuttoli afin que ses ateliers l'exécutent.

Doudou termine le *Portrait de son jeune frère en costume de théâtre.* Œuvre surprenante, précise, rêveuse, savante, naïve et qui ne ressemble à aucune autre malgré son air de toile célèbre, propre à provoquer le silence des personnes qui désirent le retour du charme et le craignent comme une faiblesse, empoisonnées qu'elles sont par les monstres qu'elles réprouvent mais qui leur représentent la force.

Bref un de ces dimanches où on lutte contre le mécanisme de la mauvaise foi et de la guerre froide par des œuvres et non par des jérémiades.

C'est Orengo qui avait raison. C'est Federico et non Federigo García Lorca, l'orthographe exacte.

Ma jeunesse. Mounet-Sully s'embarque, fort vieux, dans la tirade du jeune Hippolyte. Au lieu de dire : « ... mon arc, tout m'importune... » il se trompe et dit : « tout m'abandonne ». Il enchaîne sans hésiter : *Je ne me souviens plus des leçons de Bellone*[1].

Il me semble que le docteur a digéré mon chapitre « Des distances ». Car il me dit, à propos de l'appareil qui dissèque les microbes : « Pas les microbes mais les amibes. Les amibes sont des *infiniment petits*. Mais les microbes sont des *infiniment loin* » (gigantesques). Voilà ce que ne dirait personne, ce que ne comprendrait personne. Cette différence fondamentale entre le petit et le loin que je développe dans le *Journal d'un inconnu,* sera un jour une source de curieuses découvertes.

Doudou a été à Monte-Carlo préparer l'acte de vente de l'appartement. Il signera demain.

1ᵉʳ décembre.

Il paraît qu'à Paris le temps est aussi beau qu'à Nice. Partirons demain avec Orengo par l'avion de onze heures.

J'ai porté hier à Bouqueret[2] la nouvelle affiche, plus conforme à l'esprit de son journal.

---

1. Dans la *Phèdre* de Racine, acte II, scène II :

> *Mon arc, mes javelots, mon char, tout m'importune ;*
> *Je ne me souviens plus des leçons de Neptune...*

2. Charles Bouqueret, rédacteur en chef de *Nice-Matin.*

J'aimerais, peu à peu, soulager Pierre P. et madame Bourgeois de leur travail ralenti par celui de la banque et centraliser tout chez Plon — surtout si Francine et Alec participent à l'augmentation de capital et si la société de Monaco se forme.

Les accords du domicile de Doudou à Monaco seront signés à quatre heures. Le local correspondra par une porte avec l'immeuble du Rocher, rue Gastaldi.

Bon exemple de nos phantasmes, cette faute [1] qui n'en était pas une dans *Appogiatures*. Cette fausse faute m'avait empêché de dormir.

Sadko [2]. On me demande d'en écrire le prologue. Mais *Sadko* sort le 11 décembre. Je serai à Paris le 3, cela ne me paraît guère réalisable. Et si l'idée de *Sadko* me plaît, il faudrait que le film me plaise. Il serait amusant de dire que le cinématographe permet aux Russes de *montrer*, comme faits *réalistes*, ce qui semble appartenir au domaine du rêve.

Est-ce que j'écris une autre langue que la française puisque mes compatriotes me lisent sans me comprendre ? Je crains au contraire d'écrire le français et que les Français ne l'entendent plus.

———

JEAN COCTEAU À GASTON GALLIMARD

36, rue de Montpensier   4 décembre 1953

Mon très cher Gaston,

J'ai eu un coup dur (crise néphrétique) à Madrid. Je rentre pour des soins. Je serai samedi et dimanche en Seine-et-Oise. Mais j'aimerais vous voir la semaine prochaine. Comme je me déplace

1. Voir *supra*, p. 343.
2. *Le Tour du monde de Sadko*, film d'Alexandre Ptouchko, 1953, inspiré de l'opéra de Rimski-Korsakov.

peu, j'aimerais être sûr soit de vous trouver à la librairie, soit de déjeuner avec vous et votre femme.

Dites-moi ce qui convient.

De cœur à vous

Jean Cocteau

---

5 décembre.

Impossible d'écrire à Paris. Trop à écrire. Trop de fatigue. Trop de monde. Et je souffre encore dans le dos.

Milly. Faire le texte pour le film *Sadko*. La lettre ouverte au préfet de police sur la vitesse. Les quinze dessins pour *Thomas l'imposteur* en Allemagne. Portrait de Radiguet et préface pour *Le Diable au corps* chez Desch. Faire taper l'article Paris pour Hambourg.

Hier j'ai conduit Peyrefitte chez un photographe après une radio sur la Grèce. Le photographe a voulu nous photographier. Le matin il avait remis ses photographies à une jeune fille de dix-huit ans qui était venue amenée par sa mère l'avant-veille. Comme il lui demandait si sa mère aimerait ses épreuves, elle répondit en haussant les épaules : « Qu'est-ce que vous voulez qu'une personne de trente-cinq ans comprenne à quoi que ce soit ! »

Ce matin Colette était comme sortie de son cocon, de sa torpeur. Elle n'était même plus sourde. Elle étincelait. Tout ce qui est devenu mou dans son visage se mettait en pointe. Elle racontait, elle écoutait, elle riait.

Je lui avais dit que Mondor puisait sa fraîcheur de petite pomme dans l'engrais de ses histoires scatologiques et que, jadis, Misia puisait son air de rose dans l'engrais de ses maris : Natanson, Edwards, Sert. Elle chercha et trouva immédiatement plusieurs exemples de cette théorie.

Et demain, je peux la retrouver prise dans le nuage qu'elle aide à se former autour d'elle, par une sorte de fatigue découragée, de crainte du monde.

Le Palais-Royal est un monument classé. Nul n'y peut rien changer ni réparer sauf les Beaux-Arts. Or les Beaux-Arts envoient les ouvriers et c'est nous qui payons comme propriétaires de l'immeuble. Pour *réparer* un des vases de pierre qui ornent la balustrade du dernier étage (celui des Berl[1]) on nous demande un million six cent mille francs. Ceci est incroyable.

Ai entendu le disque de Piaf[2] *(Le Bel Indifférent)*. Je ne sais si j'approuve les silences et bruits de la scène — mais Piaf a des moments incomparables. Elle termine par une de ses chansons. La fin est bonne. La fin dans le silence eût été vague.

Dimanche [6 *décembre 1953*].
J'ai fait cette nuit d'une traite les trente illustrations de *Thomas* pour Desch. Je me suis inspiré des images du livre de Gallimard[3]. Mais je leur ai donné la force et le vif qui me manquaient à l'époque.

Pensé aux *Fantômas*[4]. Rester fou. (Épisode de Sarah Bernhardt dans *L'Aiglon*.)

?

En fouillant au premier étage j'ai retrouvé une foule de documents extraordinaires pour l'exposition des Beaux-Arts. Il faudra les trier et les réunir. Avec le recul, la moindre photographie, la moindre lettre étonnent. La lettre prodigieuse écrite par Radiguet à quatorze ans.

J'ai esquissé la préface allemande pour *Le Diable au corps*.

Il me reste à corriger la dactylo de *Clair-Obscur* et à répondre aux lettres en souffrance. (Fait.)

Lundi [7 *décembre 1953*].
Ma nature. Je me tracasse davantage pour ce que je n'ai pas que je ne me félicite de ce que j'ai. (Humain, trop humain.)

---

1. L'écrivain Emmanuel Berl (1892-1976) et son épouse, la chanteuse-compositeur Mireille. Voir Emmanuel Berl, « 36, rue de Montpensier », dans *Cahiers Jean Cocteau*, 2, Paris, Gallimard, 1971, pp. 7-16.
2. Voir *supra*, p. 113, n. 1.
3. *Thomas l'imposteur*, illustré de quarante dessins de l'auteur, Paris, Éditions de la N.R.F., 1927.
4. Roman-feuilleton en quarante-quatre volumes de Marcel Allain et Pierre Souvestre, 1911-1914.

Hier dimanche je n'ai pas arrêté de travailler de neuf heures du matin à neuf heures du soir. Douleurs dans le dos.

8 décembre.

J'ai été rendre visite à Françoise. Elle me dit : « Je devenais vieille auprès de Picasso et il rajeunissait auprès de moi. Mais il me croyait d'un poids plus lourd que le mien. Un courant d'air m'avait apportée. Un courant d'air m'emporte. J'ai décidé de partir pour que sept années parfaites ne finissent pas par des scènes et par de fausses sorties. Mon billet est toujours d'aller, jamais de retour. Une des premières fois que je montais l'escalier de la rue des Grands-Augustins, Picasso me montra de la poussière dans l'angle d'une marche et me dit : " Tu ne comptes pas plus pour moi que cette poussière. " J'ai répondu : " La différence c'est que je suis une poussière qui n'a pas besoin qu'on la balaye, qui partira si elle le veut. " Picasso n'aime pas qu'une vieille boîte d'allumettes quitte sa maison. Il garde tout. C'est en quoi mon départ a dû lui être insupportable. »

Je dis à Françoise : « Et votre calme était celui d'un témoin. Picasso entraîné dans ses mouvements giratoires se sentait *vu*, observé par un œil immobile. Après notre dernier déjeuner à Vallauris, il se perdait dans des phrases de plus en plus folles, à cause de votre œil. Lui qui ne supporte pas qu'on lui " mette le grappin dessus ", qui craint sans cesse qu'on ne le lui mette, supporte des personnes les plus médiocres — mais il suspecte les autres. »

« Au fond, me dit Françoise, à la fin il me détestait. » Moi : « Non. Il vous adorait mais il s'en voulait de vous adorer. *Il se trompait* avec vous. C'est un tendre qui croit que la tendresse est une vertu bourgeoise, que la force exige la monstruosité. »

Hier à la radio Bérimont[1] me demande : « À quoi sert la poésie ? » Réponse : « Si je pouvais vous répondre je serais une plante ayant lu des traités d'horticulture. La poésie *est indispensable* mais je ne sais pas à quoi. »

Lettre de la fille de Bernstein en réponse à un atroce article de Mauriac (du reste dirigé davantage contre Anouilh que contre

---

1. Le poète Luc Bérimont (1915-1983) était producteur d'émissions radiophoniques consacrées à la poésie.

Bernstein). Réponse très digne, *précédée* d'une réponse de Mauriac à cette réponse, « Le soleil des morts ». Grande malice sous forme de grande noblesse.

Nos ennemis spirituels seront surtout ceux qui représentent officiellement ce que nous défendons en secret. Le verbe qui s'est fait *cher*.

Ce poids mort qui s'accumule va faire basculer tout. C'est une chose que même les très jeunes sentent.

J'ai appris hier que des maisons d'édition font croire à des jeunes qu'ils les vendent et les payent pour que ces jeunes disent : « Voilà une grande maison » et pour ne pas les perdre. (Les mettre en cave. Sait-on jamais ?)

Hier chez Véfour Brandel[1] me dit : « Je viens d'acheter les droits d'*Orphée* et de *La Belle et la Bête* pour la télévision américaine. — À qui ? — À Paulvé[2]. » Nous apprendrons sans doute que Paulvé les a vendus pour rien. Je n'ai même pas demandé le chiffre à Brandel puisqu'il est dans la combine.

Françoise raconte : « En allant vers Picasso, j'ai dû chercher à rejoindre le style de mon père. Mon père adorait les arbres et il était fou de l'un d'eux dans notre jardin. C'était, disait-il, le plus bel arbre du monde. Il détestait les chats. Un jour il vit un chat perché sur son arbre. Il essaya de le chasser avec le jet d'arrosage, mais le chat s'accrochait. Rien ne parvenait à le faire descendre. Alors mon père courut chercher une hache, une scie, et abattit son arbre. »

Journées effrayantes. Et les demandes, les rendez-vous s'accumulent. Et il va falloir faire les dessins du film[3] avec un système de vitre très compliqué. Et il va falloir répéter *La Machine infernale* et subir des massages et des régimes. Et le cortège qui sonne à la porte. Paris n'admet pas les malades. Il y faut être bien portant ou mort.

1. Joseph Brandel, producteur de films, mari de Simone Berriau, directrice du théâtre Antoine.
2. Voir t. I, p. 40, n. 2.
3. Voir *infra*, p. 355, n. 2.

352   *Le Passé défini*

On siffle la valse de Georges[1] côté Palais-Royal et côté rue. Les ouvriers, les boutiquiers, les cyclistes.

Ce matin, vu le film russe *Glinka*[2]. Ce film m'a bouleversé d'un bout à l'autre. Glinka — Pouchkine — Liszt — quels acteurs ils trouvent ! Et quel trésor national. On se demande ce que peuvent les Américains contre une force pareille.

Le directeur du cinéma Marbeuf voudrait reprendre tous mes films et me consacrer plusieurs semaines.

Francine a convaincu Orengo de ne pas faire mes œuvres complètes au Rocher de Monaco mais chez Plon. Il ne faut pas qu'on lui reproche de m'accaparer et de prendre toutes mes œuvres pour sa firme.

G. qui organise une troupe et des spectacles de décentralisation en province veut monter *Bacchus*. Mais comme Jeannot doit en faire la reprise aux Bouffes, il me semble dangereux de livrer une pièce difficile à des comédiens de seconde zone.

Il est étrange qu'on me veuille partout sachant que je ne récolte que des insultes.

Agathe Mella[3] m'a encore demandé autre chose. Enregistrer tous les *Portraits-Souvenir*.

J'oubliais que le Club du livre veut publier ensemble *La Difficulté d'être* et le *Journal d'un inconnu* et le Club du meilleur livre (ensemble) *Le Potomak* et *La Fin du Potomak*.

Trop à écrire. Impossible d'écrire.
Paris : ne respecte pas ce qu'on fait. Respecte de vague aura qui se dégage de ce qu'on fait.
C'est ce qui nous accable de besogne sans que cette besogne soit efficace.

---

1. *Moulin-Rouge*. Voir *supra*, p. 312, n. 3.
2. Film de Gregory Alexandrov, 1952.
3. En 1947, Agathe Mella avait adapté pour la radio *Les Enfants terribles*, avec une musique originale d'Henri Sauguet.

Aucune des personnes qu'on rencontre n'est de même avis sur une pièce, sur un film, sur un acteur. En général tout le monde trouve tout « impossible ».

13 déc.

Milly. Le temps commence à prendre cet air spécial des approches de Noël. Annam est fou de joie lorsqu'on arrive. Il fait la tête quand on part. Et il s'ennuie. Il ne quitte pas mes talons et dans les chambres, il s'effondre, avec un soupir. Il voudrait déjà être dans une autre.

[...]

Raymond Radiguet aurait plus de cinquante ans [1]. Jeannot vient d'en avoir quarante [2]. Ce terrible ruban se dévide à travers nous. Hier soir, huit heures, à la buvette du studio Billancourt, nous sommes allés l'embrasser. Ensuite la radio du procès « Père Noël ». (Si on brûle le père Noël comme un monstre d'hérésie, il faut brûler comme hérétiques les enfants qui y croient ou font semblant d'y croire par un goût indestructible du mystère, de la surprise, de la légende.) La nuit nous ne trouvions plus la rue du Recteur-Poincaré. Rejoint Jeannot et les autres (Yvonne, Francine, Lulu) au studio Francœur pour voir *Le Guérisseur* [3]. Film pas bête et pas ennuyeux où Jeannot est remarquable. Dînons tous à minuit chez Francine qui avait dû passer chez elle entre Billancourt et Francœur. On connaît son style conte de fées. Dîner-souper formidable avec gâteau d'anniversaire.

À ce dîner-souper, je remarque encore cette incroyable divergence dans les opinions parisiennes. Il est vrai que je vais peu au théâtre et au cinématographe. Autant dire jamais. Lorsque j'y vais (surtout au théâtre) c'est une fête et j'éprouve tout ce que j'éprouvais le dimanche au Châtelet dans mon enfance. Je ne reconnais même pas les acteurs. Tout le spectacle profite de cette grande ouverture bienveillante. Je ne m'en échappe (et encore) que si la pièce empiète sur mes prérogatives. Mais, même là, je me laisse prendre par la rampe et par le rideau. Et j'ai honte d'être juge. Je m'efforce de n'écouter que les témoins à décharge et l'avocat de la défense, de ne pas participer à cette attitude de jurés

1. Né au Parc-Saint-Maur, le 18 juin 1903, Raymond Radiguet est mort à Paris, le 12 décembre 1923.
2. Le 11 décembre 1953.
3. Film d'Yves Ciampi.

des places voisines. L'autre soir, pendant *Kean,* je songeais aux débuts de Brasseur [1] dans mon *Roméo* [2]. Il était très jeune. Il jouait le page de Roméo. Marcel Herrand jouait Roméo. Et moi Mercutio et Maurice Sachs était mon page [3]. Les souvenirs me haussaient la pièce, la magnifiaient, et d'autres souvenirs, ceux de cette salle [4] où j'allais entendre *L'Aiglon,* Sarah Bernhardt et de Max dans *La Sorcière* ou dans *Andromaque* [5]. Ceux que je rencontre me disent : « Quelle horreur. Je m'ennuyais trop. Je suis parti avant le troisième acte. » Et mon opinion, sur la belle écriture de Sartre, par exemple, n'arrive pas à les convaincre. On me traite de provincial. Les gens ne sont plus assez simples pour aimer une histoire — pas assez cultivés pour se rendre compte du style de celui qui la raconte.

Orengo déjeune avec nous. Pendant que j'écris le doyen sonne à toute volée ses cloches dont il est si fier. Annam déteste les cloches. Il se plante sur ses quatre grosses pattes rousses et il pleure.

Dali à Rome : « Cocteau est le contraire de Malenkov. Malenkov est une gomme à effacer. Une gomme " Éléphant ". Cocteau est le crayon le plus pointu qui existe au monde. »

14 déc.
Marie Cuttoli trouve la nouvelle tapisserie très belle. Mais difficile. On mettra dix mois à l'exécuter. Nous la verrons en octobre.

Hier dimanche Orengo est venu passer la journée et j'ai pris des dispositions pour que mes affaires se centralisent chez Plon. Il y a encore trop de vague.

1. Dans *Kean,* pièce de Jean-Paul Sartre d'après Alexandre Dumas, Pierre Brasseur (1905-1972) jouait le rôle titre.
2. Prétexte à mise en scène en cinq actes et vingt-trois tableaux de Jean Cocteau d'après Shakespeare, mise en scène chorégraphique de Jean Cocteau, décors mobiles et costumes de Jean Hugo, musique de scène d'après des airs populaires anglais arrangés et instrumentés par Roger Desormière, création au théâtre de la Cigale, le 2 juin 1924 (« Soirées de Paris » organisées par le comte Étienne de Beaumont). — Paris, Au Sans Pareil, 1926, illustration de Jean Hugo ; Plon, 1928 (avec *Œdipe-Roi*).
3. Jean Cocteau corrige ici une erreur de mémoire. Voir t. I, p. 367.
4. Le théâtre Sarah-Bernhardt.
5. Dans *L'Aiglon* d'Edmond Rostand (1868-1918), drame en six actes en vers, 1900, Sarah Bernhardt (1844-1923) jouait le rôle du duc de Reichstadt ; dans *La Sorcière* de Victorien Sardou (1831-1908), drame en cinq actes, 1903, celui de Zoraya, Mauresque accusée de sorcellerie, et Édouard de Max (1869-1924) celui du cardinal Ximénès, grand inquisiteur ; dans l'*Andromaque* de Racine, celui d'Hermione et de Max celui d'Oreste.

Parmi les dédicaces des livres de Milly, je trouve celle de Gérard Prévôt *(Architecture contemporaine)* : « À Jean Cocteau qui a su préférer l'amitié à la gloire et s'est assuré l'une et l'autre. » Pour l'amitié, je l'accorde. Pour la gloire, j'ai dépensé la longueur du bras. J'ai récolté celle d'un ongle. À moins qu'on n'appelle gloire le vacarme qu'on mène autour de ma personne et qui n'a rien à voir avec mon œuvre.

18 décembre.

Vie infernale. Impossible d'écrire. Comment les Parisiens font-ils ? Je n'arrive pas à le comprendre. Ce silence qu'est un poète, poussé de force dans cette farandole. J'ai passé trois jours chez Erni [1] avec les projecteurs et les papiers et les vitres et les craies et les pastels et le terrible objectif qui enregistre le travail, l'improvisation, lesquels, projetés, dureront quelques minutes [2]. Et les docteurs — et les masseurs — et les piqûres. Et, le soir, manger en vitesse et courir rue Pigalle où nous répétons *La Machine.* Jean Marais, qui tourne *Monte-Cristo* le jour, arrive éreinté comme moi-même. L'actrice qui jouera Jocaste me déroute et m'inquiète. Elle me semble incapable de trouver le style théâtral que la pièce exige et qui provoque mystérieusement le *naturel.* Une actrice *naturelle* ne suffit pas. Il faut qu'elle sculpte un personnage et qu'elle lui donne le souffle. En outre, je répète dans une salle. Le décor me manque et le praticable sur quoi l'action se ramasse à la chinoise.

Ce matin, depuis neuf heures, le petit trou du Palais-Royal où je loge est un désordre de personnes qui entrent, qui s'incrustent, qui se superposent et forment une pâte où je m'enliserais sans des prodiges d'équilibre qui m'épuisent. Et Paris se demande pourquoi j'habite la Seine-et-Oise et le Cap. Parce que Paris empêche de vivre. L'ombre d'une brosse y brosse l'ombre d'un carrosse. Le travail obscur, secret, le seul qui compte ne s'y peut mener qu'en fraude. Comme je suis incapable de m'astreindre à la fraude, je tâche de faire la planche.

---

1. Le peintre Hans Erni, né à Lucerne en 1909.
2. *Une mélodie, quatre peintres,* film documentaire allemand en couleurs de Herbert Seggelke, images de Georges Meunier et Norbert Schmitt, musique de Jean-Sébastien Bach, production Koenig-Films. Les quatre peintres sont E.-W. May (Allemagne), Gino Severini (Italie), Hans Erni (Suisse), Jean Cocteau (France). Voir *Toute la danse,* n° 19, février 1954.

19 déc.

Berl vient me voir et me parle de Sachs. Je lui dis : « Sachs a été occupé par moi comme la France par l'Allemagne. Quand j'ai foutu le camp il a voulu faire croire que c'est lui qui me mettait dehors. »

L'élection présidentielle. Comédie de Versailles. Comment obtenir une majorité dans un pays de groupes antagonistes ?

Hier soir Louise Conte remarquable dans son esquisse du rôle du Sphinx. Je vais entendre la version radiophonique de *La Machine*. Si Montero me convient, je tâcherai d'avoir Montero pour Jocaste.

Lettre bien émouvante de la mère de Michel Perrin parce que je suis intervenu pour sauver son fils.

Hier déjeuner à La Régence avec Julien Green et Robert [1]. Green a été stupéfait par l'attitude hostile du public de sa générale. « Je croyais, dit-il, qu'on m'aimait — que je serais aimé de tous. »

Le malheur de la politique française, c'est que les parlementaires pensent (à eux). La France mériterait d'avoir Martine Carol comme président de la République — ou bien la statue de Gambetta qu'on ôte du Carrousel et qu'on pourrait mettre dans la cour de l'Élysée. Un don Tancredo de première classe.

Lettre du ministre de l'Intérieur me demandant d'accepter une seconde fois la présidence du Festival de Cannes. Que font-ils pour moi ces ministres ? J'ai répondu que je ne savais pas si ma santé me permettrait de répondre à cet « honneur ».

Lettre du président de la Société des auteurs. Il m'annonce que la Société des auteurs me fait, pour Noël, cadeau de trente-trois mille francs (sic). Répondu que cette « petite somme » accrochée à mon arbre me permettrait d'en garnir d'autres.

Avalanche de lettres et de visites. Madeleine me rend, par sa gentillesse et sa clairvoyance, beaucoup plus service qu'une secrétaire.

---

1. Voir le *Journal* de Julien Green, 19 décembre 1953.

Green me dit : « *Pourquoi répondre aux lettres ? Je ne réponds jamais.* » C'est possible. Mais cela donne un air de morgue et de distance qui ne me conviennent pas.

La plupart de ce qu'on nomme « les grands écrivains français » sont les journalistes d'un journalisme supérieur. Malraux, Montherlant, Camus — même Sartre — sont des journalistes.

Genet me dit : « On aime voir Sartre parce qu'il épouse et reflète la personne avec laquelle il parle. »

20 décembre.
Milly. Journée de dimanche avec Coco Chanel, Marie-Louise [1] et Déon. Avons bavardé de une heure à dix heures du soir sans dire du mal de personne. Étonnante détente de Coco par la reprise de son travail [2]. Francine et Doudou nous avaient rejoints pour dîner. Francine arrivait du village créé près de Saint-Quentin par mademoiselle Deutsch de la Meurthe [3], où elle avait distribué six cents cadeaux de Noël.

Fait le texte pour le livre de Georges Hugnet sur Dada et le surréalisme.

Fait le nouveau texte sur Apollinaire pour Marcel Adéma [4].

Ce que je disais de l'atmosphère qui se dégage d'une personne tenant lieu d'œuvre compte aussi pour nos amis. Ils ne lisent pas nos livres. Nous pouvons leur raconter comme neuf tout ce qui s'y trouve.

Ai fait la grande tête de cheval au pastel pour Alec.

Je retourne dans la tornade.

Noël 1953.
Milly. Hier soir fête de Noël chez Francine. Émilienne et François gavés de films, de Comédie-Française, muets de surprise devant

1. Marie-Louise Bousquet, veuve de Jacques Bousquet, collaborateur du revuiste Rip, représentait à Paris le *Harper's Bazaar*. Son salon de la place du Palais-Bourbon était fréquenté par écrivains et artistes.
2. Gabrielle Chanel (1883-1971) rouvrit sa maison de couture en 1954.
3. Les familles Weisweiller et Deutsch de la Meurthe sont apparentées.
4. Voir l'annexe XXVIII. — Marcel Adéma dirigeait la revue *Le Flâneur des deux rives*.

l'arbre, les bougies sur la table, le sol jonché de cadeaux. On avait caché les bicyclettes derrière les rideaux d'une des fenêtres. Ils les ont emportées dans leur chambre.

Nous sommes venus à Milly après la petite fête de famille. Il était une heure du matin. Jusqu'à six heures nous avons parlé avec Doudou de l'affaire Orengo-Plon, qui me donne quelques craintes, bien que je prenne une tout autre attitude en face des personnes qui me mettent en garde. Dans cette mise en garde il y a du vrai. Il serait étrange que je quittasse mes éditeurs pour une maison qui me doit son augmentation de capital (et la suite) et qui me répète sans cesse « vous êtes chez vous » sans que je m'en aperçoive le moins du monde. Les projets restent des projets et rien ne se décide ni pour le débrouillage de mes affaires, ni pour *Clair-Obscur*, ni pour les *Œuvres*. Ces choses-là, me dira-t-on, ne peuvent se réaliser en cinq minutes. Certes. Mais Gallimard ou Grasset m'eussent déjà donné des épreuves.

Il est à craindre qu'Orengo compte sur Alec et Francine Weisweiller afin de partager les frais d'un volume pour lequel toute autre firme m'aurait déjà signé le contrat et versé un à-valoir. Il importe, d'une part, que je prévienne Orengo et Plon. L'effort présent et à venir d'Alec n'est dû qu'à son désir de me rendre service et de centrer mon travail. Il est normal qu'on me facilite tout en échange. Sinon je retourne à mes éditeurs habituels et le beau rêve des Plon s'écroule. On devait m'organiser un bureau. On ne me l'organise pas. On devait mettre plusieurs jeunes sur l'entreprise des *Œuvres*. Je n'ai pas encore pris contact avec eux. Etc. On parle, on parle, on ne décide rien.

Le système Doudou-Monaco permet à Orengo d'avoir des chambres supplémentaires en payant peu. Il est possible que je me trompe. Mais il est rare que je me trompe lorsque c'est dans ma poitrine et non dans ma tête que le doute s'installe. J'ai décidé de parler dimanche à Orengo en ce qui concerne le retard du livre de poèmes. Et Francine parlera ensuite à Bourdel et lui mettra les points sur les « i ». Il importe qu'il comprenne qu'Alec et Gérard Worms[1] ne font pas une « affaire intéressante » mais aident une firme poussiéreuse à reprendre pied dans le seul but de m'éviter le vague des Watier et de la banque Lehideux. Il serait drôle que je servisse de prétexte à sauver une firme sans en tirer d'avantages.

---

1. Frère de Francine Weisweiller. Il fut président-directeur général des Éditions du Rocher.

Samedi [*26 décembre 1953*].

Francine me donne un dessin de Degas (danseuse) et je lui ai donné *Léone*[1] (le manuscrit sur l'album japonais[2]).

Soleil. J'ai dormi comme une masse et je suis toujours prévenu dans mon sommeil si je dors après l'heure où je me réveille d'habitude. Je le sais lorsque je fais trop de rêves, des rêves en plus. *La pièce est beaucoup trop longue.* C'est un sentiment d'auteur qui me prévient.

Écrit le texte-préface des *Œuvres* (quelques lignes).

Demain Herbert et Franck[3] amènent une actrice que Ledoux[4] recommande. Elle est venue de Lausanne. Si elle est insuffisante, qui prendre ? Le casse-tête des tournées : un rôle de très grande actrice joué par une actrice moins coûteuse que la vedette autour de qui la tournée s'organise. Montero voulait avoir l'air de ne me refuser rien et se réservait de prétendre à des conditions telles que les Herbert ne la pussent prendre. J'avais entendu Montero dans *La Machine* radiophonique[5]. Elle jouait le rôle comme je le lis et sans me l'avoir entendu lire. Elle en avait le ventre et la figure. Grosse perte.

Les Coty à l'Élysée[6]. On devrait choisir un président et une présidente comme les Miss Europe ou le plus bel athlète de France. Hélas, il ne s'agit que de mettre faubourg Saint-Honoré un homme qui ne dérange pas les combines. [...] On n'imagine pas les pourboires que touchent les parlementaires dans les tractations avec l'étranger. Le scandale des piastres[7] n'est que cela. [...] Les

1. Poème de Jean Cocteau, avec deux lithographies de l'auteur, Paris, Gallimard, 1945.
2. Voir *Album Cocteau, op. cit.*, p. 170.
3. Pierre Franck, administrateur des tournées théâtrales Georges Herbert.
4. Le comédien Fernand Ledoux.
5. Radiodiffusion-Télévision française, 17 septembre 1953. Voir Jean-Jacques Kihm, *Cocteau*, Paris, Gallimard (Coll. La Bibliothèque idéale), 1960, p. 307.
6. René Coty (1882-1962) avait été élu président de la République, au treizième tour de scrutin, le 23 décembre 1953.
7. Entre l'Indochine et la métropole, il existait une disparité de la piastre qui permettait des enrichissements frauduleux mais apparemment légaux. Un Français de retour d'Indochine, Jacques Despuech, dénonça le scandale dans son livre *Le Trafic des piastres*, Paris, Éditions des Deux-Rives, 1953. Une commission d'enquête fut créée en juillet 1953.

parlementaires ne pensent plus jamais qu'il existe une France. Il n'existe pour eux que la poche et le pouvoir. [...]

L'autre matin, j'enregistrais à la radio. À l'étage en dessous Gabin enregistrait des textes de Jean-Jacques Gautier. Je suis entré pendant la pause. Nous parlions de Versailles. Jean-Jacques Gautier disait sur l'élection les choses les plus compromettantes. Comme je sortais on me montra une bande sur laquelle on avait enregistré tout ce que nous avions dit.

Depuis Madrid, je ne me retrouve pas. Je flotte. Très désagréable.

28 déc. 1953.

Francine malade. Bronchite. Elle restera à Milly jusqu'à ce que sa fièvre tombe.

Hier Herbert m'a amené l'actrice[1] qui arrivait de Lausanne. Jeannot était là. Elle a esquissé le rôle[2] auquel son physique convient parfaitement. (Entre Popesco et Valentine[3], mais jeunes.) Je l'engage. Elle retourne à Lausanne apprendre le rôle pendant les fêtes et viendra répéter lundi prochain. Je mettrai tout le reste en place.

Orengo déjeunait. Je lui ai demandé de rendre précises les choses vagues. Ce n'est du reste pas sa faute si les choses flottent. Le travail de la rue Garancière l'écrase et Bourdel l'en récompense mal, partant sans doute de ce principe étrange qu'il travaille par amour, qu'il est *de la maison* et qu'il est plus nécessaire de récompenser les autres — c'est-à-dire les innombrables employés qui forment le poids mort.

Lu les lettres de Mallarmé. Cela me passionne bien davantage que n'importe quel roman. Sauf, hélas, de nombreuses lettres où la politesse va jusqu'au lèche-pieds.

J'ai chargé Orengo de la lettre pour Parisot à joindre aux poèmes.

Caractère incompréhensible de Jeannot. Il entre à l'improviste et marche sur Annam endormi. Annam se réveille en sursaut et fait le mouvement de mordre. Jeannot lui donne un coup de pied en s'écriant : « Cette maison me déteste et même le chien. » Il refuse

---

1. Marguerite Cavadaski.
2. Jocaste.
3. Les comédiennes Elvire Popesco et Valentine Tessier.

de rester dîner : « Je ne veux pas être servi par *tes* domestiques. »
Etc. Il s'est mis cela dans la tête à cause de sa mère et des discordes
qu'elle amène partout. Ces phantasmes creusent entre nous une
distance pénible et que rien n'arrange. Il serait si simple de
comprendre que cette distance est faite de sottises et de mala-
dresses ridicules. Jeannot m'adore mais ne me croit jamais. Je
n'arrive jamais à le convaincre. C'est une de mes grosses peines.
Chose curieuse, dans ses lettres, cette distance s'évanouit. Il n'y a
plus que sa tendresse qui parle.

Rentré à Paris. Vu les décors. Peu de choses à refaire. Peint les
boucliers. Je répète ce soir l'acte du Sphinx.

Reçu l'essai de tirage de la monographie Bruckmann. Bonne
impression d'ensemble.

Annexes

Annexes

I

« *Une dédicace à Parisot arrangera les choses.* »
Jean Cocteau, Appogiatures, *Monaco, Éditions du Rocher, 1953.*
Ce texte court a disparu de la récente réédition collective.
Voir ci-dessus, 11 janvier 1953.

DÉDICACE À HENRI PARISOT

Mon cher Parisot,

Vous m'avez demandé d'écrire ces textes parce que ceux d'*Opéra*
(qui leur ressemblent) vous plaisent. Ils devaient commencer une
collection nouvelle sous votre signe. Les circonstances obligent
mon livre à paraître seul. Mais les textes vous appartiennent. Je
n'ai même pas à vous les offrir comme témoignage de mon amitié,
de mon respect pour les services que vous avez rendus aux forces
secrètes de la poésie.

Jean COCTEAU.

II

« *Fait l'article sur Éluard que me demande Marcenac...* »
Europe, *juillet-août 1953.*
Voir ci-dessus, 25 janvier 1953.

MON AMI PAUL

(Souvenirs personnels)

Dix-sept années de brouille doivent être les meilleures bases
d'une grande affection, pourvu que les motifs de cette brouille

soient nobles et se produisent en marge du médiocre. Pourvu que des inquiétudes analogues habitent les adversaires. Pourvu que les adversaires ne se disputent que sur des nuances infinitésimales et presque chinoises de l'âme et de la poésie.

J'ai souvent remarqué combien des ennemis de même niveau remplissaient davantage les conditions d'une attache profonde que des amis superficiels.

Bref, Paul Éluard et moi, devînmes amis après dix-sept années de brouille qui devaient nous fournir, par la suite, le plus solide des terrains d'entente, une manière de piédestal.

J'y songeais dans cette tribune où je me trouvais avec sa femme et sa fille et d'où nous assistions à la halte solennelle qui précède un cortège funèbre à travers les tombes.

Une grande image de Paul Éluard, derrière le cercueil couronné de son masque, me le montrait tel que nous le connûmes avant ce lit de mort sur lequel était un inconnu de marbre.

L'image le représentait à la taille de son charme, charme qui rayonnait autour de sa belle figure asymétrique dont aucune ligne n'était inerte, la moindre exprimant le style de son cœur.

Je songeais et je me souvenais. Temps, espace se reconstruisent. Leurs fausses perspectives s'abolissent. Le souvenir en sculpte de véritables. Elles cessent d'être fuyantes et menteuses. Des objets magnifiques et durs remplacent les actes fantômes. Paul vit. Paul est là.

L'occupation allemande nous serre les uns contre les autres autour d'une table du Catalan, chez Picasso, chez tous ceux qui s'abritent et cherchent à former un bloc invisible.

Un autre objet s'impose. Une chambre. L'hôtesse prépare du vrai café, ce qui nous semble le comble du luxe. Paul m'a demandé de faire son portrait[1]. Il ne bouge pas. Il me regarde et je le regarde. On nous dirait noués par le regard. Je travaille sur une toile. Dans un coin de la chambre Picasso dessine la scène. Son chien Cassebec dort, illisible à force de pointes et de courbes. Paul sage sur sa

---

1. Ce portrait de Paul Éluard dessiné par Jean Cocteau est reproduit dans ce numéro d'*Europe*, pl. XII, et dans *Jean Cocteau, inédits, études, documents*, Bruxelles, *Empreintes*, n° 7-8, mai-juin-juillet 1950, p. 108. Inscription autour du portrait : *Elle approche à pas de loup / elle se / sauve / à toutes / jambes / Il ne bouge / pas / à mon cher /Paul Éluard / Jean / 1942.* Plus tard, Jean Cocteau exécuta, d'après ce portrait, une lithographie reproduite dans le catalogue de l'exposition *Jean Cocteau et les arts plastiques*, Paris, Pavillon des arts, 9 mars-6 mai 1984, n° 229. Inscription autour du portrait : *à Paul Éluard / son / ami / Jean / Jean Cocteau / 1942.*

chaise, moi qui m'acharne à vaincre les lignes mortes, Dora qui apporte les tasses.

Paris arrête sa vague au bord de nos refuges. Rien ne nous arrache au calme, à l'île déserte où l'amitié entrelace ses ondes, où la parole devient inutile, où le tam-tam des cœurs dépêche ses messages.

Le décor change. Paul me rencontre un soir à Saint-Philippe-du-Roule. Il me glisse un paquet dans la poche. Je le quitte. Je rentre au Palais-Royal par la Concorde. Passe, avenue des Champs-Élysées, vers l'Étoile, musique en tête, la ligue antibolchévique. Je regarde avec stupeur une troupe allemande qui porte le drapeau français.

Le groupe de civils du P.P.F. qui escorte la troupe m'ordonne de saluer. Je refuse. Les poings s'abattent. En une seconde je me retrouve par terre, aveugle, couvert de sang[1]. Je ne me doutais pas de ma chance. Le lendemain, Paul Éluard vint me rendre visite sous mon masque d'emplâtres et de linges. Il me demande : « Où est ton manteau ? » « Dans l'antichambre. » Il le cherche, et, sortant de la poche un paquet des *Éditions de minuit* il m'embrasse. « Mieux vaut la casse que la fouille », me dit-il. J'avais oublié les livres.

Ensuite, à la Libération, lorsque certains collègues voulurent me calomnier, Éluard et Aragon me rendirent invulnérable. Et maintenant ceux qui m'attaquaient se scandalisent de ma gratitude. Triste monde où je m'efforce de rester intègre, monde qui voudrait laisser entendre que Paul Éluard regrettait ses engagements, alors que nul homme ne s'est jamais donné autant que lui à la cause qu'il avait décidé de servir.

Le décor change encore. Nous sommes au Festival de Cannes. On cherche à saboter mon film : *La Belle et la Bête*. Paul Éluard parle à la radio : « Pour comprendre ce film, il faut aimer mieux son chien que sa voiture » — et, comme il est à l'honneur il ne me quittera pas, il imposera partout ma présence.

De Paul Éluard, poète, pourquoi parlerai-je ? Il était le *poète*, la *poésie*, et à la cause politique qu'il servait avec amour il n'a jamais sacrifié aucune de ses prérogatives.

Jean COCTEAU.

1. Cette agression eut lieu le 29 août 1943. Voir *Album Cocteau, op. cit.*, p. 161.

III

« J'avais rendez-vous... avec Fauconnet... »
Voir ci-dessus, 9 février 1953.

Galerie Barbazanges
109, Faubourg Saint-Honoré
Exposition des
Dessins, Peintures, Costumes & Masques
de
Guy Pierre Fauconnet
du 16 au 28 février 1920
de 10 à 18 heures.

Nous étions en train Fauconnet, Darius Milhaud et moi d'imaginer le spectacle que je donne le 21 février à la Comédie des Champs-Élysées.

Le dimanche en sortant du cirque où je venais d'engager les clowns Fratellini, Fauconnet nous dit, place Pigalle : « Ce spectacle marche trop bien. Je tremble. Il arrive d'habitude mille anicroches. Méfions-nous. »

Le lendemain matin il devait venir me prendre à onze heures pour l'exécution des costumes que nous avions dessinés et coloriés ensemble chez Darius Milhaud. Fauconnet était exact comme les gens qui aiment. Il aimait ce spectacle. Il ne pensait plus à autre chose.

À une heure Fauconnet n'étant pas venu et n'ayant pas téléphoné je sentis un profond malaise. J'en fis part à ma mère et me rendis à son domicile.

« On a trouvé Monsieur Fauconnet mort dans son lit ce matin. »

J'attendais cette nouvelle. Fauconnet montrait aux médecins un cœur trop gros et un trop grand cœur à ses amis pour vivre. Il connaissait son mal, il se hâtait, se consumait, n'économisait pas ce pauvre cœur malade.

Des personnes romanesques et qui veulent perpétuer la tradition des artistes misérables ont répandu le bruit que Fauconnet était mort de froid et de faim. Il importe pour Fauconnet, sa mère, son frère et ses amis de détruire cette légende. Fauconnet avait loué une chambre impasse du Maine par la même insouciance qui le faisait sortir sans pardessus sous la neige. Il trouvait sa chambre « amusante, sinistre et chaude ».

Pour la quitter à huit heures du matin et y revenir à onze heures du soir cette chambre était sans doute « amusante ». Devenue un décor de drame elle était terrible.

Je ne parle pas ici de Fauconnet peintre et décorateur. Regardez autour de vous, ses œuvres se montrent toutes seules. Il inventait, cherchait, trouvait merveilleusement avec la hâte des malades qui redoutent leur limite.

Je ne vous parlerai que d'un seul de ses masques, lui qui les préconisait tant : son masque de mort. Il avait mis trente-sept ans à faire ce chef-d'œuvre de douceur, de noblesse, de vie.

Jean COCTEAU.

IV

« Ci-joint article de Mario Brun. »
Nice-Matin, *11 février 1953.*
Voir ci-dessus, 10 février 1953.

JEAN COCTEAU À LA VILLA MASSÉNA

À l'occasion de l'exposition de ses dessins et peintures à la galerie des Ponchettes, Jean Cocteau a été reçu à la villa Masséna par M. Jean Médecin.

Le député-maire de Nice qui, la veille, avant même l'heure officielle du vernissage, s'était longtemps arrêté devant les œuvres exposées, exprime à l'artiste, en termes délicats, l'émotion très personnelle qu'il avait ressentie. Avec un grand bonheur d'expression, M. Médecin réussit le difficile inventaire des multiples dons qui font de l'auteur d'*Orphée* un être exceptionnellement curieux et charmant.

À son tour, et avec une gentillesse sans apprêt, Jean Cocteau souligna à quel point il était sensible « à l'accueil et à l'honneur » qui lui étaient faits. Félicitant la Côte d'Azur de savoir vivre un peu en dehors de la vie commune et de préférer aux autres les batailles de fleurs, Jean Cocteau voulut bien dire sa tendresse et sa gratitude pour une région où, « à partir de vingt ans il était né à une foule de choses ».

Mᵐᵉ et Mˡˡᵉ Henry Soum (femme et fille du préfet) assistaient à cette réception, ainsi que Mᵐᵉ Guynet, directrice des Musées, à qui revient, en même temps qu'à maître Pasquini, une bonne part du succès de l'exposition, et une centaine de *happy few* choisis parmi les personnalités qui, la veille, avaient fait du vernissage un des événements mondains les plus brillants de la saison.

v

« *Ma préface pour les montages d'Harold...* »
Voir ci-dessus, 15 février 1953.

La caricature est au bord du grand style. Goya et Lautrec s'en approchent sans y tomber. Il est étrange que le vrai caricaturiste soit si rare. Sem et Cappiello n'auront aucun cortège. La caricature moderne stylise et cela lui ôte le vif. Sem pourchassait ses victimes, il s'y acharnait, calquait, recalquait, jusqu'à ce qu'il les épinglât sur une feuille. Le vif est chez lui si vif que la ressemblance devient une chose en soi et comme indépendante du modèle. Les modèles sont presque tous oubliés. Il reste que leur caricature étonne même une jeunesse qui ne les a pas connus. L'époque, ses tics et son allure s'y trouvent pris au piège. Cappiello avait de cette intensité. Mais, plus artiste, il organise ses lignes, dans le sens où le modèle organisait les siennes. J'allais oublier Rouveyre qui jette son encre comme la seiche et de ce jet noir imprime le vif.

On a beaucoup usé de photomontages. Max Ernst y arrive au merveilleux. Il transporte Freud et Jules Verne dans un monde qui lui est propre et qui relève du prodige. Un film exécuté par lui grâce à cette méthode emprunterait au sommeil ses mécanismes.

La nouveauté du travail de Harold, c'est qu'il ne dépasse pas les limites de la caricature. On dirait que l'objectif pense et juge. Qu'un appareil à dire la vérité nous dénonce à l'improviste. Il ne se contente pas de coller quelque tête sur quelque corps, il trouve, à travers le monde, le corps et la tête étrangers qui correspondent. Les images qu'il découpe et qu'il dénature sembleraient bien fades en face du mélange qu'il en obtient. Le mélange parle. Il est une critique, une synthèse, un acte d'accusation d'autant plus grave qu'il pourrait déborder son rôle et perdre un individu. Nous connaissons des exemples de ces photomontages qui induisent des juges en erreur.

Ici, rien de semblable. Harold s'amuse et il nous amuse sans la méchanceté d'insecte de Sem, sans l'arabesque modern style de Cappiello. Il témoigne à sa manière d'un âge si confus que les membres des uns pourraient se confondre avec ceux des autres. Il mystifie et mythifie. Il ajoute au mythe. Il emprunte sa faculté de mensonge qui chasse le réel pour parvenir au plus vrai que le vrai, à ce vrai dont parle Goethe et qu'il oppose au réalisme. « Tel qu'en lui-même, enfin... » Par sa joyeuse supercherie Harold triomphe de l'actualité.

VI

« La petite notice que Seghers me demande... »
Le Chiffre sept, *réédition Seghers, 1953.*
Voir ci-dessus, 21 février 1953.

Pour toute œuvre conduite selon les méthodes du demi-sommeil, c'est-à-dire née des noces du conscient et de l'inconscient, il faudrait un Champollion qui découvre le secret de son écriture et l'enseigne, non seulement aux autres, mais à l'artiste lui-même.

Il n'existe pas d'œuvre sérieuse qui ne s'exprime par hiéroglyphes, par l'entremise d'une langue vivante et morte, nécessitant d'être déchiffrée.

Jusque-là, ceux qui la lisent se trompent. Ils commettent les fautes des savants qui, avant la découverte de Champollion, ne voyaient dans les hiéroglyphes que des figures et les interprétaient à leur manière.

C'est cette langue secrète, propre à chaque artiste, qui plonge les œuvres dans une grande solitude. Elle fait se demander si l'art ne s'adresse qu'aux personnes qui devinent la présence d'un texte mystérieux et se contentent d'en éprouver le mystère, ou bien aux personnes qui le traduisent selon une méthode fausse et répondant à leurs désirs.

C'est sans doute ce que voulait dire Rilke lorsqu'il m'écrivait que les poètes parlent une seule langue, même s'ils ne se comprennent pas entre eux.

Cette langue doit être un seul idiome en ce sens qu'elle se

communique par signes et qu'il est possible que ces signes relèvent d'une règle générale que chaque poète adapte à son usage.

En ce qui concerne *Le Chiffre sept*, j'étais loin de penser à l'écrire. Il devait attendre dans l'ombre cette phrase de Seghers : « J'aimerais publier de toi un long poème », phrase qui dut suffire à déclencher le mécanisme. On n'arrêterait pas de vaticiner sur les phénomènes nous poussant à sécréter une substance analogue à cette *gelée royale* des abeilles, substance où je suppose que les œuvres puisent leur force de survie.

Jean COCTEAU.

VII

« *Presque terminé le portrait Favini.* »
Voir ci-dessus, 4 mars 1953.

NOTICE

Madame Favini, née Torsenu, est originaire de Nantes. « Ma famille, dit-elle, est une famille d'échevins. » Monsieur Favini a fait une considérable fortune dans les chaussures. Leur fille Lucia refuse[1] des jouets magnifiques. Elle ne s'amuse qu'avec le Fly-tox. Madame Favini ne supporte que Schoenberg et que Rilke. Elle affirme cependant être de « l'âge atomique ». Son mari dit d'elle : « Ma femme est une Joconde moderne. » En outre, Madame Favini est la protectrice du célèbre peintre de marines et ancien futuriste, Scarpia. Voilà en quelques lignes une esquisse de cette femme de tête, dont j'expose le portrait.

POÈME

La Signora Favini
Assise dans ses triangles
Noble jusqu'au bout des ongles
Interroge l'infini.

Jean COCTEAU.

(Inédit. Milly-la-Forêt, fonds Jean Cocteau.)

---

1. Jean Cocteau avait d'abord écrit : « Leur fille Lucia est rousse. Elle refuse... »

VIII

« *Un texte pour l'hommage des musiciens à Éluard...* »
Les Lettres françaises, *n° 462, 23 avril 1953.*
Voir ci-dessus, 15 mars 1953.

ÉLUARD ET LA MUSIQUE

Il semble, au premier abord, que de la musique sur les poèmes d'Éluard établisse un pléonasme. Éluard n'est-il pas musique et ne se charge-t-il pas de chanter tout seul ? Mais on se trompe. Aucune poésie n'est musique, sauf s'il s'agissait d'une musique interne et inaudible. Cette espèce de musique s'apparente davantage au tam-tam mystérieux par lequel les tribus indigènes correspondent à distance.

Comme Pouchkine, Paul Éluard s'exprime sous forme de pulsation. Pulsation que ressentent même les oreilles qui ne la traduisent pas en vocables.

Le sang de Pouchkine et d'Éluard circule musicalement dans leurs veines. Ils le répandent selon le rythme d'un pouls que consulterait une main amoureuse. C'est pourquoi les musiciens se sentent attirés par ce rythme, le veulent orchestrer et accompagner de leur tendresse.

Dans les quelques exemples de cet « hommage », on verra que nul ne cherche à s'annexer les poèmes d'Éluard, mais que chacun veut prouver combien il les aime.

IX

« *Mort de Dufy.* »
Arts-Spectacles, *n° 405, du 3 au 9 avril 1953, page 1.*
Voir ci-dessus, 28 mars 1953.

UN HOMME DE NOTRE ÉQUIPAGE
EST TOMBÉ À LA MER
par Jean Cocteau

L'œuvre de Raoul Dufy est une grande signature inimitable. On songe aux paraphes des anciens rois de France, aux valses que les patineurs inscrivent sur la glace.

J'ai connu Dufy lorsqu'il illustrait les *Madrigaux* de Mallarmé[1].
Fauconnet venait de mourir. Il me préparait le mime du *Bœuf sur le
toit*[2]. En quelques jours, Dufy le remplaça, inventa décors, costumes et masques. Il exécuta, en outre, le décor de cirque dans
lequel des acrobates dansaient le fox-trot d'Auric[3]. Il fallut catastrophes et maladies pour nous séparer, sans que nos relations
amicales en souffrissent.

★

J'aimais son œil de faïence bleue, mais d'une faïence chaude et
lumineuse.
J'aimais ses bouclettes enfantines et sa bonne figure rouge,
grande ouverte. Il ne jalousait personne. Il ne se dressait contre
personne. Il était un adorateur du soleil, l'emmagasinait et l'expul-
sait sous forme de barques, de violoncelles, de vases de fleurs, de
palmiers, de kiosques, de guinguettes, de champs de courses.

★

C'est encore un homme de notre équipage qui tombe à la mer. Il
reste peu de monde sur le navire. Un nouvel équipage arrive, moins
apte à manœuvrer les voiles que les machines.
Sans cesse il nous faut mettre en berne et quitter nos compagnons de route.
Je ne leur dis plus adieu, mais au revoir.

X

« *La danse commence.* »
Rendez-vous de Cannes 1953[4].
Voir ci-dessus, 15 avril 1953.

SALUT À TOUS

Étant plutôt de la famille des accusés que de celle des juges, il
m'est très difficile de présider un jury. Mais la tâche me semble

---

1. Paris, Éditions de la Sirène, 1920. Voir Jean Cocteau, *Carte blanche*, dans *Le
Rappel à l'ordre, op. cit.*, p. 80.
2. Voir *supra*, p. 35, notes 1 et 2.
3. *Adieu, New York!*, fox-trot de Georges Auric, danse d'acrobates réglée par Jean
Cocteau, décor et costumes de Raoul Dufy. Ce fox-trot complétait le spectacle du *Bœuf
sur le toit.*
4. *Rendez-vous de Cannes 1953.* Supplément quotidien de l'hebdomadaire professionnel *La Cinématographie française*, aujourd'hui disparu. — 1re année, n° 1, mercredi
15 avril 1953.

moins lourde depuis que je constate avec quelle attention mes collègues regardent les films et s'attachent à découvrir l'effort du cinéaste, à en aimer la technique et les acteurs, sans que le moindre pré-jugement n'entre en ligne de compte.

Le travail est d'une terrible ingratitude. Les films sont nombreux, les prix ne le sont pas, et n'importe quelle récompense risque de mécontenter tout le monde. Ce travail devient un casse-tête lorsque la qualité d'ensemble est de premier ordre, ce qui me frappe en 1953.

Nous avons décidé de voir les films avant l'ouverture et de les revoir lorsque le contact avec un public les montre encore sous une autre face. Ainsi aurons-nous la conscience tranquille, même si nos votes déplaisent.

Je profite de ces quelques lignes pour souhaiter la bienvenue aux vingt-huit nations qui participent au Festival de Cannes.

Jean COCTEAU.

XI

« Fait l'article sur La Licorne... *»*
Arts-Spectacles, *mai 1953.*
Voir ci-dessus, 14 mai 1953.

LE LUXE SPIRITUEL
EST LE SEUL QUI NOUS RESTE

Le luxe est une mort. Il gave. Il tue l'émerveillement que le moindre spectacle procure à l'enfance. Il tue l'enfance qui se prolonge chez les grandes personnes et nous garde les yeux, les oreilles et le cœur ouverts. J'en avais éprouvé la tristesse au Festival de Cannes. Le public arrivait après les courts métrages où, de *Crin blanc* à *L'Étranger ne possède pas de carte*[1], la jeunesse exprime son génie. Pendant le long métrage ce public parlait, remuait, sortait, rentrait, quittait la salle avant la fin du film. Pour aller où ? Sur un escalier. J'avais surnommé le festival : *Festival de l'escalier.* Les haut-parleurs répétaient mon annonce : « Par respect pour les nations participantes, je demande... », sans que j'obtinsse

---

1. *The Stranger left no card*, film anglais de la réalisatrice Wendy Toye (prix du film de court métrage de fiction au Festival de Cannes de 1953).

le moindre résultat. Non que j'incrimine le public de Cannes. Il est le même au Lido. Le même dans les galas, mortels parce que les gens viennent s'y voir au lieu de venir voir ce qu'on y présente.

En revenant de Cannes et de Munich, j'ai traversé Paris. Édith Piaf[1] y jouait mon acte. Le soir, au théâtre Marigny, je constatai encore que le public se divise en deux. Le public des fauteuils qui paie trop cher. Le public des galeries qui paie moins cher et n'estime jamais qu'après avoir payé il ne doit plus rien aux artistes.

L'expérience de Vilar et d'Yves Robert à la Rose Rouge prouve que cette division néfaste disparaît dès que les publics se mélangent.

À Munich, le public est le même de haut en bas. Il passe pour « s'asseoir sur ses mains ». C'est ce que les Munichois pensent. Seulement, si un spectacle les arrache de cette réserve, ils l'acclament avec gratitude. Pendant les innombrables rappels qui suivirent *La Dame à la licorne* je me félicitais d'avoir imaginé ce ballet à l'usage d'une foule apte aux élans que le luxe paralyse. Les femmes qui m'assistaient dans la confection des costumes n'osaient pas couper les étoffes coûteuses. Les peintres qui m'aidaient à peindre le décor ne se souciaient plus des horaires de travail, le public n'applaudissait pas des mains, mais de l'âme. J'avais retrouvé ces noces violentes d'une salle et d'une œuvre avec *Orphée* à Berlin, *Bacchus* à Düsseldorf, *Œdipus Rex* à Vienne.

En outre, la Bavière saigne, elle a connu les camps de concentration du nazisme, les fils décapités à la hache, les bombes qui la massacraient et la délivraient. Elle se relève du désastre sensible et bonne.

Les mannequins de Dior donnaient leur spectacle la veille du nôtre. Ces grandes filles semblent évoluer dans un monde glorieux et ne rien remarquer de ce qui les entoure. Elles remarquent le moindre détail. Elles me racontaient : « Les spectatrices avaient mis leurs plus belles robes. Peu à peu, elles se rendirent compte que ces robes ne valaient pas les nôtres et que nos modèles dépassaient leur bourse. Au lieu d'y prendre de l'amertume, elles ne nous en fêtaient que davantage. »

N'est-il pas significatif qu'après avoir ruiné la Bavière les châteaux et les carrosses de Louis II lui rapportent une fortune ?

---

1. Voir *supra*, p. 113.

Ainsi marche le monde. Ainsi sauve le prestige et la poche des peuples le luxe spirituel que le monde traite de fou.

Le luxe est démodé, le luxe a changé de place. Un seul luxe reste valable, le luxe spirituel que l'argent entrave et à quoi toutes les classes doivent pouvoir prétendre. On me demande pourquoi j'ai créé *La Dame à la licorne* à Munich. La réponse est simple, chez nous, le prix des places empêche une œuvre d'atteindre le public qui en est digne. Je sais bien que les jeunes se privent du nécessaire pour se rendre au théâtre et que la langue internationale de la danse bonde les salles parisiennes et celles de New York. Mais New York souffre aussi d'un déséquilibre entre le luxe de la poche et le luxe de l'esprit.

Dans les nations où la vie est moins chère ce déséquilibre et ce malaise disparaissent.

Le théâtre y reste un cérémonial, une église ouverte à tous. Une masse exacte, attentive, ne juge plus séparément la surprenante et noble chorégraphie de Heinz Rosen, la grâce de Geneviève Lespagnol, la forte souplesse de Boris Trailine, la puissance mystérieuse de Veronika Mlakar, les motifs du XVIe siècle orchestrés par Chailley, mon décor, mes costumes.

Cette masse attentive voit une licorne blanche mourir parce qu'elle ne peut manger que de la main d'une vierge.

Elle voit une vierge aimer un homme et devenir une dame. Elle voit cette dame perdre sa licorne qui meurt et l'homme qui part. Elle voit la dame seule. Elle voit descendre vers la dame la banderole des tapisseries rouges : « Mon seul désir ». Elle voit le miroir dévirginisé par la corne de la licorne et cette solitude où le seul désir est la mort.

Il me reste à remercier particulièrement Veronika Mlakar, jeune fille yougoslave de dix-sept ans, car il est rare qu'une danseuse débutante bouleverse une salle entière par une longue pantomime et sans l'aide de son visage, masqué, ne laissant sous les projecteurs qu'un pauvre petit cadavre d'animal mythologique.

Jean COCTEAU.

XII

« Fait une lettre ouverte à Rosen... »
Arts-Spectacles, *5 juin 1953.*
Voir ci-dessus, 24 mai 1953.

LETTRE À UN CHORÉGRAPHE
par Jean Cocteau

*Nous avons reçu de Jean Cocteau, cette lettre qu'il nous demande de
publier et qui rend hommage au talent et au caractère de Heinz Rosen,
chorégraphe de* La Dame à la licorne.

Mon cher Rosen,

J'ai appris qu'on avait essayé de vous laisser entendre que je
désapprouvais votre travail pour *La Dame à la licorne*. Je l'ai appris
sans surprise, c'est le rythme à la mode, à la mode de chez nous.

Or, non seulement j'approuve votre travail, mais je le déclare
admirable. Et je tiens beaucoup à ce que les spécialistes de la danse
le sachent.

De vous je ne connaissais rien, sauf votre personne et ce qui en
émane. C'est sur votre personne et sur ce qui en émane que j'ai
joué.

Je savais que vous aviez monté *Visions en masques* et *Le
Bourgeois gentilhomme* de Richard Strauss à Bâle, *Circuscanteen* et
Carnaval à Zurich.

La chance ne m'avait jamais permis d'assister à vos spectacles.

Lisez le Journal de Nijinsky. De ce document étrange il s'échappe
un amour de l'humanité qui dut être la raison secrète de son génie,
il en projetait les ondes, il en rayonnait, il se voulait Dieu pour
« avoir pitié du cœur des hommes ».

Lorsque la bonté adopte cette forme d'ivresse, elle devient plus
forte que les techniques et que le simple désir de plaire.

De vous et de votre femme la bonté déborde. Elle s'affiche des
pieds à la tête. Il est probable que cette bonté active se prouve
chorégraphiquement. En outre, en ce qui me concerne, elle épouse
si bien mes méthodes que j'eusse, comme dessinateur, signé
chacun des gestes de vos artistes.

Une grâce puissante vous empêche de tomber, d'un côté dans les habitudes, de l'autre dans les grimaces du corps, si fréquentes lorsqu'on évite les habitudes.

Dans ce que vous inventez, tout est vif et tout est neuf, rien ne s'acharne à l'être. Votre singularité se déroule sans cet air de recherche qui trompe sur certaines danses modernes.

Un journaliste parisien qui était à Munich, apporta l'œil parisien (l'œil encyclopédiste). Il mit naïvement sur le compte d'un manque de culture chorégraphique l'absence de ce que vous vous gardez de faire, avec un tact de premier ordre.

Il résulte de ce tact que votre style ne retombe jamais, que votre écriture faite de membres et de groupes dit toujours cc qu'elle veut dire. Aucune boucle, aucune tache. Le reste arrive de l'âme et gagne les âmes. On croirait que Geneviève Lespagnol, Boris Trailine, Veronika Mlakar, les motifs de Chailley, mon décor, mes costumes parlent une seule langue fort subtile et cependant accessible aux foules. Cela me semble être le comble de la réussite. Car votre ballet émeut. Le sentiment l'y emporte sur l'esthétique. Une statuaire mouvante se sculpte sous la douche des projecteurs. Elle relève de cette dureté douce des poètes.

De poète à poète le travail était facile entre nous.

Rien ne vous rebute à la tâche. Nous vous vîmes corriger la partition d'orchestre de Chailley que son poste à la Sorbonne empêchait de nous rejoindre. Nous vous vîmes convaincre les jeunes filles du corps de ballet de charmer sous des masques. Nous vous vîmes, un danseur étant malade, vaincre votre fatigue et danser vous-même le rôle du peintre dans *L'Indifférent*.

J'ajoute que la pureté de vos trouvailles me dirigea, m'obligeant à supprimer, arracher, découdre, ne conserver que l'essentiel du lion à traîne de tournoi, des robes et des tuniques. Votre style ne souffre pas la moindre surcharge.

Je pars maintenant pour Rome où je parle à l'exposition de Picasso. Dès mon retour j'espère apprendre que votre triomphe quittera Munich et courra le monde.

XIII

« Les Japonais... »
Voir ci-dessus, 24 mai 1953
ADRESSE AU JAPON

Chers amis japonais,

Chaque fois qu'il m'arrive une lettre d'un ou d'une de vos compatriotes, je suis émerveillé par l'emploi qu'ils font de notre langue. Elle retrouve, à travers eux, le relief et la rareté du style qui se perdent de plus en plus chez nous.

Je suppose que cela vient de l'élégance profonde et du respect des poètes dont votre pays a toujours donné l'exemple. Avec le film *Orphée* je ne cherche pas à peindre les objets sous l'éclairage de l'intelligence, mais sous cet éclairage de l'âme qui montre la vérité de chaque chose à l'inverse du réalisme qui flatte les habitudes.

Il me semble que les Japonais doivent être plus aptes à me suivre dans mes mythes que les peuples qui dorment debout par crainte du sommeil et des surprises du rêve.

Le Japon n'a jamais craint de se livrer au rêve qui émane du grand sommeil de ses ancêtres. Il l'adopte et l'adapte à son usage. J'ai adapté la légende grecque à mon usage. C'est de la sorte qu'on empêche les légendes de mourir.

Je salue mes amis japonais et je souhaite de leur plaire, de toucher en eux ce sens de l'inactualité qui est, pour un poète, l'actualité véritable.

Jean COCTEAU.
Mars 1951.

XIV

« ... la très belle traduction... de mon poème à Lorca. »
Voir ci-dessus, 24 mai 1953.

CARTA DE ADIÓS A MI AMÏGO FEDERICO

Canta. Por la boca de tu herida. Por la boca entreabierta de tu herida. Por la boca abierta de par en par de tu herida. Por el húmedo clavel carmesí de tu herida. Por la reluciente granada de tu herida. Por la risa atroz de los dientes de un caballo de picador al sol de tu herida. Por la leche morena de los labios de recién nacido de tu herida. Por la lava del volcán de tu herida. Por la mucosas del erizo abierto en dos de tu herida. Por la cueva en la que se despierta sobresaltado el gitano de tu herida. Por la estrella escarlata sobre las ruinas de tu herida. Por la tinta roja del último poema de tu herida.

Jean COCTEAU.
Traduit par Edgar Neville.

LETTRE D'ADIEU À MON AMI FEDERICO

Chante. Par la bouche de ta blessure. Par la bouche entrouverte de ta blessure. Par la bouche grande ouverte de ta blessure. Par l'œillet mouillé cramoisi de ta blessure. Par la grenade luisante de ta blessure. Par le rire atroce du dentier d'un cheval de picador au soleil de ta blessure. Par le lait sombre des lèvres du nouveau-né de ta blessure. Par la lave du volcan de ta blessure. Par les muqueuses de l'oursin ouvert en deux de ta blessure. Par la caverne où se réveille en sursaut le Gitan de ta blessure. Par l'étoile écarlate sur les ruines de ta blessure. Par l'encre rouge du dernier poème de ta blessure.

Jean COCTEAU.

XV

« *Fait préface Grèce...* »
Doré Ogrizek, La Grèce, Paris, Odé, 1953.
Voir ci-dessus, 17 juin 1953.

PRÉFACE

J'ai toujours considéré l'aurige de Delphes comme un aveugle en marche immobile, un signe du temps qui nous dupe, une colonne votive aux yeux d'émail et aux cils de bronze, une preuve de continuité de cette Grèce dont je n'ai pas à dire le rôle qu'elle joue dans le désordre du monde, mais à qui, en vertu du pouvoir conféré aux poètes, je décerne l'Ordre du Mythe, ordre invisible et souverain.

Tout sol se dessèche à la longue et déjà la Grèce, à la mort de

Platon, se trouvait aux prises avec des gênes géographiques et sociales. L'eau manque, mais jamais une sève étrange grâce à laquelle la fable s'enracine dans le roc, s'épanouit, embaume.

Sur le yacht d'une amie j'ai visité les Îles. J'ai constaté que ce qui constituait pour nous des obstacles n'en opposait aucun aux navigateurs antiques et que le simple problème de se rendre à Delphes par la route n'empêchait pas d'y édifier des temples, d'y apporter et d'en emporter les statues.

Pauvre petit aurige ! Ses orteils s'alignaient dans un char attelé de chevaux. Il couronnait l'amphithéâtre de Delphes.

Amputé, privé de son attelage, il ne s'arrête pas. Il ne fait pas le geste du stop. Il roule statiquement sur un socle. Seulement ce qui lui manque témoigne d'un vide aussi mystérieux que celui du futur. Il semble dire : « Mes guides sont une canne d'aveugle. Le temps est faux. Il vous trompe. Ne vous y laissez jamais prendre. »

Ayant consulté cet oracle, non loin de l'antre de la Sibylle, je visitai la Grèce en y cherchant autre chose que la trace des légendes et des dieux que les Grecs créèrent à leur image. On habitait le même immeuble, en quelque sorte. On se croisait, mortels et immortels, dans l'escalier.

Partout j'ai retrouvé les sources de la magnificence signifiante avec laquelle ce peuple sage amplifiait le moindre geste. Une seule source m'échappe et me fascine. Celle du sang de Méduse d'où naquit Pégase, après la décollation.

À moins que Persée, invisible, armé d'un sabre et d'un miroir, ne trouve dans la laideur sublime d'une Gorgone le signe de la beauté véritable. Pégase naît. Vous en serez tous « médusés ». Voilà ce qu'exprime son acte. Et nous fûmes médusés et nous le sommes et la grande aile du cheval bat encore l'air léger du Péloponnèse.

La fable drape la Grèce d'une pourpre sans trous. La généalogie des mythologues est moins suspecte que celle des historiographes. Parce que l'Histoire se déforme à la longue et que le mythe se forme à la longue. Parce que l'Histoire est du vrai qui devient faux et que le mythe est du faux qui s'incarne.

Entre les lauriers-roses qui bordent la route de Mycènes, nous ne nous attendons peut-être pas à ces blocs sauvages, à ce désordre de tombes, à ces bases d'un faste disparu. Nous nous attendons à ce que les ombres de Clytemnestre, de sa fille et de son fils nous y reçoivent, remplissent les pentes de leurs disputes d'oiseaux de proie.

À Nauplie, les marais soufflent l'haleine des bouches de l'Hydre.

À Cnossos, les ruches nous livrent le secret des modes d'une décadence qui était la pointe extrême d'une civilisation. À Épidaure, nous pouvons suivre une foule élégante de ville d'eaux. Et le théâtre de Dionysos en bas de l'Acropole organise les spectacles de notre rêve. On s'y assoit en face d'ivrognes de marbre, pareils à Verlaine. On y ferme les yeux. On y écoute le dialogue des grandes voix qui nous plaignent de n'en pas savoir davantage et se moquent aimablement de nous.

Cette Grèce! On y navigue sous le signe perdu de la triade. Zeus, Pluton, Poséidon en formaient une, avant que les prophètes juifs, Héraclite et Einstein, s'en préoccupassent. Les immortels de l'Olympe baissent la tête si Zeus se fâche. Mais Poséidon et Pluton la redressent. Ils ne reçoivent aucun ordre. Avec Zeus ils sont un en trois.

Des spécialistes vous parleront en détail de ce sol tiré en l'air par des monstres exquis. Chaque fois je m'y laisse prendre et je retrouve une honte de ma jeunesse : celle d'avoir plaisanté Maurras parce qu'il embrassait une colonne du Parthénon. Il n'y avait pas de quoi rire. Un feu rose alimente les veines du marbre. Ce marbre parle. Si les cigales se taisent, on l'entend. Hélas, c'est le « Jamais plus » d'Edgar Poe que murmurent les jeunes filles monumentales.

Pour une âme incrédule en ce qui concerne les perspectives de l'espace et du temps, une ruine est un sacrifice à ce qu'on nomme l'avenir. Elle devient presque une ébauche, un espoir à l'envers. Or l'envers et l'endroit perdant leur sens sous un ciel peuplé comme un plafond de Véronèse, on se met à espérer au lieu de désespérer dans la cage ouverte de la sauterelle Pallas.

Un charmant savant, le docteur Javorsky, me disait jadis : « La terre est jeune. Dans l'antiquité grecque elle était à l'âge où l'on interroge les parents. » Je songeais à cette parole sur la petite agora du temple des Vents, où une découverte de la science permettrait de capter les conciliabules des morts. Je songeais à cette promenade lente des élèves et des maîtres qui ne ressemblaient pas à des professeurs. Je songeais à ce peuple qui s'interrogeait sans cesse et se trouvait des réponses aptes à vaincre le malaise au lieu de l'alimenter. Je songeais à ce néant, bourré de figures remuantes et agissantes, à ces vertus et à ces vices sanctifiés de telle sorte qu'on n'envisageait pas le mal et qu'on craignait peu des Enfers que les vivants visitent, où ils bavardent avec des ombres, buvant, si elles le veulent, au fleuve d'oubli.

Je songeais au petit aurige en robe plissé soleil, la taille haute, les pieds joints, qui, de sa canne blanche d'aveugle, tâte notre sol instable et inspecte l'éternité de son œil dur et pur.

Jean Cocteau.

XVI

Les Lettres françaises, *n° 471, 25 juin 1953.*
(Encadré, première page.)
Voir ci-dessus, 24 juin 1953.

UNE INITIATIVE DE JEAN COCTEAU

Pour la réhabilitation
d'Ethel et Julius
ROSENBERG

Rendant hommage aux juges qui n'ont pas accepté la sentence de mort contre Ethel et Julius Rosenberg, électrocutés malgré les protestations du monde entier, les soussignés demandent que tout soit mis en œuvre pour la prompte réhabilitation des parents de Michaël et Robby Rosenberg, héritiers de leur honneur.

Jean Cocteau, Henri-Georges Clouzot, Julien Benda, Aragon, Georges Duhamel, de l'Académie française, Jean-Jacques Bernard, Francis Carco, de l'Académie Goncourt, Elsa Triolet, Marc Beigbeder, Vercors, Jean-Paul Sartre, René Laporte.

Les Lettres françaises transmettront à M. Jean Cocteau celles des signatures à cet appel qui leur seront adressées.

POUR LA VARIÉTÉ DES INITIATIVES

Nous apprenons que d'éminents écrivains catholiques s'apprêtent à prendre une initiative semblable. Tous les gens de cœur s'en réjouiront.

XVII

« ... chez le docteur Marañón. »
La Table ronde, « *Autour de Jean Cocteau* », *n° 94, octobre 1955.*
Voir ci-dessus, 22 juillet 1953.

LE VOYAGE DE COCTEAU EN ESPAGNE

Au cours de son voyage en Espagne, Cocteau n'est pas allé de ville en ville, mais d'âme en âme. Il ne pouvait voir l'Espagne comme les voyageurs d'autrefois, avec le regard objectif, mais un peu pédant d'un naturaliste, ni se servir des paysages et des visages de ce pays comme d'une guitare pour interpréter, une fois de plus, le chant douloureux, passionné ou pittoresque des romantiques, ni faire un reportage photographique, des commentaires financiers ou politiques comme les touristes d'aujourd'hui. Pour le poète, un pays est représenté par quelques esprits qui, telles les étoiles perdues dans la nuit infinie, semblent lointains et indépendants, jusqu'au jour où l'astronome découvre que l'harmonie d'une constellation les lie.

Ces astronomes des âmes circulent — comme Cocteau en Catalogne, en Castille, en Andalousie — avec une allure un peu fantomatique, sans avoir l'air de remarquer quoi que ce soit, tels les noctambules qui se retirent quand le commun des hommes commence de se montrer. Cela n'est peut-être pas vrai, mais c'est l'impression qu'on a. Que regardait Cocteau, au juste, ce matin-là, alors qu'il se trouvait dans le hall d'un hôtel de Barcelone ? ou encore cet autre jour quand, à la tombée du soir, il passait dans les rues de Tolède, parmi les personnages du Greco encore vivants ; ou bien lorsque, assis à la corrida d'une arène du Sud, il voyait la danse de ces pantins brillants devant la mort ? Il paraissait ne rien regarder. Mais il était attentif à la pulsation imperceptible de la vie, à un vague clair-obscur, à une note confuse qu'amenait le vent, à un souffle humain à peine audible. Et il savait bien que l'Espagne était présente là, dans chacun de ces signes fugitifs.

Dans l'Espagne de ses visions et de ses pressentiments, la grande rencontre de Cocteau, ce fut celle de Góngora et du Greco, tous deux réunis. En réalité, dans les grandes rencontres, nous retrouvons toujours une partie de nous-mêmes. La femme, l'ami ou le vers du poète que nous trouvons un jour au carrefour du chemin et qui marquent à jamais notre vie, sont semblables à des miroirs où nous voyons ce qui, dans notre âme, nous était voilé ; et si nous les aimons sur-le-champ, c'est qu'ils nous soulagent de l'angoisse d'ignorer ce que nous sommes. Je pense que Cocteau, lorsqu'il rencontra Góngora, rencontra une partie de ce classicisme fulgurant qui vient aujourd'hui déferler comme une vague, au seuil de l'Académie. Pour un Espagnol moderne, il est prodigieux de voir que la veine qui coulait dans l'âme d'un poète cordouan (c'est-à-dire supra-espagnol) du XVIIe siècle, réapparaît chez un poète français du XXe siècle. Cocteau a traduit un des sonnets symboliques de Góngora, dédié au sépulcre du peintre Domenico Theotocopuli [1] ; et le texte original espagnol pourrait tout aussi bien être une traduction d'un sonnet de Cocteau, faite par Góngora. Pour traduire quelques-uns des poèmes de Cocteau, les prodigieux douze vers de *La Jeune Femme* [2], par exemple, il faudrait que Góngora ressuscitât.

Mais la rencontre des deux poètes, pour prendre tout son sens, devait fatalement avoir lieu dans ce jardin du Greco, à Tolède, où nous croyons voir les toiles ardentes, éclairées par la lumière livide « d'un ciel à demi ouvert et pareil à l'huître ». De nos jours, les critiques se passionnent pour les tableaux du peintre et théologien crétois ; mais personne n'a remarqué que Le Greco et Góngora sont à jamais liés, comme dans un hiéroglyphe, en ce sonnet que les savants mirent plusieurs siècles à déchiffrer.

Seul Góngora « irréel, d'un réalisme dépassant les bornes », pouvait, en son temps, comprendre entièrement le peintre qui avait horreur des schémas, et seul un grand poète moderne, et probablement seul un Français, pouvait sentir le mystère de ce sonnet au point de le récrire dans sa propre langue, ce qui est différent et bien plus important que de le traduire. Qu'on pense à Gautier, pendant la période romantique aveugle à tant de choses, qui supposait que le Greco était un génie fou ! Il fallait que la poésie devînt esprit pur pour qu'on comprît que la prétendue folie du peintre-théologien était la forme suprême de la sagesse, celle que les hommes confondent longtemps avec l'extravagance.

Mais Cocteau introduit à ce moment de son voyage, un autre esprit nécessaire à l'interprétation du Greco. Góngora comprenait

---

1. Voir *supra*, p. 207.
2. Dans *Clair-Obscur*, *op. cit.*, p. 121.

et aimait le Greco pour cela même qui détourna, avec un mépris prudent mais inexorable, Philippe II du grand peintre. Nous voici maintenant à l'Escorial qui, à proprement parler, n'est pas un monument mais une âme, celle de Philippe II.

Le fait que ce grand roi refusa le tableau *(Le Martyre de saint Maurice et de sa légion)* commandé à Theotocopuli, n'étonna personne, en son temps. Greco lui-même le comprit si bien, que, sans ressentiment, il continua sa route vers Tolède, qui était l'anti-Escorial. Le monarque voulait une image exemplaire du martyre, la souffrance physique d'hommes égorgés, et le Greco, bien inspiré, peignit l'admirable du miracle, qui n'est pas la mort, mais son acceptation sans grimaces héroïques, comme on accepte que deux et deux fassent quatre. Cela, seule une âme mystique pouvait le comprendre, et Philippe II était un puritain, tout le contraire d'un mystique.

L'Escorial est une merveilleuse symphonie rectiligne qui recouvre, tout en bas, le pourrissoir des Rois « fusillés par des mitrailles d'orgue ». Et dans l'art du Greco il n'y a pas de lignes droites, seulement des courbes qui palpitent comme des cœurs ou comme des voiles au vent. Et dans cet art, il n'y a rien de putrescible, car tout y est Ascension, passage, au cours de la vie même, vers le haut des cieux. Philippe II et le Greco ne pouvaient trouver un champ d'entente.

Mais pour expliquer tout cela, il est un personnage essentiel que Cocteau fait apparaître au moment voulu : Jérôme Bosch, *El Bosco*. Ce n'était pas un Espagnol, mais, comme Theotocopuli, il est indispensable de le connaître pour comprendre l'Espagne d'alors. Comment les critiques ont-ils pu négliger le fait que Philippe II, horrifié par l'hétérodoxie académique du martyre de saint Maurice, se soit laissé entraîner, par un amour débordant, pour les tableaux de Bosch ? Le sens est clair, pourtant. Philippe II, comme tous les puritains, était imprégné des formules de la raison politique qui, au fond, sont toujours un artifice monstrueux dont l'effet est de tuer l'âme. Sa forme la plus nuisible est la dénommée raison d'État, la « dictatrice » des dictateurs. Le mysticisme eût pu lui servir de contrepoison, mais l'exercice du pouvoir absolu — et l'hérédité — empêchaient totalement en lui les grands mouvements de l'âme. Alors, il eut recours au dérivatif habituel du puritain : le goût pour l'irrespect, et l'indécence, vêtus de grâce, enfermés, comme des jouets absurdes, dans des alambics de cristal bleuté. Les tableaux de Bosch ne sont que cela : blasphèmes, voilés avec art, servant à la distraction des grands seigneurs. Dans les toiles du Greco, tout est impondérable gravité, le contraire de la facétie.

Ainsi l'on peut affirmer que ce ne fut point, comme le disent les manuels, le maniérisme académique des peintres italiens, dont était pénétré le goût de Philippe II, qui chassa Greco de l'Escorial, mais que ce furent les fantaisies grotesques et irrévérentes de Jérôme Bosch.

Voilà qui suffisait à rendre inoubliable le voyage de Cocteau dans les âmes espagnoles ; mais ce n'est pas fini. Il rend aussi visite à Velázquez — dans son ambiance intime — « Lourd de parfums de chairs et de fard sur les chairs », à Manolete, hiératique comme tous les hommes voués à la grande tragédie, « entouré d'yeux par le monstre à vingt-quatre mille figures de soleil et d'ombre », à Gaudi, qui passe avec son génie endormi au son d'une berceuse catalane, devant « l'immobile vertige » de ses façades, à Picasso, « déracinant le rosier sauvage des règles », gardant en dépit de tout le visage d'un gamin de la crique de Málaga, à Pastora Imperio, lançant, sous l'arc inspiré des bras, « la foudre verte et bleue » de ses yeux...

Et enfin, il arrive à Grenade. Grenade non plus n'est pas une ville, c'est une âme, mais une âme absente, celle de Federico García Lorca. On entend, comme au travers d' « un mouchoir sur une bouche », les bruits mystérieux et uniques de cette ville à l'âme absente : les chiens dans le lointain, « les claques de mains gitanes », les cloches, l'eau qui coule sans qu'on la voie couler, une guitare. Tout pleure au souvenir du poète qui n'est plus.

Et de même que les toreros défilent, la *montera* à la main, lorsqu'un autre grand torero est mort dans l'arène, Cocteau, qui sait le sens de toutes les cérémonies, traverse Grenade au bras de Manuel Machado, et tous deux vont tête nue.

G. MARAÑÓN,
de l'Académie espagnole.

(Traduit de l'espagnol par Michelle Mayer.)

XVIII

« *Envoyé l'article-préface pour le numéro de* Plaisir de France. »
Théâtre de France, III, *Paris, Les Publications de France, 1953,*
p. 151.
Voir ci-dessus, 25 août 1953.

COUP D'ŒIL À VOL D'OISEAU
SUR LE SPECTACLE
par Jean Cocteau.

Notre époque a commis la grande erreur de croire qu'il existe
une production dans le domaine du théâtre et du film, qu'il peut y
avoir de bonnes et de mauvaises années comme pour le vin.
Lorsqu'on nous cite Racine, Corneille, Molière, on oublie que
d'innombrables pièces se jouaient en même temps que les leurs et
remportaient, hélas ! et sans doute, un plus gros succès. L'idée d'un
niveau de production ne peut venir que d'un équilibre industriel
qui ne relève pas de la qualité des œuvres mais de leur vertu de
contact. Toute œuvre importante est en quelque sorte un accident
sur la ligne, un scandale et un désordre puisque son ordre neuf en
dérange d'autres et les oblige à changer de rythme. Il est du reste
assez rare que le rythme change à cause de la qualité inimitable
d'un ouvrage exceptionnel.

Une autre mauvaise habitude est de confondre la vitesse du
progrès et la vitesse de l'esprit, lesquelles n'ont aucun rapport, le
progrès de l'esprit ne pouvant qu'être la marche d'un homme sur
ses jambes alors que le progrès l'éclabousse de ses machines et le
trouble au point qu'il lui arrive de perdre patience et de se livrer à
la pantomime du stop. Il en résulte que beaucoup de jeunes se
laissent prendre au piège, se lassent de marcher seuls dans l'ombre
et s'embarquent dans un véhicule qui n'est pas à eux.

Le terme « dépassé » est un terme à la mode. Chacun cherche à
dépasser l'autre sur la route. Ces dépasseurs se retrouvent au feu
rouge ou à l'hôpital. Ce phantasme du dépassement nous arrive de
la technique. Or les techniques ne peuvent être valables que si elles
servent une idéologie. Sinon elles deviennent leur propre idéologie,
s'annulent et se dévorent.

C'est pourquoi j'admire, par exemple, que l'art du ballet progresse par le travail sérieux auquel la danse doit obéir et se trouve rarement victime d'un vertige propre à confondre les entreprises de surface et les entreprises profondes. De plus en plus le ballet cherche ses titres de noblesse dans l'emploi d'une langue internationale capable d'exprimer davantage que des gestes vides opposés aux gestes d'hier.

Malgré la solitude où je travaille, je trouverais ridicule de vivre en ermite et de dédaigner ce qui se passe à Paris. Jamais, au contraire, je ne m'y suis plus intéressé, jamais je n'ai ressenti plus de joie aux réussites de mes camarades si ces réussites relèvent d'une autre méthode que de celle du choc.

Le Festival de Cannes m'a prouvé combien j'étais peu apte à décerner des palmarès. Je suis plutôt un accusé qu'un juge et je m'en vante. Le dernier soir de Cannes j'avais dit en public mon souhait que ces festivals devinssent ce qu'ils ne devraient jamais cesser d'être : une rencontre des esprits et des cœurs.

Je n'oserais donc pour rien au monde citer les œuvres et les artistes qui, de loin, me paraissent avoir gagné la palme. Mais je constate que les accidents dont je parle se produisent à une cadence beaucoup plus rapide, ce qui prouve moins de routine et une manière de révolte instinctive contre les poncifs, principalement s'ils se présentent sous les auspices de l'avant-garde.

Notre rôle de l'époque dite « héroïque » était plus commode que celui des jeunes de 1953. Nous luttions contre un calme et contre une platitude. Notre audace se présentait sous des attributs scandaleux et qui ne trompaient personne. Aujourd'hui le scandale consiste à n'en pas faire, ou par la bande. Demain un nouveau calme remplacera un cyclone et ceux qui auront le courage d'en être les protagonistes seront accusés d'être des retardataires. Il s'agira de les deviner au regard et non au masque. Ils seront invisibles comme la beauté neuve l'est toujours.

Jadis nous étions invisibles mais une certaine visibilité nous venait de la colère des foules. Or il ne me semble pas me tromper en m'apercevant que déjà et peu à peu le théâtre redevient du théâtre actif et verbal, le ballet, l'œuvre d'un écrivain autant que celle d'un chorégraphe, que le public ne se contente plus de recevoir soit une gifle soit une leçon, et qu'il cherche, en outre, autre chose qu'une simple détente.

J. C.

XIX

« ... *mon admiration pour Georges Neveux...* »
France-Illustration/Le Monde illustré,
supplément théâtral et littéraire,
n° 109, 28 juin 1952, p. 4 de couverture.
Voir ci-dessus, 29 septembre 1953.

Il y a deux pièces de théâtre dont je suis jaloux, que j'aurais voulu avoir écrites. Leurs auteurs le savent, c'est *Pelléas*, de Maeterlinck, et *Juliette ou la Clé des songes*, de Georges Neveux.

On se souvient de l'accueil fait jadis à *Pelléas*, je parle de la pièce : un scandale. Le même accueil a salué *Juliette*, car le mécanisme du rire, dont parle Bergson, ne joue pas seulement dans la chute des personnes, dans l'homme ou la femme qui se pantinise brusquement et déclenche le rire cruel de la rue, il éclate lorsqu'il se produit une brusque rupture entre les habitudes du public et la nouveauté qu'on lui présente.

Ce rire du public n'est pas la preuve qu'une nouveauté de l'art soit bonne, mais par contre il préside presque toujours à la naissance des chefs-d'œuvre. J'ajoute que si l'œuvre est un chef-d'œuvre, sa fraîcheur, sa force de surprise restent si jeunes que les choses ne s'arrangent pas toujours à la longue. Il est des œuvres qui surprendront comme à leur naissance.

Cependant, j'espère qu'à la Radio, c'est-à-dire sous une forme où l'imagination des auditeurs invente la mise en scène, invente les décors et les costumes, la merveille qu'est *Juliette ou la Clé des songes* prendra son véritable sens.

Rares, rarissimes sont les œuvres qui possèdent un ton. Un ton, ce n'est pas le style, c'est encore autre chose. Le ton, c'est celui de Selma Lagerlöf dans *Gösta Berling*, par exemple ou celui de Mme de La Fayette dans *La Princesse de Clèves*, de Gogol, dans *Les Âmes mortes*, d'Alain-Fournier, dans *Le Grand Meaulnes*, etc.

Le ton de Georges Neveux dans *Juliette ou la Clé des songes* est inimitable. Il ressemble à un accent de l'âme, à un parfum d'un pays inconnu de nous, qu'on rêverait de connaître. L'acte de la forêt est imprégné de cet accent, qui s'apparente au bruit des feuilles, au murmure de ce qui gravite, et sans doute des astres.

Jean COCTEAU,
à la Radiodiffusion française.

XX

« ... *écrire un article sur Barrès...* »
Les Nouvelles littéraires, *jeudi 26 novembre 1953.*
Voir ci-dessus, 17 octobre 1953.

HOMMAGE À BARRÈS

J'ai été formé par de jeunes professeurs pour lesquels Barrès était un dieu. Il était donc normal que j'en prisse ombrage. C'est sans doute la source de mes *Visites à Maurice Barrès*[1]. Il le prit d'abord très mal, et très bien ensuite, puisqu'il m'écrivait : « Si vous ajoutez quelques pièces à mon procès, venez me les lire. »

Avec l'âge, les belles œuvres disparates deviennent des hôtes au lieu d'être prétextes à jeux de massacre. Barrès avait le style gitan et je l'imaginai toujours, soit avec le funèbre rire au soleil d'un cheval de picador, soit avec un œillet rouge sur la tempe. Je n'aime pas sa politique. Elle reste à l'origine d'une mésentente malheureuse entre la France et l'Allemagne nouvelle. Bismarck y joue un plus grand rôle que Hitler. Mais je m'incline devant *La Colline inspirée, Un jardin sur l'Oronte*, et son chef-d'œuvre : *Les Déracinés*. De même, sans partager les opinions qu'il y exprime, *Leurs figures* m'étonne par sa malice et par le noir de son encre.

Et puis Barrès, c'est ma jeunesse, mes études chez M. Dietz[2], la rue Claude-Bernard, Neuilly, une foule de choses qui m'auréolent son œuvre d'une profonde douceur.

Jean COCTEAU.

---

1. *La Noce massacrée (souvenirs), 1. Visites à Maurice Barrès,* Paris, À la Sirène, 1921
2. Voir *supra*, p. 152, n. 2.

XXI

« *Un article pour aider le livre de Maurice Raphaël*[1]. »
Arts-Spectacles, *n° 435, mercredi 5 novembre 1953.*
Voir ci-dessus, 17 octobre 1953.

JEAN COCTEAU
PREND
« FEU ET FLAMMES »
POUR
MAURICE RAPHAËL

Le feu des âmes et le feu tout court, voilà ce qui galope ensemble à travers le livre de Maurice Raphaël, quadrige rouge. Nous connaissons tous, sur la Côte, cette crainte d'une étincelle, d'une cigarette qui tombe dans le sec et dans la résine, ces montagnes qui fument et ces feux qui apparaissent d'abord comme des feux de joie.

Feu et flammes débute par la naissance du monstre et se déroule avec la prodigieuse malice d'un dragon chinois. Un homme et une femme se trouvent captifs de ses boucles, pris dans la fournaise d'une gueule grande ouverte, dans la fuite en zigzags des contes orientaux, où le dragon et la mère du dragon poursuivent princes et princesses. Chez Raphaël, ni prince ni princesse. Un couple de cyclistes et la manière dont les sentiments bouillonnent, se cuisent, se gonflent, se fendent, changent de couleurs, se fixent à l'épreuve du feu.

Il y a là, et j'en félicite l'auteur, un mélange de classicisme (unité de temps et de lieu) et du romantisme terrible des flammes.

---

1. Ange Bastiani (1918-1977), auteur de plusieurs romans, publiés sous divers pseudonymes notamment aux Éditions du Scorpion (*Ainsi soit-il,* préfacé en 1947 par Raymond Guérin) et aux Éditions Denoël (*Une main lave l'autre* et ce *Feu et flammes*), ainsi que de romans policiers.

XXII

« *Reçu :* Venise *vue par Ferruccio Leiss avec ma préface...* »
Voir ci-dessus, 22 octobre 1953.

L'AUTRE FACE DE VENISE,
OU VENISE LA GAIE

Venise a bénéficié et maléficié de ses moustiques, disparus à l'heure actuelle. Sans doute la petite fièvre qu'ils donnent trompait ses amoureux sur son véritable caractère. On en fit une ville malsaine, étrange, douloureuse, romantique, alors qu'elle se présente, dès le premier abord, comme la ville la plus saine et la plus joyeuse du monde.

Peu m'importe si des gondoles s'opposent à la hâte des crises amoureuses et de la poursuite des jaloux. Je ne vois que lions qui volent, chevaux sur des toits et pigeons qui se promènent de long en large, les mains dans le dos, et hochant la tête. Je ne vois qu'un peuple qui traverse les touristes comme des fantômes et si agile, si adroit dans ses gestes, avec les plateaux de fruits qu'il porte, qu'on dirait que toutes ses mains gauches sont des mains droites. C'est par excellence la ville ignorant la maladresse, et cette hâte ridicule des personnes n'allant nulle part et croyant se rendre aux occupations les plus importantes.

Venise a dû être trouvée laide jadis. C'est ce qui la sauve du pittoresque. De nouveaux riches s'y battaient à coups de luxe. C'est à qui tricoterait le mieux la guipure de pierre avec les *pali* plantés ensuite dans l'eau comme les aiguilles dans une pelote et, sous ces grosses aiguilles de bois, les laines du reflet semblent se brouiller et se tordre aux pieds d'une femme attentive à son ouvrage. Mais peut-on parler de pieds en parlant de cette sirène à mi-corps dans l'eau et dont la base est un double ? En vérité, cette ville lacustre est de toutes les villes que je connais celle où l'on marche le plus, où l'on circule le plus à travers les couloirs d'un palais de Minos, d'un labyrinthe.

Venise n'est ni belle ni laide, ni propre ni sale, ni fastueuse ni simple. Elle est. Elle existe bizarrement en dehors des règles. Elle oblige le voyageur à se sentir ridicule avec sa manie de vitesse et ses costumes sans grâce.

Jadis, lorsque la comtesse Morosini traversait la place Saint-Marc, les femmes du peuple lui criaient : « Dieu soit remercié de t'avoir faite si belle. » Phrase étonnante qui résume la gentillesse d'un peuple pour lequel tout est spectacle, et qui, par exemple, assiste des loges de ses fenêtres à un dîner de restaurant luxueux en n'éprouvant que la joie qu'il éprouverait au théâtre.

Il y a quelque chose de fou et de profondément honnête dans ce décor où rien n'est inutile, où la gondole est un fiacre, où les palais servent, même s'ils penchent comme une cantatrice qui salue.

C'est à Venise que je trouve cette halte qui n'est jamais inerte, cette fatigue pareille au repos. On ne s'arrête jamais de se perdre et de se retrouver, et de voir surgir ce qu'on connaît par cœur, sans le reconnaître comme si on le découvrait pour la première fois.

Et je regrette que tant d'écrivains s'obstinent à voir un sphinx couché sur les eaux dans cette femme du peuple couverte de bijoux et d'une élégance toute naturelle.

La nuit il faudrait surprendre les chevaux de bronze qui galopent sur les dalles et se délassent de vivre en l'air, les lions d'or qui changent de corniche, les saints qui marchent sur les eaux plates. Il faudrait surprendre les fantômes de la Duse et de Gabriele D'Annunzio se poursuivant parmi les charmilles de la Giudecca, avec l'escorte des admirables actrices du film muet qui couraient vers l'amour en mordant des roses.

XXIII

« J'ai fait et envoyé le dessin d'Alexandre Dumas... »
Voir ci-dessus, 22 octobre 1953.

XXIV

« Ci-joint la litho du livre de Lescoët.[1] *»*
Voir ci-dessus, 26 octobre 1953.

1. Henri de Lescoët, *Poésie ma solitude*, Paris, Nouvelles Éditions Debresse, 1955.

XXV

« *...texte-préface au disque long play des Six.* »
Voir ci-dessus, 6 novembre 1953.

PRÉSENTATION DU GROUPE DES SIX

Il me semble que le privilège du groupe nommé groupe des Six fut de ne pas être un groupe esthétique mais un groupe amical. Aucune ombre n'a jamais troublé notre entente. Cela vient de ce que cette entente relevait davantage des sentiments que des opinions. S'il existait une certaine tendance générale, ce pouvait être celle d'un sauvetage de la ligne mélodique un peu noyée dans les chefs-d'œuvre de l'harmonie. Chacun travaillait à sa guise et nul ne devait obéir à des ukases. Six artistes s'aimaient entre eux et il s'en trouve un septième en ma personne. Voilà toute la doctrine de ce groupe. Après bien des années — il prend sa source en 1916 — il se présente intact malgré le cortège de morts qui l'escorte. Je tiens à saluer le groupe des Six comme un exemple de lien libre, d'un bloc solide formé de contrastes et d'une même fidélité du cœur. Il convient en outre de saluer Erik Satie. Il n'était pas du groupe mais sa ligne mélodique si pure, si discrète, si noble a toujours été une école pour nous.

Nous avons tous été insupportables et il convenait de l'être, car seul l'esprit de contradiction sauve de la routine et si le rôle de la jeunesse n'était pas de se cabrer contre ce qui est, même si elle l'admire, son rôle se bornerait à l'obéissance et à peupler les champs de bataille. À cette époque — n'oubliez pas de quelle époque je parle, que nous n'en sommes plus à *Vingt Ans après*, hélas, mais au *Vicomte de Bragelonne* — à cette époque, dis-je, notre rôle de contradicteurs n'était pas facile, car nous eûmes en face de nous des colosses armés de charme — Debussy, Ravel — et un colosse armé de foudre. Stravinski devait, avec *Le Sacre du printemps*, rendre notre petite forteresse presque intenable, car si le groupe des Six était libre, sa doctrine pleine d'un respect admiratif pour ceux qu'elle prétendait combattre, il n'en constituait pas moins un groupe et un groupe, qu'il le veuille ou non, possède une sorte de tendance commune. La nôtre était de passer du tambour à la flûte et de la flûte au tambour, de remettre en pointe certaines qualités françaises qui s'ovalisaient et versaient trop d'huile dans leurs mécanismes. *Le Sacre du printemps* opposait une force d'arbre qui pousse à nos jeunes arbustes et nous devrions nous déclarer vaincus sur ce terrain si par la suite Stravinski ne s'était rangé à nos méthodes et si même l'influence d'Erik Satie ne s'était pas fait, parfois, mystérieusement sentir dans son œuvre. Les jeunes musiciens de 1953 se doivent donc de contredire une nouvelle espèce de contre-charme. Il est compréhensible qu'ils se recommandent de Schoenberg et y trouvent une arme contre des œuvres qui, elles, craignaient sa science chiffrée.

Les insupportables d'après 14, outre moi, qui dans *Le Coq et l'Arlequin* parlait pour eux, furent alors Auric, Poulenc, Milhaud, Honegger, Durey et Germaine Tailleferre, car une femme, une jeune fille musicienne, fleurissait ce groupe. Si étrange que cela paraisse, puisque toute femme est sensible et apte aux chiffres, il y a beaucoup de compositeurs d'âme féminine — Chopin en reste le type — mais pour ainsi dire aucune femme compositrice. Je salue Germaine comme une charmante exception et j'y ajoute, en 1953, Elsa Barraine.

Louis Durey s'est retiré très vite. Grave et modeste, il ne tenait pas à la lutte musicale. Son âme, encline à aider les autres, répugnait à se trop replier sur elle-même. Georges Auric, jusqu'à l'étonnante musique de mon film *Le Sang d'un poète* et selon l'expression du Midi, « parlait pointu ». Sa plume écorchait et trouait la page. Elle a maintenant trouvé son paraphe et son discours. Poulenc était et reste une source. Cette source a formé un fleuve, mais jamais sa fraîcheur d'eau courante ne laisse oublier qu'elle arrive d'une profondeur. Darius Milhaud et Arthur Honegger nous apportaient leur aide puissante. L'un et l'autre infatigables, ils ne reculaient, même malades, devant aucune grosse entreprise. Darius, une badine de corne de rhinocéros à la main, en fouettait les colonnes de Grèce et les lianes de la forêt vierge. C'est lui qui rapporta du Brésil les rythmes du *Bœuf sur le toit*. Ce titre, qui semblait ridicule et subversif, n'était qu'une enseigne brésilienne, qui n'est pas plus étrange que toute autre enseigne, Cheval vert ou Chien qui fume. Arthur, lui, son génie se sentait entraîné vers un lyrisme moins tropical et plus proche de l'artisanat des cathédrales ou des usines. Le machinisme alterne dans son œuvre avec la gargouille, le retable, la flèche et le vitrail.

Vous le voyez, notre nœud résultait d'un fil, d'une ligne mélodique, dirais-je, si disparate qu'on n'en trouve la signification que dans l'amitié et c'est elle d'abord dont cet ensemble consacre la gloire.

Jean COCTEAU.

XXVI

« *Ci-joint les photographies du* Cardinal Tavera... »
Voir ci-dessus, 10 novembre 1953.

Portrait du cardinal Tavera par Greco, déchiré par les hordes rouges en 1936. Les morceaux ont été recueillis par D. Julio Pascual. Ils gisaient parmi les décombres chez un boulanger qui les donna à Julio Pascual de mauvaise grâce, mais parce que celui-ci, maître ferronnier et artiste, désirait les avoir.

Or M. Julio Pascual est un artisan artiste, fils du peuple et académicien des Beaux-Arts à Toledo. Il donna le tout après la révolution à la Commission du Patronage artistique qui le rendit à la Fondation Tavera. Le duc de Medinaceli (neveu de la duchesse de Lerma) le fit restaurer par le peintre Labrada, ex-directeur de notre Académie à Rome. Il y a deux morceaux, celui du centre et celui à droite en bas du tableau, qui ne furent pas retrouvés. [...]

La Fondation « Duc de Lerma » garde soigneusement tous les reçus, papiers et lettres échangés avec le Greco sur ledit tableau.

XXVII

« *Envoyé hier, à* Vogue, *le texte sur les monstres sacrés...* »
Vogue, Paris, avril 1954.
Voir ci-dessus, 29 novembre 1953.

« *Kean* » *et Pierre Brasseur, son extraordinaire interprète, font courir tout Paris. Cette pièce, dont le succès est loin d'être épuisé met en scène un authentique « lion » du début du* XIXe *siècle, Edmund Kean, célèbre acteur anglais. Jean-Jacques Gautier dans sa critique du* Figaro *décrivait ainsi le héros de Dumas :* « *Un fou de théâtre, une bête de théâtre, un dieu de théâtre, un monstre sacré : le survivant à une race évanouie dans les brumes de la légende.* » *C'est à quelques représentants de cette race évanouie que* Vogue *consacre les pages qui suivent : lions de théâtre et leurs frères en littérature. Bien que leurs extravagances soient plus récentes que celles de Kean, elles nous paraissent aussi lointaines. Jean Cocteau commente ces documents peu connus qui nous restituent certains monstres sacrés du début du siècle dans le cadre de leur vie*[1]*.*

Il ne saurait s'agir ni de mauvais ni de bon goût chez ces fauves. Ils vivaient entourés de fourrures qui ne sont autres que leur propre crinière et de gestes devenus objets. Outre que le bon goût mène à la platitude, ce bric-à-brac signifiait celui d'âmes simples et puissantes où le rêve d'agir l'emportait sur le contrôle. Toute proie était bonne à nos monstres et à leurs terribles mâchoires. Sans le moindre trouble ils dévoraient ce qui s'offre, pêle-mêle : Racine, Shakespeare ou n'importe quel mélodrame de Sardou.

Vous le comprendrez en observant les cages dont ils ne sortaient et où ils ne rentraient que pour suivre la route de leur théâtre.

Sarah Bernhardt et son salut de palais de Venise, Mounet-Sully et l'espèce de pied de nez sublime dont il soulignait un rugissement mélodieux, de Max et ses innombrables profils, Loti pareil aux enfants qui se déguisent, Réjane épinglant à sa toque sa voilette et son sourire, voilà des choses qui embrasaient ma jeunesse et l'ombre des petits hôtels particuliers où ces princes se ruinaient en faux meubles anciens, en cierges et en retables.

Jamais les fortunes qu'ils gagnaient ne restaient dans leurs mains grandes ouvertes et gesticulatrices. Ils ne vivaient que d'un feu absurde et magnifique.

Soyons justes, ces cariatides, ces colosses, eussent-ils résisté au rythme d'un film, de la télévision, de la radio ? Je me le demande. Ils portaient un poids léger sur leurs larges épaules. Et davantage qu'un souvenir exact de leur démarche et de leur prestige vocal, me reste la mémoire du lustre dont s'émerveille Baudelaire, de la cape espagnole, du rideau rouge et or. C'est qu'ils firent un avec le théâtre et que leurs fantômes hantent les couloirs et les loges des temples où ils officiaient, des cirques où ils furent ensemble le dompteur, le tigre et la lionne.

---

1. Ce texte voisinait avec des photographies : intérieurs de Sarah Bernhardt, de Mounet-Sully, de Pierre Loti et de Gabriele D'Annunzio.

Notre époque exige plus de finesse et que le verbe devienne actif. Peut-être a-t-elle perdu le bénéfice de ces excès dont les photographies ci-jointes témoignent de cette fougue aveugle où, sur les planches, le verbe se faisait chair.

XXVIII

« *Fait le nouveau texte sur Apollinaire...* »
Le Flâneur des deux rives, *nº 2, juin 1954.*
Voir ci-dessus, 20 décembre 1953.

PROMENADE AVEC APOLLINAIRE

Le génie peut bénéficier de chance ou connaître la malchance. Un Georges Limbour le prouve dont nous sommes peu à connaître les poèmes admirables. Même *Le Cornet à dés* de Max Jacob ne se trouve pas dans toutes les jeunes poches.

Apollinaire qui se croyait malchance, placé sous la mauvaise étoile de sa blessure, avait la chance et le génie. Pas une chanson qu'il fredonnait en écrivant, pas une tache qui tombait de sa plume, qui ne collaborassent à un *charme*, dans le sens médiéval du terme.

Il possédait la *Grâce* en quelque sorte, cette grâce sans laquelle un poète, si consumé soit-il d'un feu interne, n'obtiendra jamais la palme du martyr.

Comme Picasso, accaparant tout ce qu'il observe, se l'appropriant et le nommant duc sous son règne, Apollinaire « recevait », on eût dit, par le petit harnais d'écoute qu'il portait sur la tête et métamorphosait ce qu'il recevait en cette autre chose qui est le signe mystérieux de la gloire.

Il est possible que le titre *Alcools* et le poème *Zone* viennent de Cendrars. Possible que ce poème pastiche exquisément le poème symboliste que M. Roux déclame à M. Bergeret. Il est possible que les fleurs d'Apollinaire sortissent des *Serres chaudes* de Maeterlinck. Le filtre rend l'origine méconnaissable sauf qu'il lui donne une manière d'écho lointain, cet air de ressemblance (sans ressemblance) d'une famille ou d'une race.

En outre, notre flâneur des deux rives n'herborisait pas seulement sur les rives secrètes. Il adorait les chroniques douteuses, les fables et ce *Fantômas* dont nous connaissions l'Iliade absurde comme d'autres connaissent les moindres épisodes de Balzac.

Sur d'innombrables plates-bandes, il promenait sa corpulence légère et comme aérienne. Il s'engouffrait dans tel ou tel calice, pareil à un gros frelon dans les fleurs. Ensuite boulevard Saint-Germain, en haut d'un perchoir minuscule où il se livrait à ses méthodes d'alchimiste, il faisait du miel, de la gelée royale et de l'or.

Les poètes ne meurent pas, mon cher Guillaume. Ils cèdent la place à leur véritable personne. Tu es donc aussi peu mort que possible. En somme je me promène et bavarde avec toi autour du ministère des Colonies où tu m'écrivais entre les Totems d'Afrique :

> *Nous parlerons de nos projets*
> *De l'Afrique ou bien de l'Asie*
> *Et de tous les dieux nos sujets*
> *À nous, rois de la poésie.*

Jean COCTEAU.

INDEX

DOCUMENTS CITÉS OU REPRODUITS

ENTRETIENS SUR LE MUSÉE DE DRESDE, avec Louis Aragon (*Édit. Cercle d'art*).

LA CORRIDA DU PREMIER MAI (*Grasset*).

POÉSIE CRITIQUE I et II (*Gallimard*).

PICASSO, 1916-1961, illustré par Picasso (*Édit. du Rocher*).

LE CORDON OMBILICAL (*Plon*).

LA COMTESSE DE NOAILLES, OUI ET NON (*Librairie académique Perrin*).

PORTRAIT-SOUVENIR, Entretien avec Roger Stéphane (*Tallandier*).

ENTRETIENS AVEC ANDRÉ FRAIGNEAU (*Union générale d'édition*).

JEAN COCTEAU PAR JEAN COCTEAU, Entretiens avec William Fifield (*Stock*).

POÉSIE DE JOURNALISME, 1935-1938 (*Belfond*).

LE PASSÉ DÉFINI, texte établi et annoté par Pierre Chanel (*Gallimard*).
  I. 1951-1952.

Poésie de théâtre

LE GENDARME INCOMPRIS, avec Raymond Radiguet, dans *Cahiers Jean Cocteau*, 2 (*Gallimard*).

PAUL ET VIRGINIE, avec Raymond Radiguet (*Lattès*).

THÉÂTRE I : Antigone. — Les Mariés de la tour Eiffel. — Les Chevaliers de la Table ronde. — Les Parents terribles (*Gallimard*).

THÉÂTRE II : Les Monstres sacrés. — La Machine à écrire. — Renaud et Armide. — L'Aigle à deux têtes (*Gallimard*).

ORPHÉE (*Stock*).

ŒDIPE ROI — ROMÉO ET JULIETTE (*Plon*).

LA VOIX HUMAINE (*Stock*).

LA MACHINE INFERNALE (*Grasset*).

THÉÂTRE DE POCHE (*Morihien*).

NOUVEAU THÉÂTRE DE POCHE (*Édit. du Rocher*).

BACCHUS (*Gallimard*).

L'IMPROMPTU DU PALAIS-ROYAL (*Gallimard*).

Poésie graphique

DESSINS (*Stock*).

LE MYSTÈRE DE JEAN L'OISELEUR (*Champion*).

MAISON DE SANTÉ (*Briant-Robert*).

VINGT-CINQ DESSINS D'UN DORMEUR (*Mermod*).

LE SANG D'UN POÈTE *(Édit. du Rocher)*.

NOUVEAU THÉÂTRE DE POCHE *(Édit. du Rocher)*.

LE CORDON OMBILICAL *(Plon)*.

Poésie cinématographique

LE SANG D'UN POÈTE *(Édit. du Rocher)*.

LE BARON FANTÔME, dialogues du film de Serge de Poligny *(L'Avant-Scène cinéma, n° 138-139)*.

L'ÉTERNEL RETOUR, avec Jean Delannoy *(Nouvelles Éditions Françaises)*.

LES DAMES DU BOIS DE BOULOGNE, dialogues du film de Robert Bresson *(Cahiers du cinéma, n°s 75 à 77)*.

LA BELLE ET LA BÊTE *(New York University Press)*.

RUY BLAS, avec Pierre Billon *(Morihien)*.

L'AIGLE À DEUX TÊTES *(Paris-Théâtre, n° 22)*.

LES PARENTS TERRIBLES *(Le Monde illustré théâtral et littéraire, n° 37)*.

LA VOIX HUMAINE, avec Roberto Rossellini.

LES NOCES DE SABLE, commentaire du film d'André Zwobada *(L'Avant-Scène cinéma, n° 307-308)*.

ORPHÉE *(André Bonne)*.

LES ENFANTS TERRIBLES, avec Jean-Pierre Melville.

LE ROSSIGNOL DE L'EMPEREUR DE CHINE, commentaire du film de Jiri Trnka *(L'Avant-Scène cinéma, n° 3)*.

LA VILLA SANTO SOSPIR *(Kodachrome)*.

LE TESTAMENT D'ORPHÉE *(Édit. du Rocher)*.

LA PRINCESSE DE CLÈVES, dialogues du film de Jean Delannoy *(L'Avant-Scène cinéma, n° 3)*.

DU CINÉMATOGRAPHE *(Belfond)*.

ENTRETIENS SUR LE CINÉMATOGRAPHE *(Belfond)*.

Livres illustrés

QUERELLE DE BREST, de Jean Genet *(Morihien)*.

LA COURSE DES ROIS, de Thierry Maulnier *(Valmont)*.

LE BAL DU COMTE D'ORGEL, de Raymond Radiguet *(Édit. du Rocher)*.

SOUS LE MANTEAU DE FEU, de Geneviève Laporte *(Forêt)*.

DOUZE POÈMES, de Paul Valéry *(Les Bibliophiles du Palais)*.

JEAN COCTEAU TOURNE SON DERNIER FILM, de Roger Pillaudin *(La Table ronde)*.

MONTAGNES MARINES, d'André Verdet *(Gastaud)*.

TAUREAUX, de Jean-Marie Magnan *(Trinckvel)*.

Avec les musiciens

PARADE, ballet (Erik Satie — *Columbia*).

HUIT POÈMES (Georges Auric).

CHANSONS BASQUES (Louis Durey).

LE PRINTEMPS AU FOND DE LA MER (Louis Durey — *Columbia*).

COCARDES (Francis Poulenc).

LE BŒUF SUR LE TOIT (Darius Milhaud — *Capitol*).

TROIS POÈMES (Darius Milhaud — *Véga*).

DEUX POÈMES (Jean Wiéner).

LES MARIÉS DE LA TOUR EIFFEL (Groupe des Six — *Pathé-Marconi*).

SIX POÉSIES (Arthur Honegger — *Le Chant du Monde*).

LE TRAIN BLEU, ballet (Darius Milhaud — *Pathé-Marconi*).

SIX POÈMES (Maxime Jacob.)

ŒDIPUS REX (Igor Stravinski — *Philips*).

LE PAUVRE MATELOT (Darius Milhaud — *Véga*).

ANTIGONE (Arthur Honegger — *Bourg Records*).

CANTATE (Igor Markevitch).

CHANSONS DE MARINS (Henri Sauguet).

LES TAMBOURS QUI PARLENT (Florent Schmitt).

LE JEUNE HOMME ET LA MORT, ballet (Jean-Sébastien Bach/Ottorino Respighi).

PHÈDRE, ballet (Georges Auric — *Columbia*).

LA DAME À LA LICORNE, ballet (Jacques Chailley).

LA VOIX HUMAINE (Francis Poulenc — *Pathé-Marconi*).

LE POÈTE ET SA MUSE, ballet (Gian Carlo Menotti).

LA DAME DE MONTE-CARLO (Francis Poulenc).

PATMOS (Yves Claoué).

ŒDIPE ROI (Maurice Thiriet).

Composition Bussière
et impression S.E.P.C.
à Saint-Amand (Cher), le 8 novembre 1985.
Dépôt légal : novembre 1985.
Numéro d'imprimeur : 1508/1003.
ISBN 2-07-070018-6. Imprimé en France.

36586